JIANHUAZI FANTIZI YITIZI
DUIZHAO ZIDIAN

简化字
繁体字
异体字
对照字典

上海辞书出版社

主　　编　张书岩

编写人员（按音序排列）

何　瑞　黄丽丽　李青梅

刘靖文　王汉长　王　敏

袁建民　张联荣　张书岩

张万彬　章　琼

统　　稿　张书岩　黄丽丽　王汉长

袁建民

目　录

凡例 …………………………………………………… 1

检字表

一、从简化字查繁体字、异体字 ……………… 1

二、从繁体字、异体字查简化字 ……………… 50

正文 ……………………………………………… 1－570

附录

一、汉语拼音方案 ……………………………… 571

二、新旧字形对照表 …………………………… 576

三、汉字结构分类表 …………………………… 581

四、汉字笔顺规则表 …………………………… 582

五、部分疑难汉字(繁体)笔顺表 ……………… 584

六、汉字简化方式一览表 ……………………… 586

七、干支表 ……………………………………… 588

八、节气表 ……………………………………… 589

九、我国历史朝代公元对照简表 …………… 591
十、常用计量单位表 ………………………… 594
汉语拼音索引 ………………………………… 599

凡例

一、本字典收录《通用规范汉字表》中有繁体字、异体字的所有字头。

二、本字典的字头按笔画、笔顺排列。

三、字头以及对应的繁体字、异体字均完全相同，仅读音不同者，不分立字头，用㊀……㊁……表示。如：

鹄(鵠)㊀ hú……

㊁ gǔ……

四、字头有如下情况者分立字头：

1. 简繁体字非一对一的关系。如：

表[1] biǎo　　表[2](錶)biǎo

2. 选用字和异体字非一对一的关系。如：

岳[1]〔嶽〕yuè　　岳[2] yuè

3. 以上两种关系都有的。如：

胡[1] hú

胡[2]〔衚〕hú　　［胡同］巷子；小街道。

胡[3](鬍)hú　　嘴周围及连着鬓角长的毛。

五、字头后依据《通用规范汉字表》附列对应的繁体字和异体字，繁体字加(　)，异体字加〔　〕。字头及释义用字均采用《通用规范汉字表》的字形。

六、本字典依据普通话语音系统，用汉语拼音字母标音。有异读的字的读音按《普通话异读词审音表》的规定处理。有关事项说明如下：

1. 条目中的轻声字，注音不标调号，注音前再加圆点。

2. 一般轻读、间或重读的字，注音上标调号，注音前再加圆点。

3. 对儿化音，只在基本形式后面加“r”。

4. 注音时，用“—”代替省略的音节。

七、本字典的义项按字义的发展顺序排列。义项用❶❷❸……标出，其下子项用1.2.3.……标出。

1. 出现在成语或古代名句中的本义或古义酌情收入。有些今已不用，但能体现字义发展脉络的本义、古义放入【备考】中说明。

2. 不同词性的字义分立义项。

3. 联系较紧密的引申义、比喻义或特指义不单立义项，分别用“引申为”、“喻指”或“特指”列于本义项之后。

4. 使动义及词类活用单列义项。

5. 虚词义标注词性。

6. 涉及科技的专业用字以及朝代、地名、姓氏等专用字，释义从简。

7. “某同某”仅用于异体关系。假借等关系用“某通某”表示。

8. 〈方〉表示该字为方言用字或该义项为方言地区用法。〈书〉表示该字或该义项只在书面语中使用。

〈口〉表示该字或该义项在口语中使用。

9. 对非语素字的处理,采取加【　】的方式:

(1) 一个词中的两个字都是非语素字的,将该词加【　】列于前字下,注音并释义;在后字下注明:见"某(前字)"(××页)。

(2) 一个词中只有一个字是非语素字的,将该词加【　】列于非语素字下(一般不注音),并释义;在组成该词的语素字下不做注释。

10. 每个义项后面列例证 1～6 个,体现该字的各种用法。没有现代汉语例证的,用浅显易懂的古汉语例证。

11. 释义用字出现难认的字时,在该字后加括号注音。

12. 释义中举例时,用"～"代替所释的字或词。

八、字头最后酌情加【辨析】和【备考】两项。如有必要,其下再列①②③……

(一)【辨析】包括形、音、义三项内容:

1. 辨形:(1) 易错的笔画、笔顺;(2) 形近字;(3) 错字(含不规范的简化字);(4) 酌情说明非一对一的简繁体、正异体关系。

2. 辨音:(1)《普通话异读词审音表》所列多音字中,需要辨析说明以方便读者理解的;(2) 有旧读需要说明的字。

3. 辨义:(1) 近义字;(2) 意义部分相同的字;(3) 义虽不近但易混用的字;(4) 某字在某些词中的特殊用法。

上述各项,若所辨析的是一组字,则所辨内容一般列于其中一个字头之下,其他字头下注明:见"某"字辨析。

(二)【备考】包括四项内容:

1. 字源的探讨。必要时选用古文字字形来说明。

2. 结构分析。指出该字在六书中属哪一类以及古今的变化情况。

上述 1. 2.两项,一般采用有定论的说法。意见有分歧的,采用一种我们认为较正确的说法。没有较可靠说法的或结构较为简单的,不作分析。

3. 在部首字下说明该部字的意义特征。不成字部首的含义及所属字的意义特征酌情在该部字的某个字下面介绍。

4. 介绍每个简化字的来源及最早的出处(限定在我们掌握的资料范围内)。在介绍简化字的出处时,将提到如下资料:1932 年由中华民国政府教育部发布的《国音常用字汇》,1935 年由 200 位知名人士和 15 个社团联合发起制订的《手头字第一期字汇》,1935 年由中华民国教育部公布的《简体字表》。上述资料在行文中略去制订者。

5. 说明某些繁体字和异体字在使用中需要注意的事项及变动情况,详细介绍《通用规范汉字表》对某些繁体字和异体字的调整。

6. 其他需要说明的问题。

九、本字典正文后收附录十个,并附《汉语拼音索引》。

检字表

一、从简化字查繁体字、异体字

说明

1. 本表收录书中全部单字头中的简化字、繁体字、异体字，简化字在前，用“(　)”括注对应的繁体字，用“〔　〕”括注对应的异体字。右边的数字是单字头所在正文页码。

2. 本表按简化字的笔画、笔顺排序。笔画数少的在前，多的在后。笔画数相同时，按单字的笔顺横(一)、竖(丨)、撇(丿)、点(丶)、折(乛)排序。

2 画

【一】

厂(廠) 1

【丨】

卜(蔔) 1

【丿】

儿(兒) 2
几(幾) 2

【乛】

了(瞭) 3
乃〔廼〕 4
〔迺〕 4

3 画

【一】

干(乾) 5
〔乹〕 5
〔乾〕 5
(幹) 6
〔榦〕 6
亏(虧) 6
才(纔) 7
与(與) 7
万(萬) 8

【丿】

千(韆) 8

亿(億) 8
个(個) 8, 9
〔箇〕 8
么(麽) 9
凡〔凢〕 10

【丶】

广(廣) 10
亡〔亾〕 10
门(門) 11
丫〔枒〕 11
〔椏〕 11
义(義) 12
尸〔屍〕 12

【乛】

卫(衛) 12
飞(飛) 13
习(習) 13
马(馬) 13
乡(鄉) 14

4画

【一】

丰(豐) 15
开(開) 15
无(無) 16
韦(韋) 16
云(雲) 17
专(專) 17
〔耑〕 17
丐〔匄〕 18
〔匃〕 18
扎〔紮〕 18
〔紥〕 18
艺(藝) 18
厅(廳) 19
区(區) 19
历(歷) 19
〔歴〕 19
〔厯〕 19
(曆) 20
〔厤〕 20
厄〔戹〕 20
〔阨〕 20
匹〔疋〕 20
车(車) 20
巨〔鉅〕 21

【丨】

贝(貝) 21
冈(岡) 22
见(見) 22

【丿】

气(氣) 23
升〔昇〕 24
升〔陞〕 24
夭〔殀〕 24
长(長) 25
仆(僕) 25
仇〔讐〕 26
〔讎〕 26
币(幣) 26
仅(僅) 26
斤〔觔〕 27
从(從) 27
仑(侖) 28
〔崘〕 28
〔崙〕 28
凶〔兇〕 28
仓(倉) 28
风(風) 28
乌(烏) 29
凤(鳳) 29

【丶】

闩(閂) 30
为(爲) 30
斗(鬥) 31
〔鬦〕 31
〔鬪〕 31
〔鬭〕 31

忆(憶) 31
计(計) 31
订(訂) 32
讣(訃) 32
认(認) 32
冗〔宂〕 32
讥(譏) 32

【乛】

丑(醜) 33
队(隊) 33
办(辦) 33
以〔㕥〕 34
〔㠯〕 34
邓(鄧) 34
劝(勸) 34
双(雙) 35
书(書) 35

5画

【一】

刊〔栞〕 36
击(擊) 36
戋(戔) 36
扑(撲) 36
节(節) 37
术(術) 38
札〔劄〕 38
〔剳〕 38
匝〔帀〕 38
厉(厲) 38
布〔佈〕 39
龙(龍) 39
灭(滅) 39
轧(軋) 40
东(東) 40
劢(勱) 40

【丨】

占〔佔〕 40
卢(盧) 41
业(業) 41
旧(舊) 41
帅(帥) 42
归(歸) 42
叶(葉) 42
电(電) 43
号(號) 43
只(隻) 44
(祇) 44
〔衹〕 44
〔秖〕 44
叽(嘰) 45
叫〔呌〕 45
叩〔敂〕 45
叹(嘆) 45
〔歎〕 45
冉〔冄〕 46

【丿】

丘〔坵〕 46
仙〔僊〕 46
们(們) 46
仪(儀) 46
卮〔巵〕 47
丛(叢) 47
尔(爾) 47
〔尒〕 47
乐(樂) 47
匆〔悤〕 47
〔怱〕 47
册〔冊〕 48
卯〔夘〕 48
〔戼〕 48
处(處) 48
冬(鼕) 49
鸟(鳥) 49
务(務) 49
刍(芻) 50
饥(飢) 50
(饑) 50

【丶】
邝(鄺) 50
冯(馮) 50
闪(閃) 51
兰(蘭) 51
汇(匯) 51
〔滙〕 51
(彙) 51
头(頭) 52
汉(漢) 53
宁(寧) 53
〔寕〕 53
〔甯〕 53
它〔牠〕 54
讦(訐) 54
𬣙(訏) 54
讧(訌) 54
讨(討) 54
写(寫) 55
让(讓) 55
礼(禮) 55
讪(訕) 56
讫(訖) 56
训(訓) 56
议(議) 56
讯(訊) 56
记(記) 56
讱(訒) 57

【乛】
出(齣) 57
辽(遼) 57
奶〔妳〕 57
〔嬭〕 57
边(邊) 58
发(發) 58
(髮) 59
圣(聖) 59
对(對) 60
台(臺) 60
(颱) 61
(檯) 61
纠(糾) 61
〔糺〕 61
驭(馭) 62
丝(絲) 62

6画

【一】
玑(璣) 63
动(動) 63
〔働〕 63
扛〔摃〕 64
扣〔釦〕 64
考〔攷〕 64
托〔託〕 65
巩(鞏) 65
执(執) 65
圹(壙) 66
扩(擴) 66
扪(捫) 66
扫(掃) 66
场(場) 66
〔塲〕 66
扬(揚) 67
〔敭〕 67
〔颺〕 67
亚(亞) 67
芗(薌) 68
朴(樸) 68
机(機) 68
权(權) 69
过(過) 69
亘〔亙〕 70
再〔再〕 70
〔𠕅〕 70
协(協) 70
压(壓) 71
厌(厭) 71

库(庫) 71
页(頁) 71
夸(誇) 72
夺(奪) 72
达(達) 72
夹(夾) 73
〔袷〕 73
〔裌〕 73
轨(軌) 73
邪〔衺〕 74
尧(堯) 74
划(劃) 74
迈(邁) 74
毕(畢) 75

【丨】

贞(貞) 75
师(師) 75
尘(塵) 76
当(當) 76
(噹) 76
吁(籲) 77
吓(嚇) 77
虫(蟲) 77
曲(麯) 78
〔麴〕 78
团(團) 78
(糰) 78
同〔仝〕 79
〔衕〕 79
吊〔弔〕 79
吃〔喫〕 80
因〔囙〕 80
吗(嗎) 80
屿(嶼) 81
岁(歲) 81
〔嵗〕 81
帆〔㠶〕 81
〔颿〕 81
回(迴) 82
〔廻〕 82
〔逥〕 82
岂(豈) 82
则(則) 82
刚(剛) 82
网(網) 83

【丿】

钆(釓) 83
钇(釔) 83
年〔秊〕 83
朱(硃) 84
迁(遷) 84
乔(喬) 84
伟(偉) 85
传(傳) 85
伛(傴) 85
优(優) 85
伣(俔) 86
伤(傷) 86
伥(倀) 86
价(價) 86
伦(倫) 87
伧(傖) 87
华(華) 87
仿〔倣〕 88
〔髣〕 88
伙(夥) 88
伪(僞) 88
伫〔佇〕 89
〔竚〕 89
向(嚮) 89
〔曏〕 89
似〔佀〕 89
后(後) 90
会(會) 90
杀(殺) 91
合(閤) 92
众(衆) 92
〔眾〕 92

爷(爺) 92
伞(傘) 92, 93
〔傘〕 92, 93
〔繖〕 92
创(創) 93
〔刱〕 93
〔剙〕 93
朵〔朶〕 93
杂(雜) 93
〔襍〕 93
负(負) 94
犷(獷) 94
犸(獁) 94
凫(鳧) 94
邬(鄔) 94
饧(餳) 94

【丶】

壮(壯) 95
冲(衝) 95
妆(妝) 96
〔粧〕 96
冰〔氷〕 96
庄(莊) 97
庆(慶) 97
刘(劉) 97
齐(齊) 97
产(産) 98
决〔決〕 98
闫(閆) 99
闭(閉) 99
问(問) 99
闯(闖) 99
并〔併〕 99
〔並〕 99
〔竝〕 99
关(關) 100
灯(燈) 101
污〔汙〕 101
〔汚〕 101
沥(瀝) 101
汤(湯) 101
忏(懺) 102
兴(興) 102
讲(講) 103
讳(諱) 103
讴(謳) 103
军(軍) 103
讵(詎) 103
讶(訝) 103
讷(訥) 103
许(許) 104
讹(訛) 104
〔譌〕 104
䜣(訢) 104
论(論) 104
讻(訩) 105
讼(訟) 105
农(農) 105
〔辳〕 105
讽(諷) 105
设(設) 105
访(訪) 106
𬣞(詝) 106
诀(訣) 106

【乛】

寻(尋) 106
〔尋〕 106
尽(儘) 106
(盡) 107
导(導) 107
异〔異〕 107
阱〔穽〕 108
孙(孫) 108
阵(陣) 108
阳(陽) 108
阶(階) 109
〔堦〕 109
阴(陰) 109

〔隂〕 109
奸〔姦〕 110
妇(婦) 110
〔媍〕 110
妈(媽) 110
戏(戲) 110
〔戯〕 110
观(觀) 111
欢(歡) 111
〔懽〕 111
〔讙〕 111
〔驩〕 111
买(買) 111
纡(紆) 112
红(紅) 112
纣(紂) 112
驮(馱) 112
〔駄〕 112
纤(縴) 112
(纖) 112
纥(紇) 113
驯(馴) 113
𬘘(紃) 113
约(約) 113
纨(紈) 113
级(級) 113
纩(纊) 113
纪(紀) 114
驰(馳) 114
纫(紉) 114
巡〔廵〕 114

7 画

【一】

寿(壽) 115
弄〔挵〕 115
〔衖〕 115
玙(璵) 116
麦(麥) 116
玚(瑒) 116
玛(瑪) 116
进(進) 116
远(遠) 117
违(違) 117
韧(韌) 117
〔靭〕 117
〔靱〕 117
〔韌〕 117
刬(剗) 117
运(運) 117
抚(撫) 117
坛(壇) 118
(罎) 118
〔罈〕 118
〔壜〕 118
抟(摶) 118
坏(壞) 118
抠(摳) 119
�
坜(壢) 119
扰(擾) 119
扼〔搤〕 119
址〔阯〕 120
扯〔撦〕 120
贡(貢) 120
坝(垻) 120
(壩) 120
折(摺) 121
坂〔阪〕 121
〔岅〕 121
抡(掄) 121
𫭢(埨) 122
抢(搶) 122
坎〔埳〕 122
坞(塢) 122
〔隖〕 122
坟(墳) 122
坑〔阬〕 123

扔(撝)　123
护(護)　123
壳(殼)　123
志〔誌〕　124
块(塊)　124
声(聲)　124
报(報)　124
拟(擬)　125
〔儗〕　125
却〔卻〕　125
〔卻〕　125
劫〔刦〕　125
〔刼〕　125
〔刧〕　125
扨(攛)　125
芜(蕪)　126
苇(葦)　126
芸(蕓)　126
苈(藶)　126
苋(莧)　126
苌(萇)　126
花〔苍〕　126
〔蘤〕　126
苁(蓯)　127
苍(蒼)　127
严(嚴)　127
芗(薌)　127
苎(苧)　128
芦(蘆)　128
劳(勞)　128
克(剋)　128
〔尅〕　128
苏(蘇)　129
〔蘓〕　129
〔甦〕　129
(囌)　129
杆〔桿〕　129
杠〔槓〕　130
村〔邨〕　130
极(極)　130
杨(楊)　131
杩(榪)　131
豆〔荳〕　131
两(兩)　131
丽(麗)　132
医(醫)　133
励(勵)　133
还(還)　133
矶(磯)　134
奁(奩)　134
〔匳〕　134
〔匲〕　134
〔籢〕　134
歼(殲)　134
来(來)　134
连(連)　135
欤(歟)　136
轩(軒)　136
轪(軑)　136
轨(軌)　136
轫(軔)　136
〔軚〕　136

【丨】

卤(鹵)　136,137
(滷)　137
邺(鄴)　137
坚(堅)　137
时(時)　137
〔旹〕　137
呒(嘸)　138
县(縣)　138
里(裏)　138
〔裡〕　138
呓(囈)　139
呆〔獃〕　139
呕(嘔)　139
园(園)　139
呖(嚦)　140

旷(曠) 140
围(圍) 140
吨(噸) 140
旸(暘) 141
虬〔虯〕 141
邮(郵) 141
困(睏) 141
呗(唄) 141
员(員) 142
呙(咼) 142
听(聽) 142
吟〔唫〕 143
呛(嗆) 143
吻〔脗〕 143
鸣(鳴) 143
别(彆) 144
帏(幃) 144
岖(嶇) 144
岍(㠗) 144
岗(崗) 144
岘(峴) 144
帐(帳) 144
岚(嵐) 144
财(財) 145
囵(圇) 145
觃(覎) 145

【丿】
针(針) 145
〔鍼〕 145
钉(釘) 145
钊(釗) 146
钋(釙) 146
钌(釕) 146
乱(亂) 146
体(體) 146
佣(傭) 147
你〔妳〕 147
㑇(㑳) 148
皂〔皁〕 148
佛〔彿〕 148
〔髴〕 148
彻(徹) 148
余(餘) 149
佥(僉) 149
谷(穀) 149
邻(鄰) 149
〔隣〕 149
肛〔疘〕 150
肠(腸) 150
〔膓〕 150
龟(龜) 150
犹(猶) 150
狈(狽) 151
飏(颺) 151
删〔刪〕 151
鸠(鳩) 151
条(條) 151
岛(島) 151
〔㠀〕 151
邹(鄒) 152
刨〔鉋〕 152
〔鑤〕 152
饨(飩) 152
饩(餼) 152
饪(飪) 152
〔餁〕 152
饫(飫) 152
饬(飭) 152
饭(飯) 152
饮(飲) 153
〔飮〕 153
系(係) 153
(繫) 153

【丶】
冻(凍) 154
状(狀) 154
亩(畝) 154

字	页码
〔𤰝〕	154
〔畒〕	154
〔𤱈〕	154
〔畆〕	154
〔畮〕	154
况〔況〕	155
庑(廡)	155
床〔牀〕	155
库(庫)	155
疗(療)	155
疖(癤)	155
吝〔恡〕	156
应(應)	156
这(這)	156
庐(廬)	157
弃〔棄〕	157
闰(閏)	157
闱(闈)	158
闲(閑)	158
〔閒〕	158
闳(閎)	158
间(間)	158
闵(閔)	159
闶(閌)	159
闷(悶)	159
羌〔羌〕	159
〔羗〕	159
灶(竈)	159
灿(燦)	159
炀(煬)	160
沣(灃)	160
𣲘(潕)	160
𣲗(湋)	160
沄(澐)	160
沤(漚)	160
沥(瀝)	160
涢(溳)	161
沦(淪)	161
汹〔洶〕	161
泛〔氾〕	161
〔汎〕	161
沧(滄)	161
沨(渢)	161
沟(溝)	161
沩(溈)	162
沪(滬)	162
沈(瀋)	162
怃(憮)	162
怀(懷)	162
怄(慪)	163
忧(憂)	163
忤〔牾〕	163
忾(愾)	163
怅(悵)	163
怆(愴)	164
穷(窮)	164
灾〔災〕	164
〔烖〕	164
〔菑〕	164
𫍣(諓)	164
证(證)	164
诂(詁)	165
诃(訶)	165
启(啓)	165
〔晵〕	165
〔啟〕	165
评(評)	165
补(補)	166
祀〔禩〕	166
祃(禡)	166
诅(詛)	166
识(識)	166
诇(詗)	167
诈(詐)	167
诉(訴)	167
〔愬〕	167
诊(診)	167

诋(詆) 167
谄(諂) 167
词(詞) 167
〔詈〕 167
诎(詘) 167
诏(詔) 167
诐(詖) 168
译(譯) 168
诒(詒) 168

【乛】

灵(靈) 168
层(層) 168
屃(屓) 169
迟(遲) 169
局〔侷〕 169
〔跼〕 169
弪(弳) 169
张(張) 170
际(際) 170
陆(陸) 170
陇(隴) 170
陈(陳) 171
附〔坿〕 171
坠(墜) 171
陉(陘) 171
妩(嫵) 172
妪(嫗) 172
妙〔玅〕 172
妊〔姙〕 172
姊〔姉〕 172
妫(媯) 172
妒〔妬〕 172
刭(剄) 172
劲(勁) 172
鸡(鷄) 173
〔雞〕 173
纬(緯) 173
纭(紜) 173
驱(驅) 173
〔駈〕 173
〔敺〕 173
纮(紘) 173
纯(純) 173
纰(紕) 174
纱(紗) 174
驲(馹) 174
纲(綱) 174
纳(納) 174
纴(紝) 174
驳(駁) 174,175
〔駮〕 174
纵(縱) 175
纶(綸) 175
纷(紛) 175
纸(紙) 175
〔帋〕 175
纹(紋) 175
𫘝(駮) 176
纺(紡) 176
纻(紵) 176
驴(驢) 176
𬘘(紞) 176
𫘞(駃) 176
纼(紖) 176
纽(紐) 176
纾(紓) 177

8画

【一】

玩〔翫〕 178
玮(瑋) 178
环(環) 178
责(責) 178
现(現) 179
玱(瑲) 179
表(錶) 179
规(規) 179
〔槼〕 179

字	页
匦(匭)	180
拓〔搨〕	180
拢(攏)	180
拣(揀)	180
垆(壚)	180
担(擔)	181
坤〔堃〕	181
拐〔柺〕	181
拖〔拕〕	181
顶(頂)	182
拥(擁)	182
抵〔牴〕	183
〔觝〕	183
势(勢)	183
拦(攔)	183
幸〔倖〕	183
抠(摳)	184
拧(擰)	184
拨(撥)	184
择(擇)	185
坳〔坳〕	185
拗〔抝〕	185
茏(蘢)	185
苹(蘋)	185
茑(蔦)	185
范(範)	186
苧(薴)	186
茔(塋)	186
茕(煢)	186
茎(莖)	186
杯〔盃〕	186
〔桮〕	186
枢(樞)	186
枥(櫪)	187
柜(櫃)	187
㭎(棡)	187
枧(梘)	187
枨(棖)	187
板(闆)	187
枞(樅)	188
松(鬆)	188
枪(槍)	188,189
〔鎗〕	188
枫(楓)	189
构(構)	189
〔搆〕	189
杰〔傑〕	189
丧(喪)	189
画(畫)	189
枣(棗)	190
卖(賣)	190
郁(鬱)	190
〔欝〕	190
〔鬰〕	190
矾(礬)	191
矿(礦)	191
〔鑛〕	191
砀(碭)	191
码(碼)	191
厕(廁)	191
〔廁〕	191
奔〔奔〕	192
〔犇〕	192
〔逩〕	192
奋(奮)	192
态(態)	193
瓯(甌)	193
欧(歐)	193
殴(毆)	193
垄(壟)	193
郏(郟)	193
轰(轟)	193
顷(頃)	194
转(轉)	194
轭(軛)	194
斩(斬)	194
轮(輪)	195
𫐄(軝)	195

软(軟) 195
〔輭〕 195
鸢(鳶) 195

【丨】

肯〔肎〕 195
齿(齒) 195
虏(虜) 196
〔虜〕 196
肾(腎) 196
贤(賢) 196
𬀩(暐) 197
昙(曇) 197
果〔菓〕 197
昆〔崐〕 197
〔崑〕 197
国(國) 197
畅(暢) 198
𬀪(晛) 198
咙(嚨) 198
虮(蟣) 198
黾(黽) 198
咒〔呪〕 198
呼〔虖〕 198
〔嘑〕 198
〔謼〕 198
鸣(鳴) 199
咛(嚀) 199
咏〔詠〕 199
咝(噝) 199
岸〔岍〕 199
岩〔嵒〕 199
〔巗〕 199
〔巖〕 199
岽(崬) 200
罗(羅) 200
岿(巋) 200
帜(幟) 200
帙〔袟〕 200
〔袠〕 200
岭(嶺) 200
刿(劌) 200
迥〔逈〕 200
剀(剴) 201
凯(凱) 201
峄(嶧) 201
败(敗) 201
账(賬) 201
贩(販) 201
贬(貶) 201
购(購) 202
贮(貯) 202
图(圖) 202
罔〔罔〕 202

【丿】

钍(釷) 203
𫓧(鈛) 203
钎(釬) 203
钏(釧) 203
钐(釤) 203
钓(釣) 203
钒(釩) 203
钔(鍆) 203
钕(釹) 203
钖(鍚) 204
钗(釵) 204
制(製) 204
氛〔雰〕 204
牦〔犛〕 204
〔氂〕 204
刮(颳) 205
秆〔稈〕 205
和〔咊〕 205
〔龢〕 205
岳〔嶽〕 206
侠(俠) 206
侥(僥) 207
〔儌〕 207
侄〔妷〕 207

〔姪〕 207
侦(偵) 207
〔遉〕 207
侃〔偘〕 207
侧(側) 207
凭(憑) 207
〔凴〕 207
侨(僑) 208
侩(儈) 208
货(貨) 208
侪(儕) 208
侬(儂) 208
迫〔廹〕 208
质(質) 208
欣〔訢〕 209
征(徵) 209
往〔徃〕 209
径(徑) 210
〔逕〕 210
舍(捨) 210
刽(劊) 211
郐(鄶) 211
命〔𠇮〕 211
肴〔餚〕 211
怂(慫) 211
采〔採〕 211
采〔寀〕 212
籴(糴) 212
觅(覓) 212
〔覔〕 212
贪(貪) 212
念〔唸〕 212
贫(貧) 212
瓮〔甕〕 213
〔罋〕 213
戗(戧) 213
肤(膚) 213
䏝(膞) 213
肿(腫) 213
胀(脹) 214
肮(骯) 214
胁(脅) 214
〔脇〕 214
周〔週〕 214
昏〔昬〕 215
迩(邇) 215
鱼(魚) 215
兔〔兎〕 215
〔兔〕 215
狝(獮) 216
狞(獰) 216
备(備) 216
〔俻〕 216
枭(梟) 216
饯(餞) 216
饰(飾) 216
饱(飽) 216
饲(飼) 217
〔飤〕 217
饳(飿) 217
饴(飴) 217

【丶】

变(變) 217
享〔亯〕 217
庞(龐) 218
夜〔亱〕 218
庙(廟) 218
疟(瘧) 218
疠(癘) 218
疡(瘍) 219
剂(劑) 219
卒〔卆〕 219
废(廢) 219
〔癈〕 219
净〔淨〕 219
闸(閘) 220
〔牐〕 220
闹(鬧) 220

〔閙〕 220
郑(鄭) 221
券〔劵〕 221
卷(捲) 221
单(單) 221
炜(煒) 222
炬(熰) 222
炝(熗) 222
炕〔匟〕 222
炉(爐) 222
〔鑪〕 222
浅(淺) 223
法〔灋〕 223
〔灋〕 223
泄〔洩〕 224
泷(瀧) 224
沾〔霑〕 224
泸(瀘) 224
泪〔淚〕 225
泺(濼) 225
注〔註〕 225
泞(濘) 225
泻(瀉) 225
泯〔泯〕 225
泼(潑) 225
泽(澤) 226
泾(涇) 226
怜(憐) 226
怡(㦤) 226
怿(懌) 226
怪〔恠〕 226
峃(嶨) 227
学(學) 227
宝(寶) 227
〔寳〕 227
宠(寵) 228
审(審) 228
帘(簾) 228
实(實) 228
〔寔〕 228
诓(誆) 228
诔(誄) 229
试(試) 229
诖(詿) 229
诗(詩) 229
诘(詰) 229
诙(詼) 229
诚(誠) 230
郓(鄆) 230
衬(襯) 230
祎(禕) 230
视(視) 230
〔眎〕 230
〔眡〕 230
诇(詗) 230
诛(誅) 230
诜(詵) 231
话(話) 231
〔諙〕 231
诞(誕) 231
诟(詬) 231
诠(詮) 231
诡(詭) 231
询(詢) 231
诣(詣) 231
诤(諍) 231
该(該) 231
详(詳) 232
诧(詫) 232
诨(諢) 232
诅(詛) 232
诩(詡) 232

【乛】

郡(郡) 232
肃(肅) 232
录(録) 233
隶(隸) 233
〔隷〕 233

〔隷〕 233
帚〔箒〕 233
届〔屆〕 233
鸤(鳲) 233
弥(彌) 233
(瀰) 233
弦〔絃〕 234
陕(陝) 234
陧(隉) 234
𬯀(隮) 234
函〔圅〕 234
姗〔姍〕 234
𫰛(娙) 234
驽(駑) 234
虱〔蝨〕 234
驾(駕) 235
迳(逕) 235
参(參) 235
〔叅〕 235
〔蓡〕 235
〔蔘〕 235
艰(艱) 236
线(綫) 236
〔線〕 236
绀(紺) 236
绁(紲) 237
〔絏〕 237
𬳵(駓) 237
绂(紱) 237
练(練) 237
驵(駔) 237
组(組) 237
绅(紳) 237
细(細) 238
驶(駛) 238
织(織) 238
𬳶(駉) 238
䌹(絅) 238
驷(駟) 238
驸(駙) 238
驹(駒) 239
终(終) 239
驺(騶) 239
绉(縐) 239
驻(駐) 239
𬳽(駭) 239
绊(絆) 239
驼(駝) 239
〔駞〕 239
绋(紼) 239
绌(絀) 239
绍(紹) 240
驿(驛) 240
绎(繹) 240
经(經) 240
骀(駘) 241
绐(紿) 241
贯(貫) 241

9画

【一】

贰(貳) 242
春〔旾〕 242
帮(幫) 242
〔幇〕 242
〔幚〕 242
珐〔琺〕 242
珑(瓏) 242
玳〔瑇〕 243
顸(頇) 243
珍〔珎〕 243
㺹(瓅) 243
珊〔珊〕 243
韨(韍) 243
挂〔罣〕 243
〔掛〕 243
垭(埡) 244
挝(撾) 244

项(項) 244
垯(墶) 244
挞(撻) 244
挟(挾) 245
挠(撓) 245
赵(趙) 245
贲(賁) 245
垱(壋) 245
挡(擋) 245
〔攩〕 245
垲(塏) 246
括〔搳〕 246
垛〔垜〕 246
垫(墊) 246
挤(擠) 247
挥(揮) 247
挦(撏) 247
荐(薦) 247
荙(薘) 247
荚(莢) 247
贳(貰) 248
荛(蕘) 248
荜(蓽) 248
带(帶) 248
草〔艸〕 248
茧(繭) 249
〔蠒〕 249
荞(蕎) 249
〔荍〕 249
荟(薈) 249
荠(薺) 249
苘(蔄) 249
垩(堊) 250
荡(蕩) 250
〔盪〕 250
荣(榮) 250
荤(葷) 250
荥(滎) 250
荦(犖) 250
荧(熒) 250
荨(蕁) 251
荩(藎) 251
胡〔衚〕 251
〔鬍〕 251
剋〔尅〕 252
荪(蓀) 252
荫(蔭) 252
〔廕〕 252
荔〔茘〕 252
荬(蕒) 252
荭(葒) 252
荮(葤) 252
药(藥) 252
标(標) 253
栈(棧) 253
栉(櫛) 253
栊(櫳) 253
栋(棟) 253
栌(櫨) 253
查〔査〕 253
柏〔栢〕 254
栀〔梔〕 254
栎(櫟) 254
栅〔柵〕 254
柳〔桺〕 254
〔栁〕 254
柿〔枾〕 254
栏(欄) 255
柠(檸) 255
柽(檉) 255
树(樹) 255
鸸(鴯) 255
郦(酈) 256
咸(鹹) 256
砖(磚) 256
〔塼〕 256
〔甎〕 256
厘〔釐〕 256

砗(硨) 257
砚(硯) 257
斫〔斮〕 257
〔斲〕 257
〔斵〕 257
砜(碸) 257
面(麵) 257
〔麪〕 257
牵(牽) 258
鸥(鷗) 258
䶮(龑) 258
残(殘) 258
殇(殤) 258
轱(軲) 258
轲(軻) 258
轳(轤) 259
轴(軸) 259
轵(軹) 259
轶(軼) 259
轷(軤) 259
轸(軫) 259
轹(轢) 259
轺(軺) 259
轻(輕) 259
鸦(鴉) 260
〔鵶〕 260
虿(蠆) 260

【丨】

韭〔韮〕 260
背〔揹〕 261
战(戰) 261
觇(覘) 261
点(點) 261
临(臨) 262
览(覽) 262
竖(豎) 263
〔竪〕 263
尝(嘗) 263
〔甞〕 263
〔嚐〕 263
眍(瞘) 263
是〔昰〕 263
眇〔𦕈〕 264
觃(覎) 264
昽(曨) 264
哄〔閧〕 264
〔鬨〕 264
哑(啞) 264
显(顯) 264
冒〔冐〕 265
映〔暎〕 265
哒(噠) 265
昵〔暱〕 265
哓(嘵) 265
哔(嗶) 266
毗〔毘〕 266
贵(貴) 266
虾(蝦) 266
虻〔蝱〕 266
蚁(蟻) 266
蚂(螞) 266
虽(雖) 267
咽〔嚥〕 267
骂(罵) 267
〔傌〕 267
〔駡〕 267
哕(噦) 267
剐(剮) 267
郧(鄖) 268
勋(勛) 268
〔勳〕 268
哗(嘩) 268
〔譁〕 268
咱〔偺〕 268
〔喒〕 268
〔偺〕 268
〔喒〕 268
咿〔吚〕 268

响(響) 268
哙(噲) 269
咬〔齩〕 269
咳〔欬〕 269
咩〔哶〕 269
〔哔〕 269
咤〔吒〕 269
哝(噥) 270
哟(喲) 270
峡(峽) 270
峣(嶢) 270
帧(幀) 270
罚(罰) 270
〔罸〕 270
峒〔峝〕 271
峤(嶠) 271
贱(賤) 271
贴(貼) 271
贶(貺) 271
贻(貽) 271

【丿】

钘(鈃) 271
𫓧(鈇) 272
钙(鈣) 272
钚(鈈) 272
钛(鈦) 272
钜(鉅) 272
钝(鈍) 272
钞(鈔) 272
钟(鍾) 272
(鐘) 272
钡(鋇) 273
钢(鋼) 273
钠(鈉) 273
𫓩(鋹) 273
𫓦(釿) 273
钣(鈑) 273
钤(鈐) 273
钤(鈐) 274
钥(鑰) 274
钦(欽) 274
钧(鈞) 274
钨(鎢) 274
钩(鉤) 274
〔鈎〕 274
钪(鈧) 275
钫(鈁) 275
钬(鈥) 275
钭(鈄) 275
钮(鈕) 275
钯(鈀) 275
矩〔榘〕 275
毡(氈) 275
〔氊〕 275
氢(氫) 276
选(選) 276
适(適) 276
秕〔粃〕 277
种(種) 277
秋〔秌〕 277
〔龝〕 277
(鞦) 277
复(復) 278
(複) 278
笃(篤) 278
俦(儔) 278
俨(儼) 278
俩(倆) 278
俪(儷) 279
俫(倈) 279
贷(貸) 279
顺(順) 279
修〔脩〕 279
俭(儉) 280
俟〔竢〕 280
俊〔儁〕 280
〔雋〕 280
徇〔狥〕 280

须(須) 280
(鬚) 280
舣(艤) 281
叙〔敍〕 281
〔敘〕 281
剑(劍) 281
〔劒〕 281
鸧(鶬) 281
胚〔肧〕 281
胧(朧) 281
胨(腖) 281
胪(臚) 281
胆(膽) 282
胜(勝) 282
脉〔脈〕 282,283
〔䘑〕 282
〔衇〕 282
胫(脛) 283
〔踁〕 283
鸨(鴇) 283
狭(狹) 283
〔陿〕 283
狮(獅) 283
独(獨) 283
狯(獪) 283
飐(颭) 284
飑(颮) 284
狱(獄) 284
狲(猻) 284
贸(貿) 284
饵(餌) 284
饶(饒) 284
蚀(蝕) 284
饷(餉) 285
〔饟〕 285
饸(餄) 285
饹(餎) 285
饺(餃) 285
饻(餏) 285
饼(餅) 285

【丶】

峦(巒) 285
弯(彎) 285
孪(孿) 286
娈(孌) 286
将(將) 286
奖(獎) 286
〔奬〕 286
迹〔跡〕 287
〔蹟〕 287
疬(癧) 287
疭(瘲) 287
疮(瘡) 287
疯(瘋) 287
亲(親) 287
飒(颯) 288
〔𩗗〕 288
闺(閨) 288
闻(聞) 288
闼(闥) 288
闽(閩) 288
闾(閭) 288
闿(闓) 288
阀(閥) 288
阁(閣) 289
〔閤〕 289
阂(閡) 289
养(養) 289
姜(薑) 290
类(類) 290
籼〔秈〕 290
娄(婁) 290
总(總) 290
炼(煉) 291
〔鍊〕 291
炽(熾) 292
炯〔烱〕 292
烁(爍) 292

炮〔砲〕 292
〔礮〕 292
烂(爛) 293
烃(烴) 293
剃〔薙〕 294
〔鬀〕 294
洼(窪) 294
洁(潔) 294
〔絜〕 294
洒(灑) 294
浃(浹) 294
浇(澆) 294
浈(湞) 295
浉(溮) 295
浊(濁) 295
测(測) 295
涎〔㳄〕 295
浍(澮) 295
浏(瀏) 295
济(濟) 296
浐(滻) 296
浑(渾) 296
浒(滸) 296
浓(濃) 296
浔(潯) 296
浕(濜) 297
恸(慟) 297
恒〔恆〕 297
恹(懨) 297
恍〔怳〕 297
恺(愷) 297
恻(惻) 297
恤〔卹〕 297
〔䘏〕 297
〔賉〕 297
恼(惱) 298
恽(惲) 298
举(舉) 298
〔擧〕 298
觉(覺) 298
宪(憲) 298
窃(竊) 298
诫(誡) 299
诬(誣) 299
语(語) 299
袆(褘) 299
衽〔袵〕 299
袄(襖) 299
诮(誚) 299
祢(禰) 299
误(誤) 300
诰(誥) 300
诱(誘) 300
诲(誨) 300
诳(誑) 300
鸩(鴆) 300
〔酖〕 300
说(説) 301
诵(誦) 301

【乛】

垦(墾) 301
昼(晝) 301
费(費) 301
逊(遜) 302
陨(隕) 302
险(險) 302
娅(婭) 302
娆(嬈) 302
姻〔婣〕 302
娇(嬌) 302
贺(賀) 302
怼(懟) 303
垒(壘) 303
绑(綁) 303
绒(絨) 303
〔毧〕 303
〔羢〕 303
结(結) 303

绔(絝) 304
骁(驍) 304
绕(繞) 304
〔遶〕 304
绖(絰) 304
骃(駰) 304
𬘡(絪) 304
𬳵(駪) 304
𬘩(綎) 304
骄(驕) 304
𫄧(綖) 305
骅(驊) 305
绗(絎) 305
绘(繪) 305
给(給) 305
绚(絢) 305
绛(絳) 305
骆(駱) 306
络(絡) 306
绝(絕) 306
绞(絞) 306
骇(駭) 306
统(統) 306
骈(駢) 307
骉(驫) 307

10画

【一】

耕〔畊〕 308
艳(艷) 308
〔豔〕 308
〔豓〕 308
顼(頊) 308
珰(璫) 308
𪟝(勣) 308
珲(琿) 309
𬍤(璕) 309
蚕(蠶) 309
顽(頑) 309
盏(盞) 309
〔琖〕 309
〔醆〕 309
捞(撈) 309
𫭼(𡑲) 309
载(載) 309
赶(趕) 310
盐(鹽) 310
捍〔扞〕 310
捏〔揑〕 310
埘(塒) 311
捆〔綑〕 311
埙(塤) 311
〔壎〕 311
埚(堝) 311
损(損) 311
哲〔喆〕 311
捡(撿) 312
挽〔輓〕 312
贽(贄) 312
挚(摯) 312
热(熱) 312
捣(搗) 312
〔擣〕 312
〔擣〕 312
壶(壺) 313
盍〔盇〕 313
耻〔恥〕 313
耽〔躭〕 313
聂(聶) 313
𦰡(𦾟) 313
莱(萊) 313
莲(蓮) 313
莳(蒔) 313
莴(萵) 314
莅〔涖〕 314
〔蒞〕 314
莶(薟) 314

获(獲) 314
(穫) 314
莸(蕕) 314
晋〔晉〕 315
恶(惡) 315
恶(噁) 315
䓖(藭) 315
莹(瑩) 315
莺(鶯) 316
〔鸎〕 316
鸪(鴣) 316
莼(蒓) 316
〔蓴〕 316
桠(椏) 316
栖〔棲〕 316
𬃊(梜) 316
桡(橈) 316
桢(楨) 316
档(檔) 317
桤(榿) 317
桥(橋) 317
桦(樺) 317
桧(檜) 317
桩(樁) 317
核〔覈〕 318
样(樣) 318
栗〔慄〕 318
贾(賈) 318
颃(頏) 319
逦(邐) 319
翅〔翄〕 319
唇〔脣〕 319
砺(礪) 319
砧〔碪〕 319
砾(礫) 319
础(礎) 319
硁(硜) 319
砻(礱) 320
顾(顧) 320
轼(軾) 320
轾(輊) 320
𫐉(輄) 320
轿(轎) 320
辀(輈) 320
辁(輇) 320
辂(輅) 321
较(較) 321
鸫(鶇) 321
顿(頓) 321
趸(躉) 321
毙(斃) 321
〔獘〕 321
致(緻) 322

【丨】

龇(齜) 322
赀(貲) 322
桌〔槕〕 322
鸬(鸕) 322
虑(慮) 322
监(監) 323
紧(緊) 323
〔緊〕 323
〔緊〕 323
党(黨) 323
眬(矓) 324
唛(嘜) 324
晒(曬) 324
晓(曉) 324
唝(嗊) 324
唠(嘮) 325
鸭(鴨) 325
晃〔㨪〕 325
晔(曄) 325
晖(暉) 325
晕(暈) 325
鸮(鴞) 326
蚬(蜆) 326
蚝〔蠔〕 326

蚊〔螡〕 326
〔蟁〕 326
喷(噴) 326
郿(郿) 326
唣〔唕〕 326
恩〔恖〕 327
鸯(鴦) 327
帱(幬) 327
崂(嶗) 327
𪩘(崋) 327
崃(崍) 327
罢(罷) 327
峭〔陗〕 328
峨〔峩〕 328
崄(嶮) 328
峰〔峯〕 328
圆(圓) 328
觊(覬) 329
贼(賊) 329
贿(賄) 329
赂(賂) 329
赃(贜) 329
赅(賅) 329
赆(贐) 329

【丿】

钰(鈺) 330
钱(錢) 330
钲(鉦) 330
钳(鉗) 330
钴(鈷) 330
钵(鉢) 330
〔盋〕 330
〔缽〕 330
钚(鈈) 330
钜(鉅) 331
钹(鈸) 331
钺(鉞) 331
钻(鑽) 331
〔鑚〕 331
𬬻(鑪) 331
钽(鉭) 331
钼(鉬) 331
钾(鉀) 332
钟(鍾) 332
钿(鈿) 332
铀(鈾) 332
铁(鐵) 332
铂(鉑) 332
铃(鈴) 332
铄(鑠) 333
铅(鉛) 333
〔鈆〕 333
铆(鉚) 333
铈(鈰) 333
铉(鉉) 333
铊(鉈) 333
铋(鉍) 333
铌(鈮) 333
铝(鋁) 334
铍(鈹) 334
𨱏(鏺) 334
铎(鐸) 334
𫓧(鉧) 334
氩(氬) 334
牺(犧) 334
乘〔乗〕 334
〔椉〕 334
敌(敵) 335
积(積) 335
称(稱) 335
秘〔祕〕 335
笕(筧) 336
笔(筆) 336
笑〔咲〕 337
笋〔筍〕 337
债(債) 337
借(藉) 337
倾(傾) 337

倏〔倐〕 338
〔儵〕 338
赁(賃) 338
隽〔雋〕 338
俯〔俛〕 338
〔頫〕 338
倦〔勌〕 338
𫢸(僤) 338
射〔䠶〕 338
皋〔皐〕 339
〔臯〕 339
躬〔躳〕 339
衄〔衂〕 339
〔䶊〕 339
颀(頎) 339
徕(徠) 339
殷〔慇〕 339
舰(艦) 339
舱(艙) 340
拿〔拏〕 340
〔㧱〕 340
〔挐〕 340
耸(聳) 340
爱(愛) 340
鸽(鴿) 341
颁(頒) 341
颂(頌) 341
胭〔臙〕 341
脍(膾) 342
脆〔脃〕 342
胸〔胷〕 342
胳〔肐〕 342
脏(髒) 343
(臟) 343
脐(臍) 343
胶(膠) 343
脑(腦) 343
脓(膿) 344
鸱(鴟) 344
玺(璽) 344
鱽(魛) 344
鸲(鴝) 344
狸〔貍〕 344
狷〔獧〕 344
猃(獫) 344
鸵(鴕) 344
留〔畱〕 345
〔畄〕 345
〔畱〕 345
袅(裊) 345
〔嫋〕 345
〔褭〕 345
〔嬝〕 345
鸳(鴛) 345
皱(皺) 345
饽(餑) 345
𫗧(餗) 345
饿(餓) 346
馁(餒) 346

【丶】

凄〔淒〕 346
〔悽〕 346
栾(欒) 346
挛(攣) 346
恋(戀) 346
桨(槳) 347
浆(漿) 347
席〔蓆〕 347
准(準) 347
症(癥) 348
疴〔痾〕 348
斋(齋) 348
〔亝〕 348
痈(癰) 348
疱〔皰〕 349
痉(痙) 349
效〔傚〕 349
〔効〕 349

离(離) 349
颃(頏) 349
资(資) 349
〔貲〕 349
凉〔涼〕 350
竞(競) 350
阃(閫) 350
阄(鬮) 350
訚(誾) 350
阅(閱) 351
阆(閬) 351
瓶〔缾〕 351
郸(鄲) 351
烦(煩) 351
烧(燒) 351
烛(燭) 352
烟〔煙〕 352
〔菸〕 352
烨(燁) 352
〔爗〕 352
烩(燴) 352
𬊈(燖) 353
烬(燼) 353
递(遞) 353
涛(濤) 353
浙〔淛〕 353
涝(澇) 353
涞(淶) 353
涟(漣) 353
涅〔湼〕 353
涠(潿) 354
涢(溳) 354
涡(渦) 354
涂(塗) 354
涤(滌) 354
润(潤) 354
涧(澗) 355
浣〔澣〕 355
涨(漲) 355
烫(燙) 355
涩(澀) 356
〔澁〕 356
〔濇〕 356
涌〔湧〕 356
浚〔濬〕 356
悖〔誖〕 356
悭(慳) 357
悍〔猂〕 357
悯(憫) 357
𬒈(礐) 357
宽(寬) 357
家(傢) 358
宴〔醼〕 358
〔讌〕 358
宾(賓) 358
窍(竅) 358
窎(窵) 359
请(請) 359
诸(諸) 359
诹(諏) 359
诺(諾) 359
读(讀) 359
冢〔塚〕 360
诼(諑) 360
诽(誹) 360
袜(襪) 360
〔韈〕 360
〔韤〕 360
袒〔襢〕 360
袯(襏) 360
祯(禎) 360
课(課) 360
冥〔冥〕 361
〔㝠〕 361
诿(諉) 361
谀(諛) 361
谁(誰) 361
谂(諗) 361

调(調) 361
冤[寃] 362
[寃] 362
谄(諂) 362
[謟] 362
谅(諒) 362
谆(諄) 362
谇(誶) 362
谈(談) 362
谊(誼) 363

【乛】

恳(懇) 363
剧(劇) 363
娲(媧) 363
娴(嫻) 363
[嫺] 363
娘[孃] 363
婀[娿] 364
难(難) 364
预(預) 364
桑[桒] 364
绠(綆) 364
骊(驪) 364
绡(綃) 365
骋(騁) 365
绢(絹) 365
绣(綉) 365
[繡] 365
骁(驍) 365
绨(綈) 365
验(驗) 365
[騐] 365
绤(綌) 365
绥(綏) 365
绦(縧) 365
[絛] 365
[縚] 365
骍(騂) 365
继(繼) 366
绨(綈) 366
综(綜) 366
骎(駸) 366
骏(駿) 366
鸶(鷥) 366

11画

【一】

焘(燾) 367
琎(璡) 367
球[毬] 367
琏(璉) 367
琐(瑣) 367
[瑣] 367
麸(麩) 367
[粰] 367
[麫] 367
琉[瑠] 368
[璢] 368
琅[瑯] 368
捷[捷] 368
掳(擄) 368
掴(摑) 368
捶[搥] 368
掏[搯] 368
鸷(鷙) 368
掷(擲) 368
掸(撣) 368
埠(墠) 369
壶(壺) 369
悫(慤) 369
据(據) 369
[攄] 369
掺(摻) 369
掼(摜) 369
职(職) 370
聍(聹) 370
菱[蔆] 370
萚(蘀) 370

勚(勩) 370
萝(蘿) 370
萤(螢) 370
营(營) 370
蓥(鎣) 370
萦(縈) 371
萧(蕭) 371
萨(薩) 371
梼(檮) 371
梦(夢) 371
婪〔惏〕 371
梾(棶) 372
梿(槤) 372
梅〔楳〕 372
〔槑〕 372
觋(覡) 372
检(檢) 372
棂(櫺) 372
救〔捄〕 372
啬(嗇) 372
匮(匱) 373
敕〔勅〕 373
〔勑〕 373
酝(醖) 373
厢〔廂〕 373
厣(厴) 373
戚〔慽〕 373
〔慼〕 373
戛〔戞〕 374
硕(碩) 374
硅(硅) 374
硖(硤) 374
硗(磽) 374
硙(磑) 374
硚(礄) 374
鸸(鳾) 374
厩〔廐〕 374
〔廄〕 374
聋(聾) 374
龚(龔) 374
袭(襲) 374
䴘(鷉) 375
殒(殞) 375
殓(殮) 375
赉(賚) 375
辄(輒) 375
〔輙〕 375
辅(輔) 375
辆(輛) 375
堑(塹) 375
【丨】
龁(齕) 376
颅(顱) 376
眦〔眥〕 376
啧(嘖) 376
眺〔覜〕 376
眯〔瞇〕 376
悬(懸) 376
野〔埜〕 377
〔壄〕 377
龂(齗) 377
勖〔勗〕 377
啭(囀) 377
跃(躍) 377
啮(嚙) 377
〔齧〕 377
〔囓〕 377
跄(蹌) 378
略〔畧〕 378
蛎(蠣) 378
𬟽(蝀) 378
蛊(蠱) 378
蛇〔虵〕 378
蛏(蟶) 379
累(纍) 379
啰(囉) 379
啴(嘽) 379
啖〔啗〕 380

〔噉〕 380
啸(嘯) 380
帻(幘) 380
崭(嶄) 380
〔嶃〕 380
逻(邏) 380
帼(幗) 380
赇(賕) 380
赈(賑) 380
婴(嬰) 380
赊(賒) 381

【丿】

铏(鉶) 381
铥(銩) 381
铐(銬) 381
铑(銠) 381
铒(鉺) 381
铁(鉷) 381
铺(鋪) 381
钱(鏈) 381
铖(鋮) 381
铗(鋏) 381
铘(鋣) 381
铙(鐃) 382
铚(銍) 382
铛(鐺) 382
铝(鋁) 382
铜(銅) 382
铞(銱) 382
铟(銦) 382
铠(鎧) 382
铡(鍘) 382
铢(銖) 382
铣(銑) 383
铥(銩) 383
铤(鋌) 383
铧(鏵) 383
铨(銓) 383
铩(鎩) 383
铪(鉿) 383
铫(銚) 383
铭(銘) 383
铬(鉻) 384
铮(錚) 384
铯(銫) 384
铰(鉸) 384
铱(銥) 384
铲(鏟) 384
〔剷〕 384
铳(銃) 385
铴(鐋) 385
铵(銨) 385
银(銀) 385
铷(銣) 385
矫(矯) 385
鸹(鴰) 386
秸〔稭〕 386
梨〔棃〕 386
犁〔犂〕 386
秽(穢) 386
移〔迻〕 386
秾(穠) 386
笺(箋) 386
〔牋〕 386
〔椾〕 386
笼(籠) 386
笾(籩) 387
偾(僨) 387
鸺(鵂) 387
偿(償) 387
偷〔媮〕 387
偬〔傯〕 388
偻(僂) 388
躯(軀) 388
皑(皚) 388
兜〔兠〕 388
假〔叚〕 389
衅(釁) 389

鸻(鴴) 389
衔(銜) 389
〔啣〕 389
〔衘〕 389
舻(艫) 389
盘(盤) 390
船〔舩〕 390
鸼(鵃) 390
龛(龕) 390
鸽(鴿) 390
敛(斂) 390
〔歛〕 390
欲〔慾〕 391
彩〔綵〕 391
䝙(貙) 391
领(領) 391
脚〔腳〕 391
脖〔䪬〕 392
脶(腡) 392
脸(臉) 392
鱾(鱾) 392
够〔夠〕 392
猪〔豬〕 392
猎(獵) 393
猫〔貓〕 393
猡(玀) 393
猕(獼) 393
馃(餜) 393
馄(餛) 393
馅(餡) 393
馆(館) 393
〔舘〕 393

【丶】

凑〔湊〕 394
减〔減〕 394
鸾(鸞) 394
庶〔庻〕 394
麻〔蔴〕 394
庵〔菴〕 395
庼(廎) 395
痒(癢) 395
鸱(鴟) 395
旋(鏇) 395
望〔朢〕 395
阇(闍) 396
阈(閾) 396
阉(閹) 396
阊(閶) 396
阅(閱) 396
阋(鬩) 396
阌(閿) 396
阍(閽) 396
阏(閼) 397
阐(闡) 397
羟(羥) 397
盖(蓋) 397
眷〔睠〕 397
粝(糲) 398
粗〔觕〕 398
〔麤〕 398
断(斷) 398
兽(獸) 398
焊〔釬〕 399
〔銲〕 399
焖(燜) 399
渍(漬) 399
鸿(鴻) 399
淋〔痳〕 399
渎(瀆) 399
渐(漸) 400
挲〔挱〕 400
漍(漍) 400
渑(澠) 400
淆〔殽〕 400
渊(淵) 400
淫〔滛〕 400
〔婬〕 400
渔(漁) 401

淳〔湻〕 401
淀(澱) 401
深〔湥〕 401
渌(淥) 402
梁〔樑〕 402
渗(滲) 402
惬(愜) 402
〔悘〕 402
惭(慚) 402
〔慙〕 402
惧(懼) 402
惊(驚) 402
惇〔惽〕 403
悴〔顇〕 403
惮(憚) 403
惨(慘) 403
惯(慣) 403
寇〔冦〕 403
〔寇〕 403
宿〔宿〕 403
窑〔窰〕 403
〔窯〕 403
谋(謀) 404
谌(諶) 404
谍(諜) 404
谎(謊) 404
谑(諢) 404
谏(諫) 404
诫(誡) 404
皲(皸) 404
谐(諧) 404
谑(謔) 405
裆(襠) 405
裈(褌) 405
祷(禱) 405
祸(禍) 405
〔旤〕 405
谒(諟) 405
谒(謁) 405
谓(謂) 405
谔(諤) 405
谀(諛) 405
谕(諭) 406
谖(諼) 406
谗(讒) 406
谙(諳) 406
谚(諺) 406
谛(諦) 406
谜(謎) 406
谝(諞) 406
谞(諝) 406
【乛】
弹(彈) 407
堕(墮) 407
随(隨) 407
隤(隤) 407
粜(糶) 407
隐(隱) 408
婳(嫿) 408
婵(嬋) 408
婶(嬸) 408
颇(頗) 408
颈(頸) 408
恿〔慂〕 409
〔傛〕 409
绩(綪) 409
绩(績) 409
〔勣〕 409
绪(緒) 409
绫(綾) 409
骐(騏) 409
綝(綝) 409
续(續) 409
骑(騎) 410
绮(綺) 410
骓(騅) 410
绯(緋) 410

绰(綽) 410
绱(緔) 410
骒(騍) 410
绲(緄) 410
绳(繩) 411
骓(騅) 411
维(維) 411
绵(綿) 411
〔緜〕 411
绶(綬) 411
绷(綳) 411
〔繃〕 411
绸(綢) 412
〔紬〕 412
驹(駒) 412
绹(綯) 412
绺(綹) 412
綡(綡) 412
绰(綽) 412
绻(綣) 413
综(綜) 413
绽(綻) 413
绾(綰) 413
骕(驌) 413
骒(騄) 413
绿(綠) 413
〔菉〕 413
骖(驂) 413
缀(綴) 414
缁(緇) 414

12 画

【一】

琴〔琹〕 415
靓(靚) 415
琼(瓊) 415
辇(輦) 415
鼋(黿) 415
款〔欵〕 415
塔〔墖〕 416
堙〔陻〕 416
趁〔趂〕 416
趋(趨) 416
揽(攬) 416
堤〔隄〕 417
博〔愽〕 417
颉(頡) 417
揿(撳) 417
〔搇〕 417
插〔挿〕 417
揪〔揫〕 417
搜〔蒐〕 417
煮〔煑〕 418
搀(攙) 418
蛰(蟄) 418
絷(縶) 418
塆(壪) 418
搁(擱) 418
搂(摟) 419
塿(塿) 419
搅(攪) 419
期〔朞〕 419
联(聯) 419
散〔散〕 420
葴(葴) 420
葬〔塟〕 420
〔葵〕 420
蒉(蕢) 420
萼〔蕚〕 421
葱〔蔥〕 421
蒋(蔣) 421
蒂〔蔕〕 421
蒌(蔞) 421
萱〔蕿〕 421
〔蕿〕 421
〔藼〕 421
〔藼〕 421
韩(韓) 421

棱〔稜〕 421
棋〔棊〕 422
〔碁〕 422
椟(櫝) 422
棹〔櫂〕 422
椤(欏) 422
棰〔箠〕 422
𬃊(櫍) 422
鹀(鵐) 422
赍(賫) 422
〔賷〕 422
〔齎〕 422
椁〔槨〕 423
棕〔椶〕 423
椭(橢) 423
鹈(鵜) 423
鹁(鵓) 423
逼〔偪〕 423
酦(醱) 423
鹂(鸝) 423
觌(覿) 423
厨〔廚〕 424
〔厨〕 424
厦〔廈〕 424
确(確) 424
雁〔鴈〕 424
誊(謄) 424
殚(殫) 424
颏(頦) 425
雳(靂) 425
辊(輥) 425
辋(輞) 425
𫐐(輗) 425
椠(槧) 425
暂(暫) 425
〔蹔〕 425
辌(輬) 425
辍(輟) 425
辎(輜) 425
翘(翹) 425

【丨】

辈(輩) 426
龂(齗) 426
凿(鑿) 426
辉(輝) 426
〔煇〕 426
赏(賞) 427
睐(睞) 427
最〔冣〕 427
〔㝡〕 427
晰〔晢〕 427
睑(瞼) 427
喷(噴) 427
喋〔啑〕 428
畴(疇) 428
践(踐) 428
跖〔蹠〕 428
跞(躒) 428
遗(遺) 428
蛙〔鼃〕 428
蛱(蛺) 428
蛲(蟯) 429
蛳(螄) 429
蛔〔蚘〕 429
〔痐〕 429
〔蛕〕 429
〔蜖〕 429
蛴(蠐) 429
鹃(鵑) 429
喂〔餧〕 429
〔餵〕 429
喑〔瘖〕 429
啼〔嗁〕 429
喽(嘍) 429
喧〔諠〕 430
𪩘(嵽) 430
嵘(嶸) 430
帽〔帽〕 430

嵚(嶔) 430
翙(翽) 430
嵝(嶁) 430
𫖮(顗) 430
赋(賦) 430
赌(賭) 431
赎(贖) 431
赐(賜) 431
赑(贔) 431
赒(賙) 431
赔(賠) 431
赕(賧) 431

【丿】

铸(鑄) 431
镂(鏤) 432
铹(鐒) 432
𬬭(鈭) 432
𫓹(錄) 432
铺(鋪) 432
〔舖〕 432
铻(鋙) 432
铼(錸) 432
𫟹(鉽) 432
链(鏈) 433
铿(鏗) 433
销(銷) 433
锁(鎖) 433
〔鎻〕 433
锃(鋥) 433
锄(鋤) 434
〔鉏〕 434
〔耡〕 434
锂(鋰) 434
𫔨(鋗) 434
锅(鍋) 434
锆(鋯) 434
锇(鋨) 434
锈(銹) 434
〔鏽〕 434
锉(銼) 435
〔剉〕 435
锊(鋝) 435
锋(鋒) 435
锌(鋅) 435
锍(鋶) 435
锎(鐦) 435
锏(鐧) 436
锐(鋭) 436
锑(銻) 436
𬭎(鋐) 436
锒(鋃) 436
锓(鋟) 436
锔(鋦) 436
锕(錒) 437
犊(犢) 437
鹄(鵠) 437
鹅(鵝) 437
〔鵞〕 437
〔䳘〕 437
颈(頸) 437
剩〔賸〕 437
筑(築) 438
策〔筴〕 438
〔筞〕 438
筚(篳) 438
筛(篩) 438
筜(簹) 438
筒〔筩〕 438
筏〔栰〕 439
牍(牘) 439
傥(儻) 439
傧(儐) 439
储(儲) 439
皓〔暠〕 439
〔皜〕 439
傩(儺) 439
遁(遯) 439
惩(懲) 440

御(禦) 440
嫈(嫈) 440
逾〔踰〕 440
颔(頷) 440
濒(瀕) 441
释(釋) 441
鹆(鵒) 441
腊(臘) 441
〔臈〕 441
腌〔醃〕 442
腘(膕) 442
颜(顏) 442
鱿(魷) 442
鲀(魨) 442
鲁(魯) 442
鲂(魴) 442
鲃(鮊) 442
颖(穎) 442
鸳(鴛) 442
猬〔蝟〕 443
飓(颶) 443
〔颱〕 443
觞(觴) 443
惫(憊) 443
颎(熲) 443
飧〔飱〕 443
馇(餷) 443
馈(饋) 443
〔餽〕 443
馉(餶) 443
馊(餿) 443
馋(饞) 443

【丶】

亵(褻) 444
装(裝) 444
蛮(蠻) 444
脔(臠) 445
敦〔敦〕 445
庼(廎) 445
痨(癆) 445
痫(癇) 445
赓(賡) 445
颏(頦) 445
鹇(鷴) 446
阓(闠) 446
阑(闌) 446
阒(闃) 446
阔(闊) 446
〔濶〕 446
阕(闋) 446
粪(糞) 446
焰〔燄〕 447
烨(燁) 447
鹈(鵜) 447
渍(漬) 447
滞(滯) 447
滦(灤) 447
渺〔淼〕 447
〔渺〕 447
湿(濕) 447
〔溼〕 447
溃(潰) 448
溅(濺) 448
湾(灣) 448
游〔遊〕 448
溇(漊) 449
愤(憤) 449
愦(憒) 449
愧〔媿〕 449
慨〔嘅〕 449
喾(嚳) 449
敩(斆) 449
寓〔庽〕 449
窜(竄) 449
窝(窩) 450
窗〔窓〕 450
〔窻〕 450
〔牕〕 450

〔牕〕 450
〔窻〕 450
谟(謨) 450
〔謩〕 450
遍〔徧〕 450
雇〔僱〕 450
裢(褳) 450
裣(襝) 450
裤(褲) 451
〔袴〕 451
裥(襇) 451
裙〔帬〕 451
〔裠〕 451
谠(讜) 451
禅(禪) 451
幂〔冪〕 451
谡(謖) 451
谢(謝) 451
谣(謡) 451
谤(謗) 451
谥(謚) 452
〔諡〕 452
谦(謙) 452
谧(謐) 452

【乛】

属(屬) 452
屡(屢) 452
强〔強〕 452
〔彊〕 452
疏〔踈〕 453
骘(騭) 453
婿〔壻〕 453
巯(巰) 453
毵(毿) 454
翚(翬) 454
骛(騖) 454
𬳿(䮃) 454
缂(緙) 454
缃(緗) 454
缄(緘) 454
〔椷〕 454
缅(緬) 454
缆(纜) 454
𫘨(騠) 455
缇(緹) 455
缈(緲) 455
缉(緝) 455
缊(縕) 455
缌(緦) 455
缎(緞) 455
缐(線) 455
缑(緱) 455
缒(縋) 456
缓(緩) 456
缔(締) 456
缕(縷) 456
骗(騙) 456
编(編) 456
缗(緡) 457
骙(騤) 457
骚(騷) 457
缘(緣) 457
飨(饗) 457

13 画

【一】

耢(耮) 458
鹉(鵡) 458
䴖(鶄) 458
瑰〔瓌〕 458
鹜(鶩) 458
韫(韞) 458
魂〔䰟〕 458
摄(攝) 459
摅(攄) 459
鼓〔皷〕 459
摆(擺) 459
〔襬〕 459

赪(赬) 459
携[擕] 460
[擕] 460
[攜] 460
[攜] 460
摈(擯) 460
毂(轂) 460
摊(攤) 460
勤[懃] 460
靴[鞾] 461
鹊(鵲) 461
蓝(藍) 461
幕[幙] 461
蓦(驀) 461
鹋(鶓) 461
蓟(薊) 461
蓑[簑] 461
蓠(蘺) 462
蒙(濛) 462
(懞) 462
(矇) 462
蓥(鎣) 463
颐(頤) 463
献(獻) 463
蓣(蕷) 463
楠[柟] 463
[枏] 463
榄(欖) 463
楫[檝] 463
榇(櫬) 464
榈(櫚) 464
楼(樓) 464
榉(櫸) 464
楦[楥] 464
概[槩] 464
赖(賴) 464
[頼] 464
酬[酧] 465
[詶] 465
[醻] 465
酞(醲) 465
碛(磧) 465
碍(礙) 465
碰[掽] 465
[踫] 465
碑(磾) 465
碇[矴] 466
[椗] 466
碗[瓮] 466
[盌] 466
[椀] 466
碌[磟] 466
碜(磣) 466
鹌(鵪) 466
尴(尷) 466
雾(霧) 467
辏(輳) 467
辐(輻) 467
辑(輯) 467
辒(轀) 467
输(輸) 467
辎(輜) 467
辋(輮) 467

【丨】

频(頻) 467
龃(齟) 468
龄(齡) 468
龅(齙) 468
龆(齠) 468
鉴(鑒) 468
[鑑] 468
[鑑] 468
睹[覩] 468
韪(韙) 468
睬[倸] 469
鹍(鵾) 469
嗫(囁) 469
噁(噁) 469

暖〔㬉〕 469
〔煗〕 469
〔煖〕 469
暗〔晻〕 469
〔闇〕 469
照〔炤〕 469
跶(躂) 470
跷(蹺) 470
〔蹻〕 470
跸(蹕) 470
跹(躚) 470
跺〔跥〕 470
跻(躋) 470
蜗(蝸) 470
蜂〔䗬〕 471
〔蠭〕 471
嗥〔嘷〕 471
〔獋〕 471
嗳(噯) 471
置〔寘〕 471
罪〔辠〕 471
赗(賵) 471

【丿】

锖(錆) 472
锗(鍺) 472
𫓹(錤) 472
错(錯) 472
锘(鍩) 472
锚(錨) 473
锳(鍈) 473
锛(錛) 473
锜(錡) 473
锝(鍀) 473
锞(錁) 473
锟(錕) 473
锡(錫) 473
锢(錮) 473
锣(鑼) 474
锤(錘) 474
〔鎚〕 474
锥(錐) 474
锦(錦) 474
锧(鑕) 474
锨(鍁) 474
锪(鍃) 474
𬭚(錞) 474
锫(錇) 475
锩(錈) 475
锬(錟) 475
铍(鈹) 475
锭(錠) 475
键(鍵) 475
锯(鋸) 475
锰(錳) 476
锱(錙) 476
辞(辭) 476
〔辤〕 476
稚〔穉〕 476
〔稺〕 476
稗〔粺〕 476
颓(頹) 476
〔穨〕 476
䅟(穇) 476
筹(籌) 477
筼(篔) 477
筲〔𥳓〕 477
𬕂(篢) 477
签(簽) 477
(籤) 477
简(簡) 478
毁〔燬〕 478
〔譭〕 478
鹎(鵯) 478
愆〔諐〕 478
觎(覦) 478
愈〔瘉〕 478
〔癒〕 478
颔(頷) 478

腻(膩) 478
腮〔顋〕 479
腭〔齶〕 479
鹏(鵬) 479
塍〔堘〕 479
腾(騰) 479
𦝼(膢) 479
腿〔骽〕 479
鲅(鮁) 479
鲆(鮃) 479
鲇(鮎) 480
鲈(鱸) 480
鲉(鮋) 480
鲊(鮓) 480
稣(穌) 480
鲋(鮒) 480
鲌(鮊) 480
䲟(鮣) 480
𬶋(鮈) 480
鲍(鮑) 481
𬶍(鮀) 481
鲏(鮍) 481
鲐(鮐) 481
猿〔猨〕 481
〔蝯〕 481
颖(穎) 481
〔頴〕 481
鸽(鴿) 481
飔(颸) 481
飕(颼) 481
触(觸) 482
雏(雛) 482
馌(饁) 482
馍(饃) 482
〔饝〕 482
馏(餾) 482
馐(饈) 482

【丶】

酱(醬) 482
鹑(鶉) 482
禀〔稟〕 483
痱〔疿〕 483
痹〔痺〕 483
痴〔癡〕 483
瘅(癉) 483
瘆(瘮) 483
廉〔亷〕 483
〔㢘〕 483
鹣(鶼) 483
韵〔韻〕 483
雍〔雝〕 483
阖(闔) 484
阗(闐) 484
阘(闒) 484
𬮱(闑) 484
阙(闕) 484
誊(謄) 484
粳〔秔〕 484
〔粇〕 484
〔稉〕 484
粮(糧) 484
数(數) 484
滟(灧) 485
滠(灄) 485
满(滿) 485
滢(瀅) 486
滤(濾) 486
滥(濫) 486
滗(潷) 486
溪〔谿〕 486
滦(灤) 486
漓(灕) 486
溯〔泝〕 487
〔遡〕 487
滨(濱) 487
滩(灘) 487
滪(澦) 487
慑(懾) 487

〔慴〕 487
慎〔昚〕 488
誉（譽） 488
鲎（鱟） 488
骞（騫） 488
窥（窺） 488
〔闚〕 488
窦（竇） 488
寝（寢） 489
〔寑〕 489
谨（謹） 489
𫌀（襀） 489
裸〔躶〕 489
〔臝〕 489
谩（謾） 489
谪（謫） 489
〔讁〕 489
谫（譾） 489
谬（謬） 489

【乛】

鹔（鷫） 489
𬱟（頵） 489
群〔羣〕 490
辟（闢） 490
嫒（嬡） 490
嫔（嬪） 490
叠〔曡〕 490
〔疉〕 490
〔疊〕 490
缙（縉） 491
缜（縝） 491
缚（縛） 491
缛（縟） 491
𫘪（騵） 491
缮（繕） 491
𫘬（騱） 491
缝（縫） 491
骝（騮） 491
缞（縗） 492
缟（縞） 492
缠（纏） 492
缡（縭） 492
缢（縊） 492
缣（縑） 492
缤（繽） 492
骗（騙） 492
剿〔勦勦〕 492

14 画

【一】

璃（瓈） 493
瑷（璦） 493
璃〔琍〕 493
〔瓈〕 493
赘（贅） 493
觏（覯） 493
韬（韜） 493
叆（靉） 494
墙（墻） 494
〔牆〕 494
撄（攖） 494
蔷（薔） 494
蔑（衊） 494
蔹（蘞） 494
蔺（藺） 495
蔼（藹） 495
熙〔煕〕 495
〔凞〕 495
鹕（鶘） 495
槚（檟） 495
槛（檻） 495
榄（欖） 495
槁〔槀〕 495
榜〔牓〕 496
槟（檳） 496
榨〔搾〕 496
槠（櫧） 496
榷〔搉〕 496

榷〔搉〕 496
〔榷〕 496
鸥(鷗) 496
歌〔謌〕 496
酽(釅) 497
酾(釃) 497
酿(釀) 497
厮〔廝〕 497
碴〔鎈〕 497
碱〔堿〕 497
〔鹻〕 497
〔鹼〕 497
碛(磧) 498
愿(願) 498
殡(殯) 498
霁(霽) 498
辕(轅) 498
辖(轄) 499
辗(輾) 499

【丨】

龇(齜) 499
龈(齦) 499
鮆(鮆) 499
睿〔叡〕 499
䴗(鶪) 499
颗(顆) 499
瞅〔䀺〕 499
〔矁〕 499
䁖(瞜) 499
嗽〔嗽〕 500
嘎〔嘎〕 500
暧(曖) 500
鹝(鷊) 500
踌(躊) 500
踊(踴) 500
蜡(蠟) 500
蝈(蟈) 501
蝇(蠅) 501
蝉(蟬) 501
螂〔蜋〕 501
鹗(鶚) 501
嘤(嚶) 501
罴(羆) 501
赙(賻) 501
罂(罌) 502
〔甖〕 502
赚(賺) 502
鹘(鶻) 502

【丿】

锲(鍥) 502
锘(鍩) 502
锴(鍇) 502
锶(鍶) 502
锷(鍔) 503
锸(鍤) 503
锹(鍬) 503
〔鍫〕 503
锺(鍾) 503
锻(鍛) 503
锼(鎪) 503
锽(鍠) 503
鍭(鍭) 503
锾(鍰) 503
锵(鏘) 503
鍄(鍄) 504
镀(鍍) 504
镁(鎂) 504
镂(鏤) 504
镃(鎡) 504
镄(鐨) 504
镅(鎇) 504
稳(穩) 504
鹜(鶩) 505
熏〔燻〕 505
篑(簣) 505
箧(篋) 505
箸〔筯〕 505
箨(籜) 505

箬〔篛〕 505
箩(籮) 505
箪(簞) 506
管〔筦〕 506
箫(簫) 506
箓(籙) 506
舆(輿) 506
膀〔髈〕 507
膑(臏) 507
鲑(鮭) 507
鲒(鮚) 507
鲔(鮪) 507
鲕(鮞) 507
𫚕(鰤) 507
鲖(鮦) 508
鲗(鰂) 508
鲘(鮜) 508
鲙(鱠) 508
𫚙(鮡) 508
𬶏(鮠) 508
鲚(鱭) 508
鲛(鮫) 508
鲜(鮮) 508,509
〔鱻〕 508
鲜〔尟〕 509
〔尠〕 509
鲟(鱘) 509
鲟(鱘) 509
獐〔麞〕 509
飗(飀) 509
鹫(鷲) 509
馑(饉) 509
馒(饅) 509

【丶】

銮(鑾) 510
瘩〔瘩〕 510
瘗(瘞) 510
瘘(瘻) 510
辣〔辢〕 510
旗〔旂〕 510
阚(闞) 511
鲞(鯗) 511
粽〔糉〕 511
糁(糝) 511
鹚(鷀) 511
〔鶿〕 511
弊〔獘〕 511
潆(瀠) 511
潇(瀟) 511
漱〔潄〕 512
潋(瀲) 512
潍(濰) 512
寨〔砦〕 512
赛(賽) 512
𡩋(寠) 512
察〔詧〕 512
𬤝(譓) 512
谭(譚) 512
谮(譖) 513
褓〔緥〕 513
褛(褸) 513
谯(譙) 513
谰(讕) 513
谱(譜) 513
谲(譎) 513

【乛】

鹛(鶥) 513
嫱(嬙) 513
嫩〔嫰〕 514
凳〔櫈〕 514
鹜(鶩) 514
骠(驃) 514
缥(縹) 514
缦(縵) 514
骡(騾) 514
〔驘〕 514
缧(縲) 514
缨(纓) 514

骢(驄) 515
缤(繽) 515
缩(縮) 515
缪(繆) 515
缫(繅) 515

15 画

【一】

耧(耬) 516
璎(瓔) 516
麹(麴) 516
璇〔璿〕 516
䃎(䃮) 516
撵(攆) 516
髯(髥) 516
撷(擷) 517
撑〔撐〕 517
撸(擼) 517
墩〔墪〕 517
撺(攛) 517
撰〔譔〕 517
䝼(䞓) 517
聪(聰) 518
觐(覲) 518
鞋〔鞵〕 518
鞑(韃) 518
鞒(鞽) 518
鞍〔鞌〕 518
䩄(䩟) 518
蕊〔蕋〕 518
〔橤〕 518
〔蘂〕 518
𬧯(蹟) 518
蕴(蘊) 518
樯(檣) 519
〔艢〕 519
樱(櫻) 519
鹝(鷊) 519
飘(飄) 519
〔飃〕 519
醇〔醕〕 519
厣(厴) 519
魇(魘) 519
餍(饜) 519
慭(憖) 520
霉(黴) 520
辘(轆) 520

【丨】

龉(齬) 520
龊(齪) 520
觑(覷) 520
瞒(瞞) 520
题(題) 520
嘻〔譆〕 521
颙(顒) 521
踬(躓) 521
踩〔跴〕 521
踯(躑) 521
踪〔蹤〕 521
蝶〔蜨〕 521
䗖(螮) 521
蝾(蠑) 521
蝎〔蠍〕 521
蝼(螻) 521
颚(顎) 522
噜(嚕) 522
嘱(囑) 522
颛(顓) 522

【丿】

镊(鑷) 522
镆(鏌) 522
镇(鎮) 522
镈(鎛) 523
镉(鎘) 523
镋(鎲) 523
镌(鐫) 523
镍(鎳) 523
镎(鎿) 523

锵(鏘) 523
镏(鎦) 523
镐(鎬) 524
镑(鎊) 524
镒(鎰) 524
镓(鎵) 524
镔(鑌) 524
镕(鎔) 524
稿〔稾〕 524
篑(簣) 525
篓(簍) 525
僵〔殭〕 525
德〔悳〕 525
鹛(鶥) 525
鹞(鷂) 525
鹟(鶲) 525
膝〔厀〕 525
膘〔臕〕 526
鲠(鯁) 526
〔骾〕 526
鲡(鱺) 526
鲢(鰱) 526
鲣(鰹) 526
鲥(鰣) 526
鲤(鯉) 526
鲩(鯇) 526
鲦(鰷) 526
鲧(鯀) 526
鲩(鯇) 526
鲳(鯧) 527
鲫(鯽) 527
鲬(鯒) 527
鲜(鮮) 527
鹟(鶲) 527
馓(饊) 527
馔(饌) 527
〔籑〕 527

【丶】

褒〔襃〕 527
瘪(癟) 527
〔癟〕 527
瘤〔瘤〕 528
瘫(癱) 528
齑(齏) 528
鹡(鶺) 528
颜(顏) 528
糊〔粘〕 528
〔餬〕 528
糇〔餱〕 528
糍〔餈〕 529
鹚(鷀) 529
鹣(鶼) 529
潜〔潛〕 529
鲨(鯊) 529
澛(瀂) 529
澜(瀾) 529
澄〔澂〕 529
憔〔癄〕 530
〔顦〕 530
骞(騫) 530
额(額) 530
〔頟〕 530
谳(讞) 530
褴(襤) 530
谴(譴) 530
谖(譞) 530
鹤(鶴) 530
谵(譫) 531

【乛】

屦(屨) 531
戮〔剹〕 531
缬(纈) 531
缭(繚) 531
缮(繕) 531
骣(驏) 531
缯(繒) 531
骡(騾) 531

16 画

【一】

操〔捺〕 532
〔掾〕 532
擞(擻) 532
颞(顳) 532
燕〔鷰〕 532
颟(顢) 533
𬞟(蘋) 533
薯〔藷〕 533
薮(藪) 533
颠(顛) 533
橱〔櫥〕 533
橛〔橜〕 534
橹(櫓) 534
〔樐〕 534
〔𣟄〕 534
〔艣〕 534
〔艪〕 534
樽〔罇〕 534
橼(櫞) 534
融〔螎〕 534
赝(贋) 534
〔贗〕 534
飙(飆) 534
𫎆(獖) 534
霓〔蜺〕 534
錾(鏨) 535
辙(轍) 535
辚(轔) 535
[illegible] 535

【丨】

𬺈(齮) 535
𬺉(齯) 535
𬺊(齹) 535
瞰〔矙〕 535
蹄〔蹏〕 535
螨(蟎) 536
蟆〔蟇〕 536
噪〔譟〕 536
𪩘(巘) 536
鹥(鷖) 536
赠(贈) 536

【丿】

𫔁(鐯) 536
锗? (鐥) 536
𫔃(鐄) 536
镖(鏢) 536
镗(鏜) 537
镘(鏝) 537
镚(鏰) 537
镛(鏞) 537
镜(鏡) 537
镝(鏑) 537
镞(鏃) 537
[illegible] 538
镠(鏐) 538
氇(氌) 538
赞(贊) 538
〔賛〕 538
〔讚〕 538
憩〔憇〕 538
穑(穡) 538
篮(籃) 538
篡〔簒〕 538
篯(籛) 538
篱(籬) 539
翱〔翶〕 539
魉(魎) 539
膳〔饍〕 539
雕〔鵰〕 539
〔彫〕 539
〔琱〕 539
鲭(鯖) 539
鲮(鯪) 539
鲯(鯕) 540
鲰(鯫) 540

鲱(鯡) 540
鲲(鯤) 540
鲳(鯧) 540
鲴(鯝) 540
鲵(鯢) 540
鲷(鯛) 540
鲸(鯨) 540
鲺(鯴) 541
鲹(鰺) 541
鲻(鯔) 541
獭(獺) 541
𫗴(饘) 541

【丶】

[illegible] 541
[illegible] 541
赟(贇) 541
瘿(癭) 541
瘾(癮) 542
斓(斕) 542
辩(辯) 542
鹜(鶩) 542
糖〔餹〕 542
糕〔餻〕 542
濑(瀨) 542
濒(瀕) 542
懒(懶) 542
〔嬾〕 542
黉(黌) 543

【乛】

鹨(鷚) 543
颡(顙) 543
缰(繮) 543
〔韁〕 543
缱(繾) 543
缲(繰) 543
缳(繯) 543
缴(繳) 543
[illegible](繶) 543

17 画

【一】

[illegible](瓛) 544
藓(蘚) 544
檐〔簷〕 544
翳〔瞖〕 544
磷〔粦〕 544
〔燐〕 544
鹫(鷲) 544

【丨】

龋(齲) 545
龌(齷) 545
瞩(矚) 545
蹑(躡) 545
蹒(蹣) 545
蟏(蠨) 545
[illegible](囒) 545
羁(羈) 545
〔覊〕 545
赡(贍) 545

【丿】

镱(鐿) 546
镡(鐔) 546
镢(鐝) 546
镣(鐐) 546
镤(鏷) 546
镖(鏢) 546
𫔍(鐇) 546
镥(鑥) 546
镦(鐓) 546
镧(鑭) 547
镨(鐠) 547
𬭸(鏻) 547
𬭚(鐏) 547
𫟦(鐩) 547
镩(鑹) 547
镪(鏹) 547
镫(鐙) 547
𫔎(鐍) 548

簖(籪) 548
繁〔緐〕 548
鹪(鷦) 548
徽〔微〕 548
鷭(鷭) 548
膻〔羴〕 548
〔羶〕 548
䲠(鰆) 548
鲼(鱝) 548
鲽(鰈) 549
䲡(鯻) 549
鲾(鰏) 549
䲣(鰊) 549
鲙(鱠) 549
鳀(鯷) 549
鳁(鰮) 549
鳂(鰃) 549
鳃(鰓) 549
鳄(鰐) 549
〔鱷〕 549
鳅(鰍) 550
〔鰌〕 550
鳇(鰉) 550
鳈(鰁) 550
鳉(鱂) 550
鳊(鯿) 550

【丶】

燮〔爕〕 550
鹜(鶩) 551
辫(辮) 551
赢(贏) 551
糟〔蹧〕 551
糠〔粇〕 551
〔穅〕 551
懑(懣) 551
襕(襴) 551
襁〔繦〕 551

【乛】

鹥(鷖) 552
臀〔臋〕 552
鹬(鷸) 552
骤(驟) 552
繻(繻) 552
缥(縹) 552

18 画

【一】

鳌(鰲) 553
〔鼇〕 553
鬶(鬹) 553
鬃〔騌〕 553
〔鬉〕 553
〔騣〕 553
鞲(韝) 553
蔺(藺) 553
藜〔蔾〕 553
藤〔籐〕 554
鹲(鸏) 554
黡(黶) 554

【丨】

颢(顥) 554
蹚〔踼〕 554
鹭(鷺) 554
嚣(囂) 554
鹗(鶚) 554
髅(髏) 555

【丿】

镬(鑊) 555
镭(鐳) 555
镮(鐶) 555
镯(鐲) 555
镰(鐮) 555
〔鎌〕 555
〔鐮〕 555
镱(鐿) 555
酂(酇) 555
簪〔簮〕 556
雠(讎) 556

〔讋〕 556
翻〔飜〕 556
〔繙〕 556
臜（臢） 556
鳍（鰭） 557
鳎（鰨） 557
鳏（鰥） 557
鳐（鰩） 557
鳑（鰟） 557
鳒（鰜） 557
鹱（鸌） 557
【丶】
鹯（鸇） 557
鹰（鷹） 557
癞（癩） 558
辴（辴） 558
【乛】
鹛（鶥） 558
缧（縲） 558

19 画

【一】
攒（攢） 559
孽〔孼〕 559
霭（靄） 559
【丨】
蹰〔躕〕 559
蹴〔蹵〕 559
躏（躪） 559
巅（巔） 559
髋（髖） 560
髌（髕） 560
【丿】
镲（鑔） 560
籁（籟） 560
鳖（鱉） 560
鳓（鰳） 560
鳔（鰾） 560
鳕（鱈） 560
鳗（鰻） 561
鳙（鱅） 561
鳚（鱇） 561
鳙（鱅） 561
鳛（鰼） 561
鳘（鰵） 561
蟹〔蠏〕 561
【丶】
颤（顫） 561
癣（癬） 561
鳖（鱉） 561
〔鼈〕 561
谶（讖） 562
【乛】
䌸（䌸） 562
骥（驥） 562
缵（纘） 562

20 画

【一】
瓒（瓚） 563
鬓（鬢） 563
颥（顬） 563
【丨】
耀〔燿〕 563
蠕〔蝡〕 563
鼍（鼉） 563
黩（黷） 563
黪（黲） 564
【丿】
镳（鑣） 564
镴（鑞） 564
纂〔篹〕 564
臜（臢） 564
鳝（鱔） 564
鳜（鱖） 564
鳝（鱔） 564
〔鱓〕 564

鳞(鱗) 564
鳟(鱒) 565
獾〔貛〕 565
〔貛〕 565

【丶】

糯〔稬〕 565
〔穤〕 565

【乛】

骦(驦) 565
骧(驤) 565
缥(纕) 565

21画

【一】

蠢〔惷〕 566
霸〔覇〕 566

【丨】

颦(顰) 566
龇(齜) 566
躏(躪) 566

【丿】

鳠(鱯) 567
鳡(鱤) 567
鳢(鱧) 567
鳣(鱣) 567

【丶】

癫(癲) 567
赣(贛) 567
〔贑〕 567
〔灨〕 567
灏(灝) 567

22画

【一】

鹳(鸛) 568
鹴(鸘) 568

【丿】

镵(鑱) 568
镶(鑲) 568
鳍(鰽) 568

23画

【一】

趱(趲) 569
颧(顴) 569

【丨】

躜(躦) 569

【丿】

罐〔鑵〕 569
鼹〔鼴〕 569
鳡(鱵) 569

【丶】

麟〔麐〕 569

25画

【丿】

馕(饢) 570

【丶】

戆(戇) 570

二、从繁体字、异体字查简化字

说　明

1. 本表收录书中全部单字头中的繁体字、异体字、简化字，繁体字或异体字在前，对应的简化字在后。繁体字用“(　)”标注，异体字用“〔　〕”标注。右边的数字是单字头所在正文页码。

2. 本表按繁体字、异体字的笔画、笔顺排序。笔画数少的在前，多的在后。笔画数相同时，按单字的笔顺横(一)、竖(丨)、撇(丿)、点(丶)、折(乛)排序。

3画

【丿】

〔凢〕凡　10
〔亾〕亡　10

4画

【一】

〔帀〕匝　38

【丨】

〔冄〕冉　46

【乛】

〔弔〕吊　79

5画

【一】

〔𠕅〕再　70
〔𠕆〕再　70

【丨】

〔叺〕以　34
〔㠯〕以　34
〔冊〕册　48
〔囙〕因　80

【丿】

〔仝〕同　79
〔尒〕尔　47
〔匃〕丐　18
〔匄〕丐　18
〔夘〕卯　48

【丶】

〔氷〕冰　96
〔氾〕泛　161
〔宂〕冗　32
〔戹〕厄　20

【乛】

〔疋〕匹　20
〔廵〕巡　114

6 画

【一】

〔扞〕捍 310
〔亙〕亘 70
〔匟〕炕 222
〔邨〕村 130
〔攷〕考 64

【丨】

〔吒〕咤 269
〔帆〕帆 81

【丿】

〔兇〕凶 28

【丶】

〔汙〕污 101
〔汚〕污 101
〔氾〕泛 161
〔肎〕肯 195

【乛】

〔阨〕厄 20
〔阯〕址 120
〔阪〕坂 121
〔艸〕草 248
〔阬〕坑 123
〔朶〕朵 93

7 画

【一】

〔刦〕劫 125
〔刧〕劫 125
〔坳〕坳 185
〔抝〕拗 185
〔苍〕花 126
(車)车 20
〔矴〕碇 466
(夾)夹 73

【丨】

(貝)贝 21
(見)见 22
〔畂〕亩 154
〔呌〕叫 45
〔吚〕咿 268
〔刪〕删 151
〔岅〕坂 121

【丿】

〔牠〕它 54
〔佈〕布 39
〔佔〕占 40
〔佀〕似 89
〔佇〕伫 89
〔皁〕皂 148
〔廹〕迫 208
〔兎〕兔 215
〔巵〕卮 47
〔肏〕命 211
〔肐〕胳 342
〔帋〕纸 175

【丶】

〔泥〕泥 225
〔㳄〕涎 295
〔決〕决 98

【乛】

〔夘〕卯 48
(壯)壮 95
(妝)妆 96
〔姉〕姊 172
〔糺〕纠 61
〔災〕灾 164

8 画

【一】

(長)长 25
〔坵〕丘 46
〔坿〕附 171
〔拕〕拖 181
〔刼〕劫 125
(亞)亚 67

(苧)苎 128
〔枒〕丫 11
〔枏〕楠 463
(來)来 134
〔柹〕柿 254
(軋)轧 40
(東)东 40
(兩)两 131
〔廼〕乃 4
(協)协 70
〔殀〕夭 24
〔旾〕春 242
(戔)戋 36

【丨】

〔冐〕冒 265
(門)门 11
〔昇〕升 24
〔畒〕亩 154
〔虯〕虬 141
〔呪〕咒 198
〔咊〕和 205
〔屽〕岸 199
〔廻〕回 82
(岡)冈 22
〔罔〕罔 202
(咼)呙 142

【丿】

〔秈〕籼 290
〔秊〕年 83
(兒)儿 2
〔併〕并 99
〔䘏〕恤 297
〔卹〕恤 297
〔徃〕往 209
〔彿〕佛 148
(侖)仑 28
〔卻〕却 125
〔肧〕胚 281

【丶】

〔疘〕肛 150
〔効〕效 349
〔卒〕卒 219
〔羗〕羌 159
〔劵〕券 221
〔並〕并 99
〔㳒〕法 223
〔況〕况 155
〔泝〕溯 487
〔怳〕恍 297
〔衹〕只 44

【乛】

〔屆〕届 233
〔牀〕床 155
(狀)状 154
〔旹〕时 137
〔妬〕妒 172
〔姍〕姗 234
〔妷〕侄 207
〔妳〕奶 57
〔妳〕你 147
〔兎〕兔 215
〔亝〕斋 348
(糾)纠 61

9画

【一】

〔珊〕珊 243
〔珎〕珍 243
〔垜〕垛 246
〔乹〕干 5
(剋)克 128
〔荍〕荞 249
〔茘〕荔 252
〔桒〕桑 364
〔査〕查 253
〔柺〕拐 181
〔柟〕楠 463
〔柵〕栅 254

〔柳〕柳 254
(軌)轨 73
〔勅〕敕 373
〔迺〕乃 4
(厙)厍 71
〔盃〕杯 186
(頁)页 71
〔奔〕奔 192
(郟)郏 193
〔盇〕盍 313
〔昚〕慎 488
(剄)刭 172
(勁)劲 172

【丨】

(貞)贞 75
〔昰〕是 263
(則)则 82
〔盿〕睐 499
〔哶〕咩 269
(閂)闩 30
〔畊〕耕 308
〔毘〕毗 266
〔虵〕蛇 378
〔咲〕笑 337
〔耑〕专 17
〔峝〕峒 271
(迴)回 82
〔恖〕恩 327

【丿】

〔乗〕乘 334
〔牴〕抵 183
〔秖〕只 44
〔秔〕粳 484
(俠)侠 206
(俔)伣 86
〔俛〕俯 338
(係)系 153
(皃)皃 94
〔侷〕局 169
(帥)帅 42
〔蚵〕蚰 339
〔逈〕迥 200
(後)后 90
(釓)钆 83
(釔)钇 83
〔剉〕锉 435
〔卻〕却 125
(負)负 94
〔敂〕叩 45
(風)风 28
〔怱〕匆 47
〔狥〕徇 280
〔觔〕斤 27
〔迻〕移 386
〔盌〕碗 466

【丶】

(計)计 31
(訂)订 32
(訃)讣 32
〔畆〕亩 154
〔畒〕亩 154
〔亯〕享 217
〔亱〕夜 218
〔玅〕妙 172
〔羗〕羌 159
〔刱〕创 93
〔烁〕秋 277
〔炤〕照 469
〔洩〕泄 224
〔洶〕汹 161
〔恆〕恒 297
〔恠〕怪 226
〔恡〕吝 156
〔穽〕阱 108
(軍)军 103
(衹)只 44
〔祕〕秘 335

〔冥〕冥　361

【乛】

〔叚〕假　389
〔屍〕尸　12
〔昬〕昏　215
(陣)阵　108
(韋)韦　16
(陜)陕　234
(陘)陉　171
〔陗〕峭　328
〔陞〕升　24
〔姪〕侄　207
〔姙〕妊　172
〔姦〕奸　110
〔拏〕拿　340
(飛)飞　13
〔畄〕留　345
(紆)纡　112
(紅)红　112
(紂)纣　112
(紇)纥　113
(紃)𬘓　113
(約)约　113
(紈)纨　113
(級)级　113
(紀)纪　114
(紉)纫　114

10画

【一】

〔栞〕刊　36
〔挵〕弄　115
〔捄〕救　372
(馬)马　13
(挾)挟　245
(貢)贡　120
(垻)坝　120
〔捪〕括　246
〔烖〕灾　164
〔挱〕挲　400
〔紮〕扎　18
〔耼〕眇　264
〔恥〕耻　313
(華)华　87
〔荳〕豆　131
(莢)荚　247
(莖)茎　186
(莧)苋　126
〔尅〕克　128
〔尅〕剋　252
(莊)庄　97
〔栢〕柏　254
〔栰〕筏　439
〔勑〕敕　373
(軒)轩　136
(軑)轪　136
(軏)𫐄　136
(連)连　135
〔軔〕轫　136
(軔)轫　136
〔砲〕炮　292
〔啓〕启　165
〔盋〕钵　330
(剗)刬　117
〔晉〕晋　315
〔逕〕径　210
(逕)迳　235

【丨】

(鬥)斗　31
〔眎〕视　230
(時)时　137
(畢)毕　75
(財)财　145
〔眡〕视　230
(貶)贬　145
(閃)闪　51
〔哶〕咩　269
〔蚘〕蛔　429

(唄)呗 141
(員)员 142
〔啅〕唣 326
(豈)岂 82
(峽)峡 270
〔逥〕回 82
(峴)岘 144
〔峩〕峨 328
〔峯〕峰 328
〔罣〕挂 243
(剛)刚 82
(剮)剐 267

【丿】

〔毧〕绒 303
(氣)气 23
(郵)邮 141
(倀)伥 86
〔倖〕幸 183
(倈)倈 279
(倆)俩 278
(條)条 151
〔脩〕修 279
〔倏〕倏 338
(們)们 46
(個)个 8
(倫)伦 87
〔倸〕睬 469
〔偺〕咱 268
〔俻〕备 216
(隻)只 44
〔倣〕仿 88
(島)岛 151
(烏)乌 29
(師)师 75
(徑)径 210
〔舩〕船 390
(針)针 145
(釘)钉 145
(釗)钊 146
(釙)钋 146
(釕)钌 146
(殺)杀 91
〔拿〕拿 340
(倉)仓 28
〔飤〕饲 217
(飢)饥 50
〔脈〕脉 282
〔脃〕脆 342
〔脇〕胁 214
(狹)狭 283
〔猂〕悍 357
(狽)狈 151
〔胷〕胸 342
〔盌〕碗 466
(芻)刍 50

【丶】

(訏)讦 54
(訐)讦 54
(訌)讧 54
(討)讨 54
(訕)讪 56
〔託〕托 65
(訖)讫 56
(訓)训 56
(這)这 156
(訊)讯 56
(記)记 56
(訒)讱 57
(凍)冻 154
〔衺〕邪 74
(畝)亩 154
(庫)库 155
〔痱〕痱 483
〔竝〕并 99
〔竚〕伫 89
〔旂〕旗 510
〔欬〕咳 269
〔剏〕创 93

〔勌〕倦 338
〔粃〕秕 277
〔秔〕粳 484
〔粇〕糠 551
(浹)浃 294
(涇)泾 226
(涓)涢 161
〔涖〕莅 314
〔寃〕冤 362
〔冦〕寇 403
〔冣〕最 427
〔袟〕帙 200

【乛】

(書)书 35
〔帬〕裙 451
(屓)屃 169
(陸)陆 170
(陳)陈 171
〔娿〕婀 364
(孫)孙 108
(陰)阴 109
(婭)娅 234
〔拏〕拿 340
〔皰〕疱 349
(脅)胁 214
〔翄〕翅 319
〔圅〕函 234
(務)务 49
(紜)纭 173
(紘)纮 173
(純)纯 173
(紕)纰 174
(紗)纱 174
(納)纳 174
(紝)纴 174
(紛)纷 175
(紙)纸 175
(紋)纹 175
(紡)纺 176
(紞)紞 176
(紖)纼 176
(紐)纽 176
(紓)纾 177

11画

【一】

(責)责 178
(現)现 179
〔琍〕璃 493
(甌)瓯 180
(規)规 179
〔掛〕挂 243
(埡)垭 244
(捫)扪 66
(堝)埚 311
(頂)顶 182
(捨)舍 210
(埨)埨 122
(掄)抡 121
〔採〕采 211
〔埳〕坎 122
(執)执 65
(捲)卷 221
〔掽〕碰 465
(殼)壳 123
(掃)扫 66
〔摻〕操 532
(堊)垩 250
(萇)苌 126
(萊)莱 313
(蒳)䓣 313
〔菴〕庵 395
〔菓〕果 197
(萵)莴 314
〔劄〕札 38
〔菸〕烟 352
(乾)干 5
〔菉〕绿 413

〔菑〕灾 164
〔埜〕野 377
〔桺〕柳 254
〔桮〕杯 186
(梜)梜 316
〔桿〕杆 129
(梘)枧 187
〔梔〕栀 254
(麥)麦 116
〔紮〕扎 18
(軛)轭 194
(斬)斩 194
(軝)轵 195
(軟)软 195
(專)专 17
(區) 区 19
(堅)坚 137
〔酖〕鸩 300
(帶)带 248
〔覔〕觅 212
(厠)厕 191
(硃)朱 84
〔逩〕奔 192
(頃)顷 194

【丨】

〔砦〕寨 512
〔眥〕眦 376
(鹵)卤 136
〔虖〕呼 198
(處)处 48
(敗)败 201
(販)贩 201
(貶)贬 201
(啞)哑 264
(閆)闫 99
(閉)闭 99
(晛)𬀪 198
〔勗〕勖 377
(問)问 99
(婁)娄 290
〔啑〕喋 428
〔異〕异 107
〔畧〕略 378
(國)国 197
〔畱〕留 345
〔唫〕吟 143
〔唸〕念 212
〔啗〕啖 380
〔偺〕咱 268
(帳)帐 144
(崍)崃 327
(崬)岽 200
〔眾〕众 92
〔崐〕昆 197
〔崑〕昆 197
〔帽〕帽 430
(崗)岗 144
〔崘〕仑 28
〔崙〕仑 28
(圇)囵 145
(過)过 69

【丿】

〔牾〕忤 163
〔缽〕钵 330
〔毬〕球 367
(氫)氢 276
〔觕〕粗 398
(動)动 63
〔偪〕逼 423
(偵)侦 207
(側)侧 207
〔偘〕侃 207
(貨)货 208
〔偺〕咱 268
(進)进 116
〔躭〕耽 313
(梟)枭 216
(鳥)鸟 49

〔臯〕皋	339	〔週〕周	214	(淶)涞	353
(偉)伟	85	(魚)鱼	215	〔淒〕凄	346
〔衇〕脉	282	〔欵〕款	415	(淺)浅	223
〔悤〕匆	47	〔夠〕够	392	(渦)涡	354
(徠)徕	339	【丶】		〔淛〕浙	353
(術)术	38	(詎)讵	103	(淪)沦	161
(從)从	27	(訝)讶	103	〔淨〕净	219
〔敍〕叙	281	(訥)讷	103	〔涼〕凉	350
〔敘〕叙	281	(許)许	104	〔淚〕泪	225
〔釬〕焊	399	(訛)讹	104	(悵)怅	163
(釷)钍	203	(訢)䜣	104	〔惏〕婪	371
(釴)钍	203	〔訢〕欣	209	〔悽〕凄	346
〔釦〕扣	64	(訩)讻	105	〔寇〕寇	403
(釺)钎	203	(訟)讼	105	〔冣〕最	427
(釧)钏	203	(設)设	105	〔寘〕冥	361
(釤)钐	203	(訪)访	106	〔宿〕宿	403
(釣)钓	203	(訣)诀	106	〔寀〕采	212
(釩)钒	203	〔袠〕帙	200	〔窓〕窗	450
(鈙)钕	203	〔庻〕庶	394	〔寃〕冤	362
(釵)钗	204	〔痐〕蛔	429	(鄆)郓	230
(覓)觅	212	(産)产	98	〔啟〕启	165
(貪)贪	212	〔堃〕坤	181	(啓)启	165
(貧)贫	212	(牽)牵	258	〔袴〕裤	451
(脛)胫	283	〔粘〕糊	528	〔袵〕衽	299
〔脗〕吻	143	(烴)烃	293	〔袷〕夹	73
〔彫〕雕	539	〔烱〕炯	292	(視)视	230

【乛】

(晝)昼 301
(張)张 170
〔強〕强 452
〔陿〕狭 283
〔陻〕堙 416
(將)将 286
(階)阶 109
〔隄〕堤 417
(陽)阳 108
〔陰〕阴 109
(隊)队 33
(婭)娅 302
(媧)娲 363
〔婬〕淫 400
(婦)妇 110
(習)习 13
〔叅〕参 235
(參)参 235
(貫)贯 241
(鄉)乡 14
(紺)绀 236
(紲)绁 237
(紱)绂 237
(組)组 237
(紳)绅 237
(細)细 238
〔紬〕绸 412
(絅)䌹 238
(終)终 239
〔絃〕弦 234
(絆)绊 239
(紵)纻 176
(紼)绋 239
(絀)绌 239
(紹)绍 240
(紿)绐 241

12画

【一】

(貳)贰 242
〔絜〕洁 294
〔琹〕琴 415
〔琖〕盏 309
(頇)顸 243
〔琱〕雕 539
〔琺〕珐 242
〔瑯〕琅 368
(堯)尧 74
〔幇〕帮 242
(揀)拣 180
(馭)驭 62
〔堿〕碱 497
(項)项 244
〔堦〕阶 109
〔揹〕背 261
〔趂〕趁 416
〔㨗〕捷 368
(賁)贲 245
(場)场 66
(揚)扬 67
〔喆〕哲 311
〔揷〕插 417
〔揑〕捏 310
(塊)块 124
〔煑〕煮 418
〔搥〕捶 368
(達)达 72
(報)报 124
〔堘〕塍 479
(揮)挥 247
(壺)壶 313
〔壻〕婿 453
(惡)恶 315
〔棊〕棋 422
〔朞〕期 419
(葉)叶 42
〔靭〕韧 117

〔靭〕韧 117
〔散〕散 420
〔斮〕斫 257
〔塟〕葬 420
〔葬〕葬 420
(貫)贯 248
〔畱〕留 345
〔韮〕韭 260
(萬)万 8
〔蒐〕搜 417
〔葠〕参 235
〔萲〕萱 421
(輩)荤 250
〔乾〕干 5
〔悳〕德 525
(喪)丧 189
(葦)苇 126
(葒)荭 252
(葤)荮 252
(棖)枨 187
〔椏〕丫 11
(椏)桠 316
(棶)梾 372
(棟)栋 253
〔棲〕栖 316
(棧)栈 253
(棡)㭎 187
〔晳〕晰 427
〔椗〕碇 466
〔椀〕碗 466
(極)极 130
(軲)轱 258
(軻)轲 258
(軸)轴 259
(軹)轵 259
(軼)轶 259
(軤)轷 259
(軫)轸 259
(軺)轺 259
〔甦〕苏 129
(腎)肾 196
(棗)枣 190
(硨)砗 257
(硤)硖 374
〔戛〕戛 374
(硜)硁 319
(硯)砚 257
〔厤〕历 20
(殘)残 258
(雲)云 17
〔雰〕氛 204

【丨】

〔遉〕侦 207
(覘)觇 261
〔喫〕吃 80
〔暎〕映 265
(睍)觃 264
(睏)困 141
(貼)贴 271
〔晻〕暗 469
(貺)贶 271
(貯)贮 202
(貽)贻 271
(閏)闰 157
(開)开 15
(閑)闲 158
(閎)闳 158
(間)间 158
〔閒〕闲 158
(閔)闵 159
(閌)闶 159
(悶)闷 159
(貴)贵 266
〔畮〕亩 154
〔蛕〕蛔 429
(鄖)郧 268
(勛)勋 268

〔靭〕韧 117
（單）单 221
〔嵒〕岩 199
〔啣〕衔 389
〔喒〕咱 268
〔嘅〕慨 449
（喲）哟 270
（剴）剀 201
（凱）凯 201
〔嵗〕岁 81
（買）买 111
（幀）帧 270
（嵐）岚 144
（幃）帏 144
〔淼〕渺 447
（圍）围 140
〔旤〕祸 405

【丿】

（無）无 16
〔犇〕奔 192
〔缾〕瓶 351
（氬）氩 334
〔稉〕粳 484
〔稈〕秆 205
〔棃〕梨 386
〔犂〕犁 386
（喬）乔 84
〔筍〕笋 337
（筆）笔 336
〔傌〕骂 267
（備）备 216
〔悳〕恿 409
〔牋〕笺 386
（貸）贷 279
（順）顺 279
〔絛〕绦 365
〔儁〕俊 280
（傖）伧 87
〔傑〕杰 189
（傷）伤 148
〔雋〕隽 338
〔傚〕效 349
（傢）家 358
〔躰〕射 338
〔臯〕皋 339
〔兠〕兜 388
（鄔）邬 94
（衆）众 92
〔衇〕脉 282
〔衖〕弄 115
〔衕〕同 79
（復）复 278
〔徧〕遍 450
（須）须 280
（鈃）钘 271
（鉄）铁 272
（鈣）钙 272
（鈈）钚 272
（鈦）钛 272
〔鉅〕巨 21
（鉅）钜 272
（鈍）钝 272
（鈔）钞 272
（鈉）钠 273
（釿）斩 273
（鈑）钣 273
（鈐）钤 274
〔鈆〕铅 333
（欽）钦 274
（鈞）钧 274
（鈎）钩 274
（鈧）钪 275
（鈁）钫 275
（鈥）钬 275
（鈄）钭 275
（鈕）钮 275
（鈀）钯 275
〔殽〕淆 400

(爺)爷 92
〔𠍣〕伞 92
(傘)伞 92
(爲)为 30
(創)创 93
(飩)饨 152
(飪)饪 152
(飫)饫 152
(飭)饬 152
(飯)饭 152
(飲)饮 153
(脹)胀 214
(腖)胨 281
(腡)脶 392
(勝)胜 282
〔猨〕猿 481
(猶)犹 150
〔觝〕抵 183
(貿)贸 284
(鄒)邹 152

【丶】

(詁)诂 165
(訶)诃 165
(評)评 165
(詛)诅 166
(詗)诇 167
(詐)诈 167
(訴)诉 167
(診)诊 167
(詆)诋 167
〔註〕注 225
(詝)𬣞 106
〔詠〕咏 199
(詞)词 167
(詘)诎 167
(詔)诏 167
(詖)诐 168
(詒)诒 168
(馮)冯 50
〔廂〕厢 373
〔廁〕厕 191
〔庽〕寓 449
(痙)痉 349
〔痾〕疴 348
〔廐〕厩 374
〔廄〕厩 374
〔椉〕乘 334
〔竢〕俟 280
〔遊〕游 448
〔棄〕弃 157
〔羢〕绒 303
〔粦〕磷 544
〔粧〕妆 96
(勞)劳 128
〔湊〕凑 394
〔減〕减 394
(湞)浈 295
(測)测 295
(湯)汤 101
〔湼〕涅 353
(淵)渊 400
(渢)沨 161
〔湻〕淳 401
(渾)浑 296
(湋)𬇙 160
〔湧〕涌 356
(愜)惬 402
(惻)恻 297
〔㥲〕惇 403
(惲)恽 298
(惱)恼 298
〔寕〕宁 53
〔寔〕实 228
〔寑〕寝 489
〔窓〕窗 450
〔甯〕宁 53
(運)运 117
(補)补 166

〔裌〕夹 73
〔裡〕里 138
(禍)祸 405

【乛】

(尋)寻 106
(畫)画 189
〔尋〕寻 106
〔詈〕词 167
(費)费 301
〔踈〕疏 453
(違)违 117
(韌)韧 117
(隕)陨 302
(隑)隑 234
〔隖〕坞 122
〔婣〕姻 302
〔媿〕愧 449
〔媮〕偷 387
〔媍〕妇 110
(賀)贺 302
(發)发 58
(綁)绑 303
(絨)绒 303
(結)结 303
(絝)绔 304
(絰)绖 304
〔絏〕绁 237
(絪)细 304
(綎)綎 304
(綖)綖 305
(絎)绗 305
(給)给 305
(絢)绚 305
(絳)绛 305
(絡)络 306
(絶)绝 306
(絞)绞 306
(統)统 306
(絲)丝 62
(幾)几 2

13 画

【一】

〔耡〕锄 434
〔惷〕蠢 566
〔瑇〕玳 243
(項)项 308
(勣)勣 308
〔勣〕绩 409
(瑒)玚 116
(琿)珲 309
(瑋)玮 178
〔悳〕惬 402
(頑)顽 309
〔䰟〕魂 458
〔搆〕构 189
〔摃〕扛 64
(載)载 309
(馱)驮 112
(馴)驯 113
(馳)驰 114
(塒)埘 311
〔搨〕晃 325
〔搨〕拓 180
(塤)埙 311
(損)损 311
(遠)远 117
(塏)垲 246
(搗)捣 312
(塢)坞 122
(勢)势 183
〔搯〕掏 368
(搶)抢 122
〔揫〕揪 417
〔搤〕扼 119
〔搾〕榨 496
(壺)壶 369
〔塚〕冢 360

〔搉〕榷 496
(聖)圣 59
〔棊〕棋 422
〔尠〕鲜 509
(蓋)盖 397
(蓮)莲 313
(蒔)莳 313
(蓽)荜 248
(夢)梦 371
(蒼)苍 127
〔蓆〕席 347
〔蒞〕莅 314
〔蓡〕参 235
(幹)干 6
(蓀)荪 252
(蔭)荫 252
(蒓)莼 316
〔楳〕梅 372
〔椷〕缄 454
(楨)桢 316
(楊)杨 131
(嗇)啬 372
〔厀〕膝 525
〔椶〕楦 464
〔椶〕棕 423
(楓)枫 189
〔椾〕笺 386
(軾)轼 320
(輊)轾 320
(輄)桄 320
(輈)辀 320
(輇)辁 320
(輅)辂 321
(較)较 321
〔熙〕熙 495
(竪)竖 263
(賈)贾 318
〔酧〕酬 465
(頍)頍 319
〔脣〕唇 319
〔飱〕飧 443
(匯)汇 51
(電)电 43
〔馱〕驮 112
(頓) 顿 321
(盞)盏 309

【丨】

(歲)岁 81
(貲)赀 322
〔貲〕资 349
〔虜〕虏 196
(虜)虏 196
(業)业 41
〔甞〕尝 263
(當)当 76
(睞)睐 427
〔尟〕鲜 509
〔㬉〕暖 469
(賊)贼 329
(賄)贿 329
〔賉〕恤 297
(賂)赂 329
(賅)赅 329
〔敭〕扬 67
〔睠〕眷 397
(嗎)吗 80
(嘖)啧 324
(嘩)哗 268
(暘)旸 141
(閘)闸 220
〔閙〕闹 220
(黽)黾 198
(暉)晖 325
(暈)晕 325
(暐)玮 197
(號)号 43
〔跴〕踩 521
〔跡〕迹 287

〔蹀〕跺 470
(園)园 139
(蛺)蛱 428
(蜆)蚬 326
〔蜖〕蛔 429
〔蜋〕螂 501
(農)农 105
(嗊)唝 326
(嗶)哔 266
(鳴)呜 143
〔嗁〕啼 429
(嗆)呛 143
〔幙〕幕 461
(輋)峚 327
(圓)圆 328
(骯)肮 214

【丿】

〔椝〕矩 275
〔稜〕棱 421
〔揫〕揪 417
〔筞〕策 438
(筧)笕 336
〔筯〕箸 505
〔筦〕管 506
〔筴〕策 438
(節)节 37
〔筩〕筒 438
(與)与 7
(債)债 337
(僅)仅 26
(傳)传 85
(傴)伛 85
(傾)倾 337
〔牐〕闸 220
〔牎〕窗 450
〔牕〕窗 450
(僂)偻 388
(賃)赁 338
(傷)伤 86
〔慟〕动 63
〔傯〕偬 388
(傭)佣 147
〔躳〕躬 339
〔辠〕罪 471
(梟)枭 345
(頎)颀 339
(遞)递 353
〔衙〕衔 389
(鋌)铤 330
(鉦)钲 330
(鉗)钳 330
(鈷)钴 330
(鉢)钵 330
(鉥)钵 330
(鉅)钜 331
(鈸)钹 331
(鉞)钺 331
(鉭)钽 331
(鉬)钼 331
〔鉏〕锄 434
(鉀)钾 332
(鉮)钟 332
(鈿)钿 332
(鈾)铀 332
(鉑)铂 332
(鈴)铃 332
(鉛)铅 333
〔鉤〕钩 274
(鉚)铆 333
〔鉋〕刨 152
(鉟)铈 333
(鉉)铉 333
(鉈)铊 333
(鉍)铋 333
(鈮)铌 333
(鉊)铝 334
(鈹)铍 334
(鉧)铟 334

(僉)佥 149
(會)会 90
〔覜〕眺 376
(愛)爱 340
(亂)乱 146
(飾)饰 216
(飽)饱 216
(飼)饲 217
(飿)饳 217
(飴)饴 217
(頒)颁 341
(頌)颂 341
(腸)肠 150
(腫)肿 213
〔腳〕脚 391
(腦)脑 343
(魛)鱽 344
(獁)犸 94
(鳩)鸠 151
(獅)狮 283
(猻)狲 284
〔詧〕察 512

【丶】

(誆)诓 228
(誄)诔 229
(試)试 229
(詿)诖 229
(詩)诗 229
(詰)诘 229
(誇)夸 72
(詼)诙 229
(誠)诚 230
(詷)𫍣 230
(誅)诛 230
(詵)诜 231
(話)话 231
(誕)诞 231
(詬)诟 231
(詮)诠 231
(詭)诡 231
(詢)询 231
(詣)诣 231
(諍)诤 231
(該)该 231
(詳)详 232
〔詶〕酬 465
(詫)诧 232
(詪)𫍥 232
(詡)诩 232
(裏)里 138
〔敨〕敦 445
〔稟〕禀 483
〔廈〕厦 424
〔痳〕淋 399
〔痺〕痹 483
(頏)颃 349
〔廕〕荫 252
(資)资 349
〔剷〕铲 384
〔亷〕廉 483
(羥)羟 397
(義)义 12
〔粰〕麸 367
〔遡〕溯 487
〔煙〕烟 352
(煉)炼 291
(煩)烦 351
〔煗〕暖 469
(煬)炀 160
〔煖〕暖 469
(塋)茔 186
(煢)茕 186
〔煇〕辉 426
(煒)炜 222
(溝)沟 161
〔渺〕渺 447
(漣)涟 353
(滅)灭 39

〔滙〕汇 51
〔溼〕湿 447
(溳)涢 354
(滌)涤 354
(準)准 347
(溮)浉 295
(塗)涂 354
(滄)沧 161
〔滛〕淫 400
〔湥〕深 401
〔愽〕博 417
〔慄〕栗 318
(愷)恺 297
(愾)忾 163
(愴)怆 164
(㥮)㤘 226
〔寘〕置 471
(窩)窝 450
〔嶋〕岛 151
(禎)祯 360
(禕)祎 230

【乛】

(肅)肃 232
〔裠〕裙 451
〔羣〕群 490
〔槩〕概 464
(裝)装 444
(遜)逊 302
(際)际 170
(媽)妈 110
〔嫋〕袅 345
〔剹〕戮 531
(預)预 364
(彙)汇 51
(綆)绠 364
(經)经 240
(綃)绡 365
〔綑〕捆 311
(絹)绢 365
(綉)绣 365
(絺)𫄨 365
(綌)绤 365
(綏)绥 365
(綈)绨 366
(綄)𬘫 366
〔劋〕剿 492
〔勦〕剿 492

14 画

【一】

〔幫〕帮 242
(瑪)玛 116
(璉)琏 367
(瑣)琐 367
(瑲)玱 179
〔瑠〕琉 368
〔瑣〕琐 367
〔匳〕奁 134
(髩)鬓 516
〔髣〕仿 88
〔塼〕砖 256
(摶)抟 118
(塸)𡋀 119
(摳)抠 119
(駎)𬳶 174
(駁)驳 174
(駮)𫘪 176
(駃)𫘝 176
〔撦〕扯 120
(趙)赵 245
(趕)赶 310
〔據〕据 369
(塿)𪣻 419
(摟)搂 419
(摑)掴 368
〔皷〕鼓 459
(臺)台 60

(撾)挝 244
〔塲〕场 66
〔墖〕塔 416
(墊)垫 246
(壽)寿 115
(摺)折 121
〔摻〕操 532
(摻)掺 369
(摜)掼 369
〔蒓〕莼 316
〔蔕〕蒂 421
(勩)勚 370
(蔄)蔄 249
(蔞)蒌 421
(蔄)劢 40
(蔦)茑 185
〔蔥〕葱 421
(蓯)苁 127
(蔔)卜 1
〔蔴〕麻 394
〔蔆〕菱 370
〔榦〕干 6
(蔣)蒋 421
(薌)芗 68
(構)构 189
(榪)杩 131
〔槓〕杠 130
(樺)桦 317
(槤)梿 372
〔槕〕桌 322
(榿)桤 317
(覡)觋 372
(槍)枪 188
〔槨〕椁 423
(輒)辄 375
(輔)辅 375
(輕)轻 259
(塹)堑 375
〔輓〕挽 312
(匱)匮 373
〔辢〕辣 510
(監)监 323
〔朢〕望 395
(緊)紧 323
〔厨〕厨 424
(厲)厉 38
〔歴〕历 19
〔碪〕砧 319
(厭)厌 71
(碩)硕 374
(碭)砀 191
(碸)砜 257
(奩)奁 134
(爾)尔 47
(奪)夺 72
(殞)殒 375
(鳶)鸢 195
(巰)巯 453

【丨】

〔鬦〕斗 31
(對)对 60
(嘗)尝 263
〔暱〕昵 265
(嘖)啧 376
(曄)晔 325
(夥)伙 88
(賕)赇 380
(賑)赈 380
(賒)赊 381
〔瞇〕眯 376
(嘆)叹 45
(暢)畅 198
(嘍)喽 324
(閨)闺 288
(聞)闻 288
〔閧〕哄 264
(閩)闽 288
(閭)闾 288

(閥)阀 288
(閤)合 92
〔閤〕阁 289
(閣)阁 289
(閡)阂 289
〔嗽〕嗽 500
(嘔)呕 139
〔暠〕皓 439
(頔)𬱖 377
〔踁〕胫 283
〔跼〕局 169
(蝀)𬟽 378
〔蜨〕蝶 521
(蝸)蜗 470
〔蜺〕霓 534
〔嘑〕呼 198
(團)团 78
〔槑〕梅 372
(嘍)喽 429
(鄲)郸 351
(鳴)鸣 199
〔噉〕啖 380
(幘)帻 380
〔嶃〕崭 380
(嶄)崭 380
(嶇)岖 144
〔獃〕呆 139
(嵽)𪩘 430
(罰)罚 270
(嶁)嵝 430
(幗)帼 380
(圖)图 202

【丿】

(製)制 204
〔稬〕糯 565
〔稭〕秸 386
(種)种 277
(稱)称 335
〔熈〕熙 495
(箋)笺 386
〔箇〕个 8
〔箠〕棰 422
〔劄〕札 38
〔箒〕帚 233
〔䋣〕繁 548
(僥)侥 207
(僨)偾 387
〔僊〕仙 46
〔牓〕榜 496
(僕)仆 25
(僤)𫢸 338
(僑)侨 208
〔儁〕俊 280
(僞)伪 88
〔僱〕雇 450
〔徽〕徽 548
(銜)衔 389
〔慇〕殷 339
(鉶)铏 381
([illegible])[illegible] 381
(銬)铐 381
(銠)铑 381
(鉺)铒 381
(鉷)[illegible] 381
(銪)铕 381
(鋮)铖 381
([illegible])[illegible] 381
(銍)铚 382
(鋁)铝 382
(銅)铜 382
(銱)铞 382
(銦)铟 382
(銖)铢 382
(銑)铣 383
(鋌)铤 383
(銛)铦 383
(銓)铨 383
(鉿)铪 383

(銚)铫 383
(銘)铭 383
(鉻)铬 384
(錚)铮 384
(銫)铯 384
(鉸)铰 384
(銥)铱 384
(銃)铳 385
(銨)铵 385
(銀)银 385
(鉫)鉫 385
〔貍〕狸 344
(戧)戗 213
(餌)饵 284
(蝕)蚀 284
〔餁〕饪 152
(餉)饷 285
(餄)饸 285
(餎)饹 285
(餃)饺 285
(餏)饻 285
(餅)饼 285
(領)领 391
(遯)遁 439
(鳳)凤 29
(鮀)鲍 392
(颭)飐 284
(颮)飑 284
〔颯〕飒 288
(颱)台 61
(獄)狱 284

【丶】

(誡)诫 299
〔誌〕志 124
(誣)诬 299
〔誖〕悖 356
(語)语 299
(誚)诮 299
(誤)误 300
(誥)诰 300
(誘)诱 300
(誨)诲 300
〔語〕话 231
(誑)诳 300
(說)说 301
(認)认 32
(誦)诵 301
〔凴〕凭 207
〔槀〕槁 495
(廣)广 10
(麼)么 9
(廎)庼 395
(瘧)疟 218
(瘍)疡 219
〔瘉〕愈 478
(瘋)疯 287
〔瘖〕喑 429
(塵)尘 76
(颯)飒 288
(適)适 276
(齊)齐 97
(養)养 289
〔粺〕稗 476
(鄰)邻 149
(鄭)郑 221
〔愬〕诉 167
〔獘〕弊 511
(幣)币 26
(彆)别 144
(燁)烨 352
(熗)炝 222
(榮)荣 250
(滎)荥 250
(犖)荦 250
(熒)荧 250
(漬)渍 399
(漢)汉 53
(滿)满 485

(漸)渐 400
〔漱〕漱 512
(漚)沤 160
(滯)滞 447
(滷)卤 137
(漊)溇 449
(潿)涠 400
(漁)渔 401
(滸)浒 296
(滻)浐 296
(滬)沪 162
(漲)涨 355
〔㥄〕恿 409
(滲)渗 402
(慚)惭 402
(慪)怄 163
(慳)悭 357
〔慽〕戚 373
(慟)恸 297
〔慴〕慑 487
(慘)惨 403
(慣)惯 403
(寬)宽 357
(賓)宾 358
(窪)洼 294
(寧)宁 53
(寢)寝 489
(實)实 228
(皸)皲 404
(複)复 278
(褌)裈 405
(禕)祎 299
(禡)祃 166

【乛】

(鄩)郭 232
(劃)划 74
(盡)尽 107
(屢)屡 452
(鳲)鸤 233
(彄)弬 169
(韍)韨 243
(墮)堕 407
(隨)随 407
(獎)奖 286
(隤)隤 407
〔隣〕邻 149
(墜)坠 171
〔嫰〕嫩 514
(嫗)妪 172
(頗)颇 408
(態)态 193
(鄧)邓 34
〔斲〕斫 257
(綪)绪 409
(緒)绪 409
(綾)绫 409
(綝)𬘡 409
(綺)绮 410
(綫)线 236
(緋)绯 410
(綽)绰 410
(綃)绡 410
(緄)绲 410
(綱)纲 174
(網)网 83
(維)维 411
(綿)绵 411
(綸)纶 175
〔綵〕彩 391
(綬)绶 411
(綳)绷 411
(綢)绸 412
(綯)绹 412
(綹)绺 412
(綡)𬘘 412
(綧)𬘤 412
(綣)绻 413
(綜)综 413

(綻)绽 413
(綰)绾 413
(緑)绿 413
(綴)缀 414
(緇)缁 414

15 画

【一】

(璊)璊 493
(靚)靓 415
(璡)琎 367
〔犛〕牦 204
〔氂〕牦 204
(輦)辇 415
〔賛〕赞 538
〔槼〕规 179
(髮)发 59
〔髴〕佛 148
(撓)挠 245
〔遶〕绕 304
(墳)坟 122
(墶)垯 244
(撻)挞 244
(駓)𬳵 237
(駔)驵 237
(駛)驶 238
(駉)𬳶 238
(駟)驷 238
〔駞〕驼 239
〔駈〕驱 173
(駙)驸 238
(駒)驹 239
(駐)驻 239
(駭)𫘬 239
(駝)驼 239
(駘)骀 241
(撲)扑 36
〔撐〕撑 517
(頡)颉 417
(墠)𫮃 369
(撣)掸 368
(賣)卖 190
(撫)抚 117
〔擕〕携 460
〔覩〕睹 468
(撳)揿 417
(熱)热 312
(撝)㧑 123
(鞏)巩 65
(摯)挚 312
(𡒄)𫭼 309
(撈)捞 309
(穀)谷 149
(慤)悫 369
(撏)挦 247
(撥)拨 184
(蕘)荛 248
(薘)荙 247
〔歎〕叹 45
(蕆)蒇 420
(蕓)芸 126
〔蕋〕蕊 518
(邁)迈 74
(蕢)蒉 420
〔蕚〕萼 421
(蕒)荬 252
(蕪)芜 126
〔蔾〕藜 553
(蕎)荞 249
(蔿)䓕 127
(蕕)莸 314
(蕩)荡 250
(蕁)荨 251
(樁)桩 317
〔蕽〕农 105
(樞)枢 186
(標)标 253
〔樐〕橹 534

(樓)楼 464
(樅)枞 188
(賫)赍 375
(麩)麸 367
(賚)赉 422
(樣)样 318
〔樑〕梁 402
〔榷〕榷 496
(橢)椭 423
〔壄〕野 377
〔輙〕辄 375
(輛)辆 375
(輥)辊 425
(輞)辋 425
(輗)𫐐 425
(槧)椠 425
(暫)暂 425
〔慙〕惭 402
(輪)轮 195
(輬)辌 425
(輟)辍 425
(輜)辎 425
〔甎〕砖 256
(甌)瓯 193
〔敺〕驱 173
(歐)欧 193
(毆)殴 193
〔緊〕紧 323
〔竪〕竖 263
(賢)贤 196
(遷)迁 84
(鴯)鸸 255
〔醃〕腌 442
〔醆〕盏 309
〔慼〕戚 373
(碼)码 191
(憂)忧 163
(磑)硙 374
(確)确 424
〔歷〕历 19
〔鴈〕雁 424
〔匳〕奁 134
(遼)辽 57
〔豬〕猪 392
(殤)殇 258
(鴉)鸦 260

【丨】

(輩)辈 426
(鬧)闹 220
(劌)刿 200
(齒)齿 195
〔麪〕面 257
(劇)剧 363
〔戯〕戏 110
(膚)肤 213
(慮)虑 322
(鄴)邺 137
(輝)辉 426
(賞)赏 427
(賦)赋 430
(賬)账 201
(賭)赌 431
(賤)贱 271
(賜)赐 431
(賙)赒 431
(賠)赔 431
(賧)赕 431
(嘵)哓 265
(噴)喷 427
(噠)哒 265
(噁)恶 315
(噁)𫫇 469
(閫)阃 350
(閶)阊 350
(閱)阅 351
(閬)阆 351
(鄲)郸 326
(數)数 484

〔嘎〕嘎 500
〔嚮〕向 89
（踐）践 428
〔[illegible]〕蹚 554
〔踫〕碰 465
（遺）遗 428
〔蝡〕蠕 563
〔蝟〕猬 443
〔蝯〕猿 481
（蝦）虾 266
（嘽）啴 379
（嘸）呒 138
〔嘷〕嗥 471
（嘮）唠 325
（噝）咝 199
（嘰）叽 45
（嶢）峣 270
〔罵〕骂 267
〔罸〕罚 270
（罷）罢 327
（嶠）峤 271
（嶔）嵚 430
（幟）帜 200
（嶗）崂 327

【丿】

〔鎈〕碴 497
（頸）颈 437
〔憇〕憩 538
〔稺〕稚 476
（篋）箧 505
（範）范 186
（價）价 86
（儂）侬 208
〔[illegible]〕[illegible] 478
〔儌〕侥 207
（儉）俭 280
（儈）侩 208
（億）亿 8
（儀）仪 46
〔躶〕裸 489
（皚）皑 388
〔緜〕绵 411
〔皜〕皓 439
（樂）乐 47
（質）质 208
〔衚〕胡 251
（徵）征 209
（衝）冲 95
（慫）怂 211
（徹）彻 148
（衛）卫 12
（嬃）媭 440
（盤）盘 390
〔舖〕铺 432
（[illegible]）[illegible] 432
（錸）铼 432
（鋪）铺 432
（鋙）铻 432
（鋏）铗 381
（鋱）铽 432
（銷）销 433
〔銲〕焊 399
（鋥）锃 433
（鋇）钡 273
（鋤）锄 434
（鋰）锂 434
（鋗）[illegible] 434
（鋯）锆 434
（鋨）锇 434
（銹）锈 434
（銼）锉 435
（鋝）锊 435
（鋒）锋 435
（鋅）锌 435
（鋶）锍 435
（鋭）锐 436
（銻）锑 436
（鋐）𬭎 436

(鋃)锒 436
(鋟)锓 436
(鍋)锔 436
(鋼)锎 437
(領)颌 440
(劍)剑 281
(劊)刽 211
(鄶)郐 211
〔頫〕俯 338
(頫)頫 441
〔慾〕欲 391
〔辤〕辞 476
〔貓〕猫 393
(餑)饽 345
(餗)馃 345
(餓)饿 346
(餘)余 149
(餒)馁 346
〔歓〕饮 153
(膞)䏝 213
〔隷〕隶 233
(膢)膢 479
(膕)腘 442
〔膓〕肠 150
(膠)胶 343
(鴇)鸨 283
(頠)颀 442
(魷)鱿 442
(魨)鲀 442
(魯)鲁 442
(魴)鲂 442
(鮊)鲃 442
(潁)颍 442
(颳)刮 205
〔獋〕嗥 471
〔頟〕额 530
(頮)颒 443
(劉)刘 97
(皺)皱 345

【丶】

(請)请 359
(諸)诸 359
(諏)诹 359
(諾)诺 359
(諑)诼 360
(諓)诐 164
(誹)诽 360
(課)课 360
(諉)诿 361
(諛)谀 361
(誰)谁 361
(論)论 104
(諗)谂 361
(調)调 361
(諂)谄 362
(諒)谅 362
(諄)谆 362
(誶)谇 362
(談)谈 362
(誼)谊 363
〔稾〕稿 524
〔墪〕墩 517
〔廚〕厨 424
〔廝〕厮 497
(廟)庙 218
(廠)厂 1
(廡)庑 155
(廞)廞 445
(瘞)瘗 510
(瘡)疮 287
〔廉〕廉 483
(賡)赓 445
(慶)庆 97
〔餈〕糍 529
(廢)废 219
(敵)敌 335
〔蝱〕虻 266
(頦)颏 445

〔糉〕粽 511
(導)导 107
〔獘〕毙 321
(熰)炽 222
(瑩)莹 315
(潔)洁 294
(澆)浇 294
(瀆)渎 447
(瀝)沥 101
(澐)沄 160
〔濳〕潜 529
〔澁〕涩 356
(潤)润 354
(澗)涧 355
(潰)溃 448
〔澂〕澄 529
(潿)涠 354
(潕)㳲 160
(潷)滗 486
(溈)沩 162
(澇)涝 353
(潯)浔 296
(潑)泼 225
(憤)愤 449
(憫)悯 357
(憒)愦 449
(憚)惮 403
(憮)怃 162
(憐)怜 226
(寫)写 55
(審)审 228
(窮)穷 164
〔窰〕窑 403
〔窯〕窑 403
〔鞌〕鞍 518
〔冪〕幂 451
(褳)裢 450
(褲)裤 451
〔禩〕祀 166
(鴆)鸩 300

【一】

〔蝨〕虱 234
(遲)迟 169
(層)层 168
(彈)弹 407
(選)选 276
(槳)桨 347
〔奬〕奖 286
(漿)浆 347
(險)险 302
(嬈)娆 302
(嫻)娴 363
〔嫺〕娴 363
(嬋)婵 408
(嫵)妩 172
(嬌)娇 302
(嬀)妫 172
(嫿)婳 408
(駑)驽 234
(駕)驾 235
〔翫〕玩 178
(翬)翚 454
(毿)毵 454
(緙)缂 454
(緗)缃 454
(練)练 237
(緘)缄 454
(緬)缅 454
(緹)缇 455
(緲)缈 455
(緝)缉 455
(緼)缊 455
(緦)缌 455
(緞)缎 455
〔緥〕褓 513
〔線〕线 236
(線)缐 455
(緱)缑 455

(縋)缒 456
(緩)缓 456
(締)缔 456
(編)编 456
(緡)缗 457
(緯)纬 173
(緣)缘 457

16 画

【一】

〔璢〕琉 368
(瑪)玛 309
(璣)玑 63
〔隸〕隶 233
(墻)墙 494
(駰)骃 304
(駪)骁 304
(駱)骆 306
〔駮〕驳 174
(駭)骇 306
(駢)骈 307
(擓)㧟 184
(擄)掳 369
(擼)撸 368
(壋)垱 245
(擋)挡 245
(擇)择 185
〔擕〕携 460
(赬)赪 459
(撿)捡 312
(擔)担 181
(壇)坛 118
(擁)拥 182
(薔)蔷 494
(薑)姜 290
〔蟇〕蟆 536
〔薙〕剃 294
(薟)莶 314
(薈)荟 249
(薊)蓟 461
(薦)荐 247
〔蘐〕萱 421
(蕭)萧 371
(頤)颐 463
〔緊〕紧 323
(鴣)鸪 316
(薩)萨 371
(蕷)蓣 463
(橈)桡 316
(樹)树 255
(樸)朴 68
〔檝〕楫 463
(橋)桥 317
(憖)慭 520
(機)机 68
〔頳〕脖 392
(輳)辏 467
(輻)辐 467
〔輭〕软 195
(輯)辑 467
(輼)辒 467
(輸)输 467
(輶)𬨎 467
(輮)𫐓 467
〔頼〕赖 464
(賴)赖 464
(頭)头 52
(醞)酝 373
(醜)丑 33
〔醕〕醇 519
〔瞖〕翳 544
(勵)励 133
(磧)碛 465
(磚)砖 256
(磣)碜 466
〔磟〕碌 466
(磣)碜 466
(歷)历 19

(曆)历 20
〔槩〕概 534
(奮)奋 192
(頰)颊 425
(殫)殚 424
〔霑〕沾 224
(頸)颈 408

【丨】

〔閧〕哄 264
(頻)频 467
〔叡〕睿 499
(盧)卢 41
(瞞)瞒 520
(縣)县 138
(瞘)眍 263
(曉)晓 324
(瞜)䁖 499
(賵)赗 471
(曇)昙 197
(鴨)鸭 325
(闍)阇 396
(閾)阈 396
(閹)阉 396
(閶)阊 396
(閿)阌 396
(閽)阍 396
(閻)阎 396
(闃)阒 397
(噸)吨 140
(鴞)鸮 326
(噦)哕 267
〔踰〕逾 440
(踴)踊 500
(螞)蚂 266
〔螎〕融 534
(螄)蛳 429
(噹)当 76
(罵)骂 267
(噥)哝 270
(戰)战 261
(噲)哙 269
(鴦)鸯 327
(噯)嗳 471
(嘯)啸 380
(還)还 133
(嶧)峄 201
(嶼)屿 81
(嶮)崄 328
〔骾〕鲠 526
〔骽〕腿 479

【丿】

(積)积 335
(頹)颓 476
〔穅〕糠 551
(穇)䅟 476
〔勳〕勋 268
(篤)笃 278
〔䈰〕筲 477
(簀)箦 477
(築)筑 438
(篳)筚 438
(篔)筼 477
(篩)筛 438
〔簑〕蓑 461
〔篛〕箬 505
(舉)举 298
(興)兴 102
(嶨)峃 227
(學)学 227
(儔)俦 278
(憊)惫 443
〔儗〕拟 125
(儕)侪 208
(儐)傧 439
(鴕)鸵 344
(儘)尽 106
(艙)舱 340
〔舘〕馆 393

(錆)锖 472
(錶)表 179
(鋹)张 273
(鍺)锗 472
(錤)锖 472
(錯)错 472
(鍩)锘 472
(錨)锚 473
(鍈)锳 473
(錸)铼 432
(錛)锛 473
(錡)锜 473
(錢)钱 330
(鍀)锝 473
(錁)锞 473
(錕)锟 473
(鍆)钔 203
(錫)锡 473
(錮)锢 473
(鋼)钢 273
(鍋)锅 434
(錘)锤 474
(錐)锥 474
(錦)锦 474
(鍁)锨 474
(錀)铃 273
(鍃)锪 474
(錞)錞 474
(錇)锫 475
(錈)锩 475
(錟)锬 475
(鈹)铍 475
(錠)锭 475
(鍵)键 475
(録)录 233
(鋸)锯 475
(錳)锰 476
(錙)锱 476
(覦)觎 478
〔劒〕剑 281
(墾)垦 301
(餞)饯 216
(餜)馃 393
(餛)馄 393
〔餧〕喂 429
〔餚〕肴 211
(餡)馅 393
(館)馆 393
(頷)颔 478
(鴒)鸰 341
(膩)腻 478
〔臈〕腊 441
〔穎〕颖 481
(鴟)鸱 344
(鮁)鲅 479
(鮃)鲆 479
(鮎)鲇 480
(鮋)鲉 480
(鮓)鲊 480
(穌)稣 480
(鮒)鲋 480
(鮊)鲌 480
(鮣)䲟 480
(鮈)鮈 480
(鮑)鲍 481
(鮀)鮀 481
(鮍)鲏 481
(鮐)鲐 481
(鴝)鸲 344
(獲)获 314
(穎)颖 481
〔燄〕焰 447
〔颮〕飑 443
〔猥〕狷 344
(獨)独 283
(獫)猃 344
(獪)狯 283
〔蠭〕蜂 471

(鴐)鸳 345

【丶】

(諜)谋 404
(諶)谌 404
(諜)谍 404
(謊)谎 404
(諲)谭 404
(諫)谏 404
(諴)诚 404
(諧)谐 404
(謔)谑 405
(諟)谡 405
(謁)谒 405
(謂)谓 405
(諤)谔 405
(謏)谡 405
(諭)谕 406
[謚]谥 452
(諼)谖 406
(諷)讽 105
(諳)谙 406
(諺)谚 406
(諦)谛 406
(謎)谜 406
[諠]喧 430
(諢)诨 232
(諞)谝 406
(諱)讳 103
(諝)谞 406
[褭]袅 345
(憑)凭 207
(鄺)邝 50
(瘻)瘘 510
(瘲)疭 287
(瘮)瘆 483
[螽]蚊 326
[褒]褒 527
(親)亲 287
(辦)办 33
(龍)龙 39
(劑)剂 219
(燒)烧 351
(燜)焖 399
(燀)烊 447
(熾)炽 292
[燐]磷 544
(螢)萤 370
(營)营 370
(罃)莺 370
(縈)萦 371
(燖)焊 353
(燈)灯 101
(濛)蒙 462
[澣]浣 355
[澁]涩 356
(燙)烫 355
(澠)渑 400
(濃)浓 296
(澤)泽 226
(濁)浊 295
(澮)浍 295
(澱)淀 401
(澦)滪 487
(懞)蒙 462
(懌)怿 226
(憶)忆 31
(憲)宪 298
(窺)窥 488
(窶)窭 512
(窵)窎 359
[窻]窗 450
(禬)襘 489
(褸)褛 513
(禪)禅 451
[蘂]蕊 518

【乛】

(彊)颧 489
[彊]强 452

(隱)隐 408
(隮)𬯀 234
(嬙)嫱 513
〔孃〕袅 345
(嬡)嫒 490
(縉)缙 491
(縝)缜 491
(縛)缚 491
(縟)缛 491
(緻)致 322
(縧)绦 365
〔縚〕绦 365
(縫)缝 491
(縐)绉 239
(縗)缞 492
(縞)缟 492
(縭)缡 492
(縊)缢 492
(縑)缣 492

17 画

【一】

(耬)耧 516
(璫)珰 308
(環)环 178
(璵)玙 116
(璦)瑷 493
(贅)赘 493
(覯)觏 493
(黿)鼋 415
〔擣〕捣 312
〔鬀〕剃 294
(幫)帮 242
〔擣〕捣 312
(騁)骋 365
(駼)骀 365
(騂)骍 365
(騣)骔 366
(駿)骏 366
(趨)趋 416
(擱)搁 418
〔壎〕埙 311
(擬)拟 125
(壙)圹 66
(擴)扩 66
(擠)挤 247
(蟄)蛰 418
(縶)絷 418
(擲)掷 368
(擯)摈 460
(擰)拧 184
(轂)毂 460
(聲)声 124
(藉)借 337
(聰)聪 518
(聯)联 419
〔懃〕勤 460
(艱)艰 236
(藍)蓝 461
〔謩〕谟 450
(舊)旧 41
(薺)荠 249
(薴)苎 186
(韓)韩 421
(藎)荩 251
〔賫〕〔齎〕赍 422
(隸)隶 233
(檉)柽 255
(檣)樯 519
(檟)槚 495
〔樐〕橹 534
(檔)档 317
(櫛)栉 253
(檢)检 372
(檜)桧 317
(麯)曲 78
(轅)辕 498
(轄)辖 499

(輾)辗 499
(擊)击 36
(臨)临 262
〔鍳〕鉴 468
(磽)硗 374
(壓)压 71
(磾)䃅 465
(礄)硚 374
(磯)矶 134
(鳾)䴓 374
(邇)迩 215
(尷)尴 466
〔殭〕僵 525
(鴐)𫛭 375
(殮)殓 375

【丨】

(齔)龀 322
(鮆)𬶟 499
(戲)戏 110
(虧)亏 6
(瞭)了 3
(顆)颗 499
(購)购 202
(賻)赙 501
(嬰)婴 380
(賺)赚 502
(嚇)吓 77
(闠)阓 446
(闌)阑 446
(闃)阒 446
(闆)板 187
〔闇〕暗 469
(闊)阔 446
(闈)闱 158
(闋)阕 446
(曖)暧 500
(蹕)跸 470
〔蹏〕蹄 535
(蹌)跄 378
(蟎)螨 536
(螮)䗖 521
(螻)蝼 521
(蟈)蝈 501
〔嚐〕尝 263
(雖)虽 267
(嚀)咛 199
(幬)帱 327
(覬)觊 329
(嶺)岭 200
〔嶽〕岳 206
(嶸)嵘 430
(點)点 261

【丿】

(矯)矫 385
〔氈〕毡 275
(鴿)鸽 386
〔鍫〕锹 503
〔穉〕稚 476
(簀)箦 505
〔簒〕篡 538
〔篹〕纂 564
(簍)篓 525
(輿)舆 506
〔擧〕举 298
(歟)欤 136
(鵂)鸺 387
(優)优 85
(償)偿 387
(儲)储 439
(龜)龟 150
(魎)魉 539
(鴴)鸻 389
(禦)御 440
(聳)耸 340
(鵃)鸼 390
(鍥)锲 502
(鍩)锘 502
〔鍊〕炼 291

〔鍼〕针 145
(鍇)锴 502
(鍘)铡 382
(鍚)钖 204
(鍶)锶 502
(鍔)锷 503
(鍤)锸 503
(鍬)锹 503
(鍾)钟 272
(鍾)锺 503
(鍛)锻 503
(鎪)锼 503
(鍠)锽 503
(鍭)𫔎 503
〔鎚〕锤 474
(鍰)锾 503
(鎄)锿 504
(鍍)镀 504
(鎂)镁 504
(鎡)镃 504
(鎇)镅 504
(斂)敛 390
〔歛〕敛 390
(鴿)鸽 390
(懇)恳 363
〔谿〕溪 486
〔餬〕糊 528
(餷)馇 443
(餳)饧 94
〔餵〕喂 429
(餶)馉 443
(餿)馊 443
〔餽〕馈 443
〔餱〕糇 528
(膿)脓 344
(臉)脸 392
(膾)脍 342
(膽)胆 282
〔賸〕剩 437
(謄)誊 484
(鮭)鲑 507
(鮚)鲒 507
(鮪)鲔 507
(鮞)鲕 507
(鮦)鲖 508
(鮜)鲘 508
(鮡)𬶋 508
(鮠)𩽹 508
(鮫)鲛 508
(鮮)鲜 508
(鮟)𩽾 509
(獼)狝 216
(颶)飓 443
(獷)犷 94
(獰)狞 216
〔斵〕斫 257
【丶】
(講)讲 103
〔譁〕哗 268
(謨)谟 450
〔謌〕歌 496
(謖)谡 451
(謝)谢 451
(謠)谣 451
〔謟〕谄 362
(謅)诌 167
(謗)谤 451
(謚)谥 452
(謙)谦 452
(謐)谧 452
(褻)亵 444
(氈)毡 275
(應)应 156
〔癅〕瘤 528
(癘)疠 218
(療)疗 155
(癇)痫 445
(癉)瘅 483

〔癄〕憔 530
〔瘩〕瘩 510
(癆)痨 445
〔癈〕废 219
〔顇〕悴 403
(鴂)䴗 395
(齋)斋 348
〔甕〕瓮 213
(鯗)鲞 511
(糞)粪 446
(糝)糁 511
(毴)毴 321
(燦)灿 159
(燭)烛 352
〔燬〕毁 478
(燴)烩 352
(鴻)鸿 399
(濤)涛 353
(濫)滥 486
〔濬〕浚 356
(鋈)鋈 402
〔盪〕荡 250
〔濶〕阔 446
(濕)湿 447
(濟)济 296
(濼)泺 447
(濱)滨 487
(濘)泞 225
(濜)浕 297
(澀)涩 356
(濰)潍 512
(懨)恹 297
(賽)赛 512
(襇)裥 451
〔襍〕杂 93
(襖)袄 299
(襏)袯 360
(禮)礼 55

【乛】

(屨)屦 531
(彌)弥 233
〔蟁〕蚊 326
〔牆〕墙 494
〔嬭〕奶 57
(嬪)嫔 490
(嚮)向 89
(績)绩 409
(縹)缥 514
(縷)缕 456
(縵)缦 514
(縲)缧 514
〔繃〕绷 411
(總)总 290
(縱)纵 175
(縴)纤 112
(繽)缤 515
(縮)缩 515
(繆)缪 515
(繅)缫 515

18画

【一】

(耮)耢 458
〔璿〕璇 516
(鵓)鹁 458
(瓊)琼 415
〔釐〕厘 256
(攆)撵 516
(鬆)松 188
(翹)翘 425
(擷)撷 517
(騏)骐 409
(騎)骑 410
(騑)𬳶 410
(騍)骒 410
(騅)骓 411
〔騐〕验 365
(騊)𫘦 412

〔騌〕鬃 553
(騄)𫘧 413
(擾)扰 119
(攄)摅 459
(擻)擞 532
(鼕)冬 49
(擺)摆 459
〔攜〕携 460
(擼)撸 517
(贄)贽 312
(燾)焘 367
(聶)聂 313
(聵)聩 517
(職)职 370
(藝)艺 18
(覲)觐 518
(鞦)秋 277
(藪)薮 533
(蠆)虿 260
(繭)茧 249
(藥)药 252
〔藷〕薯 533
(藭)䓖 315
(賾)赜 518
(蘊)蕴 518
(檯)台 61
(檮)梼 371
(櫃)柜 187
(檻)槛 495
(櫚)榈 464
(鵐)鹀 422
〔麱〕麸 367
(檳)槟 496
(檸)柠 255
〔櫂〕棹 422
〔櫈〕凳 514
(鵜)鹈 423
(轉)转 194
〔蹔〕暂 425
(轆)辘 520
(鶘)鹕 423
(醫)医 133
(礎)础 319
(殯)殡 498
(霧)雾 467

【丨】

(豐)丰 15
(閱)阅 396
(齕)龁 376
(覷)觑 520
(懟)怼 303
(叢)丛 47
(矇)蒙 462
(題)题 520
(韙)韪 468
〔矁〕瞅 499
(瞼)睑 427
〔甖〕罂 502
(闖)闯 99
(闔)阖 484
(闐)阗 484
(闒)阘 484
(闓)闿 288
(闃)阒 484
(闕)阙 484
(顒)颙 521
(曠)旷 140
〔蹟〕迹 287
(蹣)蹒 545
〔蹧〕糟 551
〔蹤〕踪 521
(嚙)啮 377
〔蹠〕跖 428
(壘)垒 303
(蟯)蛲 429
(蟲)虫 77
(蟬)蝉 501
〔顋〕腮 479

(蟣)虮 198
(顎)颚 522
(鶻)鹘 429
(嚕)噜 522
(顢)颟 522

【丿】

〔罈〕坛 118
〔罇〕樽 534
(鵠)鹄 437
(鵝)鹅 437
〔鵞〕鹅 437
(穫)获 314
(穡)穑 538
(穢)秽 386
(穠)秾 386
〔簮〕簪 556
(簡)简 478
(簣)篑 525
(簞)箪 506
(礐)岩 357
〔儵〕倏 338
(雙)双 35
〔䶏〕鼬 339
(軀)躯 388
〔翶〕翱 539
(邊)边 58
〔䳘〕鹅 437
(歸)归 42
(鏵)铧 383
(鏌)镆 522
(鎮)镇 522
(鏈)链 433
(鎛)镈 523
(鎘)镉 523
(鎖)锁 433
(鎧)铠 382
(鐫)镌 523
(鎳)镍 523
(鎢)钨 274
(鎩)铩 383
(鎿)镎 523
〔鎗〕枪 188
(鎓)𬭩 523
(鎦)镏 523
(鎬)镐 524
(鎊)镑 524
(鎰)镒 524
〔鎌〕镰 555
(鎵)镓 524
(鎔)镕 524
〔鎻〕锁 433
(鵒)鹆 441
(貙)䝙 391
〔雞〕鸡 173
(饁)馌 482
(饃)馍 482
(餼)饩 152
(餾)馏 482
〔餹〕糖 542
(饈)馐 482
〔餻〕糕 542
(臍)脐 343
(臏)膑 507
(鯁)鲠 526
(鯉)鲤 526
(鮸)𬶋 526
(鯀)鲧 526
(鯇)鲩 526
(鮶)𬶍 527
(鯽)鲫 527
(鯒)𬶏 527
(鵟)𬷕 442
〔颺〕扬 67
(颺)飏 151
(颸)飔 481
(颼)飕 481
(觴)觞 443
(獵)猎 393

(雛)雏 482

【丶】

(謹)谨 489
(謳)讴 103
〔謼〕呼 198
(謾)谩 489
(謫)谪 489
(謭)谫 489
(謬)谬 489
(癤)疖 155
〔癒〕愈 478
(雜)杂 93
(離)离 349
〔麐〕麟 569
(顏)颜 528
〔羴〕膻 548
(糧)粮 484
〔爗〕烨 352
〔燻〕熏 505
(鎣)蓥 463
(燼)烬 353
〔燿〕耀 563
(鵜)鹈 447
(瀆)渎 399
(瀗)瀗 551
(濾)滤 486
(鯊)鲨 529
(濺)溅 448
(濼)泺 225
(瀂)澛 529
(瀏)浏 295
(瀅)滢 486
(瀉)泻 225
(瀋)沈 162
(竄)窜 449
(竅)窍 358
(額)额 530
(襠)裆 405
(襝)裣 450
〔襢〕袒 360
(禱)祷 405
(禰)祢 299

【乛】

(韞)韫 458
(醬)酱 482
(隴)陇 170
(嬸)婶 408
(繞)绕 304
〔繖〕伞 92
(繚)缭 531
〔繙〕翻 556
(織)织 238
(繕)缮 531
(繒)缯 531
〔繦〕襁 551
(斷)断 398
〔雝〕雍 483

19 画

【一】

(鶄)䴖 458
〔瓈〕璃 493
(瓅)𪻐 243
(鬍)胡 251
〔鬉〕鬃 553
〔鼃〕蛙 428
(𩣑)𬳵 454
(騠)𫘨 455
〔騣〕鬃 553
〔颿〕帆 81
(騙)骗 456
(騤)骙 457
(騷)骚 457
(壢)坜 119
(壚)垆 180
〔壜〕坛 118
(壞)坏 118
(攏)拢 180

〔鵶〕鸦 260
（蘀）萚 370
（難）难 364
〔韡〕靴 461
〔鞵〕鞋 518
（鵲）鹊 461
（藶）苈 126
（蘋）苹 185
（蘋）𬞟 533
（蘆）芦 128
（藺）蔺 495
（躉）趸 321
（鶓）鹋 461
（蘄）蕲 518
（勸）劝 34
〔蘓〕苏 129
（蘇）苏 129
（藹）蔼 495
〔藼〕萱 421
（蘢）茏 185
〔蕿〕萱 421
〔蘂〕蕊 518
（顛）颠 533
（櫝）椟 422
（櫟）栎 254
（櫍）𬃊 422
〔麯〕曲 78
（麴）麹 516
（櫓）橹 534
（櫧）槠 496
〔櫥〕橱 533
（櫞）橼 534
（轎）轿 320
（鏨）錾 535
（轍）辙 535
（轔）辚 535
（䡵）𫐐 535
（繫）系 153
（䳋）𬸣 321
〔覇〕霸 566
〔覈〕核 318
（醱）酦 423
（麗）丽 132
（厴）厣 373
（礪）砺 319
（礙）碍 465
（礦）矿 191
（贋）赝 534
（願）愿 498
（鵪）鹌 466
（璽）玺 344
（𧳩）𫎆 534

【丨】

（翽）翙 430
（齗）龂 426
（贈）赠 536
（鶪）䴗 469
〔嚥〕咽 267
〔闚〕窥 488
〔曡〕叠 490
〔疊〕叠 490
（闞）阚 511
（關）关 100
（嚦）呖 140
（疇）畴 428
（蹺）跷 470
（躂）跶 470
〔蹻〕跷 470
（蟶）蛏 379
（蠅）蝇 501
〔蠍〕蝎 521
〔蠏〕蟹 561
（蟻）蚁 266
（嚴）严 127
（獸）兽 398
（嚨）咙 198
（顗）𫖮 430

(𡾊)[illegible] 144
(羆)罴 501
(羅)罗 200
〔髈〕膀 507

【丿】

(氌)氇 538
(犢)犊 437
(贊)赞 538
〔穤〕糯 565
(穩)稳 504
〔穨〕颓 476
(簹)筜 438
(簽)签 477
〔簷〕檐 544
(簾)帘 228
(簫)箫 506
(牘)牍 439
(鵯)鹎 478
(懲)惩 440
〔艢〕樯 519
〔艣〕橹 534
(艤)舣 281
(鍇)锴 536
(鍺)锗 536
(鐄)锁 536
(鏗)铿 433
(鏢)镖 536
(鏥)锈 432
(鐓)镦 538
(鏜)镗 537
(鏤)镂 504
(鏝)镘 537
(鏰)镚 537
(鏞)镛 537
(鏡)镜 537
(鏟)铲 384
(鏑)镝 537
(鏃)镞 537
(鏇)旋 395
(鏘)锵 503
(鏐)镠 538
(辭)辞 476
(饉)馑 509
(饅)馒 509
(鵬)鹏 479
〔臕〕膘 526
(臘)腊 441
〔鵰〕雕 539
(鯖)鲭 539
(鯪)鲮 539
(鯕)鲯 540
(鯫)鲰 540
(鯡)鲱 540
(鯤)鲲 540
(鯧)鲳 540
(鯝)鲴 540
(鯢)鲵 540
(鯛)鲷 540
(鯨)鲸 540
(鯴)鲺 541
(鯔)鲻 541
(獺)獭 541
(鶉)鹑 481
(颼)飕 509
(觶)觯 527

【丶】

〔譆〕嘻 521
(譓)𬤝 512
(譚)谭 512
(譖)谮 513
(譙)谯 513
〔譌〕讹 104
(識)识 166
(譜)谱 513
〔爕〕燮 550
〔譔〕撰 517
(證)证 164
(譎)谲 513

(譏)讥 32
〔蹵〕蹴 559
(鶉)鹑 482
(廬)庐 157
(贇)赟 541
(癟)瘪 527
〔癡〕痴 483
(癢)痒 395
(龐)庞 218
(鶊)鹒 483
(壟)垄 193
〔韻〕韵 483
〔甕〕瓮 213
〔羶〕膻 548
(類)类 290
(爍)烁 292
(瀟)潇 511
(瀨)濑 542
(瀝)沥 160
(瀕)濒 542
(瀘)泸 224
(瀧)泷 224
(濼)泺 511
(懶)懒 542
(懷)怀 162
〔寶〕宝 227
(寵)宠 228
(襪)袜 360
(襤)褴 530

【乛】

〔臋〕臀 552
(韜)韬 493
(騭)骘 453
〔孼〕孽 559
〔孏〕懒 542
(鶩)骛 454
(顙)颡 543
(繮)缰 543
(繩)绳 411
(繾)缱 543
(繰)缲 543
(繹)绎 240
(繯)缳 543
(繳)缴 543
(繪)绘 305
(繶)繶 543
〔繡〕绣 365

20画

【一】

〔瓌〕瑰 458
(瓏)珑 242
(鰲)鳌 458
(驊)骅 305
(騵)骦 491
(騱)骡 491
(騮)骝 491
(騶)驺 239
(騸)骟 492
(攖)撄 494
(攔)拦 183
(攙)搀 418
(聹)聍 370
(顢)颟 533
(驀)蓦 461
(蘭)兰 51
〔蘤〕花 126
(蘞)蔹 495
(蘚)藓 544
(鶘)鹕 495
(櫪)枥 187
(櫨)栌 253
(櫸)榉 464
(礬)矾 191
(麵)面 257
(櫬)榇 464
(櫳)栊 253
(鷗)鸥 496

(飄)飘 519
(醲)𬪩 465
(礫)砾 319
〔蠆〕虿 249

【丨】

〔鬭〕斗 31
(齟)龃 468
(齡)龄 468
(齣)出 57
(齙)龅 468
(齠)龆 468
(鹹)咸 256
(鹺)鹾 535
(獻)献 463
(黨)党 323
(懸)悬 376
(鶪)䴗 499
(罌)罂 502
(贍)赡 545
(闥)闼 288
(闡)阐 397
(鶡)鹖 500
(曨)昽 264
(蠣)蛎 378
〔蠔〕蚝 326
(蠐)蛴 429
(蠑)蝾 521
(嚶)嘤 501
(鶚)鹗 501
(髏)髅 555
(鶻)鹘 502

【丿】

(犧)牺 334
(鶖)鹙 505
(籌)筹 477
(籃)篮 538
(譽)誉 488
(覺)觉 298
(嚳)喾 449
(斆)敩 449
(衊)蔑 494
(艦)舰 339
(鐃)铙 382
(鐑)𫔀 546
(鐽)鎝 381
(鐔)镡 546
(鐝)镢 546
(鐐)镣 546
(鏷)镤 546
(鐦)锎 435
(鐧)锏 436
(鏍)镙 546
(鐇)镭 546
(鐓)镦 546
(鐘)钟 272
(鐠)镨 547
(鏻)磷 547
(鐏)镈 547
(鐩)燧 547
(鐒)铹 432
(鐋)铴 385
(鐀)镪 547
(鐨)镄 504
(鐙)镫 547
(鏺)钹 334
(鐍)镝 548
(釋)释 441
(饒)饶 284
(饊)馓 527
(饋)馈 443
〔饍〕膳 539
(饌)馔 527
(饑)饥 50
〔臙〕胭 341
(臚)胪 281
(朧)胧 281
(騰)腾 479

(鰆)䲠 548
(鰈)鲽 549
(鯻)鯻 549
(鰏)鲾 549
(鰊)鰊 549
(鯷)鳀 549
(鰂)鲗 508
(鰛)鳁 549
(鰃)鳂 549
(鰓)鳃 549
(鰐)鳄 549
(鰍)鳅 550
(鰉)鳇 550
(鰁)鳈 550
〔鰌〕鳅 550
(鯿)鳊 550
〔颷〕飙 519
(觸)触 482
(獼)猕 393

【丶】

(護)护 123
(譴)谴 530
〔譟〕噪 536
(譯)译 168
(譞)谖 530
〔譭〕毁 478
(譫)谵 531
(議)议 56
(䜩)䜩 541
(癥)症 348
(辮)辫 551
(龑)䶮 258
(競)竞 350
(贏)赢 551
(糲)粝 398
(糰)团 78
(鶿)鹚 511
〔鷀〕鹚 511
(爐)炉 222
(瀾)澜 529
(瀲)潋 512
(瀰)弥 233
〔懽〕欢 111
(懺)忏 102
(寶)宝 227
(騫)骞 488
(竇)窦 488
(襬)摆 459

【乛】

(鷖)鹥 552
(鶥)鹛 513
〔孃〕娘 363
(鶩)鹜 514
(饗)飨 457
(響)响 268
(纁)𫄸 552
(繻)𦈡 552
(纊)纩 113
(繽)缤 492
(繼)继 366

21画

【一】

〔囓〕啮 377
(瓔)璎 516
(鰲)鳌 553
(鶩)鹜 553
(攝)摄 459
(驅)驱 173
(驃)骠 514
(騾)骡 514
(驄)骢 515
(驂)骖 413
〔攜〕携 460
(攛)撺 125
(擷)撷 517
(韃)鞑 518
(韉)鞒 518

(歡)欢 111
(蘺)蓠 462
(權)权 69
(櫻)樱 519
(欄)栏 255
(轟)轰 193
(覽)览 262
(鷗)鸥 519
〔醻〕酬 465
(酈)郦 256
〔礮〕炮 292
(礷)𬒗 498
(飆)飙 534
(殲)歼 134

【丨】

(齜)龇 499
〔齩〕咬 269
(齦)龈 499
〔鹻〕碱 497
(贔)赑 431
(贐)赆 329
(曨)昽 324
(囁)嗫 469
(囈)呓 139
(囀)啭 377
(闢)辟 490
(顥)颢 554
(躊)踌 500
(躋)跻 470
(躑)踯 521
(躍)跃 377
(纍)累 379
(蠟)蜡 500
(囂)嚣 554
(巋)岿 200
(髒)脏 343

【丿】

(酇)酂 555
〔籑〕馔 527
〔籐〕藤 554
(儺)傩 439
(儷)俪 279
(儼)俨 278
〔顦〕憔 530
(鷉)䴘 525
〔艪〕橹 534
(鐵)铁 332
(鑊)镬 555
(鐳)镭 555
(鐺)铛 382
(鐸)铎 334
(鐶)镮 555
(鐲)镯 555
(鐮)镰 555
(鐿)镱 555
〔鐮〕镰 555
〔鏽〕锈 434
〔飜〕翻 556
(鷊)鹝 525
(鷄)鸡 173
(鶬)鸧 281
(饘)馇 541
(鶲)鹟 525
(臟)脏 343
(臢)臜 556
(鰭)鳍 557
(鰱)鲢 526
(鰣)鲥 526
(鰨)鳎 557
(鰥)鳏 557
(鰷)鲦 526
(鰤)𫚕 507
(鰩)鳐 557
(鰟)鳑 557
(鰜)鳒 557
(鶹)鹠 527

【丶】

〔讁〕谪 489

(癩)癞　558
(癧)疬　287
(癮)瘾　542
(斕)斓　542
(鶺)鹡　528
(辯)辩　542
〔贑〕赣　567
(礱)砻　320
〔臝〕裸　489
(鷁)鹢　529
(鶼)鹣　529
(爛)烂　293
(鶯)莺　316
(灄)滠　485
(灃)沣　160
(灕)漓　486
〔灋〕法　223
(懾)慑　487
(懼)惧　402
(鶱)骞　530
(竈)灶　159
(顧)顾　320
(襯)衬　230
(鶴)鹤　530

【乛】

(屬)属　452
(纈)缬　531
(續)续　409
(纆)纆　558
(纏)缠　492

22画

【一】

(鬚)须　280
(攤)摊　460
(驍)骁　304
(驕)骄　304
(驎)骈　531
(騾)骡　531
(覿)觌　423
(攢)攒　559
(鷙)鸷　368
(聽)听　142
〔韁〕缰　543
(蘿)萝　370
(驚)惊　402
(轢)轹　259
(鷗)鸥　258
(鑒)鉴　468
(邐)逦　319
〔贋〕赝　534
(霽)霁　498

【丨】

(齬)龉　520
(齪)龊　520
(贖)赎　431
(囌)苏　129
(躚)跹　470
(躒)跞　428
(躓)踬　521
〔躕〕蹰　559
〔疊〕叠　490
(蠨)蟏　545
(囑)嘱　545
(囅)冁　558
(囉)啰　379
(巔)巅　559
(邏)逻　380
〔巗〕岩　199
〔巖〕岩　199
(體)体　146

【丿】

(罎)坛　118
(籜)箨　505
(籟)籁　560
(籛)篯　538
(籙)箓　506
(籠)笼　386

(鰵)鰵 560
〔鼴〕鼴 569
(儻)傥 439
(艫)舻 389
(鑄)铸 431
〔鑑〕鉴 468
〔鑛〕矿 191
(鑌)镔 524
(鑔)镲 560
〔龢〕和 205
(龕)龛 390
(糴)籴 212
(鰳)鰳 560
(鰹)鰹 526
(鰾)鰾 560
(鱈)鱈 560
(鰻)鰻 561
(鰶)鰶 561
(鱇)鱇 561
(鱅)鱅 561
(鳚)鳚 561
(鱂)鱂 550
(鰼)鰼 561
(鰺)鰺 541
(玀)猡 393
〔蠭〕蜂 471

【丶】

(讀)读 359
(巒)峦 285
(彎)弯 285
(孿)孪 286
(孌)娈 286
(顫)顫 561
(鷉)鷉 541
(癭)癭 541
(癬)癬 561
〔麞〕獐 509
(聾)聋 374
(龔)龚 374
(襲)袭 374
(鷩)鷩 542
(鱉)鱉 561
(灘)滩 487
(灑)洒 294
(竊)窃 298
(襴)襴 551

【乛】

(鷚)鷚 543
(轡)辔 491

23画

【一】

(瓚)瓚 563
〔鼇〕鳌 553
(驛)驿 240
(驗)验 365
(驌)骕 413
〔攩〕挡 245
(攪)搅 419
〔韤〕袜 360
〔鷰〕燕 532
(欏)椤 422
(轤)轳 259
〔醼〕宴 358
(靨)靨 519
(魘)魘 519
(饜)饜 519
(鷯)鷯 544
(鬀)鬀 516
(顬)顬 563

【丨】

(齮)齮 535
(齯)齯 535
(曬)晒 324
(鷳)鷳 446
(顯)显 264
(蠱)蛊 378
(巘)巘 536
(黲)黲 564

(髖)髋 560
(髕)髌 560

【丿】

〔籢〕奁 134
(籤)签 477
〔讐〕仇 26
〔讐〕雠 556
〔讎〕仇 26
(讎)雠 556
(鷦)鹪 548
(黴)霉 520
〔鑽〕钻 331
〔鑤〕刨 152
(鑠)铄 333
(鑕)锧 474
(鑥)镥 546
(鑣)镳 564
(鑞)镴 564
(鷭)鹞 548
(臢)臜 564
(鱝)鲼 548
(鱚)鱚 564
(鱖)鳜 564
〔鱓〕鳝 564
(鱔)鳝 564
(鱗)鳞 564
(鱒)鳟 565
(鱘)鲟 509

【丶】

〔讌〕宴 358
(欒)栾 346
(孿)挛 346
(變)变 217
(戀)恋 346
(鷲)鹫 551
(癰)痈 348
(讋)詟 424
(齏)齑 528
〔羸〕骡 514

【乛】

〔韤〕袜 360
(鷸)鹬 552
(纓)缨 514
(纖)纤 112
(纔)才 7
(纕)纕 565
(鷥)鸶 366

24 画

【一】

(瓛)瓛 544
(鬢)鬓 563
(攬)揽 416
(驟)骤 552
(壩)坝 120
(韆)千 8
(鶓)鹋 553
(觀)观 111
(鸛)鹳 554
(欓)榄 495
(鹽)盐 310
(釀)酿 497
〔貛〕獾 565
(靂)雳 425
(靈)灵 168
(靄)霭 559
(蠶)蚕 309

【丨】

(艷)艳 308
〔鬭〕斗 31
(矚)瞩 566
〔齶〕腭 479
(齲)龋 545
(齷)龌 545
〔鹼〕碱 497
〔囓〕啮 377
〔矙〕瞰 535
(贜)赃 329

(鷺)鹭 554
(囑)嘱 522
(羈)羁 545
(鸀)𫛳 554

【丿】

(籩)笾 387
(籬)篱 539
(籪)簖 548
(黌)黉 543
(鱟)鲎 488
(鸌)鹱 557
〔鑪〕炉 222
(鑪)𬬻 331
〔貛〕獾 565
〔饝〕馍 482
(鱯)鳠 567
(鱤)鳡 567
(鱧)鳢 567
(鱠)鲙 508
(鱣)鳣 567

【丶】

〔讙〕欢 111
(讕)谰 513
(讖)谶 562
(讒)谗 406
(讓)让 55
(鸇)鹯 557
(鷹)鹰 557
(癱)瘫 528
(癲)癫 567
(贛)赣 567
〔鼈〕鳖 561
(灝)灏 567

【乛】

(鷫)鹔 489
(鸊)䴙 558

25 画

【一】

(壪)塆 418
(虉)𬟁 553
(欖)榄 463
〔鬱〕郁 190
〔覊〕羁 545
(靉)叆 494

【丨】

(顱)颅 376
〔鸎〕莺 316
(躡)蹑 545
(躥)蹿 559
(鼉)鼍 563

【丿】

(籮)箩 505
〔鑵〕罐 569
(鑭)镧 547
(鑰)钥 274
(鑱)镵 568
(鑲)镶 568
(饞)馋 443
〔饟〕饷 285
(鱨)鲿 549
(鱹)鳤 568
(鱭)鲚 508
(鸑)𫛢 509

【丶】

(蠻)蛮 444
(臠)脔 445
(廳)厅 19
(灣)湾 448

【乛】

(彠)彟 562
(糶)粜 407
(纘)缵 562

26 画

【一】

(驥)骥 562

(驢)驴 176
(趲)趱 569
(顴)颧 569
(釃)酾 497
(釅)酽 497
(黶)黡 554

【丨】

(矚)瞩 545
(躪)躏 566
(躦)躜 569

【丿】

〔穮〕秋 277
(釁)衅 389
(鑷)镊 522
(鑹)镩 547
(鱭)鲚 569

【丶】

〔讚〕赞 538
(灤)滦 486

27画

〔驩〕欢 111
(驦)骦 565
(驤)骧 565
(顳)颞 532
〔鬱〕郁 190
〔豔〕艳 308
(闞)阚 350
(鸕)鸬 322
(黷)黩 563
(鑼)锣 474
(鑽)钻 331
〔鱷〕鳄 549
(鱸)鲈 480
(讞)谳 530
(讜)谠 451
(鑾)銮 510
(灩)滟 485
〔灨〕赣 567
(纜)缆 454

28画

(鸛)鹳 568
(欞)棂 372
(鸖)鹳 568
〔豓〕艳 308
(齼)齼 566
(鑿)凿 426
(鸚)鹦 536
(钂)锐 523
〔癵〕瘪 527
(戇)戆 570

29画

(驪)骊 364
(鬱)郁 190

30画

(鱺)蝨 307
(鸝)鹂 423
(饢)馕 570
(鱺)鲡 526
(鸞)鸾 394

32画

(籲)吁 77

33画

〔鱻〕鲜 508
〔麤〕粗 398

二 画

厂[1](廠) chǎng ❶ 工厂,进行工业生产或加工的单位:~房|~长|棉纺~|发电~。❷ 某些场地宽敞、能存放货物并进行加工的店铺:煤~|石料~。❸ 明代特务机关:东~|西~。

厂[2] ān 同"庵"。多用于人名。

【备考】厂,本读 hǎn,金文作厂,象形字,指可以住人的山崖。或加声符"干"作[illegible]。现在从厂的字,一部分与山、石义有关,如厓(崖,山边)、原(源,从泉出厂下)、厚(山陵厚大)、厎、厉、厝等;一部分与建筑义有关,为"广"(yǎn,三面有墙的较简陋的建筑)之省,如厅、厕、厨、厦等。简化字厂(chǎng),由"廠"省略而来,与厂(hǎn)为同形字。

卜[1] bǔ ❶ 用龟甲、蓍(shī)草或铜钱、骨牌等推算吉凶祸福的迷信活动:~卦|~筮|~辞。❷〈书〉预料;估量:预~|前途未~。❸〈书〉选择处所:~宅|~居。❹ 姓。

卜[2](蔔) ·bo 见"萝"(370 页)。

【备考】繁体蔔,形声字,从艹(艸),匐(fú)声。蔔与卜本不同音,但因两字音近,《简化字总表》将两字合并,这样卜就成了多音字。卜,象形字,甲骨文作[illegible],象甲骨烧灼后纵横相接的裂纹(即“兆”,古人据以预测吉凶)。从卜的字常与占卜有关。

儿(兒) ér ❶ 小孩子:~童|~歌|婴~|少~。❷ 年轻的人(多指青年男子):热血男~|体育健~|中华好~郎。❸ 儿子;男孩子(对父母而言):~女|~孙|~媳妇|生~育女。❹ 雄性的:~马。❺ 词的后缀:盆~|小刀~|串门~|铺盖卷~|点个亮~|不跟你玩~。

【辨析】“儿”作后缀形成“儿化”现象。“儿化”是汉语普通话和某些方言中的一种语音现象,后缀“儿”不自成音节,而和前面的音节合在一起,使前一音节的韵母成为卷舌韵母。后缀“儿”主要加在名词性成分或其他成分的后边,构成名词,少数也构成动词。儿化词一般显得轻松、亲切。

【备考】儿、兒原为二字。儿,为“人”的异体,一般出现在合体字下部;兒,甲骨文作[illegible],象儿童总角(把头发扎成髻)之形。《简化字总表》以“儿”为“兒”的简化字,但“兒”在作姓氏、古国名读 ní 时不简作“儿”。由“兒”构成的合体字如倪、猊、鲵、鲵等字中的“兒”不简作“儿”。

几[1] jī 小桌子:~案|茶~儿|炕~儿|窗明~净。

几[2]**(幾)** ㊀ jǐ ❶ 询问数目,单用所指限于 10 以内,也可用在“十、百、千、万、亿”等之前和“十”之后:请~个人?|产量有~百斤?|你今年二十~了?❷ 表示大于 1 小于 10 的不定数目,除年

龄以外,后面一般都要用量词(在具体上下文中也可概括确定的数目):买了～件衣服|还有十～块钱|他已经四十好～了|动不动就～千～万地花钱|墙上写着“为人民服务”～个大字。

㊁ jī 差一点;接近:～乎|庶～|～遭不测|藏书～30 万册。

【备考】几、幾原为二字,意义各不相同。幾,会意字,本义为隐微,事物的先兆。几,甲骨文作∩,象形字,象几案之形,本义为几案。“几”在宋代有假借为“幾”的用法,1935 年《手头字第一期字汇》将“几”作为“幾”的简化字。

了[1] ㊀ liǎo ❶ 结束;完毕:～账|终～|一～百～|没完没～。❷ 可能(用于动词、形容词后,与“得”或“不”连用,表示肯定或否定):吃得～|办不～|衣服洗了干不～。❸〈书〉完全(用于否定词前,强化否定):～不相涉|～无喜色。

㊁ ·le 助词。❶ 表示动作或变化已经完成:买～部车|回到～家|我取～工资就还你钱。❷ 表示肯定语气:可以～|下雪～|老张出差,我就不去他家～。❸ 表示祈求、催促或劝阻的语气:算～算～|别生气～|好～好～,别再说～|你把那脏东西扔～。❹ 表示感叹:这人太坏～!|太棒～,为中国人争～口气。❺ 用于疑问句,仍表示事物发展的现阶段:你怎么～?|这小孩几岁～?

了[2](**瞭**)liǎo 明白;懂得:～然|～解|明～|～如指掌。

【辨析】“瞭”字读 liǎo(如“了解”)时,简化作“了”;读 liào(如“瞭望”)时不简化。

乃〔廼〕〔迺〕 nǎi 〈书〉❶ 是;就是: 此~肺腑之言|失败~成功之母。❷ 你的: ~兄|~翁。❸ 于是;然后: 几经周折,~获成功。

【备考】1955 年 12 月发布的《第一批异体字整理表》中“乃”有异体字“迺”。2013 年发布的《通用规范汉字表》确认“迺”为规范字,仅用于姓氏人名、地名,表示“是、你”等义和副词义时仍为“乃”的异体字。

三 画

[一]

干[1] gān ❶盾牌，古代防卫用的兵器：～戈。❷触犯；冒犯：～犯｜有～禁例。❸参与；过问：～涉｜～预｜～政。❹追求(名利等)：～禄｜～谒。❺关涉；牵连：～连｜相～｜与你无～｜～系重大。❻〈书〉河岸；水边：江～｜河之～。❼指天干，甲、乙、丙、丁、戊、己、庚、辛、壬、癸的总称。传统作编排次序用。❽姓。

干[2]**(乾)〔乹〕〔乾〕** gān ❶没有水分或水分很少：～柴｜～燥｜油漆未～｜衣服晾～了。❷竭尽；空无：包～儿(承担一定量的工作，保证全部完成)｜河～了｜外强中～｜吃个盆～碗净。❸使竭尽：～杯。❹不用水的：～洗｜～馏。❺单一地；仅仅：～吃饭｜坐在那儿～看着。❻(～儿)加工成的干的食品；也指不含糖的食品：饼～｜～啤酒｜豆腐～儿｜葡萄～儿｜～红葡萄酒。❼徒然；白白地：～赔｜～着急｜～瞪眼｜～打雷不下雨。❽只具形式地：～哭｜～嚎｜～笑。❾名义上的亲属，拜认的亲属：～亲｜～爹｜～娘｜～儿子｜～姐妹。❿〈方〉慢待；使人难堪：主人走了，把咱们～起来了｜

他说话太绝,把我们都～在那里了。

干[3](幹)〔榦〕gàn 事物的主体或主要部分:～流|～线|躯～|主～|树～|骨～。

干[4](幹)gàn ❶ 做;办;担任:～事|～工作|～批发|～革命|埋头苦～|～过几年厂长。❷ 办事的能力:才～。❸ 能干;有能力:～练|～才|～将|～员。❹〈方〉同意;愿意:这事换了你,你～不～?|想把孩子留在家里,可孩子就是不～。❺ 干部:～校|提～|商～|～群关系。

【备考】干,甲骨文作¥(金文形体同),象有丫杈的木棒形,为古人狩猎、作战的武器。"乾"从乙,表示植物从地下冒出,此义读 qián 时仍为规范字,不简化作"干",如"乾坤""乾隆"。"幹"本作"榦",从木,倝声,本义为古代筑墙用的木板,又用以表树干、主干。因倝字生僻难认,为加强表音作用,后人又将"木"改为"干"而造"幹"字,这样,"幹"就成了两部分都是声符而无意符的特殊字形。今以榦为异体,幹简化作干。古代有乾(gān)、幹简作干的例子,如东汉刘熙《释名·释饮食》中乾饭作干饭;汉碑中有以干代幹的例子。

亏(虧)kuī ❶ 欠缺;短少:～秤|理～|功～一篑|月盈则～。❷ 收入小于支出:～损|～空|～本|扭～为盈|这个月生活费花～了。❸ 使受损失,使吃亏:～待|～负|不能～了老实人。❹ 幸亏;多亏:～你指点,才没走冤枉路|～了有人提醒,不然就迟到了。❺"多亏"的反说,表示讥讽:这种

馊主意～你想得出来|～你一大把年纪,连个孩子都不如。

【备考】繁体虧,形声字,从亏(yú,于字古文),雐(hū)声,简化字省掉声符,元刊本《古今杂剧三十种》已有简化字"亏"(旧字形)。

才[1] cái ❶ 才能:～华|文～|德～兼备|这个人很有～。❷ 有才能的人;在才能方面有某种表现的人:爱～|全～|怪～|庸～。❸ 姓。

才[2]**(纔)** cái 副词。❶ 表示事情发生不久:会～散|他～来就要走。❷ 表示事情发生得晚:熬到半夜～睡|说了半天～明白。❸ 表示数量少,能力差,程度低:～考了70分|他～小学毕业。❹ 表示强调:这～是男子汉!|我～不理他呢!❺ 表示在某种条件下会出现某种情况:只有努力奋斗～能获得成功|他俩是因为观念不同～分手的。

【辨析】① 才—材 二字均可指人,在某些词语中可以通用,如人才、别才、成才(今"人才"已定为规范)。这类词语现多写作"才"。但侧重指资质或用作"木料"的比喻义时仍宜作"材",如蠢材、选材、栋梁之材等。② 才—纔 "纔"本读shān,指黑里带红的颜色。"才"各副词义本应作"才"(是"才"本义的引申),但旧时多写作"纔",音cái,《简化字总表》规定统一写作"才"。

与(與) ㊀ yǔ ❶ 给:赠～|生死～夺。❷ 交往:以礼相～。❸ 帮助;赞许:～人为善。❹ 介词。跟;同:～时俱进|～虎谋皮|～日俱增。❺ 连词:分清敌人～朋友|批评～自我批评。

㊁ yù 参加：～会|参～。

㊂ yú 同“欤”。

【备考】与，会意字，《说文·勺部》：“与，一勺为与。”即赐予。繁体與，会意字，从舁，从与，本义为朋党。與、与两字古代即通用。

万[1]（萬）wàn ❶ 数字，一千的十倍。❷ 形容很多；一切：～紫千红|～水千山|～众一心|排除～难。❸ 很；极；完全；绝对：～幸|～不得已|千真～确。❹ 姓。

万[2] mò 【万俟】（—qí）姓。

【备考】繁体萬，象形字，甲骨文作𰀀，象蝎形，假借为数字。万为数字萬的俗字，汉印中已有。

［丿］

千[1] qiān ❶ 数字，百的十倍：价值～元|水稻亩产一～斤。❷ 比喻很多、极多：～言万语|～奇百怪。❸ 姓。

千[2]（韆）qiān 【秋千】见“秋[2]”（277 页）。

亿（億）yì ❶ 数字，一万万为一亿：十三～中国人民。❷ 古代（西汉以前）指十万。

【备考】繁体億，形声字，从人，意声，本义为安。简化字亿，从人，乙声，见于 1936 年陈光尧编《常用简字表》。

个[1]（個）〔箇〕gè ❶ 量词。1. 用于没有专用量词的事物（部分有专用

量词的事物也可用“个”)：一～人|两～梨|三～(张)凳子|八～民主党派。2. 用于约数前：亩产比去年高～百儿八十斤|一天挣～七八十块的，他还不干。3. 用于带宾语的动词后，有表示动量的作用，表示次数不多、时间不长或程度不深：爱画～画儿、写～字儿什么的|洗～澡，睡～觉，休息休息|偶尔也逛～公园，看～电影。4. 用于动词和补语中间：看～仔细|笑～不停|吵得～不亦乐乎。❷ 单独的：～人|～体。❸ (～儿、～子)指形体的大小：高～子|苹果的～儿真大。❹ 量词“些”的后缀：客人带来这么些～礼品|他买了那么些～书。❺〈方〉加在“昨儿、今儿、明儿”等时间词后，跟“某日里”的意思相近。

个[2](個) gě 〈方〉【自个儿】(zì—r)指自己。

【备考】量词义古代多用“箇”，从竹，固声(最初指竹的数量)。通用“个”，有人认为“个”即“竹”字的一半。“竹”像竹子丛生，“个”则表示单独的一棵竹子。后又造从人、固声的“個”字。今以“个”为规范简化字，以“箇”为异体字。

么[1](麼) ·me ❶ 词的后缀：这～|那～|怎～|多～|什～。❷ 歌词中的衬字：太阳一出闪呀～闪金光呀。

么[2] yāo 同“幺”。

【辨析】“幺麼小丑”和姓氏人名中的“麼”读 mó，不简化作“么”。

【备考】繁体麼本作麽，形声字，从幺(yāo，小)，麻声，俗作麼。简化字么(me)为麼字的省略，在明代的官府文书档案《兵科抄出》中已使用。么(yāo)为幺的俗体。么传统归入厶部。厶，小篆作[illegible]，《说文》释为"奸邪"，即自私之私的本字。[illegible]为指事字，以环形表示自私。今厶部字据现代字形归部，多与厶的本义无关。

凡〔凣〕 fán ❶ 平常的；不出奇的：平～|～庸|～人小事|自命不～。❷ 人世间：～心|神仙下～。❸ 所有的；一切：～事要走群众路线|这个字～是上过学的人都认识。❹〈书〉总共：从事编辑工作～三十年|全书～二十卷。❺〈书〉大概；要略：～例|大～|发～。❻ 我国传统乐谱工尺谱的记音符号之一，相当于简谱的"4"。

【备考】甲骨、金文作[illegible]，象盘形，为盘的初文。

〔丶〕

广[1](廣) guǎng ❶ 宽阔：～泛|～场|宽～|地～人稀。❷ 多：大庭～众。❸ 扩大；扩充：推～|集思～益。❹ 姓。

广[2] ān 同"庵"。多用于人名。

【备考】以广作为廣的简化字使用，见于 1935 年《简体字表》。

亡〔亾〕 wáng ❶ 逃跑：逃～|流～。❷ 丢失：～失|～羊补牢。❸ 死：死～|阵～|家破人～。❹ 死去的：～灵|～友。❺ 灭亡；不再存在：

～国|唇～齿寒|国破家～。

【备考】亡，古又通“无”。

门(門) mén ❶ 门扇：～板|～缝|铁～|闭～造车。❷ 房屋、围墙、车船等的出入口：～洞|～帘|～票|～岗。❸ 形状或作用像门的：阀～|截～|油～|柜～儿。❹ 方法；途径：～道|～路|窍～。❺ 家族；家：～风|满～|双喜临～。❻ 类别：～类|五花八～。❼ 宗教、学术思想上的派别；也指师承：儒～|佛～|同～。❽ 生物学分类范畴，一群具有共同的最显著特征的生属属于一门：原生动物～。❾ 量词。1. 用于炮：一～炮。2. 用于功课、技术等：三～功课|两～技术。❿ 姓。

【备考】繁体門，象形字，甲骨文作門，象门形。简化字门，来源于汉代草书，在居延汉简中有接近门的字形，楷化的门字见于宋代刊行的《大唐三藏取经诗话》(门、间偏旁)。从门的字多与门有关。

丫[1]〔枒〕〔椏〕 yā 物体上端分叉的部分：～杈|枝～。

丫[2] yā 〈方〉女孩子：小～。

【备考】① 丫，抽象的表意字，象分叉的形状。② 1955年12月发布的《第一批异体字整理表》中“丫”有异体字“椏”。2013年发布的《通用规范汉字表》确认“椏”的类推简化字“桠”为规范字，仅用于姓氏人名、地名和科学术语(如“五桠果科”“苛桠素”)；表示“树木分叉”的意义时，繁体“椏”仍为“丫”的异体字。

义(義) yì ❶ 公正合宜的道理或举动：正～|道～|～不容辞|大～灭亲。❷ 合乎正义或公益的：～诊|～演。❸ 情谊；情义：～气|无情无～|忘恩负～。❹ 因领养或拜认而成亲属的：～子|～母。❺ 意思；意义：定～|词～|歧～。❻ 人工制造的(人体部分)：～肢|～齿。❼ 姓。

【备考】在元抄本《京本通俗小说》中已使用简化字“义”。

〔乛〕

尸〔屍〕 shī 尸体：～首|死～|验～。

【备考】尸，象形字，甲骨文作[illegible]，象人形。本义是古代祭祀时代表死者受祭的人(一般由臣下或死者的晚辈充任)。引申指空占着位置不干实事，如“尸位素餐”。又用来表示尸体，后为这个意义造“屍”字，《第一批异体字整理表》将“屍”作为“尸”的异体字淘汰。从尸的字大部分与人体及人的动作有关。

卫(衛) wèi ❶ 防护：守～|护～|自～|保家～国。❷ 担负保护、防守职责的人：门～|警～。❸ 明代驻兵的地点，后只用于地名：天津～|威海～。❹ 周朝国名，在今河北南部和河南北部一带。❺ 姓。

【备考】繁体衛，甲骨文作[illegible]，商代金文作[illegible]，中间的口表示地域，周围有四只脚(止)，周代金文作[illegible]，省左右二止从韋，另加行(道路)；或作[illegible]，将中间的“口”改为方(与口同意)。小篆作衞,方讹作帀。后代楷书多作衛,从韋,从行。简化字卫,曾在解放区流行,有人认为是“韋”上部“㐄”的变形。

飞(飛) fēi ❶鸟、虫等鼓动翅膀在空中活动:~蝗|大雁往南~。❷物体在空中飘荡或行动:~雪|~扬|~砂走石|飞机直~上海。❸形容非常迅速;极快:~奔|~跑|~涨|~舟。❹突然的;意外的;凭空而来的:~祸|~灾|流言~语。❺挥发:把盖子盖紧,免得香味~了|樟脑放久了,都~净了。❻副词。表示程度,相当于“很”“极”:~红|刀磨得~快。

【备考】繁体飛,小篆作飛,象鸟在空中拍翅行动,本义专指鸟飞。“飛”在唐《杜君妻崔素墓志》中简作飞,《简化字总表》进一步简作“飞”。

习(習) xí ❶反复地学使熟练:复~|练~|学~|自~|演~|学而时~之。❷熟悉;经常:~见|~以为常。❸长期重复做而逐渐养成的不自觉的活动:~惯|恶~|陋~|积~难改。❹姓。

【备考】繁体習,甲骨文作習,从羽,从日,表示鸟类在晴天时频频试飞。《说文》小篆讹作習,从羽,白(zì)声。简化字习,取習的一角,最初流行于解放区。“习”本义为鸟反复试飞,引申为复习、练习。

马(馬) mǎ ❶哺乳动物,四肢强健,善跑。❷大:~蜂|~勺。❸姓。

【备考】繁体馬,甲骨文作馬等形,象马的整体形象。简化字马,来源于草书。在元刊本《古今杂剧三十种》

上,馬写作马,与马形体接近;《简化字总表》规定以“马”为规范形体。从马的字意义都跟马有关,如马的名称,马身体各部位的名称,马的行为、状态以及与马有关的行为等。

乡(鄉) xiāng ❶ 城市以外的地区:~村|山~|水~|城~交流。❷ 祖籍;出生地:~愁|故~|家~|还~|背井离~。❸ 我国行政区划的基层单位,隶属县或区。

【备考】繁体鄉,甲骨文作[illegible],象两人相对进食,用以指共同饮食的氏族聚落。简化字乡,取“鄉”的一部分,为现代群众创造。

四 画

[一]

丰[1] fēng ❶ 茂盛；茂密：百草～茂。❷ 美好的容貌、姿态：～采|～韵。

丰[2]**(豐)** fēng ❶ 数量大或种类多：～年|～收|～衣足食。❷ 大：～碑|～功伟绩。❸ 姓。

【辨析】 茂盛及容貌、姿态的意义不能写作繁体的豐。

【备考】 丰，象形字，甲骨文作[illegible]，是“封”字最初的写法，象用作境界的植物，下部培土，引申出丰茂之义。繁体豐，象形字，甲骨文作[illegible]，象豆器中盛有两串玉，表示丰满的意思。丰与豐意义较接近，明代《清平山堂话本》中已有以“丰”代“豐”的例子。

开(開) kāi ❶ 打开；使关闭的东西不再闭合：～启|～闸|～幕|～锁。❷ 收拢的东西变得舒展：～花|张～|展～|眉～眼笑。❸ 整体的东西分解成部分：～裂|劈～|三十二～本。❹ 凝固的东西融化：～冻|～河。❺ 解除：～禁|～斋|～戒。❻ 打通；挖掘：～路|～通|～垦|～荒|～矿。❼ 扩展：～拓|～源节流。❽ 设置；建立：～店|～工厂。

❾ 起始：～学|～工|～春。❿ 摆上(饭菜)：～饭|～席。⓫ (队伍)行进：～拔|解放军～过来了。⓬ 举行：～会|召～。⓭ 写出：～列|～收据|～介绍信。⓮ 给予;支付：～工资|～劳务费。⓯ 发动：～车|～炮|～动。⓰ 液体沸腾：～水。⓱ 放在动词后面,表示效果：张～嘴|门打不～。⓲ 黄金的纯度单位。24开为纯金：14～金。⓳ 指按十分之几的比例分开：三七～。⓴ 姓。

【备考】繁体開,战国玺印文字作,与《说文》古文同,从門,从一,从収(gǒng),象双手拔开门闩开门的样子;収象双手,隶变作廾。小篆作,从門幵(jiān)声。楷书一般作開。简化字开省“門”。从廾的字多与手或手的动作有关。

无(無) ㊀ wú　❶ 没有：～私|～畏|互通有～。❷ 副词。不：～妨|～论|～须|～记名投票。❸ 连词。不论：事～大小,都安排得很好。❹ 通“毋”。副词。不要。

㊁ mó　【南无】(nā—)佛教用语,表示对佛尊敬或皈(guī)依。

【备考】繁体無,甲骨文作,象人两手持物而舞,即“舞”的本字。有无之“无”小篆作(無),从亡,無声。后以無为有无之“無”,舞蹈义则在“無”下加“舛”(两足)。简化字无,最早出现在战国时期,《说文》所收古文奇字作。

韦(韋) wéi　❶〈书〉皮革：～编三绝。❷ 姓。

【备考】繁体韋，甲骨文作[甲骨文字形]，象两足或三足（止）环绕城邑（口）之形，“围”（圍）的本字，又两足方向相反，故又表“违”义。后假借为皮韦之韦。凡从韦的字，意义大都跟皮革有关。简化字韦，来源于草书，汉初的马王堆汉墓帛书《老子》甲本中已有与韦接近的字形。

云[1] yún ❶〈书〉说：子曰诗～｜人～亦～｜不知所～。❷古汉语语气助词。用于句首、句中或句尾：～谁之思，西方美人｜道之～远，曷～能来｜礼～礼～，玉帛～乎哉？❸姓。

云[2]**（雲）** yún ❶由水滴、冰晶等聚成的空中悬浮物：～彩｜多～｜万里无～｜～消雾散。❷像云一样：～集。❸云南省的简称：～药｜～烟｜～贵高原。❹姓。

【备考】云，甲骨文作[甲骨文字形]，象云朵形，隶定为“云”。因“云”被借用作“子曰诗云”之“云”，又另造从雨的“雲”表示云彩。今《简化字总表》又将雲简化为云。

专[1]**（專）〔耑〕** zhuān ❶单一；专一：～题｜～款｜～家｜～业。❷独自掌握或占有：～长｜～卖｜～利｜～权。❸副词。特别；只；专门：～治｜他～爱开玩笑。

专[2]**（專）** zhuān 姓。

【备考】①繁体專，象形字，甲骨文作[甲骨文字形]，象用手转动纺專（后作纺砖）纺线形。纺專即收丝的器具，由此引申出“专一”的意义。简化字专，来源于汉代草书，西晋索靖和东晋王献之的书法作品中，已有与今简化字接近的专字。楷化后的“专”曾出现在清初刊行的《目连记弹词》上。② 1955 年 12 月发布的《第一批异体字整理表》中繁体“專”有异体字“耑”。2013 年发布的《通用规范汉字表》确认“耑”读 duān 时为规范字，用于姓氏人名；读 duān 表示其他意义以及读 zhuān 时仍为“专”的异体字。

丐〔匃〕〔匄〕 gài 〈书〉❶ 乞求；乞讨：～食。❷ 给；施与：沾～后人。❸ 靠乞讨生活的人：乞～。

扎[1] ㊀ zhā ❶（用尖锐的东西）刺；感觉不舒服：～针｜～手｜这声音听起来～耳朵。❷〈方〉钻进去：～进水里｜～猛子。

㊁ zhá 【扎挣】（—·zheng）〈方〉勉强支撑；努力：他发着烧，还～起来迎接我们。

扎[2]〔紮〕〔紥〕 ㊀ zhā （军队）驻营：～营｜驻～。

㊁ zā ❶ 束，系着：～着蝴蝶结。❷〈方〉量词。用于成捆的东西：一～青菜。

艺（藝） yì ❶ 技能；技术：技～｜手～｜园～｜～高人胆大。❷ 艺术：文～｜曲～｜～龄。

【备考】 繁体藝，初文作埶，甲骨文作[illegible]，象人手持树苗进行种植，最初无“土”，后在“木”下加“土”。小篆讹作[illegible]，隶定为“埶”。“埶”后又加“艹”作“蓺”，又加“云”作“藝”。本义为种植，引申为技能、技术。“艹”叫草字头，旧字形作⺿，单独成字时写作艸（甲骨文作[illegible]，象草形),是"草"的本字。大型字、词典多取艸部,现代一般字、词典多取艹部。艹部字多数与草本植物有关。简化字艺,从艸,乙声,是现代群众创造的形声字,曾在解放区流行。

厅(廳) tīng ❶ 聚会或招待宾客用的房间:客~|门~|餐~|舞~|宴会~。❷ 机关的名称:办公~|财政~|卫生~。

【备考】厅,最早指官府办公的地方,开始时叫"听事",是处理政事(的地方)的意思。后省称为"听",字也写作听(聽)。后又添加形旁作"廳"。现简化为厅,可以看作形声字,从厂,丁声。

区(區) ㊀ qū ❶ 分别;划分;区别:~分。❷ 较大范围的地方:城~|特~|开发~|护林防火~。❸ 行政区划单位,如自治区、市辖区、县辖区等。

㊁ ōu 姓。

【备考】繁体區,会意字,从品在匸中。匸音 xì,隐藏的意思;品表示物品众多。"區"表示内藏众多物品,引申为区域等。匸今写作匚,与表示盛物器的匚(fāng)混同。今从匚的字主要包括原匸部与匚部两类。简化字区,将"品"用简单的符号"乂"代替。元代刊行的《古今杂剧三十种》中有"区",与区相近;1935 年《手头字第一期字汇》中的区与今区字完全相同。

历[1](歷)〔歴〕〔厯〕 lì ❶ 经历;经过:~程|~尽艰辛。❷ 经历过的事:学~|简~。❸ 指过去的各个或各

次：～届|～年|～次|～任领导。❹ 普遍地；一个一个地：～数(shǔ)|～陈利害|～观各代盛衰。❺ 姓。

历[2]（曆）〔厤〕lì ❶ 历法；推算年月日和节气的方法：农～|阳～。❷ 记录年月日和节气的书、表等：年～|日～|挂～|万年～|电子台～。

【备考】繁体歷，形声字，从止（脚，表示经历），厤(lì)声。本义为经历，历法为其引申义，后造从日、厤声的曆专表此义。《简化字总表》又将两字合并，简化为历。历，可看作从厂、力声的形声字。

厄[1]〔戹〕〔阨〕è 〈书〉险要的地方：～塞(sài)|险～。

厄[2]〔戹〕è ❶ 灾难；困苦：～境|困～。❷ 阻隔；受困：～于途中。

匹[1]〔疋〕pǐ 量词。用于计量整卷的布帛等织物：一～布|两～绸子。

匹[2] pǐ ❶ 量词。用于马、骡等：三～马。❷ 单独：～夫|～马单枪。❸ 相当；比得上；相配：～配|～敌。

车（車）㊀ chē ❶ 在陆地上行走的有轮子的交通运输工具：汽～|火～|电～|马～。❷ 利用轮轴旋转的器械：～床|纺～|滑～|水～。❸ 机器：～间|开～|试～。❹ 用车床切削东西：～削|～螺丝钉。❺ 用水车取水：～水。❻〈书〉牙床：辅～相依，唇亡齿寒。❼〈方〉转动（多指身体）：～过身来。❽〈方〉用车运东西：～土|～垃

圾。❾ 姓。

㊁ jū 中国象棋棋子之一。

【备考】车,古文字为象形字,甲骨文作[古文字]等形,小篆简作[古文字]。简化字"车"的写法来源于草书,在居延汉简中就有与车接近的字形。《简化字总表》楷化为车。从车的字,意思一般都与车有关。

巨[1]〔鉅〕 jù 大;很大:~人|鸿篇~制|~额资金。

巨[2] jù 姓。

【备考】① 巨,象形字,金文作[古文字],象人以手持工(矩尺的象形)之形。后讹作"矩",又省作"巨"。本义指矩尺。② 1955年12月发布的《第一批异体字整理表》中"巨"有异体字"鉅"。2013年发布的《通用规范汉字表》确认"鉅"的类推简化字"钜"为规范字,仅用于姓氏人名、地名;表示"巨大"的意义时,繁体"鉅"仍为"巨"的异体字。

[丨]

贝(貝) bèi ❶ 软体动物的总称,特指有介壳(ké)的软体动物:~壳|干(gān)~。❷ 古代用贝壳作的货币。❸ 姓。

【备考】贝,象形字,甲骨文作[古文字],象一种带壳的贝类。由于古人用贝壳作饰物和货币,所以从贝的字多跟财富有关,如财、货、贸、贩、贵、贱、赔、赚等。简化字贝,来源于草书,见于西汉史游《急就章》。印刷物中的贝

(偏旁),见于宋刊本《大唐三藏取经诗话》。

冈(岡) gāng 低而平的山脊:~峦|山~。

【备考】繁体岡,形声字,从山,网声。在元刊本《朝野新声太平乐府》上有"刚"字,其偏旁冈与今简化字相同。

见(見) ㊀ jiàn ❶ 看到:罕~|~义勇为|百闻不如一~|今天没~他上班。❷ 会面:引~|拜~|再~|丑媳妇总得~公婆。❸ 接触;碰到:汽油~火就着(zháo)|病人不能~风。❹ 看得出;显现出:~效|~好|庄稼~长|他这两年~老。❺ 指明文字出处或需要参看的地方:参~|~下|~图一。❻ 对事物的认识和看法:~解|高~|真知灼~。❼ 用在某些动词后表示感觉到:看~|听~|闻~|梦~。❽ 助词。用在动词前,表示被动,相当于"被":~疑|~笑于大方之家。❾ 助词。用在动词前,表示对自己如何:~教|~谅|~惠。❿ 姓。

㊁ xiàn 通"现":图穷匕首~。

【辨析】① 见—视 视表示动作,见则偏指这一动作的结果。成语有"视而不见"。② 显现、出现的"现"开始时写作"见"(事物显现是被看见),后写作"现"。"见"的这一意义现代仍有沿用。如图穷匕首见、风吹草低见牛羊、华佗再见(称颂别人医术高明,犹如华佗再现于世),这一用法的"见"不能读作 jiàn。

【备考】繁体見,甲骨文作[甲骨文],上为目,下为跪或立的人形,突出人的眼睛,表示看见。从见的字多与"看见”义有关。简化字见,来源于草书,居延汉简中的见与今简化字已很接近,印刷物上的“见”字见于清初刊行的《目连记弹词》。

[丿]

气(氣) qì ❶ 气体:氧~|煤~|毒~|~球。❷ 特指空气:~压|~流|大~层|开门透透~。❸ 指阴晴冷暖、风霜雨雪等自然现象:~象|~候|天~。❹ 呼吸时出入的气:喘~|断~|憋~|上~不接下~。❺ 鼻子可以闻到的味儿:香~|腥~|臭~。❻ 发怒;生气:~愤|~恼|他~得好几天吃不下饭。❼ 使生气:别~他了|这种事真~人|你这不是故意~我吗? ❽ 生气时的情绪:怄~|消消~|~大伤身|怒~冲冲。❾ 欺侮;欺压:受~|咱们决不受这种窝囊~。❿ 中医指人体内使器官正常发挥机能的动力:元~|~血不足。⓫ 中医指某种病象:湿~|肝~。⓬ (人的)精神状态:~概|~魄|勇~|~冲牛斗|朝~蓬勃。⓭ 指人表露于外的总的个性特点或作风;~质|习~|娇~|士~|孩子~|书生~。⓮ 后缀。加在形容词后,多形容人的样子或精神状态:秀~|俊~|傻里傻~。

【备考】① “气”是象形字。甲骨文中写作“三”,后因其字形容易与数字“三”和甲骨、金文中“上、下”的合文“三”相混,便将最上一画或上下两画写成弯笔,作 ⺀ 气,以利于区分。《简化字总表》用“气”作为“氣”的简化字,是重新采用古字。② 凡从“气”的字,字义多与气体有关。化学领域为气体元素命名时也用“气”作形旁。

升[1] shēng ❶ 量粮食的容器，容量为 10 合(gě)。❷ 容量单位，为 1 立方分米。

升[2]〔昇〕shēng ❶ 由下向上、由低到高地移动：上～|～国旗|太阳从东方～起。❷ 提高：～学|～值|～官|提～。

升[3]〔陞〕shēng 同“升[2]❷”。

【辨析】容器和容量单位的意义不能写作“昇”、“陞”，由下向上、由低到高移动的意义不能写作“陞”。

【备考】1955 年 12 月发布的《第一批异体字整理表》中“升”有异体字“昇”和“陞”。2013 年发布的《通用规范汉字表》确认“昇”和“陞”为规范字。“昇”可用于姓氏人名，如“毕昇”；“陞”可用于姓氏人名、地名。“昇”表示“上升、升迁、登”等意义，以及“陞”表示“登、升迁”等意义时仍为“升”的异体字。

夭[1] yāo 〈书〉❶ 弯曲：～矫。❷ 形容草木茂盛：桃之～～。

夭[2]〔殀〕yāo 幼年早死：～亡|～折|寿～。

【备考】夭，甲骨文作，象人奔跑时两手摆动的样子。小篆讹变作，象人曲头之状，《说文》解为“屈也”。夭[2] 旧又作殀，加意符歹。歹读 è，义为剔去肉后的残骨，用为意符，表示和死有关的意思，引申有死义。今以“殀”为异体。

长(長) ㊀ cháng ❶ 空间上两点之间的距离大：这段路不太～|～～的辫子|万里～城。❷ 在时间上，起始与终止的距离大：～期|～寿|来日方～|很～时间没见面了。❸ 两点之间的距离(指长度)：～宽高|身～|一尺～的鲤鱼。❹ 优点；某方面的优势：～处(chù)|专～|特～|一技之～。❺ 善于；在某方面有优势：～于绘画|一无所～。

㊁ zhǎng ❶ 生物体从产生、发育直到成熟：生～|成～|拔苗助～|地里～满了野草。❷ 产生出：刀～锈了|馒头放得～毛儿了|毛衣～了虫子。❸ 增强；增加(抽象事物)：～见识|教学相～|防止滋～不良情绪。❹ 辈分高或年纪大的；排行第一的：～辈|年～|～孙。❺ 年长或辈分高的人：兄～|学～|师～。❻ 领导者；负责人：～官|首～|部～|连～|小组～。

㊂ cháng(旧读 zhàng) 多余；剩余：家无～物。

【备考】长，甲骨文作[illegible]，象形字，象人发(fà)长的样子，引申为距离之长。隶定作“長”，简化作“长”；有时变形作“镸”。简化字长，来源于草书，见于汉代史游《急就章》和居延、敦煌汉简。

仆[1] pū 向前跌倒：颠～|前～后继。

仆[2](僕) pú ❶ 供主人役使的人；仆人：～从|奴～|童～。❷ 古代男子谦称自己：～非敢如是也。

【备考】仆、僕本为二字，互不相通。仆，形声字，从人，卜声；“僕”，甲骨文作，象头戴冠而两手捧箕的人形。群众根据同音替代的原则将“僕”与“仆”合并，在清初刊行的《目连记弹词》中已有这种用法。

仇[1]〔讎〕〔讐〕 chóu ❶ 仇人；极端憎恶(wù)、敌视的人：世～｜疾恶如～｜同～敌忾。❷ 仇恨；强烈的恨：冤～｜血泪～。

仇[2] qiú 姓。

【备考】 1955 年 12 月发布的《第一批异体字整理表》中“仇”有异体字“讐”。1964 年 5 月发表的《简化字总表》及 1986 年 10 月重新发表的《简化字总表》均收入“讐”的类推简化字“雠”。1988 年发布的《现代汉语通用字表》收入“雠”字，2013 年发布的《通用规范汉字表》确认“雠”为规范字，用于“校雠”“雠定”“仇雠”等；表示“仇恨、仇敌”的意义时，繁体“讐”仍为“仇”的异体字。

币(幣) bì 货币；钱：～值｜～制｜人民～。

【备考】 繁体幣，形声字，从巾，敝声。本指束帛，古代以束帛为祭品或礼品；引申指财物；又引申指货币。简化字币，上以一撇代“敝”，近代曾在金融界流行。

仅(僅) ㊀ jǐn 只；仅仅：不～如此｜～供参考。
㊁ jìn 〈书〉几乎；将近：高楼～百层。

【备考】 繁体僅，形声字，从人，堇(jǐn)声。简化字变为半记号字，为近代群众创造。

斤[1] jīn　古代砍伐树木的工具，类似后代的锛(bēn)：斧～。

斤[2]〔**觔**〕jīn　❶ 市制重量单位。为 500 克。❷ 加在某些以重量计算的物名后作总称：煤～|盐～。

【备考】斤，象形字，甲骨文作[illegible]，象砍伐工具之形，横象刃，竖象柄。斤的特点是刃横向，与柄垂直。从斤的字多含砍削义。

从(從) cóng　❶ 跟随；追随：～师学艺。❷ 跟随的人：仆～|随～|侍～。❸ 听从；顺从：～命|～众|力不～心|言听计～。❹ 从事；参加：～政|投笔～戎。❺ 依照(某种原则或态度)去做：～速办理|～略叙述|婚事～简|坦白～宽，抗拒～严。❻ 从属的；次要的：～犯|有主有～。❼ 堂房(亲属)：～姐|～弟。❽ 介词。由；自；起于：～南到北|～无到有|～这儿开始。❾ 介词。表示经过(某处所)：～小路插过去|小河～门前流过。❿ 副词。从来(只出现在否定词前)：～未见过面|～没有这么热过。⓫ 姓。⓬【从容】1. 舒缓安闲；不慌不忙：～不迫|举止～。2. (时间或经济)充分；宽裕：时间～|手头～。

【辨析】"从容"之从旧读 cōng，《审音表》统读为 cóng。

【备考】甲骨文作[illegible]，象二人相随而行，本义为跟随。或加彳(表示道路)作[illegible]，金文又加止(脚)作[illegible](即"從"字)，《说文》将该形释为从辵(chuò，即由彳和止构成)，从"从"，"从"兼表音的会意兼形声字，与从分化为二字。简化字又将“從”并入“从”。

仑[1]（侖） lún 条理；次序。

仑[2]〔崙〕〔崘〕 lún 昆仑，山名，西起帕米尔高原东部，横贯新疆、西藏之间，向东延入青海。

【备考】 依《说文》，繁体侖从亼（jí），从册，为伦（倫）的本字。简化字形来源于汉代草书，元抄本《京本通俗小说》中“論”字右部作“仑”，与今简化字同。

凶[1] xiōng ❶ 不幸；不吉利（与“吉”相对）：～事｜～信｜吉～未卜。❷ 庄稼收成不好：～年。

凶[2]〔兇〕 xiōng ❶ 可怕的：～恶｜～残｜穷～极恶｜一脸～相。❷ 杀人、伤害人的行为：～杀｜～手｜行～。❸ 凶手；残暴作恶的人：元～｜帮～｜真～在逃。❹ 厉害；过甚：闹得太～｜雨来得很～。

【备考】 凶，象地陷物体落入其中，本义为恶。凵（kǎn）是“坎”的初文，象坑穴形。部首“凵”一个来源是“凵（kǎn）”，另一个来源是“凵（qiǎn）”，张口之意。

仓（倉） cāng ❶ 仓库；仓房；储存粮食或其他物资的地方：粮～｜货～｜颗粒归～。❷ 姓。

【备考】 繁体倉，金文作[古文字]，象形字，象粮仓形。《说文》中有奇字[古文字]，与今简化字形接近。

风（風） fēng ❶ 由于气压分布不均匀而产生的空气流动现象：～向｜～速｜北～｜刮

～。❷ 借风力吹：～干|晒干～净。❸ 借风力吹干的：～鸡|～肉。❹ 像风一样迅速而普遍地：～行|～靡(mǐ)。❺ 习俗：～气|世～|校～|蔚(wèi)然成～。❻ 景象：～光|～景|～物。❼ 举止；姿态；态度：～度|～范|作～。❽ 消息；传闻：～声|通～报信|闻～而动。❾ 传说的；没有根据的：～传|～闻|～言～语。❿ 情况；声势：看～使舵|望～而逃。⓫ 指民歌：采～。⓬ 作风：党～|文～|学～|整～运动。⓭ 中医指某些疾病：～寒|中(zhòng)～。⓮ 姓。

【备考】繁体風，形声字，从虫，凡声。“風”原简化为凬，风为鳳的简化字。现代群众又以风作为風的简化字。以风为意符的字，大多与风有关。

乌(烏) ㊀ wū ❶ 乌鸦：～合之众|月落～啼霜满天。❷ 黑色：～云|～枣|～金。❸〈书〉疑问代词。何；哪（多用于反问）：～足道哉？❹ 姓。

㊁ wù 【乌拉】(—·la)东北地区冬天穿的鞋，用皮革制成，里面垫乌拉草。

【备考】乌，象形字，金文作，象鸟形无目，因乌鸦全身乌黑，眼睛不易分辨，故略去眼睛，以与鸟(鳥)字区别。

凤(鳳) fèng ❶ 凤凰，古代传说中的百鸟之王，羽毛美丽，雄的叫凤，雌的叫凰，通常单称作凤：～求凰|龙飞～舞|～毛麟角。❷ 姓。

【备考】繁体鳳，早期甲骨文为象形字，写作，象凤鸟高冠、花翎、长尾之形，后期甲骨文作，增声符凡，成为从鸟，凡声的形声字。简化字凤在清初刊行的《目连记弹词》中已出现。

［丶］

闩(閂) shuān ❶ 插门用的装置：门～。❷ 用闩插上门：把门～上。

【备考】"闩"为合体象形字，一横表示插在门内使门推不开的横棍。

为(爲) ㊀ wéi ❶ 做；干；行：～人处世｜事在人～｜见义勇～。❷ 当；充当：能者～师｜聘他～法律顾问。❸ 成为；变成：化腐朽～神奇。❹ 是：十升～一斗。❺ 介词。被：～人所害｜不～所动。❻ 助词。表疑问：匈奴未灭，何以家～？❼ 附于单音形容词后，构成副词，表程度、范围：实～可爱｜广～流传｜深～感动。❽ 附于单音副词后，加强语气：尤～重要｜颇～得意。

㊁ wèi 介词。❶ 表示行为的对象；替：～人民服务｜～他人作嫁｜不便～你说话。❷ 表示目的：～和平干杯｜～理想而奋斗。❸〈书〉对；向：且～诸君言之｜不足～外人道也。❹ 因为：～何｜大家都～取得了决赛权而特别高兴。

【备考】繁体爲，象形字，甲骨文作[甲骨文]，象以手牵象，表示作为之意。简化字为，来源于草书，汉简中大量使用为字。

斗[1] dǒu ❶ 古代盛酒的器具：金樽美酒～十千。❷ 星宿(xiù)名。1. 二十八宿之一，北方玄武

七宿的第一宿,又称南斗:气冲～牛。2. 北斗七星:～转星移。3. 天市垣(yuán)小斗五星。又用作星的通名:满天星～。❸ 口大底小的方形容器,用来量(liáng)粮食。❹ 容量单位。一斗为十升,十斗为一石(dàn)。❺ 形状像斗的器物:烟～|墨～|拖～。❻ 形如斗状的指纹:十指九～。❼ 我国传统建筑中的一种支承构件(形状如斗):～拱。❽ 比喻事物微小:～室|～筲(shāo,一种不大的容器)。

斗[2](鬥)〔鬪〕〔鬭〕〔鬬〕 dòu ❶ 对打:争～|械～|战～|苦～。❷ 比赛;争胜:～智|～勇|～嘴。❸ 揭露;批判:批～|～恶霸。❹ 使动物斗:～鸡|～蛐蛐。❺ 往一起凑;凑在一起:～眼|～榫儿|～份子。

【辨析】读 dǒu 的"斗"没有对应的繁体字,不能写作"鬥"。

【备考】斗(dǒu),象形字,金文作⺘,象容器斗之形。斗(dòu)的繁体字鬥,象形字,甲骨文作鬥,象两人徒手搏斗,怒发冲冠的样子。斗与鬥原为两个不同的字,因两字音近,《简化字总表》合并为斗。

忆(憶) yì ❶〈书〉思念;想念:长相～。❷ 回想:～旧|～苦思甜。❸ 记住;不忘:记～|过目皆～。

【备考】繁体憶,形声字,从心,意声。简化字忆,形声字,从心,乙声,见于 1936 年陈光尧《常用简字表》。

计(計) jì ❶ 核算:～算|核～|数(shù)以百～|难以～数(shǔ)。❷ 计量某些数值

的仪器：温度～|血压～。❸ 盘算；谋划：～划明日动身|为联系方便～，给了他一个手机号码。❹ 处理问题的想法，策略：～谋|～策|定～|一～不成，又生一～。❺ 姓。

【备考】计，会意字，从言，从十。言处于左边时称言字旁，今简作"讠"。从言的字多与语言有关。

订(訂) dìng ❶ 改正；修改：～正|校～|修～。❷ 立下(须要遵守的契约等)：～约|～婚|～合同。❸ 预先约定：～报|～阅|预～。❹ 用线等把书页等连成一本：装～|～书机。

讣(訃) fù 报丧(sāng)，也指报丧的通知：～告|～闻。

认(認) rèn ❶ 识别：～识|这个字你～一～|长(zhǎng)得～不出来了。❷ 表示同意，能够接受：～同|～可|～罪|承～。❸ 与他人建立某种特定关系：～了一门亲|～了个干女儿。❹ 出于无奈而接受(不如意的情况)：～命|～倒霉|反正斗不过他，只好～了。❺ 认为好而乐意接受：～钱不～人|南方人就～大米。

【备考】繁体認，形声字，从言，忍声；简化字认，从言，人声，现代群众创造。

冗〔宂〕 rǒng 〈书〉❶ 闲散的；多余无用的：～员|～笔|文辞～长。❷ 繁杂；繁忙：～杂|～务。❸ 繁忙的事务：望拨～复函。

讥(譏) jī ❶〈书〉非难；指责：忧谗畏～。❷ 讽刺：～讽|～刺|～笑。

[乛]

丑[1] chǒu ❶ 地支的第二位：丁～年。❷ 戏曲角色，扮演滑稽人物：～角|小～。

丑[2]（醜）chǒu ❶ 模样难看：美～不分。❷ 让人厌恶或瞧不起的：～恶|～态百出。❸ 丑态；丑事：现～|家～。

【备考】繁体醜，形声字，从鬼（表示丑恶），酉声。丑，甲骨文作[illegible]，象手形，指端加短竖，有人认为即古爪字。甲骨文、金文用为地支字。丑角之"丑"起源于"醜"，后省写为"丑"，不再用醜字。

队（隊）duì ❶ 集体的编制单位：舰～|连～|球～|梯～。❷ 行列：～列|排～|站～。❸ 特指少年先锋队：～礼|～旗|～日。❹ 量词。用于成群成列的人或动物：一～人马。

【备考】繁体隊，甲骨文作[illegible]，左从阜，右从倒子（象人形），本义是从高处坠落。小篆作[illegible]，变为从阝、㒸（suì）声的形声字。后"隊"被假借表示隊伍的意义，于是就在"隊"下另外加"土"以表示墜落的意义。简化字队，为现代群众创造的半表意字（人有表意作用）。阝，称为左耳旁，是阜（fù）作合体字左旁时的专用偏旁。阜，甲骨文作[illegible]，象土山之形。以阜（左耳旁）为意符的字，大多与地形地势的高低上下有关。

办（辦）bàn ❶ 处理；治理：～公|～理|～事|～案子|～手续。❷ 置备；采购：～货|采～|～酒席|～嫁妆。❸ 创设；经营：～学|兴～|

开～|～工厂|勤俭～一切事业。❹ 处分;惩治:严～|法～|惩～|首恶必～。

【备考】繁体辦,形声字,从力,辡(biàn)声。有人认为辦为辨(辨)的俗体。汉代羊窦道碑中有"辨"的简化字"办","辦"的简化字"办"应由此演变而来,元抄本《京本通俗小说》中已出现。

以〔叺〕〔㠯〕 yǐ ❶ 介词。用;拿:～理服人|绳之～法。❷ 介词。依;按照:～貌取人|排名～姓氏笔画为序。❸ 介词。因;因为:～人废言。❹ 连词。表示目的:～儆效尤|～免再发生类似问题。❺ 介词。用在具有"给予"义的动词后,引进所给予的事物:报之～微笑|给敌人～猛烈的回击。❻〈书〉介词。在;于:大会～8月10日召开。❼〈书〉连词。与"而"相同:治世之音安～乐|城高～厚,地广～深。❽ 介词。表示时间、方位、数量的界限:三天～前|五楼～上|长城～北|三十五岁～下。

邓(鄧) dèng 姓。

【备考】繁体鄧,形声字,从邑(阝),登声,本为古国名。简化字邓,为现代群众创造,以符号"又"代替声旁"登"。

劝(勸) quàn ❶ 勉励;鼓励:～勉|～学|～业|～善惩恶。❷ 以理说服,使人听从:～导|～告|～阻|奉～|你～他少抽点烟。

【备考】繁体勸,形声字,从力,雚(guàn)声。简化字劝,以符号"又"代替声旁"雚"。在元抄本《京本通俗小说》上已有劝字。

双(雙) shuāng ❶ 两个;一对(多指对称,与"单"相对):～手|～方|～翼|～目圆睁|成～成对|举世无～。❷ 偶数的(跟"单"相对):～数|～号|～日子。❸ 加倍的:～料货|分东西不能要～份。❹ 量词。用于成双成对的东西:一～手|两～鞋|三～筷子。❺ 姓。

【备考】繁体雙,会意字,从二隹(zhuī,鸟),从又,表示用手拿着两只鸟。简化字双从二又。在唐代敦煌变文写本中已有双字。

书(書) shū ❶ 写;记载:～法|～写|大～特～。❷ 字体:隶～|行～|楷～。❸ 装订成册的著作:图～|辞～|～店。❹ 信:家～|情～。❺ 文件:国～|婚～|通知～|保证～。

【备考】繁体書,金文作[illegible],从聿(yù,古笔字),者声,隶书省作"書"。简化字书,来源于汉代草书,又加以楷化。

五 画

〔一〕

刊〔栞〕 kān ❶ 删改修订：～误｜～谬｜～正｜不～之论。❷ 刻；雕刻书版；今指排版，印刷：～行｜～印｜创～｜停～。❸ 成册的定期出版物；也指报纸有特定内容的版面、专栏：期～｜报～｜月～｜副～。

击（擊） jī ❶ 打；敲打：～鼓｜～掌｜～节叫好。❷ 攻打：袭～｜还～｜游～战｜不堪一～。❸ 杀；刺：～剑。❹ 碰撞；接触：撞～｜冲～｜目～。

【备考】繁体擊，形声字，从手，毄(jī)声。简化字击为现代群众创造的记号字。

戋（戔） jiān 【戋戋】〈书〉少；小；细微：为数～｜所得～。

【备考】繁体戔，会意字，从二戈，本义是伤害，同"残"。简化字戋在元抄本《京本通俗小说》和元刊本《古今杂剧三十种》中已出现。

扑（撲） pū ❶ 拍打；上下扇动：～粉｜～蝶｜～打｜麻雀～着翅膀飞走了。❷ 向前冲，身体突然伏在物体上；泛指猛力冲过去：他高兴地～

到妈妈怀里|大家～上去把抢劫犯打倒。❸（气味等）直冲过来：香气～鼻|春风～面。❹ 形容投入全部精力：他一心～在工作上。❺ 用于某些拟声词：～通|～腾。

【备考】扑，形声字，从手，卜声；繁体撲，形声字，从手，菐(pú)声。“扑”和“撲”本为两个字，“扑”的本义是“轻轻敲打”，“撲”则是“击打”或“手相搏”的意思，但两字很早就通用了，如《史记》中：“高渐离举筑扑秦皇帝”的“扑”是“重击”义，“石苔凌几杖，空翠撲肌肤”（杜甫诗）则是“轻拍”义。宋代《集韵》以“扑”为“撲”的异体字，清初刊行的《目连记弹词》则以“扑”代“撲”。《简化字总表》规定“扑”为“撲”的简化字。

节(節) ㊀ jié ❶ 植物茎叶、枝干及动物骨骼连接处：拔～|骨～|关～|指～。❷ 段落：～拍|～奏|音～。❸ 特指文章大部分中的小部分，一般在“章”之下：章～|第二章第四～。❹ 剪裁；选取（某一部分）：～选|～录|～译。❺ 节气；节日：～令|春～|清明～|国庆～。❻ 事项：细～|没想到这一～。❼ 准则；法度：礼不逾～。❽ 操守；品格：～操|变～|高风亮～。❾ 控制；限制：～约|～电|开源～流|有理、有利、有～。❿ 符节，古代用以证明身份的凭证：～旄|玉～|虎～。⓫ 国际通用的航海速度单位，一小时航行一海里的速度为一节。⓬ 量词。用于分段的事物：两～课|三～车厢。⓭ 姓。

㊁ jiē ❶【节子】树的分枝被砍掉或折断后在干枝上留下的疤痕。❷【节骨眼儿】〈口〉指非常紧要的、

起决定作用的时机或环节。

【备考】繁体節，形声字，从竹，即声。简化字节将⺮改为艹，并省去下部的“艮”。汉代居延简中有与节接近的形体，元抄本《京本通俗小说》中有简化字节。

术[1]（術）shù ❶ 技艺；本领：技～|医～|不学无～。❷ 方法；策略：权～|战～。

术[2] zhú 多年生草本植物。有白术、苍术等数种。根可入药。

【辨析】术（zhú）为传承字，不能写成術。

札〔劄〕〔剳〕zhá ❶ 古时书写用的小木片。❷ 书信：笔～|手～|书～|信～。

【备考】1955 年 12 月发布的《第一批异体字整理表》中“札”有异体字“劄”。2013 年发布的《通用规范汉字表》确认“劄”为规范字，仅用于科学技术术语，如中医学中的“目劄”；表示“札子、札记”的意义时仍为“札”的异体字。

匝〔帀〕zā 〈书〉❶ 周；圈：绕树三～。❷ 环绕：环～。❸ 遍；满：柳荫～地。

【备考】匝，本作帀，今以帀为异体字。

厉（厲）lì ❶ 严厉；严肃；猛烈：～声|雷～风行|正言～色。❷ 严格；切实：～禁|～行节约。❸ 姓。

布[1] bù ❶ 棉、麻等织物的通称：～匹|麻～|棉～|粗～。❷ 用化学纤维或其他材料制成的织物或

膜：石棉～|塑料～。❸ 古代的一种钱币。❹ 姓。

布²〔佈〕bù ❶ 宣告；陈述：～告|发～|开诚～公。❷ 陈设；设置：～局|～防|～置。❸ 展开；分散开：散～|分～|星罗棋～。

【备考】布，金文作[illegible]，形声字，从巾，父声；小篆略同金文，隶变作布。布本义指麻布，后用为泛称。因为布可卷舒，引申有布散义；后为动词各义造"佈"，加意符人（亻），表示属人的行为。今以佈为异体。

龙（龍）lóng ❶ 古代传说中的一种有鳞、角、须、爪，能腾飞游泳、兴云作雨的神异动物：～王|～虎斗|叶公好～。❷ 封建时代帝王的象征；也指与帝王有关的物或人：～颜|～袍|～床|凤子～孙。❸ 像龙或饰有龙的图案的：～舟|～灯|～旗。❹ 近代古生物学上指远古某些有脚有尾的爬行动物：恐～|翼手～。❺ 姓。

【备考】繁体龍，象形字，甲骨文作[illegible]等形，象龙之形。《说文》小篆讹作[illegible]，释作"从肉，飞之形，童省声"，隶楷作"龍"。隋代《龙藏寺碑》和唐代敦煌变文写本中龍简作龙，元刊本《古今杂剧三十种》中，聋字上部作龙，今简化作"龙"。从龙的字多与龙有关，但今龙部字多从龙得声。

灭（滅）miè ❶ 火熄止；停止发光：熄～|灯～了|炉子～了。❷ 使火熄掉：～火。❸ 不再存在：磨～|自生自～。❹ 使不存在：～口|～蚊。❺ 被水淹没：～顶之灾。

【备考】繁体滅，形声兼会意字，从水（氵），烕（miè，义为熄灭)声,威兼表义。简体灭,是现代新造的会意字。

轧(軋) ㊀ yà ❶ 碾;滚压:~棉花|他的腿被汽车~断了。❷ 排挤:倾~。❸ 拟声词,形容机器开动时发出的声音:机声~~|缝纫机~~~地响着。❹ 姓。

㊁ zhá 压(钢坯):~钢|~轨。

㊂ gá 〈方〉❶ 挤:人~人。❷ 结交:~朋友。❸ 核算;查对:~账。

东(東) dōng ❶ 方向,太阳升起的一边(跟"西"相对):~风|村~头|大江~去。❷ 指主人(古时主位在东,宾位在西):股~|房~|做~。❸ 姓。

【备考】繁体東,象形字,甲骨文作[甲骨文],象囊中装满,两头束起之形,即古橐(tuó)字,假借为方向之东(東)。简化字东来源于草书,见西汉史游《急就章》。

劢(勱) mài 〈书〉勉力;努力。

[丨]

占[1] zhān ❶ 占卜;迷信的人用铜钱或牙牌等判断吉凶:~卦|~课。❷ 姓。

占[2]〔佔〕 zhàn ❶ 占据;用强力取得:~领|霸~|攻~。❷ 拥有;占用:学校~地近80亩。❸ 处于某种地位或情势:~上风|~优势|赞成票~绝大多数。

卢(盧) lú 姓。

【备考】繁体盧,甲骨文作[illegible],下象火炉形,上加虍(hǔ)为声符,为古鑪(炉)字。简化字卢,为现代群众创造,取盧字轮廓。

业(業) yè ❶学习的内容或过程,学业:毕～|结～|肄(yì)～。❷作为个人主要生活来源的工作,职业:～余|就～|转～|失～。❸以……为职业:～农|～商。❹职业的类别,行(háng)业:工～|农～|商～|各行各～。❺事业:～绩|创～|千秋大～|建功立～。❻财产:～主|产～|家～。❼〈书〉既;已经:～已|～经。❽佛教用语。梵文karma(羯磨)的意译。佛教认为,人的行为、言语、思想分别由身、口、意三处发动,分别称为身业、口业、意业。业有善、不善、非善非不善三方面,一旦发生便不会消除,必将引起因果报应。又常用作咒骂语:～缘|～障|～畜|解冤洗～。❾姓。

【备考】繁体業,象形字,《说文》古文作[illegible],小篆作[illegible],本义为古代乐器架子横木上刻如锯齿状用以悬挂乐器(钟、鼓、磬等)的大版。简化字业,取業字上部,现代群众创造。

旧(舊) jiù ❶经过长期放置或使用的:～货|陈～|以～换新|衣服穿～了。❷过时的:～社会|～脑筋。❸从前的;曾经有过的:～都(dū)|～居|～情。❹老朋友;老交情:故～|念～|访～。

【备考】繁体舊,形声字,从萑(huán,猫头鹰的一种),臼声。《说文》释为"舊留",指猫头鹰类的鸟。简化字旧,为臼的变形,见于元抄本《京本通俗小说》。

帅(帥) shuài ❶ 军队中最高指挥官:~旗|~印|元~|挂~。❷ 漂亮;潇洒:这小伙子真~!|这个体操动作做得真~。❸ 姓。

【备考】帅,甲骨文作,象两手持巾揩拭的形状;金文作,加巾为形旁。小篆讹作,从巾,𠂤(duī)声。简化字帅来源于草书,见于1935年《简体字表》。元刊本《古今杂剧三十种》帥作帅(起笔为"点",与帅接近)。

归(歸) guī ❶ 返回:~国|~途|回~|满载而~。❷ 还给:~还|物~原主。❸ 趋向;归依:众望所~。❹ 聚拢;合并:~总|~并|~类。❺ 由;属于:这个部门~他管|这所房子~他了。❻ 用在相同的动词之间,表示动作并未引起相应的结果:说~说,做起来并没那么简单。❼ 珠算中称一位除数的除法。❽ 姓。

【备考】繁体歸,甲骨文作,从帚,𠂤(duī)声。"帚"借为"婦(妇)"。小篆作,从止(足),从帚(婦),𠂤(duī)声。本义是女子出嫁。简化字归,来源于草书。在元抄本《京本通俗小说》上有简化字归,起笔为点;1932年《国音常用字汇》上,有与今简化字完全相同的归字。

叶[1](葉) yè ❶ 植物进行光合作用吸取营养的器官,长在茎或枝上,多呈片状、绿色:~子|~脉|绿~|树~。❷ 像叶子的东西:肺~|百~

窗|千～莲。❸〈书〉同“页”。❹时期：清朝前～|二十世纪中～。❺姓。

叶[2] xié 〈书〉相合：～音|～韵。

【备考】繁体葉，金文作𠂹，象树木枝头有叶的样子；小篆作𦯧，加艸为意符；隶变作葉。叶(xié)，本为协(協)字的六国古文，从十从口会协同之意。因葉、叶二字古音和现代吴方言读音接近，故近代苏州等地群众借叶为葉的简体。《简化字总表》吸收了这一用法，但注明“叶韵”的“叶”仍读 xié。

电(電) diàn ❶闪电：雷～|～光石火|～闪雷鸣。❷有电荷存在或电荷变化的现象：～灯|～影|发～机|变～站。❸触电；电流击打：电线老化，容易～人。❹电报，用电信号传递文字、照片、图表的通信方式：通～|贺～。❺发电报：～贺|～示|～汇。

【备考】金文電，下部作申，即闪电形象。此应为电字初文，后又加意符雨，即繁体電字。简化字电又省雨。

号(號) ㊀ hào ❶命令：发～施令。❷军队或乐队所用的喇叭：～角|军～|吹～。❸用号吹出的表示一定意义的声音：起床～|冲锋～。❹名称：国～|年～|称～。❺别号，名字以外的别名；有时也指名字：绰～|大～|李白，～青莲居士。❻旧指商店：宝～|兴隆～。❼标志；标记：～衣|暗～|符～|信～。❽次序；等级：～码|挂～|编～|十月

一～|五～宋体字。❾ 种;类:这～人真少见。❿ 量词。1. 用于人数:五百多～人的小厂。2. 用于买卖成交的次数:一天做了十几～买卖。⓫ 中医术语。切脉的俗称:～脉。

㊁ háo ❶ 大声哭:～哭|哀～|啼饥～寒。❷ 大声叫唤:～叫|怒～。

【备考】号,形声字,从口,丂声。號,会意兼形声字,从号,从虎,号兼表音。两字义近,古籍中多用號,碑刻及宋代以来通俗读物多用号,《简化字总表》以号为號字简化字。

只[1](隻)zhī ❶ 单独的;极少的:～身|～言片语|片纸～字|别具～眼。❷ 量词。1. 用于某些动物:一～鸡|两～兔子。2. 用于某些器物:两～船|两～箱子。3. 用于某些成双成对的东西中的一个:一～手|一～袜子。

只[2](衹)〔祇〕〔秖〕zhǐ ❶ 副词。表示限于某个范围:～怕|～顾|～许州官放火,不许百姓点灯。❷ 仅有:～此一家,别无分店。

【备考】① 只,小篆作,指事字,从口,下加二竖画表示说完一句话口气下引,只的本义为语气词,表示感叹或话语终结,读 zhī。一只鸟的只的繁体为隻,甲骨文作,象用手捉鸟形,与获(獲)同字。小篆隻作,《说文》解释为"鸟一枚",读 zhī,现行各义皆由其引申。隻简作只,见于 1932 年《国音常用字汇》,《简化字总表》将隻并入只。② 1955 年 12 月发布的《第一批异体字整理表》在 zhǐ 音节下收入“祇[衹秖]”,以“衹”为“祇”的异体字。1964 年 5 月发表的《简化字总表》以“衹”为“只 zhǐ”的繁体字。《通用规范汉字表》予以确认;同时确认“祇”读 qí 用于“地祇”时为规范字,读 zhǐ 时仍为“只(衹)”的异体字。

叽(嘰) jī 拟声词。形容小鸡、小鸟、小虫等的叫声:小鸡～～地叫。

【备考】繁体嘰,形声字,从口,幾声。类推简化为叽。

叫〔呌〕 jiào ❶ 呼喊:～喊|～好|～卖|哭～。❷ 动物口中发出较大声音:鸡～|狗～。❸ 招呼;呼唤:～车|～人开会。❹ 称呼:你～什么名字? ❺ 使;命令:～人为难|厂长～我去上海。❻ 容许或听任:不～我去,我偏要去|～他闹去,看他能闹成什么样。❼ 介词。被:小鸡～黄鼠狼叼走了。❽〈方〉雄性的(用于某些家畜或家禽):～驴|～鸡。

叩〔敂〕 kòu ❶ 敲;打:～门|～打|～诊。❷ 磕头,旧式跪拜礼:～首|～头|～谢|～拜。❸〈书〉询问,探问:～问|略～生平。

叹(嘆)〔歎〕 tàn ❶ 因心里不痛快而呼气出声:～气|～息|可～|长吁短～。❷ 吟诵:咏～|一唱三～。❸ 发出赞美的声音:～服|赞～|～为奇观。

【备考】简化字叹中的“又”为不表音义的简化符号,见于 1935 年《手头字第一期字汇》。

冉〔冄〕 rǎn ❶【冉冉】慢慢地：太阳～地升上来。❷ 姓。

【备考】冉，象形字，甲骨文作[illegible]，金文作[illegible]，象毛发等柔弱下垂的样子。髯的本字。

〔丿〕

丘[1]〔坵〕 qiū ❶ 小土山；土堆：～陵|土～|沙～|荒～。❷ 坟墓：～墓|～冢。❸ 量词。指分隔开的一块块水田：一～田。

丘[2] qiū ❶ 把灵柩(jiù)用砖石砌在地面上，以待改葬。❷ 姓。

【备考】① 丘，甲骨文作[illegible]，象土丘形。② 1955 年 12 月发布的《第一批异体字整理表》中"丘"有异体字"邱"。1965 年发布的《印刷通用汉字字形表》和 1988 年发布的《现代汉语通用字表》均收入"邱"字，用于姓氏。

仙〔僊〕 xiān ❶ 传说中指有特殊才能、长生不死的人：成～|神～。❷ 喻指超凡出俗的人：诗～|酒～。

【备考】仙，形声字，从人，山声。异体字僊，形声兼会意字，从人，䙴(qiān，义为升高)声，䙴兼表义。

们(們) ㊀ ·men 用在代词或指人的名词后，表示复数：我～|同志～|朋友～。

㊁ mén 地名用字：图～(在吉林)|图～江(水名，发源于吉林，流入日本海)。

仪(儀) yí ❶ 人的外表；举止：～容|～表|丰～|～静体闲。❷ 礼节；仪式：司～|开

会如～。❸ 礼物：土～|谢～|生辰之～。❹〈书〉向往；倾心：心～。❺ 供实验、计量、观测、检验、绘图用的比较精密的器具或装置：～器|地动～|地球～。

卮〔巵〕 zhī 古代盛酒的器皿。

丛（叢） cóng ❶ 聚集：～生|～集|～书。❷ 聚集而生的草木：草～|树～|花～。❸ 泛指聚集在一起的事物或人：文～|论～|人～。❹ 姓。

尔（爾）〔尒〕 ěr 〈书〉❶ 你：～父|～曹|～等|～虞我诈。❷ 如此；这样：果～|不过～～。❸ 这；那：～后|～日。❹ 助词。而已；罢了：顾君不察～。❺ 词缀。同"然"：偶～|莞～而笑|卓～不群。

乐（樂） ㊀ lè ❶ 快活；欢欣：快～|欢～|～极生悲。❷ 令人快乐的事情：取～|找～。❸ 愿意；喜欢：喜闻～见|～此不疲。❹ 笑：相声把观众逗～了。❺ 姓（跟乐 yuè 不同姓）。

㊁ yuè ❶ 音乐：～曲|奏～。❷ 姓。

【辨析】作姓氏用时，"乐（yuè）"和"乐（lè）"是两个不同的姓。

【备考】繁体樂，甲骨文作[古文字]，金文作[古文字]，从丝附着在木上，象琴瑟。或增[古文字]以象调弦之器。简化字乐，来源于汉代草书，见于西汉史游的《急就章》。

匆〔怱〕〔悤〕 cōng 急；忙；急促：～忙|～促|来去～～。

【备考】金文作[illegible]，为心上加点，表示心中急迫。小篆作[illegible]，会意兼形声字，从心，从囱（cōng），囱兼表音。隶变作“悤”，后省心作“匆”。

册〔冊〕 cè ❶古时指编串好的竹简，现指装订好的纸本子：画～|纪念～|时事手～。❷〈书〉皇帝封爵的命令：～立|～封。❸量词。用于书籍等：四～《中国文学史》|《汉语大词典》第五～。

【备考】册，甲骨文作[illegible]，象形字，象竹简长短相间之形，中间横道为穿竹简的皮绳。

卯〔夘〕〔戼〕 mǎo ❶地支的第四位。❷器物接榫（sǔn）处凹入的部分：对～眼|凿个～儿。

处（處） ㊀chǔ ❶〈书〉居住：穴居野～|五方杂～。❷交往：～世|相～|～得来。❸存在；置身：～于|～境|设身～地。❹安排；办理：～理|～事|～置|裁～。❺惩罚：～分|～治|惩～|判～。

㊁chù ❶地方：～所|住～|各～|远～。❷事物的某个方面或某一部分：益～|长～|害～|难～|大～着（zhuó）眼。❸机关或机关、团体里的一个部门：～长|售票～|办事～|总务～。

【辨析】“处”有两读，动词义读上声，名词义读去声。处女、处子指在室之女，即待在家中未出嫁的女子，处士指隐居不仕的人，其中的“处”均指居住，动词义，均应读 chǔ，不读 chù。

【备考】處的本字为処，甲骨文作[古文字]，从止(足)在几(jī，矮小的桌子)下会意。小篆作[古文字]，从几，从夂(zhǐ，足)会意。足在几下，凭几而休息，表示停留的意思。后增声符虍(hū)，成为處字。处是処的俗字，见于明代官府文书档案《兵科抄出》。《简化字总表》以處为繁体，处为规范的简化字。

冬[1] dōng ❶一年的第四季，我国习惯上指农历的十月到十二月：～泳|～装|～运|寒～|隆～|过～|～小麦。❷姓。

冬[2](鼕) dōng 拟声词。形容敲鼓或敲门的声音：～！～！～！远处的鼓声响了。

【备考】冬，与终本同字。甲骨文作[古文字]，象一束丝的两末端打了个结，用以表示终结义。一说，下垂者为纺砖，[古文字]即"终"(绒丝)的初文。"冬季"是"终结"的引申义，因冬季是一年时序的终了。小篆下加仌(bīng，古冰字)作[古文字](隶变作冬)，与"终"分化为两个字。繁体鼕，从鼓，冬声，为冬(拟声词)的分化字，《简化字总表》又并入"冬"。

鸟(鳥) niǎo 脊椎动物的一种，体温恒定，卵生，前肢变为翅膀，能飞，后肢能行走，全身有羽毛。

【辨析】鸟—乌 鸟比乌多了一个象征眼睛的小点。

【备考】鸟，象形字，甲骨文作[古文字]，金文作[古文字]，均象鸟形。用鸟作意符的字多与鸟类有关。

务(務) wù ❶从事；致力；做：～农|～实|不～正业。❷事情：财～|商～|公～|业

～。❸ 追求：不～虚名。❹ 必须；一定：～必|～求|～须|除恶～尽。❺ 姓。

【备考】繁体務，形声字，从力，敄(wù)声。简化字务，省務左部，见于元刊本《全相三国志平话》。

刍(芻) chú 〈书〉❶ 割草：～荛(ráo，打柴)。❷ 喂牲口的草：～秣。❸ 谦词。卑微；浅陋(将自己比作草野之人，多用以指自己的言论、见解)：～议|～论|～见|～荛之言。

【备考】刍，甲骨文作[illegible]，象手持断草之形。小篆讹作[illegible]，象包束草之形。简化字刍来源于草书，楷化后的刍在元抄本《京本通俗小说》中已有(皱字偏旁)。

饥[1](飢) jī 饿：～饿|～寒|如～似渴|画饼充～。

饥[2](饑) jī 灾荒；五谷不熟：～荒|连年大～。

【备考】古汉语中饥饿用"飢"，荒年用"饑"，《简化字总表》将饑并入飢，又类推简化为"饥"。"饣"为"飠"(食字旁)的简化。

［丶］

邝(鄺) kuàng 姓。

冯(馮) ㊀ féng 姓。
㊁ píng 〈书〉❶ 形容马行快疾。❷ 徒步渡河：暴虎～河。❸ 通"凭"。凭借；依靠。

【备考】冯，形声字，从马，冫(仌)声。本义为马行疾。部首冫，甲骨文作仌，象形，为“冰”字初文，作偏旁时省作“冫”。今从冫的字多由从氵讹变而来。

闪(閃) shǎn ❶突然出现：～现|～念。❷迅速侧转身子避开：～身|～开|～避|～在树后。❸(身体)在无防备的情况下猛然晃动：他脚下一～，差点摔倒。❹动作过猛扭伤筋肉：～了腰。❺(光亮)动摇不定：～耀|～金光。❻闪电，天空中的电光：打～。❼姓。

【备考】闪，会意字，从人在门中，本义是从门中偷看。

兰(蘭) lán ❶兰草(一种香草)：纫秋～以为佩。❷兰花：春～秋菊。❸木兰(一种香木)：桂棹兮～桨。❹姓。

【备考】繁体蘭，形声字，从艹(艸)，闌声。简化字兰，源于草书，本为“藍”的简化字，《简化字总表》借用为“蘭”的简化字。

汇[1](匯)〔滙〕 huì ❶众水合流：～流|～成海洋。又指像水合流一样集中：～拢|～集。❷把款项从甲地划拨到乙地：～款|～票|～兑|电～|邮～。❸特指外汇：～率|换～|创～。

汇[2](匯)(彙)〔滙〕 huì ❶类聚、综合：～编|～释|～报|～总。❷类聚、综合而成的东西：字～|词～|总～。

【辨析】汇(汇合)—会(会合) “汇(汇合)”多用于

水的合流及其比喻义,大体为同向,汇合后有发展,如:条条江河汇成海洋;人们从四面八方赶来游行,汇成一条人流。“会(会合)”多用于人或人的集合(如“队伍”),多是相向的聚合,会合后可以停下来,如:相会;两支部队在山顶会合了。

【备考】繁体匯,形声字,从匚(fāng,代表器物),淮声,本义为古代的一种器物,借指水会合之后,又写作滙,今简作汇。“汇”首先通行于近代金融业。繁体彙,《说文》小篆作,从希(yì,长毛兽),声旁为(胃)的省写,隶变作彙,本同刺蝟的“蝟”。后两字分化,蝟读wèi,彙读huì,表聚集义。匯、彙二字读音相同,意义接近,故《汉字简化方案》规定彙也简作汇。

头(頭) tóu ❶ 人体的最上部或其他动物的最前部长有口、鼻、眼等器官的部分:~顶|~像|~重脚轻。❷ 指头发或发式:剃~|平~|分~。❸ 为首的人:~目|~领|工~儿。❹ 物体的顶端或末梢:山~|笔~儿|船~。❺ 残余部分:零~儿|布~儿|铅笔~儿。❻ 事情的开始或末尾:从~|开~|一年到~。❼ 边;方面:分~找|心挂两~|他们俩是一~儿的。❽ 第一:~等|~号。❾ 领头的:~羊|~马。❿ 次序在前的;时间在先的:~趟|~几个|~三年。⓫〈口〉临近;接近:~放假|~吃饭。⓬ 量词。用于牛羊等家畜和蒜等:一~牛|两~羊|几~大蒜。⓭ (·tou)后缀:木~|看~儿|念~儿|甜~|上~|里~|前~。

【备考】繁体頭,形声字,从頁,豆声;頁本读xié,义为头。简化字头来源于汉代草书,楷化的头见于1935年《简体字表》。

汉(漢) hàn ❶汉水,水名,长江最大的支流。❷银河,也称云汉、银汉:霄~|星~灿烂。❸男子:好~|懒~|大~|庄稼~。❹朝代名。1. 汉朝,公元前206—公元220,分西汉(刘邦建)和东汉(刘秀建)。2. 后汉,五代之一,公元947—950年,刘知远建。❺古代国名。1. 三国之一,公元221—263年,刘备所建,史称“蜀汉”。2. 十六国之一,史称“成汉”。3. 五代时十国之一,史称“南汉”。4. 五代时十国之一,史称“北汉”。5. 元末陈友谅所立国。❻汉族,中国人数最多的民族。❼汉语的简称:英~辞典|俄译~。❽地名,汉口或武汉市的简称:~剧|京~铁路|驻~办事处。

【备考】繁体漢,形声字,从水,声旁为“難”的省写。简化字汉,来源于草书,东汉《章帝千字文断简》中的“汉”与今简化字完全相同。

宁(寧)〔寍〕〔甯〕 ㊀ níng ❶安定;安静:~静|康~|坐卧不~。❷〈书〉使安定或安静:~边|息事~人。❸南京的别称:沪~铁路。

㊁ nìng ❶副词。宁可:~愿|~肯|~死不屈。❷姓。

【辨析】汉字简化前寧与宁是两个字,“宁”音 zhù,指古代宫殿上屏风与门之间的地方。由于宁(zhù)字罕用,所以汉字简化时规定“寧”简化为“宁”,而原读 zhù

的宁写作"宀"。这样就造成另外一些由"寧"类推简化而来的简化字与繁体字同形。如 ning 音节的儜、濘、薴的简化字伫、泞、苎分别与 zhu 音节的繁体字伫、泞、苎同形。为避免混淆,《简化字总表》规定,zhù 音节原从"宁"的字一律从"宀"。这样,上述 zhu 音节的几个字分别写作伫、泞、苎。

【备考】1955 年 12 月发布的《第一批异体字整理表》繁体"寧"有异体字"甯"。2013 年发布的《通用规范汉字表》确认"甯"读 nìng 时为规范字,用于姓氏(与"宁 níng"姓为不同的姓氏);读 níng 表示"安宁"的意义以及读 nìng 表示"难道、宁可"的意义时仍为"宁"的异体字。

它〔牠〕 tā 代词。书面上指代人以外的事物。

【备考】它,甲骨文作[illegible],象蛇形,本义是蛇。后借"它"字作代词用,又另加虫(huǐ,毒蛇)旁,构成从虫它声的形声字蛇。

讦(訐) jié 〈书〉攻击或揭发别人的短处、阴私:攻～。

诩(詡) xū 〈书〉❶ 虚夸诡诈。❷ 大。

讧(訌) hòng 争吵;混乱:内～。

讨(討) tǎo ❶〈书〉处治;整治。❷ 公开抨击;征伐:～伐|声～|征～。❸ 探求;研究:研～|探～。❹ 索取;求得:～债|～饭|～好。

❺ 惹;招来:~厌|~人欢心。

写(寫) xiě ❶ 描摹,照着样子画:~生|~真。❷ 描绘:~景|~实|描~。❸ 抄录;书写:~本|题~|默~。❹ 做文章;著述:~书|~诗|~论文。

【备考】 繁体寫,形声字,从宀,舄(xì)声。本指置物,即把东西从一处转移放置到另一处,引申为描摹、书写等义。简化字写,来源于汉代草书,居延简中有与今简化字接近的形体。

让(讓) ràng ❶〈书〉责备:责~。❷〈书〉推辞不受:辞~|泰山不~土壤。❸ 把好处留给别人,谦退:谦~|退~|温良恭俭~。❹(自己不受)把东西给别人:出~|转~|我不要,都~给你。❺ 请人接受:又~烟又~茶|快把客人~进来。❻ 容许,使:不能~他跑了|这件事就~他去办吧。❼ 用在表示被动的句子里,引进主动者:他~老师批评了一顿。

【备考】 繁体讓,形声字,从言,襄声;简化字让从言,上声。1935年《手头字第一期字汇》作訨,《简化字总表》类推简化作让。

礼(禮) lǐ ❶ 为表敬意或庆祝、纪念某些重大事情而举行的仪式:~服|典~|婚~|丧~|祭~。❷ 我国奴隶社会、封建社会的等级制度及其行为准则和道德规范:~治|封建~教|克己复~。❸ 表示尊敬的动作、言语或态度:~节|~貌|~遇|敬~|~尚往来。❹ 表示敬意、友好、感谢或庆贺

的赠品：～物|～金|聘～|送～。

【备考】繁体禮，会意兼形声字，从示，从豊(lǐ，祭品)，豊兼表音。简化字礼来源于《说文》古文。

讪(訕) shàn ❶〈书〉毁谤；讥笑：～笑|谤～。❷难为情的样子：～～地走开。

讫(訖) qì ❶终了；完毕：收～|验～。❷通"迄"。到，至：～今不改。

训(訓) xùn ❶教导：～导|～令|～话|教～。❷教导的话：家～|校～|遗～。❸准则；规范：不足为～。❹通过培养使得到锻炼提高：～练|培～|军～。❺词语的解释：～释|～诂。

议(議) yì ❶讨论；交换意见：～事|～决|～定|这个问题要拿到会上～一～。❷评论：评～|无可非～。❸主张；意见：提～|建～|异～。

讯(訊) xùn ❶问：问～。❷审问：审～。❸消息，音信：音～|通～|电～。

【备考】甲骨文作[古文字]，象以口审讯被缚之人。金文有增"系"作[古文字]的，突出被缚之意。小篆作[古文字]，变为从言、卂(xùn)声的形声字。

记(記) jì ❶把听到的或发生的事写下来，登录：～载|～录|～述|～过一次。❷对事物的印象存留在脑子里，不丢失：～忆|牢～不忘|读了三遍，还是～不住。❸记载事物的书或文章：游～|笔～|日～|《史～》。❹标志；符号：～号|标～|戳～。❺皮肤上天生的色斑：胎～|朱砂～。❻量词。

表示动作次数：一～耳光。

【辨析】记—纪 见“纪”字辨析(114 页)。

讱(訒) rèn 〈书〉说话迟缓谨慎。

[乛]

出[1] chū ❶ 从里面到外面：～厂|～国|～不去|～了屋门。❷ 来到：～场|～席。❸ 往外拿；特指往外拿出钱财：～题|～主意|量入为～|有钱～钱，有力～力。❹ 越过；超出：～众|～格|～界|～轨|不～所料。❺ 显露：～名|～头|～丑|水落石～。❻ 出产；产生；发生：～品|～芽儿|～事故|这种产品是我们厂～的|问题～在哪里？❼ 发泄：～气。❽ 出版：第三期杂志～了没有？|他们社今年～了几百种书。❾ 显得量多：～数儿|好米不～饭。

出[2](齣) chū 传奇中的一个大段落、戏曲中的一个独立剧目都叫一出：一～戏。

【备考】出，甲骨文作[illegible]，从止(足)，从凵，以足离开坎穴表示外出。

辽(遼) liáo ❶ 远：～远|～阔。❷ 朝代名。公元 907 年辽太祖耶律阿保机建立契丹国，947 年(一说 938 年)建国称辽，1125 年为金所灭。

【备考】繁体遼，形声字，从辵，尞(liào)声；简化字辽，从辵，了声，是现代群众创造的新形声字。

奶〔妳〕〔嬭〕 nǎi ❶ 乳汁：喂～|吃～|牛～。❷ 乳房：～头。❸ 喂

奶：～孩子。❹ 指婴儿时期的：～名｜～牙。

【备考】“妳”又作为仅用于女性第二人称“你”的异体字。此用法多见于现代文字作品。

边(邊) biān ❶ 靠近国界的地方：～疆｜～防｜～关｜戍～。❷（～儿）边缘；物体周围的部分：周～｜江～｜田～地头｜桌子的～儿｜花～儿｜镶～儿。❸ 近旁，相邻近的地方：身～｜学校旁～｜屋～栽了两行树。❹ 几何学上指夹成角的射线和构成多角形的线段：等～三角形。❺ 方面：一～倒｜双～会谈｜多～贸易｜上～来人了｜到下～（指基层）看看。❻ 用在动词前，表示动作同时进行：～走～唱｜一～看电视，一～谈话。❼（·bian）方位词后缀：这～｜那～｜左～｜外～。❽ 姓。

【备考】繁体邊，形声字，从辵，臱(mián)声。简化字边，以简化符号“力”代替右上部，见于元抄本《京本通俗小说》。

发[1](發) fā ❶ 放射：～射｜～炮｜～光｜～亮｜万箭齐～｜百～百中。❷ 开始行动：～起｜～动｜奋～｜先～制人。❸ 启程；派遣：出～｜～兵｜整装待～｜朝～夕至。❹ 生长；产生：～芽｜～电｜～水｜红豆生南国，春来～几枝。❺ 揭示；打开：～现｜～掘｜揭～。❻ 开阔人的思维，引人醒悟：启～｜～人深省(xǐng)｜振聋～聩。❼ 表达（观点）；说出：～表｜～言｜～布｜～议论。❽ 表现（感情）；流露：～泄｜～怒｜～火｜～愁｜～脾气。❾ 发作；犯病：～病｜～疟子｜旧病复～。❿ 产生变化，显现：～臭｜～黄｜～霉｜～潮｜

～酸。⑪ 产生感觉,感到:～麻|～痒|嘴里～苦|浑身～懒。⑫ 放散;散开:～散|蒸～|挥～。⑬ 扩大;扩展:～展|～扬|～育|～达。⑭ 人的财富膨胀扩大;兴旺:～家|～财|～迹|暴～户|他这几年干买卖可～了。⑮ 食物因发酵或水泡而体积膨胀:～面|～海参(shēn)|今天的馒头～得不好。⑯ 送出;交付:～货|～信|～稿|～工资|～广告|印～各地执行。⑰ 量词。用于枪弹等:一～炮弹|五百～子弹。

发[2](髮) fà 头发;人的头上生长的毛:～型|～廊|～胶|理～|怒～冲冠。

【备考】繁体髮,形声字,从髟(biāo,长发的样子),犮(bá)声。简化字发由犮改造而来。繁体發,形声字,从弓,癹声。《简化字总表》与"髮"的简化字"发"合并。

圣(聖) shèng ❶ 具有最高智慧与道德的:～人|～明。❷ 指品格高尚、大智大慧的人:～贤|～哲。❸ 具有高超学识或技能的、有极高成就的人:诗～|医～。❹ 最庄严的;最崇高的:～地|～洁|神～。❺ 封建社会称颂帝王之词:～旨|～驾|～主。❻ 宗教徒对所崇拜的事物的尊称:～经|～义|～母|～诞节。

【备考】圣与聖原为两个不同的字。圣音 kū,古代方言,义同"掘",从土,从又(手)。聖,甲骨文作[古文字],象人生有大耳,表示听觉敏锐,引申为无所不通。又有加口作[古文字][古文字]者。小篆讹作[古文字],从口,壬(tǐng)声。旧字形作"聖",新字形下从"王"作"聖"。宋元以来常借"圣"作为"聖"的简化字。在元代刊行的《古今杂剧三十种》上,可见到简化字圣(shèng)。

对(對) duì ❶ 答话;回答:~话|~白|应~|~答如流|无言以~。❷ 向着;朝着:面~|门~门|~着镜子照一照。❸ 两相矛盾:~手|~抗|~垒|作~。❹ 彼此相向;互相:~调(diào)|~流|~讲|~称。❺ 使两者接触,配合:~个火儿|把门~上。❻ 使两者经调整相符合:~表|校(jiào)~|~焦距|~弦儿|~笔记。❼ 比照二者是否符合:~账|~质|~笔迹|~号码。❽ 一致;相合;投合:~劲儿|~脾气|~心思。❾ 正确;正常:这话真~|苗头不~|神色不~|~,就这么办。❿ 搀和(多指液体):~鸡尾酒|往壶里~水。⓫ 双;成双的:~联|配~儿|结~子|成双结~。⓬ 量词。双:一~鸳鸯|一~蜻蜓|两~夫妻|一~恋人。⓭ 平均分成两份:~开(纸)|~半儿分。⓮ 介词。1. 引进动作的对象;相当于"朝""向":决不~困难低头。2. 说明关涉的方面:~他有意见|他~这事不感兴趣。

台[1] ㊀ tái ❶ 星名。古代用来比喻三公(古时最高的官位)。❷ 敬词。用于称对方或与对方有关的事物、行为:~甫|~启|兄~。

㊁ tāi 地名用字:~州(地名,在浙江)|天~(山名,又地名,在浙江)。

台[2]**(臺)** tái ❶ 高而平的建筑物:瞭望~|亭~楼阁。❷ 像台一样高出地面便于讲话、表演的设备:讲~|舞~|戏~|主席~。❸ (~儿)

像台的小型建筑物：井～儿|窗～儿。❹ 放器物的底座：灯～|锅～|蜡～|炮～。❺ 量词。用于戏剧演出、机器设备等：一～戏|一～电脑|一～拖拉机。❻ 台湾省的简称：～胞|～属|～资|～币。❼ 姓。

台[3](颱) tái 【台风】发生在太平洋西部海洋的热带空气旋涡。我国规定台风中心附近地面(海面)最大风力达 8—11 级为台风,12 级以上为强台风。

台[4](臺)(檯) tái 像台的家具、器具：柜～|写字～|手术～。

【备考】繁体臺,本义是用土筑成的四方形高而平的建筑物;檯,从木,臺声,指桌子一类东西。臺、檯古代通用。台,形声字,从口,㠯(yǐ,同以)声,隶变作台。本义为说(yuè,同悦),古汉语用作第一人称代词,读yí。此义与台[1] 古代都不写作"臺"。臺,古代有时也通作台。颱专指台风,从風,台声,现代群众将其简化为台。《简化字总表》将臺、檯、颱都简化为台。

纠(糾)〔糺〕 jiū ❶〈书〉绳子：～纆(mò,绳)。❷ 缠结;集合：～缠|～纷|～集|～葛。❸ 督察;检举：～察|～举。❹ 矫正：～正|～偏。

【备考】纠,形声兼会意字,从纟,丩(jiū)声,丩又表示缠结义。纟,繁体作糹,在右、下部时作糸。糸音mì,甲骨文作[甲骨文字形],象一束丝。从糸(纟)的字大多表示与丝麻等织物有关的意义。关于颜色的字一般都从糸,因为在颜色方面,古人印象最深的是染丝。

驭(馭) yù ❶ 驾驶车马：～车｜～马｜～手。❷〈书〉统率；控制：驾～｜～下无方。

【辨析】驭—御 见“御”字辨析(440 页)。

【备考】驭，会意字，从马，从又(手)。本义是驭马。

丝(絲) sī ❶ 蚕丝：～厂｜～绸｜真～｜二两～。❷ (～儿)像蚕丝的物品：铅～｜头发～｜藕断～连。❸ 重量或长度单位，10 丝等于 1 毫。❹ 指极小或极少的量：一～不苟｜一～一线，来之不易。❺ 中国古代八音之一，指琴瑟等弦乐器。

【备考】丝，甲骨文作[甲骨文字形]，象两束丝形。

六 画

[一]

玑(璣) jī ❶〈书〉不圆的珠子：珠～。❷ 古代的一种观测天象的仪器。

动[1](動) dòng ❶ 动作；行动；开始做：～工|～手术|站着不～|一举一～。❷ 使用：～笔|～用|～脑筋|大～干戈|君子～口不～手。❸ 改变位置，脱离静止状态：走～|移～|风吹草～|岿(kuī)然不～。❹ 特指吃喝(多用于否定式)：不～荤腥|烟酒不～。❺ 能活动的：～物|～画|～产。❻ 触动；在情感上发生反应：～心|～人|～怒|感～|感天～地。❼ 用在动词后表示结果：拿得～|推不～|开～了汽车|牵～了万人的心。❽ 往往；常常；每每：～辄(zhé)得咎|每次演出，观众～以万计。

动[2](動)〔勴〕 dòng 仅用于"劳动"一词。

【备考】繁体動，形声字，从力，重声。简化字动，为现代群众创造，左边"云"简化为与音义无关的记号。

扛[1] káng ❶ 用肩承担东西：～枪|～行李|～着一袋粮食|～活(旧时穷人给地主、富农干活)。❷ 比喻承担、负责：这件事只有你能～得起来。

扛[2]〔摃〕gāng 用两手举(重物)：拔山～鼎。

扣[1] kòu ❶ 套住；搭上；系住：～纽扣｜～上门。❷ 用绳、线系成的结：活～儿｜绳～儿。❸ 拘押，使不能自由活动：～押｜～留。❹ 从原来的数量里减去一部分：～除｜～发｜克～｜不折不～。❺ 器物口向下放置；盖在其他东西上：把杯子～在桌上｜拿个盘子把剩菜～上｜他拿起帽子～在头上。❻ 用力由上向下砸或击打：～球｜～篮｜～杀。❼ 容器里的东西倒出来：他滑了一跤，一盒饭全～在地上了。❽ 通“筘”：丝丝入～。

扣[2]〔釦〕kòu 衣服上的扣子：纽～｜风纪～｜衣领的～开了。

考[1]〔攷〕kǎo ❶ 检查；考查：～勤｜～验｜备～｜参～。❷ 测验；考试：～场｜～题｜报～｜监～。❸ 提出问题要别人回答：～问｜他被～住了。❹ 探索；研究：～虑｜思～｜～古｜～证。

考[2] kǎo 〈书〉称死去的父亲：先～。

【备考】考，象形字，甲骨文作𠂤，象老者倚杖之形。本义是老；高寿。

托[1] tuō ❶ 手掌向上承受东西；用盘子一类的器物端着：～盘｜小女孩～着一朵花给妈妈｜服务员用木盘一下子～来六碗面。❷ 垫在或支在某些东西的下面起承托作用的器物：茶杯～儿｜日历～儿。❸ 衬出；陪衬：衬～｜烘～。❹ 压强单位，1 托相当于

1 毫米汞柱的压强。

托[2]〔託〕 tuō ❶ 依靠；依赖：～福|～庇|～您的福，我身体很好。❷ 以……为理由；(找)借口：～病|～故|～词|假～|推～。❸ 依靠别人帮助做(某事)：～付|～运|拜～|嘱～。

【备考】 托，形声字，从手，乇(tuō)声。託字比托字出现得早。託字见《说文》，是寄托、依靠的意思。托、託音同义通，后来多用"托"表示"託"的各义。今规定"託"为"托"的异体字。

巩(鞏) gǒng ❶ 坚固；牢固：～固。❷ 姓。

【备考】 繁体鞏，形声字，从革，巩声，本义为用皮革束物，由此引申出牢固的意思。巩本作巩，从丮(jǐ，握持。甲骨文作[illegible]，象两手伸出有所做为之状)，工声。隶变作"巩"。今以"巩"作为"鞏"的简化字。

执(執) zhí ❶ 拿着；握着：～笔|披坚～锐。❷ 主管；掌握：～掌|～政。❸ 从事；实行：～教|～行|～法。❹ 坚持：～著(zhuó)|～意|固～|～迷不悟。❺ 凭据；证明：～照|回～。❻〈书〉志同道合的好友：～友|父～。❼ 姓。

【备考】 執，甲骨文作[illegible]，像一个人戴着手枷跪在那里；金文或作[illegible]，又加上了脚镣。本义为逮捕、捉拿，后引申出"抓着、握着"等义。小篆作[illegible]，从丮(jǐ)，从枽(niè)，枽兼表音。隶变作執，左讹作幸(xìng)，右讹作丸(wán)。简化作"执"。"执"来源于草书，楷化后的执字见于宋刊《列女传》。左为"扌"，有表意作用。

圹(壙) kuàng 墓穴：～穴|打～。

扩(擴) kuò 使(范围等)变大：～大|～张|～散|～充。

扪(捫) mén 〈书〉按着；摸：～心自问。

扫(掃) ㊀ sǎo ❶ 用笤帚、扫帚清除尘土、脏物等：～地|～雪|～除|清～。❷ 清除；消灭：～雷|～盲|～兴|～黄。❸ 迅速地横向掠过：～视|～描。❹〈书〉全部归在一起：～数。

㊁ sào 【扫帚】(－·zhou)清扫工具。有的地方也叫"扫把"。

【备考】繁体掃，会意字，从手，从帚。简化字扫，来源于草书，省右下部分，"扌"仍有表意作用。楷化的"扫"见于清初刊行的《目连记弹词》。

场(場)〔塲〕 ㊀ cháng ❶ 用于碾轧谷物、翻晒粮食的平坦空地：～院|打～|起～|晒～。❷〈方〉集；集市：赶～。❸ 量词。常指事件的完整过程：一～大雨|一～恶战|大干一～。

㊁ chǎng ❶ 众人聚会活动的地方：～所|会～|市～|操～|广～。❷ 某种活动领域或范围：官～|情～|名利～|逢～作戏。❸ 需要一定场地的生产单位：农～|林～|牧～|盐～|养蜂～。❹ 事情发生的处所、环境：～合|当～|现～|在～。❺ 演出的处所，舞台：登～|上～|下～|怯～(在大庭广众场合，如演出等，胆

怯,行为举止不自然)|晕～(在大庭广众场合,如演出、考试等,因过度紧张等原因而影响其正常进行)。❻ 指表演或比赛的全部过程:开～|中～获胜|终～锣声响了。❼ 戏剧表演中的情节段落:第一～|这出戏刚演完第三～。❽ 量词。用指事情经过的次数:一～比赛|三～辩论。❾ 物质相互作用的范围:磁～|生物～。

【备考】繁体場,形声字,从土,昜(yáng)声。类推简化为场。

扬[1](揚)〔敭〕〔颺〕yáng ❶ 举;升起;飘起:～起手|～帆|飘～|飞～|纷纷～～。❷ 往上撒:～场(cháng)|种子要晒干～净。❸ (名声、话语等)传出去:～名|～言|宣～|张～|表～|赞～。❹ 发挥;显示:～长避短|耀武～威。❺ 相貌好:其貌不～(仅用于否定形式)。

扬[2](揚)yáng ❶ 指江苏扬州:～剧|淮～。❷ 姓。

【备考】① 繁体揚,形声字,从手,昜(yáng)声。类推简化为"扬"。② 1955 年 12 月发布的《第一批异体字整理表》中繁体"揚"有异体字"颺"。2013 年发布的《通用规范汉字表》确认"颺"的类推简化字"飏"为规范字,仅用于姓氏人名;表示"扬手、扬起、飘扬、传扬"等意义时,繁体"颺"仍为"扬"的异体字。

亚(亞)yà ❶ 次一等的:～军|～热带|他的水平不～于你。❷ 指亚洲:～非会议|欧～大陆。

【备考】繁体亞，甲骨文作♧，有人认为象隅角之形，为“阿”（ē，山的弯曲处）的初文。古汉语中“亚”有“次第”的意义，引申为次一等。简化字亚，来源于草书，今楷化为亚。

芗（薌） xiāng 〈书〉❶ 通“香”。指五谷的香气。又泛指香气：～泽（香泽，香气）。❷ 紫苏之类的香草，古人用来调味。

朴[1]（樸） pǔ 不华丽；不奢侈；不虚浮：～实｜～素｜俭～。

朴[2] ㊀ piáo 姓。
㊁ pō 【朴刀】古代一种窄长短柄的刀。
㊂ pò 朴树，落叶乔木，木材可制器具，树皮可造纸，根皮也可入药。

【备考】樸和朴原为两个不同的字。“朴”的本义是木皮，“樸”的本义是未加工成器的木材，与璞（未经加工的玉石）是同源字，后引申出质朴、厚重的意思。这两个字在汉代就已通用，所以《简化字总表》将朴作为樸的简化字。

机（機） jī ❶ 古代弓弩上的发射机关；后也泛指发射装置：弩～｜枪～｜扳～。❷ 机器：缝纫～｜拖拉～｜发电～。❸ 飞机的简称：～场｜客～｜战斗～。❹ 灵活；智巧：～灵｜～敏｜～智。❺ 恰好的时候：～会｜～遇｜时～｜乘～｜～不可失。❻ 重要；重要的事物：～密｜～要｜日理万～。❼ 事物产生和变化的关键、枢纽：军～｜生～｜事～｜转～。❽ 生活机能：有～体｜无～化学。❾ 心思；念头：动～｜

杀～|心～。

【备考】机与機原为两个不同的字,"机"本义为木名(后作"桤"),与機的类推简化字同形。

权(權) quán ❶〈书〉秤锤。❷衡量;比较:～衡|～其利弊。❸支配和指挥的力量:～力|掌～|实～|职～。❹应当享受的利益和行使的权力:～利|人～|公民～|选举～。❺应变;暂时变通:～变|～谋|～且|反经行～("经"指不变的道理)。❻副词。姑且;暂且:～当我没听见。❼姓。

【备考】繁体權,形声字,从木,雚(guàn)声。本义为木名。简化字权,声旁改为简化符号"又",见于元抄本《京本通俗小说》。

过(過) ㊀ guò ❶跨越中间一段距离,从一处到另一处,从某一时间到另一时间:～河|～了这个村子|～春节|～了二月天就暖和了。❷从这一方转到另一方:～户|～账。❸通过(某种处理):～滤|～数ル|这笔账要～目|把新买的布～～水。❹超出(某个范围或界限):～半数|总数～了一万|～分|～火|～奖|～犹不及。❺失误;错误(与"功"相对):～失|～错|功～|改～自新。❻(～ル)量词。相当于次、遍(表示动作、行为):衣服洗了两～ル|已经数了好几～ル。❼用在动词加"得"或"不"的后面,表示可否胜过、通过:打得～他|信不～他。❽(·guo)助词。1. 用在动词后,表示动作行为已经完成:我吃～饭了|电影已经看～了。2. 用在动词后,表示某种动作行为以前曾经发生:这地方我来～|有

～一段经历。3. 用在动词后，和“来”“去”结合表示趋向：转～来|搬～去。

㊁ guō　姓。

【辨析】作姓氏时不读 guò。

【备考】繁体過，从辵，咼(咼)(wāi)声。简化字过，来源于汉代草书，楷化的过字，见于元抄本《京本通俗小说》。

亘〔亙〕 gèn　(空间或时间上)连绵不断：横～|绵～千里|～古以来。

【备考】亘(gèn)，甲骨文作，从二，从月，为永恒之恒的初文。隶书作亙，又作亘，与表示漩涡的“亘(xuān)”字同形。亘(xuān)甲骨文作，象漩涡之形，今多充当形声字的声旁，如宣、桓、垣等。

再〔再〕〔再〕 zài　❶副词。1. 专指第二次：～次|～度|～版。2. 表示又一次：～见|～接～厉。3. 表示更加：学习学习～学习|好了还要～好。4. 连接两个动词，表示先后或条件关系：看完文件～讨论|～喝酒可就误事了。5. 表示补充：我社的离休干部有老张、老李，～就是老麦。❷〈书〉再出现：机会难～。

协(協) xié　❶合；共同：～力|～商。❷和谐；配合得好：～和|～调。❸帮助：～助|～理。

【备考】繁体協，从十，从三“力”。甲骨文作，象三耒(lěi，农具)，表示合力并耕的意思。在明代的官府文书档案《兵科抄出》中，已有简化字协。

压(壓) ㊀ yā ❶ 从上向下加力：～碎|～路机|黑云～城|泰山～顶。❷ 用强力制服；压制：～价|镇～|要说服不要～服。❸ 制止；使稳定或平静：～惊|强～怒火|喝口水～～咳嗽。❹ 超越；胜过：～卷之作|力～群雄|才不～众。❺ 逼近：强敌～境。❻ 搁置不动：积～物资|～着不办。❼ 通"押❼"。❽ 压力：别给他加～了。❾ 特指电压、气压或血压：高～|变～器。

㊁ yà 用于方言词"压板""压根儿"。

【备考】 依《说文》，"压迫"义当写作厭(厌)，从厂，猒(yàn)声。后"厭(厌)"被借用为表示厌足、厌烦等义，所以又为压迫各义在"厭"下加土造"壓(压)"字表示。简化字压，见于 1935 年《简体字表》。

厌(厭) yàn ❶ 满足：贪得无～|学而不～。❷ 够；腻；因多而烦：～倦|听～了的故事。❸ 憎恶：～弃|讨～|～世情绪。

【备考】 繁体厭，形声字，从厂，猒(yàn)声。本义为压，是壓的本字。后被借用表厌足等义，而为压迫等义另造"壓(压)"字。简化字厌，省中间部分，见于 1936 年陈光尧编《常用简字表》。

厍(厙) shè ❶〈方〉村庄(多用于村庄名)。❷ 姓。

页(頁) yè ❶ 篇；张(指纸)：活～|画～。❷ 量词。指书本中的一张纸。

【备考】 页，甲骨文作[illegible]，象人头及身体，但突出头部。本义是"头"。用页作意符的字，多与头有关。

夸[1] kuā 【夸父】神话人物。为了追赶太阳,在半路上口渴而死。后来用“夸父追日”比喻决心大或不自量力。

夸[2]**(誇)** kuā ❶ 说大话：～口|～大|～张|～～其谈。❷ 赞美;称赏：～奖|～赞|好人好事人人～。

【备考】夸与誇本为二字。夸,形声字,从大,于声,本义为奢侈;誇,形声字,从言,夸声,本义为说大话。但是,誇字各义皆可由夸字引申而出,所以二字历来通用,今以“夸”为“誇”的简化字。

夺(奪) duó ❶ 强取;抢：～取|掠～|抢～|争名～利。❷ 争取;奋力得到：～冠|～标|～高产。❸ 胜过;压倒：喧宾～主|巧～天工。❹ 使失去：剥～。❺〈书〉冲出：～门而去|泪水～眶而出。❻〈书〉裁定;做决定：定～|裁～。❼〈书〉(文字)脱漏：讹～。

【备考】夺,金文作[illegible],从衣,从雀,从又(手),表示用手持衣逮鸟雀的意思,引申为强取。小篆讹变作[illegible](奪),简化字夺省“隹”,见于明代官府文书档案《兵科抄出》。

达(達) dá ❶ 通：通～|畅～|四通八～。❷ 到;实现：～到|抵～|目的已～|欲速则不～。❸ 对事理的认识透彻：明～|不～时宜|知书～理。❹ 得志;显贵：显～|～官贵人。❺ (用语言文字)表现出来：表～|词不～意。❻ 姓。

【备考】繁体達,从辵,羍(dá)声,羍隶变为幸;简化字达,从辵,大声,见于甲骨文。《说文》以达为達的异体。

夹[1]**(夾)** ㊀ jiā ❶ 从左右相持;从两个相对的方向用力使物体固定:~持|~菜|~板。❷ 胳膊紧贴胁部,使腋下放的东西不掉下:~着书包。❸ 处在两者之间的;从两方面来的:~道|~缝|~攻|~击。❹ 掺杂;混杂:~生|~杂。❺ 夹东西的器具:发(fà)~|皮~子|文件~。

㊁ gā 【夹肢窝】(—·zhiwō) 同"胳肢窝"。

夹[2]**(夾)〔袷〕〔裌〕** jiá 双层的;有表里两层的:~袄|~被|~鞋。

【备考】① 夹,甲骨文作[illegible],象二人相向扶持一人之形。隶变作夾。简化字夹来源于草书,见于西汉史游《急就章》。② 裌,形声字,从衣,夾声;袷,形声字,从衣,合声;二者都是为夹衣义制造的专用字。③ 1955年12月发布的《第一批异体字整理表》中繁体"夾"有异体字"袷"。2013年发布的《通用规范汉字表》确认,"袷"读 qiā 时为规范字,用于"袷袢";读 jiá 表示"双层衣物"的意义时仍为"夹"的异体字。

轨(軌) guǐ ❶ 车辙:书同文,车同~。❷ 铺铁路用的钢条:钢~|路~。❸ 用钢条铺成的供火车、电车等行驶的路线:~道|出~|无~电车。❹ 喻指法度、规矩、范围等:正~|常~|越~|行为不~。❺ 〈书〉遵循;依照:~于法令|不~常道。

邪[1]〔衺〕xié ❶歪的;不正当:～恶|～说|无～|改～归正|歪门～道。❷不正常:～劲儿。❸妖异怪诞的事:～祟|中～|驱～。

邪[2] yé ❶同"耶"。语气词:是～,非～?❷【莫邪】古代宝剑名,也作"镆铘"。

尧(堯) yáo ❶〈书〉高。❷传说中的上古帝王名。❸姓。

【备考】繁体堯,会意兼形声字,从垚在兀上,垚兼表音;垚读 yáo,以三土表示土高,又在兀上,高意更明显。简化字尧来源于草书,《简化字总表》楷化作尧。

划[1] huá ❶拨水前进:～船|～桨。❷合算;计较利弊得失:～算|～得来|～不来。

划[2](劃) ㊀ huá 用尖锐的东西割或在表面上刻、擦:～玻璃|～火柴|上衣～了个口子。

㊁ huà ❶分开;区分:～分|～清|～界|～时代。❷打算;安排:计～|策～|筹～|谋～。❸分拨;调拨:～拨|～款|～账。

【辨析】划—画 见画字辨析(189页)。

【备考】划与劃本为两个不同的字。划,形声字,从刀,戈声,指镰一类的农具,后用作划船的"划"。劃,是会意兼形声字,从刀,从畫(画),畫兼表音。《简化字总表》用"划"代替"劃"。

迈(邁) mài ❶〈书〉远行;前进。❷跨步:～步|～过这道沟。❸年老:年～|老～。

❹ 英语 mile(英里)的音译,用于机动车的行车时速:把车开到 70～。

毕(畢) bì ❶ 完结;完成:～业|礼～|完～。❷ 星宿(xiù)名,二十八宿之一。❸〈书〉副词。全;完全:～力|原形～露。❹ 姓。

【备考】繁体畢,会意字,从田,从𠦒(bān),本义是古时田猎用的一种长柄网。甲骨文作𠦒,简化字毕,是近代造的新形声字。

[丨]

贞(貞) zhēn ❶〈书〉占卜。❷ 坚定不移;有节操:坚～|忠～。❸ 封建礼教中指女子不失身、不改嫁等:～节|～烈|～妇。

【备考】贞,甲骨文作卜,形声字,从卜,鼎声,本义为卜问。后鼎讹变作贝。

师(師) shī ❶ 军队编制的一级:～长|～部。❷ 军队:班～|出～|雄～。❸ 某些传授知识或技能的人:～徒|～资|～傅|教～。❹ 榜样:前事不忘,后事之～。❺ 掌握某种专门知识或技艺的人:医～|技～|工程～。❻ 对和尚、道士的尊称:法～。❼ 由师徒关系或师生关系产生的:～兄|～母|～弟。❽ 效法;学习:～法。❾ 姓。

【备考】师,甲骨文作𠂤,即𠂤(duī)字,本义为小阜(小山),古时都邑必附丘陵,并有军队防守,所以"𠂤"引申有军队义。简化字师,来源于汉代草书,见于唐代敦煌变文写本。

尘(塵) chén ❶ 飞扬的或附在物体上的细小灰土：～埃｜～土｜灰～｜粉～｜一～不染。❷ 宗教指现实世界：～俗｜红～。❸〈书〉踪迹：步人后～。

【备考】 繁体塵，会意字，《说文》小篆作，表示群鹿奔跑时飞扬起尘土，后省去两个鹿，作塵。简化字尘，以小土会意。唐代敦煌变文写本中有尘字，宋代韵书《集韵》中收入尘字。

当[1](當) ㊀ dāng ❶ 对着；向着：～面｜～众｜首～其冲。❷ 相称；对等：门～户对｜旗鼓相～。❸ 担任：～老师｜～小组长。❹ 承担；承受：不敢～｜～之无愧｜敢做敢～。❺ 掌管；主持：～家｜～权｜～政｜独～一面。❻ 抵挡；阻拦：锐不可～｜恶人～路｜一夫～关，万夫莫开。❼ 应该：该～｜应～｜理～如此。❽ 正在（那个时候或地方）：～年｜～初｜～今｜～前｜～场｜～地。❾〈书〉顶端：瓦～。

㊁ dàng ❶ 合宜；合适：恰～｜妥～｜处理得～｜用词不～。❷ 作为：～作｜安步～车｜别拿他～外人。❸ 以为；认为：～真｜我～你是小王了。❹ 顶；抵得上：以一～十｜一个人～两个人。❺ 圈套；阴谋诡计：吃亏上～。❻ 指事情发生的同时：～时｜～天｜～年。❼ 用实物做抵押向当铺借钱：典～｜把这块表～了。❽ 押在当铺里的实物：当(dàng)～｜赎～。

当[2](噹) dāng 拟声词。撞击金属器物的声音：～，～，～，钟声响了。

【备考】 繁体當，形声字，从田，尚声，表示对着、向着的意思。拟声词最初就写作"當",后又造从口的噹字,當、噹并用。當的简化字当来源于草书。在元抄本《京本通俗小说》中有楷化的当字。《简化字总表》将噹与當合并简化为"当"。

吁[1] ㊀ xū ❶叹息:长～短叹。❷【吁吁】喘气声:气喘～。

㊁ yū 拟声词。吆喝牲口停止前进的声音。

吁[2]**(籲)** yù 为了某种请求而呼喊:～请|～求|呼～。

【备考】吁,形声字,从口,于声。繁体籲,形声字,从頁,籥(yuè)声;后与"吁"通用。今以"吁"为简体。

吓(嚇) ㊀ hè ❶威胁;使人害怕:恐～|恫(dòng)～|威～。❷叹词。表示不满:～,怎么这么乱!

㊁ xià 使害怕;使受惊:～唬|～人|杀鸡～猴|～出了一身冷汗。

【辨析】在口语词中或单用时读 xià;在书面语合成词中读 hè。

【备考】繁体嚇,形声字,从口,赫声。简化字吓,形声字,从口,下声。见于 1932 年《国音常用字汇》。旧时方言字中原有吓字,读 hà,用为语气词或叹词,与简化字"吓"同形。

虫(蟲) chóng 虫子;泛指昆虫和类似昆虫的小动物:～害|飞～|益～|寄生～。

【备考】虫,甲骨文作⺂,据《说文》音 huǐ,本指一种毒蛇。今天虫子的"虫",古作"蟲"。后"蟲"省作"虫",便以“虺”(huǐ)记录“毒蛇”义。以“虫”为意符的字,多与昆虫或小动物有关。

曲[1] ㊀ qū ❶ 弯:～线|～柄|～轴|～别针。❷ 使弯曲:～笔|弯腰～背。❸ 弯曲的地方:河～。❹ 无理;不公正:是非～直。❺ 姓。

㊁ qǔ ❶ 歌曲,供人歌唱的作品:～目|戏～|～高和(hè)寡。❷ 盛行于元朝的一种韵文形式:散～|套～。❸ 歌谱:《黄河大合唱》的～作者是冼星海。

曲[2](麯)〔麴〕qū 酿酒或制酱时引起发酵的块状物:酒～。

【备考】① 繁体麯,形声字,从麦,曲声。曲,金文作[古文字],象曲尺,小篆作[古文字],象盛物的器具。简化前,商店中常将酒麯的麯写作曲。② 1955 年 12 月发布的《第一批异体字整理表》中繁体“麯”有异体字“麴”。《通用规范汉字表》确认“麴”的类推简化字“麹”为规范字,可用于姓氏人名;表示“曲酒、酒曲”的意义时,繁体“麴”仍为“曲(麯)”的异体字。

团[1](團)tuán ❶ 圆的;圆形的:～扇|～鱼。❷ 成圆形或球形的东西:蒲～|线～|纸～|棉～。❸ 把东西揉弄成球形:～泥球。❹ 聚集;集合:～聚|～结。❺ 工作或活动的集体:文工～|主席～。❻ 特指中国共产主义青年团:～员|入～。❼ 军队的编制单位,一般隶属于师,下辖营。❽ 量词。用于成团的东西:一～毛线。

团[2](糰)tuán 食物名。米或粉制成的球形食品:～子|汤～。

【备考】繁体團,形声字,从囗,專声;囗表示圆。糰字后起,从米,从團,團兼表音。《简化字总表》将两字合并简化为团。

同[1]〔仝〕tóng ❶ 一样;没有差异:~龄|~志|~心~德。❷ 与…一样:~上|"楞"~"棱"。❸ 一起;共同:~学|~谋|伙~。❹ 介词。引进动作或比较的对象;跟:~群众打成一片|我~哥哥一般高。❺ 连词。表示并列关系;和:我~他都住在学校。

同[2]〔衕〕tòng 〈方〉【胡同】见"胡[2]"(251 页)。

同[3] tóng 姓。

【备考】1955 年 12 月发布的《第一批异体字整理表》中"同"有异体字"仝"。2013 年发布的《通用规范汉字表》确认"仝"为规范字,仅用于姓氏(与"同"为不同的姓氏)人名;表示"相同、一起"等意义时仍为"同(tóng)"的异体字。

吊〔弔〕diào ❶ 哀悼死者或慰问死者亲属:~丧(sāng)|~唁|~孝。❷〈书〉安慰;怜悯:~民伐罪|形影相~。❸ 伤怀往事:凭~|~古伤今。❹ 悬挂;挂着:~灯|~床|~环|上~。❺ 用绳索拴着把物体往上提或向下放:把水泥桶~上来。❻ 给皮筒子加上面子或里子,缝成衣服:~皮袄。❼ 把球从网上轻轻打过去,使对方难以接到:~球|打~结合。❽ 收回:~扣|~销。❾ 旧时钱币单位,一

般一千个制钱为一吊。

【备考】吊字甲骨文作,金文作,象人持拴着丝绳的用以射鸟的短箭。小篆讹作,《说文》释为象人持弓。古时人死运到野外,以柴草覆盖,孝子恐父母之尸为鸟兽所食,在旁边看守,吊问的人也持弓矢去帮助,所以吊有问终义。隶变作弔,讹作吊。今以“吊”为选用字。

吃[1]〔**喫**〕chī ❶ 把食物放到嘴里嚼碎后咽下去:~饭|~食|~请|生~。❷ 吃的东西:小~|有~有穿。❸ 依靠某种事物或条件生活:~老本|~劳保|靠山~山。❹ 饮;喝:~酒|~茶。❺ 吸:这种纸不~墨水|这种菜很~油。❻ 某物体进入另一物体:~刀|船~水很深。❼ 消灭,多用于军事、棋戏:~掉敌人一个团|我的棋子儿被他~光了。❽ 耗费:~劲|~力|~功夫。❾ 经受;承受:~苦|~惊|~重|~不消。❿ 领会;把握:~透|~不准。

吃[2] chī 【口吃】说话结结巴巴不流利。

因〔**囙**〕yīn ❶〈书〉依靠;凭借:~材施教|~人成事|~地制宜。❷ 沿袭;承接:~袭|~循|陈陈相~。❸ 原因;缘故:~缘|~由|病~|成~。❹ 由于:~故延期|~公外出|~小失大。

【备考】因,甲骨文作,从口,从大,象人仰卧于茵席之上的样子。引申为依靠。后本义(茵席)又造“茵”字。

吗(**嗎**) ㊀ má 〈方〉什么:干~?|要~有~。㊁ mǎ 【吗啡】(—fēi)[英 morphine]

从鸦片中提取的白色粉末,是一种麻醉毒品,医药上用作镇痛剂。

㊂ ·ma 语气词。❶ 用在句末,表示疑问和反诘的语气:你听明白了~?|难道就没有一点儿办法~?❷ 用在句中停顿处,点出话题,引起注意:科学~,就要讲实事求是。

屿(嶼) yǔ 小岛:岛~。

岁(歲)〔嵗〕 suì ❶ 年;时间的单位:~末|~首|辞旧~。❷ 时光:~月。❸ 年龄:~数|周~。❹ 量词。表示年龄的单位:三~的孩子。❺ 年成;年景:丰~|歉~。

【备考】岁,甲骨文作[illegible],象一种斧钺形,上下刃尾卷曲回抱,中间透空;借用为年岁字。小篆讹作[illegible],从步,戌声;隶变作歲。简化字岁见于 1932 年《国音常用字汇》。

帆〔帆〕〔颿〕 fān ❶ 挂在桅杆上利用风力使船前进的布篷:~船|一~风顺|扬~远航。❷〈书〉指船:征~|沉舟侧畔千~过。

回[1] huí ❶ 掉转:~头|~顾|~马枪。❷ 返回;再到原来的地方:~家|~国|~乡。❸ 答复;报答:~信|~电|~敬|~访。❹ 退回;谢绝;辞去:~绝|把邀请~掉了。❺ 量词。1. 用于行为、动作,相当于"次":看过五六~。2. 用于事情,相当于"桩""件":这~事|那~事。3. 用于小说等,相当于"章":《红楼

梦》后四十～。❻ 回族,我国少数民族:～民。❼ 姓。

回²(迴)〔廻〕〔逥〕 huí 曲折环绕:～避|～旋|迂～|巡～|峰～路转。

【备考】回,甲骨文作 ᘐ,金文作 ⑥,皆象渊水回旋的样子。小篆作 回。繁体迴,为回的分化字,《简化字总表》又与回合并。

岂(豈) qǐ 〈书〉副词。表示反问,相当于"难道":～有此理|～非怪事?

则(則) zé ❶ 规章;法规:法～|守～|总～。❷ 规范;标准:原～|准～|以身作～。❸〈书〉效法:是～是效。❹ 量词。相当于"条":笑话五～|新闻三～。❺ 连词。1. 表示顺承:闻过～喜|唇亡～齿寒。2. 表示并列或对比:生～异室,死～同穴。3. 表示转折:今～不然。4. 用在两个相同的词之间表示让步:善～善矣,然未尽美。❻ 副词。用在判断句中:此～吾之过也。❼ 用在"一二三"等数字后面,列举理由或原因:这次成功,一～决策正确,二～全体员工都尽了最大努力。

刚(剛) gāng ❶ 坚硬;坚强(与"柔"相对):～强|～毅|～正|～直不阿。❷ 强盛:～健|～劲(jìng)|血气方～。❸ 副词。也作"刚刚"。1. 表示行为、情况发生在不久之前,相当于"才":～放学|～学计算机|～～说过的话,扭头就忘了。2. 表示程度适中,相当于"恰巧""正好":～巧|～好|不大不小,～～合适。3. 表示勉强达到某种程度,相当于

"仅""只"：一壶水，～够三个人喝｜他费尽九牛二虎之力，也～～打个平手。❹ 姓。

【备考】刚，甲骨文作[古文字]，有人认为是"以刀断网"会意，金文、小篆分别作[古文字][古文字]，均为形声字，从刀，冈(岡)声。

网(網) wǎng ❶ 一种捕捉鱼、鸟、兽、虫的器具，由绳线结成：鱼～｜自投罗～。❷ 像网一样的东西：铁丝～｜蜘蛛～｜排球～。❸ 像网一样的组织或系统：～络｜上～｜灌溉～｜宣传～｜计算机联～。❹ 用网捕捉：～鱼｜～鸟。❺ 像网一样罩着：棉絮外边～上线套。

【备考】网，象形字，甲骨文作[古文字][古文字][古文字]，象张开的网的形状，后加音符亡作罔，再加意符糸作網。简化字取其本字网。

［丿］

钆(釓) gá 金属元素，符号 Gd，一种稀土金属。

【备考】钆，形声字，从金，轧(省略为乚)声。

钇(釔) yǐ 金属元素，符号 Y，一种稀土金属。

【备考】钇，形声字，从金，乙声。从金的字大多与金属有关，或为金属元素，或为金属器皿、工具、兵器，或为金属的性质、状态。今处于左边的"金"简化作"钅"。

年〔秊〕 nián ❶〈书〉五谷成熟；引申为一年中庄稼的收成：～景｜丰～｜大有～。

❷ 时间单位，公历一年是地球环绕太阳一周的时间，平年 365 日，闰年 366 日，每 4 年有一个闰年：三～|去～|明～。❸ 春节或元旦：～关|新～|过～|拜～。❹ 有关过年的(物品)：～画|～礼|办～货。❺ 每年的：～鉴|～计划|人～均收入 1 万元。❻ 岁数；一生中按年岁划分的阶段：～纪|～岁|青～|老～|忘～交。❼ 时期；时代：贞观～间|民国初～。❽ 姓。

【备考】年，形声字，甲骨文作，从禾，人声；金文作，从禾，人声或千声。隶变为年。

朱[1] zhū ❶ 大红色：～红|～漆。❷ 姓。

朱[2]**(硃)** zhū 朱砂，矿物名，化学成分是硫化汞，颜色鲜红，是提炼水银的重要原料，也可做颜料、药材。

【备考】朱为株的初文，指树干。甲骨文作，用圆点或短横指出树干的位置。

迁(遷) qiān ❶ (将人、物)从一地移到另一地：～居|～葬|～都|～徙。❷ 转变；变更：变～|时过境～。❸〈书〉调动官职(常指升官)：升～|超～。

【备考】繁体遷，形声字，从辵，䙴(qiān)声，䙴隶变作䙴，又讹作䙴。简化字迁，从辵，千声。见于宋刊本《古列女传》和明代字书《正字通》。

乔(喬) qiáo ❶ 高：～木。❷ 装假；做作：～装。❸ 姓。

伟(偉) wěi ❶ 卓越而令人景仰的：～人|～业|丰功～绩。❷ 高大；壮美：雄～|魁～|～丈夫。

传(傳) ㊀ chuán ❶ 递交；一方交给另一方：～递|～阅|～家宝|世代相～。❷ 把知识、本领教给别人：～授|～习|师～|言～身教。❸ 传播；推广；广泛散布：～扬|宣～|消息～遍大江南北。❹ 以命令召唤：～讯|～票|法院～他到庭。❺ 热或电在导体中从一部分向另一部分流通：～热|～电。❻ 表达；流露：～神|眉目～情。

㊁ zhuàn ❶ 古代注释或阐述儒家经典的文字：经～|《左～》|(《诗经》)毛～。❷ 记录人物生平的文字：～记|自～|列～|树碑立～。❸ 叙述历史故事的作品：《水浒～》|《儿女英雄～》。

【备考】传(zhuàn)，形声字，从人，专声，本指驿站，也指驿站的车马，如传舍，传车。传递义由此引申，并在读音上产生分化。

伛(傴) yǔ 腰背弯曲：～偻|～着腰。

优(優) yōu ❶〈书〉充足；富裕：～渥|～裕。❷ 美好；非常好(与"劣"相对)：～美|～等|～生～育|品质～良。❸ 厚遇；优待：～抚|拥军～属。❹ 古代表演乐舞、杂戏的艺人，后来也指称戏曲演员：～伶|～人|名～。

【备考】繁体優，形声字，从人，憂(yōu)声；简化字优，从人，尤声。唐代敦煌变文写本中有优字，与优接近;1936年陈光尧编《常用简字表》收入优字。

伣(俔) qiàn 〈书〉譬喻;好比。

伤(傷) shāng ❶ 人体、物体受到的损害:~痕|外~|探~|遍体鳞~。❷ 受到损害:~身|中(zhòng)~|~筋动骨|~风败俗。❸ 妨害;妨碍:无~大雅。❹ 因某种因素而致病:~风|~寒。❺ 因过度而感厌烦:~食|吃肉吃~了。❻ 悲哀:悲~|感~|黯然神~。

【辨析】"伤"已收入《简化字总表》第一表,故不再依"昜(昜)"类推简化为傷,伤的简化方式也不能类推,如"场"就不能简化为"坊"。

【备考】简化字伤,来源于草书,在元抄本《京本通俗小说》上已有楷化的伤字。

伥(倀) chāng 伥鬼,传说中被虎咬死的人变成的鬼,给老虎做帮凶:为(wèi)虎作~。

价1(價) ㊀ jià ❶ 价钱;商品所值的钱数:物~|定~|大减~|物美~廉。❷ 价值,体现在商品里的社会必要劳动:等~交换。❸ 化学中化合价的简称:氧是2~的元素。

㊁ ·jie ❶ 〈方〉助词。用在否定副词后加强语气(后面不再跟别的成分):别~|甭~。❷ 某些状语的后缀:震天~响|成天~闲逛。

价2 jiè 〈书〉被派遣传送东西或消息的人。

【备考】价、價本为二字。价，从人，介声，本义为善，也指供役使的人。價，从人，从賈（價的本字），賈兼表音，本义为价钱。由于二字音近，简化字以“价”代“價”，1932 年《国音常用字汇》和 1935 年《简体字表》都有此用法。

伦（倫） lún ❶ 同类；同等：不～不类｜无与～比｜英勇绝～。❷ 条理；次序：语无～次。❸ 伦理；人与人之间的道德关系：～常｜五～｜天～之乐。❹ 姓。

伧（傖） ㊀ cāng 〈书〉粗野：～夫｜～俗。
㊁ ·chen 【寒伧】同“寒碜”。今以“寒碜”为规范形式。

华（華） ㊀ huá ❶ 光辉；光亮；美丽：～灯｜～丽｜～章｜光～｜朴实无～。❷ 环绕日月的彩色光环：月～｜日～。❸ 头发花白：～发｜～颠。❹ 繁盛；兴旺：～年｜繁～。❺ 事物最好的部分：精～｜英～｜才～。❻ 不切实际的虚荣：奢～｜浮～。❼（美好的）时光；（美好的）年月：年～｜韶～。❽〈书〉敬辞，称跟对方有关的事物：～诞｜～翰。❾ 泉水中的矿物质；由于沉积而形成的物质：钙～｜矽～。❿ 指中国：～夏｜～人｜驻～使馆。⓫ 汉语：英～大字典。

㊁ huà ❶ 华山，山名，在陕西。❷ 姓。

㊂ huā 古同“花”。

【备考】繁体華，小篆本作𠌶，象形字，象花及茎叶形，后加草字头作䔢，隶变作華，即“花”的本字。简化字华为现代群众创造，其中的“化”有表音作用。

仿[1]〔倣〕fǎng ❶ 照着样子做；效法：～古｜～造｜他的字～董其昌。❷ 像；类似：这两本书的内容相～。❸ 依照范本写的毛笔字：小学生每天写一张～。

仿[2]〔髣〕fǎng 【仿佛】(—fú) 1. 似乎；好像：狂风～要把大树连根拔起。2. 类似；像：烈日～一盆火。

【备考】 1955 年 12 月发布的《第一批异体字整理表》中“仿”有异体字“彷”，1965 年发布的《印刷通用汉字字形表》和 1988 年发布的《现代汉语通用字表》均收入“彷”字，用于“彷徨”。

伙[1] huǒ 饭食(多指集体中所办的)：～食｜包～｜～房｜开～。

伙[2](夥) huǒ ❶ 合作的人；同伴：～伴｜同～。❷ (～儿)由同伴组成的集体：合～｜散(sàn)～｜成群结～。❸ 一同(干)；联手：～办｜～同。❹ 量词。用于人群：三个一群，五个一～。

【辨析】“夥”本义为多，引申为聚集，联合，又引申为由同伴组成的集体等义。这些引申义与伙食的“伙”的引申义(合伙)相同，故简化前，在“伙”与“夥”的引申义上，两字可通用。《简化字总表》将表示“夥”字引申义的“夥”简化为“伙”，而表示其本义“多”的“夥”字不简作“伙”。同时伙食的“伙”也不能写作“夥”。

伪(僞) wěi ❶ 假的；故意做作以掩盖真相的：～造｜～装｜～君子｜去～存真。

❷ 不合法的；非正统的：～军|～政权。

伫〔佇〕〔竚〕 zhù 〈书〉长时间地站着：～望|～立|～听风雨声。

【备考】1955年12月发布的《第一批异体字整理表》以“伫”为“佇”的异体字，1965年发布的《印刷通用汉字字形表》以“佇”为“伫”的异体字，2013年发布的《通用规范汉字表》予以确认。

向[1] xiàng ❶ 古指朝北开的窗子。❷ 袒护；偏袒：很多家长都～着自己的孩子。❸ 介词。表示动作的方向：～前看|～困难进军|从失败转～成功。❹ 姓。

向[2]（嚮）xiàng ❶ 对着；朝着：～前|～阳门第|面～观众。❷ 方向；目标：风～|意～|志～。❸ 将近；接近：～晚|～晓。

向[3]（嚮）〔曏〕 xiàng 〈书〉❶ 过去：～日|～者。❷ 从来；一向：～来|～无此例|他～不说谎。

【备考】向，象形字，甲骨文作[甲骨文]，象房屋墙上有窗口之形。繁体嚮，形声字，从向，鄉声。向、嚮二字古书中已通用，如《庄子·秋水》：“望洋向若而叹。”《简化字总表》以“向”代替“嚮”。

似[1] shì 【似的】(—·de)助词。用在别的词语后面，表示跟某种事物或某种情况相像：高兴得跟孩子～|像刀割～那么疼。

似[2]〔佀〕 sì ❶ 相像；如同：神～|酷～|～水流年|如花～玉。❷ 似乎；好像：～曾相

识|貌~强大|~宜慎重|这个方案~属可行。❸ 用于比较,有超过的意思:他的身体一年好~一年。

后[1] hòu ❶ 古代对君主的称呼:~羿|商之先~。❷ 君主的妻子:皇~|太~。❸ 姓。

后[2]**(後)** hòu ❶ 位置在背面:~方|~台|~盾。❷ 时间较晚的;未来的:~期|~年|~来居上。❸ 次序靠末尾(跟"前"相对):~排|~续|~记。❹ 子孙;后嗣:绝~。

【辨析】后,本义为君主;後,本义为迟。除少数情况下"后"可用作"後"外,二者意义、用法各不相同。皇后、后羿之"后"不能作"後"。汉字简化用同音替代的方法把"後"并入"后"。

会(會) ㊀ huì ❶ 聚合;汇合:~话|~诊|~演|~战。❷ 见面:~见|约~|再~。❸ 许多人有目的地聚在一起进行的活动:开~|研讨~|纪念~|党委扩大~。❹ 某些团体或组织:工~|学生~|青年联合~。❺ 民间一种小型经济互助组织,参加者按期交纳同数量的钱款,按约定的办法分期轮流使用。❻ 主要的城市:都~|省~。❼ 庙会:赶~。❽ 为祭神而组织的迷信活动:香~|迎神赛~。❾ 时机:机~|适逢其~。❿ 理解;懂得:体~|误~|意~。⓫ 能;擅长:~摄影|能写~算。⓬ 表示可能:永远不~忘记|他不~不知道。⓭ 付账:~钞|~账。⓮ (~儿)不长的时间:等~儿|过~儿再去。

㊁ kuài ❶ 总计:~计。❷ 会稽(—jī),山名,在浙江。

【备考】繁体會,金文作 ,象器中有物,器与盖相离之形,有人认为本义为盖子,引申为会合。简化字会,来源于汉代草书,居延简中有与会相近的字形,在元抄本《京本通俗小说》中,有楷化的会字。

杀(殺) shā ❶ 把活的弄死:~虫|~敌|~鸡|~菌|自~。❷ 压低;消除;减少:~价|~痒|~威风。也作"煞"。❸ 败坏:~风景。❹ 战斗:~出重围。❺〈方〉药物等刺激皮肤或黏膜使感觉疼痛:伤口用酒精消毒~得慌。❻ 副词。用在动词后,表示程度深:气~|恨~|笑~人。也作"煞"。

【备考】繁体殺,甲骨文作 ,有人认为此与㣇(yì,一种似豕的长毛兽)同,为假借字,小篆加形旁殳作 ,形声字,从殳,杀声。西汉初期已有简化字杀,见于银雀山汉墓竹简。

合[1] ㊀ hé 6 画　人部　❶ 闭;合拢:~抱|~眼|高兴得~不拢嘴。❷ 聚;集:~伙|~并|~唱|~资|~议庭。❸ 相符:~理|~法|~拍。❹ 折合;相当于:三市尺~一米|一个工~五十元钱。❺ 配合:里应外~|天作之~。❻〈书〉应当;应该:理~声明。❼ 两军交战双方交手一次叫一合或一回合:大战一百~。❽ 我国传统乐谱工尺谱的记音符号之一,相当于简谱的"5̣"。❾ 姓。

㊁ gě ❶ 市制容量单位,10 合等于 1 升。❷ 量具,容量为 1 合,方形或圆筒形,用木头或竹筒制成。

合[2]**(閤)** hé 全：～城|～家欢。

【备考】① 合，甲骨文作[古文字]，象器身器盖相合之形，当即“盒”字的初文。② 閤本为閣(gé)的异体，近代群众为“合府”“合家”特造了从門(门)的閤字，恰与閣(gé)同形。《简化字总表》将閤(hé)又并入合。

众(衆)〔眾〕 zhòng ❶ 多；许多：～人|～寡不敌|～说纷纭|～矢之的(dì)。❷ 许多人：群～|观～|出～|兴师动～。

【备考】繁体衆，甲骨文作[古文字]，象日下并列三人形，金文或从目作[古文字]，均以三人表人众多之义。隶书讹作衆、眾。甲骨文中有省日作[古文字]的形体，楷化的简体众在元刊本《古今杂剧三十种》上已出现。

爷(爺) yé ❶〈方〉父亲：～娘。❷ 祖父；与祖父同辈分的男性亲友：～～(—·ye)|二～|姥～(·ye)|舅～。❸ 对长辈或年长男子的尊称：老大～(·ye)|赵～|常四～。❹ 旧时对主人、官长、财主等的称呼：老～(·ye)|少～(·ye)|王～(·ye)|相(xiàng)～|县太～。❺ 对神佛的称呼：老天～|灶王～|关帝～|佛～(·ye)。

【备考】繁体爺，形声字，从父，耶声。简化字爷，用简化符号“卩”代“耶”，见于清初刊行的《目连记弹词》。

伞[1]**(傘)〔繖〕〔繖〕** sǎn ❶ 撑开用以挡雨或遮阳的器具，中间有柄，用布、油纸或塑料等制成：雨～|阳～。❷ 类似伞的东西：灯～|降落～|跳～运动。

伞[2](傘)〔繖〕 sǎn 姓。

【备考】① 繁简体均象伞形;异体繖为形声字,从糸(mì),散声。“伞”有姓氏义,此义不能写作“繖”。② 1935年《简体字表》中有简化的“傘”字,后又进一步简化为伞。

创[1](創) chuāng ❶ 伤口;外伤:~伤|~口|~巨痛深。❷ 杀伤;打击:予以重~。

创[2](創)〔剏〕〔刱〕 chuàng ❶ 初次做;首次从事:~造|~办|~始|~立|首~。❷ 前所未有的:~举|~见|~议|~例。

【辨析】伤口义不读 chuàng。

朵〔朶〕 duǒ ❶ 花朵。❷ 量词。用于花朵或花朵状的东西:一~红花|一~白云|~~浪花。❸【朵颐】〈书〉嚼东西时鼓动腮帮子:大快~(形容食物鲜美,吃得很满意)。❹ 姓。

【备考】朵,小篆作𣎆,象树木枝叶花实下垂的样子。

杂(雜)〔襍〕 zá ❶ 各种各样的:~货|~粮|~技|~色|复~。❷ 混合:混~|掺~|夹~。❸ 正项以外的;正式的以外的:~费|~项|~牌军。

【备考】繁体雜,形声字,从衣(䘚),集声。本义为五彩相会。从衣,表示用彩色染衣。简化字杂,省“隹”,又将左上的“䘚”省作“九”。见于1936年陈光尧《常用简字表》。

负(負) fù ❶ 倚仗：自～|～隅顽抗|～险固守。❷ 背(bēi)；用背(bèi)驮东西：～重|～荆请罪。❸ 承担；担任：～责|肩～|身～重任。❹ 承担的任务或责任：如释重～。❺ 受；遭受：～伤|～屈含冤。❻ 享有；具有：久～盛名|素～名望。❼ 欠：～债。❽ 违背；背弃：～约|～心|辜～|忘恩～义|有～于人民的重托。❾ 败：胜～难分|～于国家队。❿ 数学名词。小于零的(与"正"相对)：～数|～号。⓫ 物理学名词。得到电子的(与"正"相对)：～极|～电荷|～离子。

犷(獷) guǎng 〈书〉粗野：～悍|粗～。

犸(獁) mǎ 【猛犸】也叫毛象，远古的哺乳动物，形状和大小与现代的象相似，全身有长毛，门齿向上弯曲。生活在寒冷地带，已经绝种。

凫(鳧) fú ❶ 一种水鸟，形状像鸭子而略小，善游水，能飞。俗称野鸭。❷ 在水里游：～水。

邬(鄔) wū 姓。

饧(餳) ㊀ xíng ❶〈书〉饴(yí)加上糯米粉熬成的糖；又指饴，糖稀。❷ 糖块、面剂等变软：糖～了|这面还要再～一会。❸ 眼睛发黏，精神不振：眉眼～涩。

㊁ táng 〈书〉同"糖"。

【备考】繁体餳，形声字，从食，昜(yáng)声。类推简化为饧。

[丶]

壮(壯) zhuàng ❶ 强健有力：～年|～士|强～|兵强马～。❷ 雄伟；气势盛大：～观|～丽|～阔|雄心～志。❸ 加强；使壮大：～行|～胆|～骨|以～声势。❹ 壮族，我国少数民族。

【辨析】从"爿"的字现在只有一部分简化为"丬"，这些字是：浆、桨、奖、酱，妆、装、壮、状，将及所有从将的类推简化字(如蒋、锵等)。其他从"爿"的字如戕、牂、奘等均不能类推简化。

【备考】繁体壯，形声字，从士，爿声。"爿"据《说文》音 qiáng，实即"牀(床)"的初始写法，甲骨文象竖起的床形。与作木片解的"爿"来源和音义均不同，二者为同形字。简化字壮，来源于草书，东晋王羲之的书法作品中已有壮字。

冲[1] chōng ❶ 用水或酒浇注调制：～茶|～鸡蛋|感冒～剂|用酒～服。❷ 一方克服一方；互相抵消：～喜|～账|～销。❸〈书〉年幼：～龄|幼～。❹〈书〉空虚：～而不盈。❺ 谦退；淡泊：～逊|～淡。❻ 山间平地：韶山～。

冲[2](衝) ㊀ chōng ❶ 交通要道：要～|首当其～。❷ 朝某一方向或目标迅猛直闯：～锋|～出重围|～在队伍前面|汽车向前～去。❸ 猛烈地碰撞：～撞|～突|～犯。❹ 天文学指外行星运行到与地球太阳成一直线、隔地球与太阳相对的位置。

❺ 五行家指相对应或对立：子午相～。❻ 直向上升：一飞～天｜气～霄汉｜怒发～冠。❼ 用水流撞击：～刷｜～洗｜把碗～干净｜堤岸被～塌了。

㊁ chòng ❶ 力量大；气势猛：水流很～｜这小伙子干活～，脾气也～。❷ 气味浓烈刺鼻：酒味儿真～。❸ 对着；朝着：大门～南｜～部下发火。❹ 凭；根据：就～他那态度我也不能去｜～现在的势头，年底完成任务没问题。❺ 用压力机在金属板上打孔或使金属板成形：～压｜～床｜～模｜在钢板上～个孔。

【备考】冲，原作"沖"，从水，中声，本指涌动、摇动的样子，后讹作冲。繁体衝，从行，重声，本指交通要道。二字在部分意义上有交叉。《简化字总表》将衝并入冲。

妆(妝)〔粧〕 zhuāng ❶（女子）修饰，打扮：化～｜梳～｜浓～艳抹。❷ 女子身上的装饰：红～。❸ 女子的陪嫁衣物：嫁～。

【辨析】妆—装 两字都有修饰打扮的意思，但"化妆"指修饰打扮使容貌美丽，"化装"则指修饰打扮使容貌改变以符合所扮演的人物形象。

【备考】繁体妝，形声字，从女，爿(qiáng)声。简化字妆，来源于草书，元代迺贤的书法作品中有妆字。

冰〔氷〕 bīng ❶ 水因冷而凝成的固体：～雹｜～窖｜溜～｜～天雪地。❷ 纯洁；清白：～心。❸ 凉的东西让人感到寒冷：冬天坐公共汽车，处处～手。❹ 用冰、凉水或机械使东西变凉：～箱｜～柜｜汽水～过了｜把啤酒～一～。❺ 像冰的东西：～

糖|～片。

庄(莊) zhuāng ❶ 村庄：～户|农～|山～。❷ 封建社会里君主、贵族或地主所占有的大片土地：～田|～园|皇～。❸ 商店：钱～|布～|茶～|饭～。❹ 庄家，玩牌或赌博中每一局所设的主人：坐～。❺ 严肃；庄重：～严|端～。❻ 平坦：康～大道。❼ 姓。

【辨析】“莊”不能按壮字类推简化。

【备考】繁体莊，形声字，从艸（草），壯（壮的繁体字）声。简化字庄，来源于草书，楷化的庄字见于唐代《干禄字书》和明代《正字通》等。

庆(慶) qìng ❶ 祝贺：～功|～寿|～典|普天同～。❷ 共同庆祝的纪念日：国～|校～|大～。❸ 姓。

【备考】简化字庆，来源于草书，《简化字总表》将“广”下的部分楷化为“大”。

刘(劉) liú 姓。

【备考】繁体劉，从金，从刀会意，丣（酉）声，本义是斧类兵器。简化字“刘”左边用简化符号“文”替代。见于金代字书《篇海类编》。

齐(齊) qí ❶ 处于同一高度或直线上：整～|～头并进|长短不～|麦苗长得很～。❷ 与某一参照标准齐平：水～腰深|玉米已有～人高了。❸ 使齐平：取齐：～步走|一刀～|～着线剪断。❹ 同样；一致：～心|等量～观。❺ 一起；同时：～奏|

百花～放|大家～动手。❻ 完备;全：～备|～全|人来～了|东西还没有预备～。❼〈书〉合金：锰镍铜～。❽ 周朝诸侯国名,在今山东北部和河北东南部。❾ 朝代名。1. 南齐(公元 479—502 年)。2. 北齐(公元 550—577 年)。❿ 唐末农民起义军领袖黄巢所建国号。⓫ 姓。

【备考】甲骨文作𠄠,象禾麦之穗。后期金文和小篆下加两横,作𪗇𪗉。隶定为齊。简化字齐见于宋刊本《大唐三藏取经诗话》,明代字书《正字通》收入。

产(產) chǎn ❶ 人或动物生子：～妇|～假|～卵|难～。❷ 制造;生产：～销|～品|增～|投～。❸ 出产;自然生长：～煤|亩～。❹ 物产;产品：～值|矿～|水～|土特～。❺ 财产：～权|破～|遗～|房地～。

【备考】繁体產,形声字,从生,声旁为彦的省写。简化字产,省去“生”,现代群众创造。

决〔決〕 jué ❶ 开挖、疏通水道：～江疏河。❷ 河堤被水冲出缺口：～口|溃～。❸ 作出判断;确定：～定|～议|表～|判～|议而不～。❹ 判定最后胜负：～赛|～战|～出冠亚军。❺ 处死：枪～|处～。❻ 不犹豫;不动摇：～绝|坚～|毅然～然。❼ 一定;肯定(用在否定词前面)：～不动摇|～无怨言|不获全胜,～不收兵。

【辨析】决—绝 二字在否定词前表断然、一定的意义时可以通用,但“绝对”不能写作“决对”。

【备考】决,本作決,形声字,从水,夬(guài)声。本指疏通河道引导水流。

闫(閆) yán ❶〈书〉里巷。❷ 姓。

【辨析】与“阎”不是同一个姓。

闭(閉) bì ❶ 关;合:~门|~幕|封~|关~。❷ 堵塞(sè)不通:~气|~塞(sè)。❸ 停止:~会|~市。❹ 姓。

【备考】闭,本义是关门,金文作[古文字],“+”象用来关门的键,小篆讹作“才”。

问(問) wèn ❶ 向人求教;请人解答:询~|发~|请~|~事处。❷ 为表示关切而询问:~好|~候|慰~。❸ 审讯;追究:~案|审~|唯你是~。❹ 管;干预:过~|不闻不~。❺ 介词。向:~他借两本书。❻ 姓。

闯(闖) chuǎng ❶ 猛冲:~劲|~进去。❷ 惹:~祸。❸ 四处奔走活动:~荡|~天下|走南~北。

【备考】闯,会意字,从马在门中。本义为马出门貌。

并[1] bīng 并州,古地名,在今山西太原市一带。

并[2]〔併〕 bìng 合在一起:合~|吞~|汽车~线|三步~作两步走。

并[3]〔並〕〔竝〕 bìng ❶ 并列;平排着:~肩|~联|~列|~蒂莲。❷ 副词。同时;一起:手脚~用|群雄~起|工农业~举|两种体制~存。❸ 连词。并且:会议讨论~通过

了全年预算。❹ 副词。加强否定语气：谦虚～非虚伪|对事～不对人|他气势汹汹，～无真理在手。

【备考】并与並，古代形音义均不同。“并”，甲骨文作 𠀤，象两个同一方向的侧立人形，下肢用一或二相连表并合，其意义侧重于“合在一起”；並，甲骨文作 竝，象两个人正面并立于地之形，其意义侧重于平排并列。今以並作为并的异体，“合并”义与“并列”义均由并字承担。

关(關) guān ❶ 门闩：斩～落锁。❷ 城门外附近的地方：～厢|城～|东～。❸ 古时在边境、险要处或要道上设立的守卫处所：～口|边～|山海～|闭～锁国。❹ 对进出口货物进行检查并征收税金的地方：～税|海～。❺ 比喻重要的环节、转折点或不易度过的一段时间：年～|把好文字～|质量尚未过～|报纸发行量突破了百万大～。❻ 使闭合；使合拢：～门|～上箱子|～水龙头。❼ 使机器或电器装置停止工作：～机|～灯|～电视。❽ 限制不使出来：把鸟～在笼子里|罪犯被～起来了。❾ 倒闭；歇业：～停并转|把铺子～掉。❿ 牵连；涉及：～联|～系|无～紧要|息息相～。⓫ 骨头相连的地方：～节|牙～。⓬ 起关联作用的部分：～键|机～。⓭ 中医“关上”脉的简称，是中医切脉的部位之一。⓮ 发放或领取工资：～饷。⓯ 姓。

【备考】繁体關，战国文字作 閞，从門(门)，中像门闩；小篆作 關，变为形声字，从門，𢇇(guān)声。简化字关，源于草书，居延汉简中有与“关”相近的写法，后楷化为闋、闋，《汉字简化方案》去“门”作“关”。

灯(燈) dēng ❶ 能发光用作照明或其他用途的器具：～塔|～具|台～|电～。❷ 像灯一样能发光、发热，主要用来对别的物体加热的器具：喷～|酒精～。

【备考】繁体燈，形声字，从火，登声。灯，本读 dīng，形声字，从火，丁声，义为火或火烈。后灯被借作燈的俗字，见于元抄本《京本通俗小说》及明代字书《字汇》《正字通》，今以灯作为燈的简化字。

污〔汙〕〔汚〕 wū ❶ 浊水；泛指污浊肮脏的东西：～垢|血～|油～|去～粉|藏～纳垢。❷ 不清洁；肮脏：～水|～渍|～浊。❸（社会风气、个人道德等）腐败；不廉洁：～名|卑～|贪官～吏|同流合～。❹ 弄脏；污染；引申为弄坏名声：玷～|～辱|～人清白。❺ 淫乱，特指奸淫：奸～。

【备考】① 污，形声字，从水，亏声，本指浊水池或小水坑。污、汙、汚为小篆𣴎不同的隶定形式。② 1955年12月发布的《第一批异体字整理表》以“汙”为“污”的异体字，1965年发布的《印刷通用汉字字形表》和1988年发布的《现代汉语通用字表》均收入“污”字，2013年发布的《通用规范汉字表》确认“污”为正字，“汚”为异体字。

沥(澫) wàn ❶ 沥源，古水名。❷ 地名用字：～尾|白沙～(均在广西)。

汤(湯) ㊀ tāng ❶ 热水；沸水：赴～蹈火|扬～止沸。❷ 食物加水煮成的液汁：鱼

～|鸡～|菜～|～面|～匙。❸ 中药的汤剂：～药|柴胡～|～头歌诀。❹（～儿）从食物中流出的汁液：桃放得流～儿了。❺ 温泉。多用于有温泉的地名：～池|小～山。❻ 姓。

㊁ shāng 【汤汤】(—shāng)〈书〉水流盛大的样子：洪水～|浩浩～。

【备考】繁体湯，形声字，从水，昜(yáng)声。类推简化为汤。

忏(懺) chàn ❶【忏悔】一种向神佛自陈己过、悔罪祈福的宗教形式。也指认识到自己的错误或罪过感到痛心。❷ 僧尼道士代人忏悔时念的经文：拜～。

【备考】繁体懺，形声字，从心，韱(xiān)声。简化字忏，从心，千声，是现代群众创造的新形声字。

兴(興) ㊀ xīng ❶ 起；起来：夙～夜寐（夙 sù，早）。❷ 开始；发动；创立：～建|～办教育|大～土木|百废待～。❸ 盛行；流行：时～|新～|今冬～穿皮衣。❹ 旺盛；昌盛：～盛|复～|振～。❺〈方〉准许；许可（多用于否定）：不～骂人|不～一言堂。❻〈方〉或许：这件衣服～买得来，也～买不来。❼ 姓。

㊁ xìng 喜好的情绪：～致|雅～|游～|诗～大发。

【备考】繁体興，甲骨文作 [illegible]，象众手（舁）举起一物；小篆作 [illegible]，从舁，从同，表示同力举起物体。简化字兴，源于汉代草书，唐代敦煌变文写本《李陵变文》中已有楷化的兴字。

讲(講) jiǎng ❶ 说;评说:～话|～理|把心里的话都～出来。❷ 说明;解释:～解|～说|这篇文章不好～。❸ 商议;争议:～价钱|～条件。❹ 重视;谋求:～求|～究|～卫生|解决问题要～实际。

【备考】繁体講,形声字,从言,冓声。本义为和解。简化字讲为现代群众创造的新形声字,从言,井声。

讳(諱) huì ❶ 有所避忌而不愿说或不敢说:避～|忌～|～莫如深|～疾忌医。❷ 需避忌的事物:犯～。❸ 旧时说话或写文章遇到帝王尊长的名字不可直接说出或写出来,叫避讳。所避讳的名字叫讳:圣～|母亲的名～叫侍萍。

讴(謳) ōu 〈书〉❶ 歌唱:～歌。❷ 歌曲;民歌:吴～|有赵、代、秦、楚之～。

【辨析】呕—沤—怄—讴 见“呕”字辨析(139页)。

军(軍) jūn ❶ 军队:～营|参～|解放～|拥～优属。❷ 军队的编制单位:～长。❸ 军队使用的;军人使用的:～车|～装|～礼。❹ 泛指有组织的集体:劳动大～|共青团是共产党的后备～。

讵(詎) jù 〈书〉岂,哪里(表示反问):～料情况骤变。

讶(訝) yà 〈书〉惊奇;诧异:惊～|怪～。

讷(訥) nè 〈书〉言语迟钝,不善于讲话:木～|～口少言。

许(許) xǔ ❶ 答应;应允:～可|允～|准～|不～现在离开。❷ 认可其优点;赞同:推～|赞～。❸ 预先答应给人东西或做某事:～愿|～配|以身～国|这张票我已～给别人了。❹ 或者;有可能:或～|也～同意,也～不同意|他～是忘了。❺〈书〉表示约数:几～|鱼可百～头。❻ 这样(表示程度):～多|～久|水清如～。❼〈书〉处;地方:先生何～人也? ❽ 周代古国名,在今河南许昌东。❾ 姓。

讹[1](訛)〔譌〕 é ❶〈书〉谣言:～言|止～。❷ 错误:～传|～误|以～传～。

讹[2](訛) é 敲诈:～诈|～人。

䜣(訢) xīn 姓。

【**备考**】1955 年 12 月发布的《第一批异体字整理表》繁体"訢"处理为"欣"的异体字。1964 年 5 月发表的《简化字总表》收入"訢"的类推简化字"䜣"。1988 年发布的《现代汉语通用字表》收入"䜣"字,2013 年发布的《通用规范汉字表》确认"䜣"为规范字,仅用于姓氏人名;表示"喜悦、快乐"的意义时,繁体"訢"仍为"欣"的异体字。

论(論) ㊀ lùn ❶ 分析、说明事理:～述|～点|议～|推～。❷ 谈论;看待:相提并～|一概而～。❸ 衡量;评定:～罪|～处(chǔ)|～功行赏|旷工多日,以自动离职～。❹ 言论或文章(多指

分析、说明事理或评定是非等方面的)：言～|舆～|政～。❺ 学说,理论方面的主张：唯心～|进化～。❻ 按照：～理他应该来|工资～天计算|～年纪他比我大。❼ 姓。

㊁ lún 《论语》,儒家重要的经典之一,主要记载孔子及其弟子的言行。

讻(訩) xiōng ❶〈书〉争辩。❷【讻讻】〈书〉形容争辩的声音或纷扰的样子。❸〈书〉灾祸;祸乱。

讼(訟) sòng ❶〈书〉争论;争辩：争～。❷ 打官司：诉～。

农(農)〔辳〕 nóng ❶ 栽培农作物和饲养牲畜的生产事业：～业|务～|～林牧副渔。❷ 农民：茶～|果～|贫下中～。❸ 姓。

【备考】 繁体農,会意字,金文作[illegible],从田,从辰(农具),或从林辰、从茻(mǎng)辰会意。小篆作[illegible],从晨(晨),囟声,繁体農由此隶变而来。简化字农来源于草书。1936 年陈光尧编《常用简字表》中農简作[illegible],与农形体接近。

讽(諷) fěng ❶〈书〉背诵：～诵。❷ 用委婉含蓄的话劝告或讥刺：～谏|～刺|嘲～。

设(設) shè ❶ 安排;陈列：～置|摆～|～埋伏。❷ 建立;开办：～立|建～|在北京～一个办事处。❸ 考虑;筹划：～法|～计。❹〈书〉假如：～若|～使|假～。

访(訪) fǎng ❶〈书〉询问;征求意见:咨～。❷探寻;调查:～求|查～|寻～。❸看望;探问:～问|探亲～友|代表团来～。

讵(詝) zhǔ 〈书〉智慧;知识。

诀(訣) jué ❶(不易再见面的)分别;告别:～别|永～。❷解决问题的窍门;方法:～窍|秘～。❸一种将内容加以概括编成便于记诵的押韵的词句:口～|歌～。

［一］

寻(尋)〔尋〕 xún ❶古代的长度单位,八尺叫一寻。❷找:～求|～货|～访|搜～。❸姓。

【辨析】寻思、寻短见、寻死觅活等词语的"寻",口语中又读 xín。

【备考】甲骨文作[illegible],象伸展两臂以度量之形,也有在旁加丈量之器或卧席的(卧席与人体大体等长)。再加口则变为以口为形旁的形声字,本义为寻思之"寻"。后两手形变为"ヨ"和"寸",量器或卧席形变作工。简化字寻,省去尋中间部分。北魏《奚康生造象碑》上有简化字寻,《简化字总表》进一步简作寻。

尽[1](儘) jǐn ❶力求达到最大限度:～早|～快|～力去干。❷表示不超过某个范围:～着一百元钱买|～着三年,把各门功课学完。❸把某些人某些事放在前面:～着旧信封使,使完了

再买新的|水不多了,～着孩子们喝。❹ 放在方位词前面,相当于最、极:睡在～里头|住在～南头。❺ 任凭:～他吃,只要别吃坏肚子。❻〈方〉总是;老是:他上课～做小动作,老师批评他,他也不听。

尽[2](盡) jìn ❶ 完:损失殆～|筋疲力～。❷ 达到极限:～善～美|仁至义～。❸ 全都用出来;竭力做到:～心|～力|人～其才,物～其用。❹ 用力完成:～职|～责任。❺ 全部;所有的:前功～弃|～人皆知。❻ 都;完全:～是空话|应有～有。❼ 只;光:～干活|～贪玩。❽ 死:自～|同归于～。

【辨析】尽读 jìn 时不能转化为“儘”。

【备考】盡,甲骨文作[古文字],象手持刷洗涤器皿,表示器皿中的食物已经吃完。小篆讹作[古文字],从皿,㶳(jìn)声。简化字尽来源于草书,见于唐代敦煌佛经写本。宋代孙奕《履斋示儿篇》中收入尽字。儘是盡的分化字,1935 年《简体字表》简作侭,《简化字总表》将儘、盡合并简化为尽。

导(導) dǎo ❶ 指引;带领:～航|～演|～游|引～|指～。❷ 引起:～致|～火线。❸ 启发;劝:教～|开～。

【备考】繁体導,形声字,从寸(寸代表手),道声。简化字导,来源于草书,《简化字总表》楷化为导。

异〔異〕 yì ❶ 分开:离～。❷ 不同:～议|～口同声|大同小～|求同存～。❸ 别的;另外的:～国|～日|～乡。❹ 特别;不平常的:～香|～闻|优～。❺ 奇怪:奇～|诧～|惊～。

【备考】“异”与“異”原为不同的字。“异”小篆作[illegible]，形声字，从廾，巳(yǐ，后讹作“巳”)声，本义是举，任用。“異”甲骨文作[illegible]，象人头上戴物，两手扶持之形，即戴字初文，古汉语中用为别异，差异。后异字任用义不用，《第一批异体字整理表》以异作为“差异”义的正字，以異作为异体字。

阱〔穽〕 jǐng　防御或捕捉野兽的陷坑：陷～。

孙(孫) sūn　❶ 儿子的子女：～子|～女|祖～。❷ 孙子以后的各代：曾～|玄～。❸ 跟孙子同辈的亲属：外～|侄～。❹ 植物再生或滋生的：～竹|稻～。❺ 姓。

【备考】繁体孫，会意字，从子，从系。“系”表示连绵不绝的意思。简化字孙，来源于草书，见于西汉史游《急就章》。

阵(陣) zhèn　❶ 交战时布置的战斗队列；现也指作战时的兵力部署：～容|严～以待。❷ 战场：～亡|上～杀敌。❸ (～儿)指一段时间：这～儿|好一～儿|前一～子你上哪儿去了？❹ (～儿)量词。表示事物经过的时间段落：一～风|一～剧痛|一～又一～的热烈掌声。

【备考】阵，本作陈。“队列”义为“陈列”义的引申，阵是为表示“队列”义而另造的俗字(晋代书法家王羲之所造)。

阳(陽) yáng　❶ 山的南面；水的北面：衡～(在衡山之南)|洛～(在洛河之北)。

❷ 太阳：～光|朝～。❸ 向阳的部分：～面|～坡。❹ 凸的：～文。❺ 显露；外露：～沟。❻ 表面上；假装：～奉阴违。❼ 迷信指属于活人和人世的：～间|～寿|～宅。❽ 我国古代哲学认为宇宙间一切事物具有的两个对立面之一（与"阴"相对）：阴～之道|燮(xiè)理阴～。❾ 带正电的：～极|～离子。❿ 男性生殖器：～痿。⓫ 姓。

【备考】 繁体陽，形声字，从阜(阝)，昜(yáng)声。简化字阳，会意字，从阜(阝)，从日，见于元抄本《京本通俗小说》。

阶(階)〔堦〕

jiē ❶ 台阶：～梯|石～。❷ 等级：官～|军～。

【备考】 繁体階，形声字，从阜(阝)，皆声；简化字阶，从阜(阝)，介声，是现代群众创造的新形声字。

阴(陰)〔隂〕

yīn ❶ 山的北面；水的南面：华～(在华山之北)|江～(在长江之南)。❷ 背阳的；不见阳光的：～面|～暗。❸ 不见阳光的地方：树～|林～道。❹ 天空有云看不到阳光、星光或月光：～天|～雨|～转晴。❺ 凹进的：～文。❻ 潜藏在内的：～沟|～私。❼ 秘密的；不光明正大的：～险|～谋。❽ 我国古代哲学认为宇宙一切事物具有的两个对立面之一（与"阳"相对）：～阳二气。❾ 月亮：～历。❿ 迷信指有关人死后的：～魂|～间|～司。⓫ 带负电的：～极|～离子。⓬ 生殖器；有时特指女性生殖器。⓭ 姓。

【备考】 繁体陰，形声字，从阜(阝)，侌(yīn)声。简化字阴,会意字,从阜(阝),从月,见于元抄本《京本通俗小说》。

奸[1] jiān ❶邪恶;狡诈:~计|~猾|~笑|~诈|老~巨猾。❷不忠于国家或君主的人:~臣。❸同敌人勾结或背叛祖国的人:~细|汉~|内~。❹自私;取巧:藏~耍滑|这个人真~。

奸[2]〔**姦**〕jiān 男女间不正当的性行为;奸污:通~|~淫|强~。

【备考】"奸"与"姦"最初为两个不同的字。"奸"读gān,意思是冒犯、求取等,这个意义通常写作"干(gān)"。"姦"读jiān,意思是奸邪、奸淫等。后这些意义多用"奸"表示,只是在奸淫义上"奸""姦"通用。"奸"为形声兼会意字,从女,干声,干兼表义;"姦"从三女会意。今以姦为奸的异体字。

妇(婦)〔媍〕 fù ❶女性的通称:~女|~联|~科。❷已婚的女子:~人|少~。❸妻子:夫~|媳~。

【备考】繁体婦,会意字,从女,从帚。甲骨文多写作"帚"。简化字妇来源于汉代草书,楷化的妇见于清初刊行的《目连记弹词》。

妈(媽) mā ❶母亲。❷对长一辈或年长的已婚妇女的称呼:姑~|姨~|大~。❸旧时称中老年女仆(与姓连称):张~|鲁~|王~。

戏(戲)〔戯〕 ㊀xì ❶玩耍:儿~|嬉~|游~。❷调笑;开玩笑:~弄|~耍|~谑|~言|~称。❸戏剧、歌舞、杂技、曲艺等的统称:~院|~法|马~|皮影~|鱼龙百~|京~|

地方～|折子～。

㊁ hū 【於戏】(wū—)同"呜呼"。叹词。

【备考】繁体戲,形声字,从戈,䖒(xī)声。本义为军队中的偏师,引申为角斗,又引申为游戏。简化字戏,以符号"又"代替䖒。

观(觀)

㊀ guān ❶ 看:～看|～察|坐井～天|走马～花。❷ 参观;游览:～摩|～赏|～光|～瞻。❸ 景象;样子:景～|大～|奇～|壮～|改～。❹ 对事物的看法,态度:～点|乐～|世界～|人生～|宇宙～。

㊁ guàn ❶ 道教的庙宇:寺～|道～|白云～。❷ 姓。

【备考】繁体觀,形声字,从見,雚(guàn)声。简化字观,以符号又代替雚。在元抄本《京本通俗小说》上,有接近观的字形观,《简化字总表》又类推简化为观。

欢(歡)〔懽〕〔讙〕〔驩〕

huān ❶ 快乐;高兴:～乐|～庆|～呼|～送|～天喜地。❷ 喜爱:～心|喜～。❸ 恋人:新～。❹ 活跃;起劲:孩子们玩得真～|文体活动搞得挺～|火苗越着越～。

【备考】繁体歡,形声字,从欠,雚(guàn)声。简化字欢,以符号"又"代替雚。

买(買)

mǎi ❶ 用钱换物:～书|～汽车|～飞机票。❷ 用钱或物拉拢(关系、人心):～通|～关节。❸ 姓。

【备考】繁体買,会意字,从网,从贝(贝为古代的货币）。“网”隶变为“罒”。简化字买，来源于汉代草书，敦煌汉简中買作买，与买形体接近。

纡（紆） yū 〈书〉❶ 弯曲；曲折：～回｜萦～。❷ 系结：～青拖紫（形容高官显宦）。

红（紅） ㊀ hóng ❶ 像鲜血那样的颜色：～旗｜～枣｜～绿灯｜香山～叶。❷ 象征喜庆或成功：～运｜满堂～｜～白喜事。❸ 象征革命的：～军｜～色政权｜又～又专。❹ 企业分给股东的利润或分给职工规定收入以外的报酬：～利｜分～。❺ 姓。

㊁ gōng 【女红】旧时指妇女所做的缝纫、刺绣等工作。这个意义秦以前写作“功”或“工”，两汉以后多作“红”。

纣（紂） zhòu 商朝末代君主，相传是一个暴君：助～为虐。

驮（馱）〔䭾〕 ㊀ tuó 用背负载：～运｜他一次能～两袋大米。

㊁ duò 【驮子】（—zi）1. 牲口驮（tuó）着的货物：把～卸下来，让马休息一会儿。2. 量词。用于牲口驮（tuó）着的货物：来了三～货。

纤[1]（縴） qiàn 在岸上拉船前进用的绳子：～绳｜～夫｜拉～。

纤[2]（纖） xiān 细小：～细｜～小｜～弱｜～尘。

【备考】繁体纖，形声字，从糸，韱（xiān）声。《简化字总表》将纖与拉縴的“縴”合并简化为纤。纤，形声字，从糸，千声。

纥(紇) hé 【回纥】我国古代少数民族，主要分布在今鄂(è)尔浑河流域。也称回鹘(hú)。

驯(馴) xùn ❶ 顺服：～服|～良|～顺|温～。❷ 使顺服：～马|～兽|～养。

【备考】驯(旧读 xún)，形声字，从马，川声。本义是马顺服。

紃(紃) xún 〈书〉用丝线编结的圆形饰带。

约(約) ㊀ yuē ❶〈书〉缠束；捆缚。❷ 束缚；限制：～束|制～|～之以礼。❸ 简明；简要：简～|由博返～。❹ 节俭：节～|俭～。❺ 预先说定：～定|～会|预～|～好了要来。❻ 有约束力的、说定后须要共同遵守的条款：条～|和～|守～|违～|有～在先。❼ 大概；不十分确定的(估计)：～数|大～|～有三十人到会。❽ 算术上指约分：3/6 可以～成 1/2。

㊁ yāo 〈口〉用秤称(常用于买东西时)：～二斤鸡蛋|～～有多重。

纨(紈) wán 细绢，很细的丝织品：～扇|罗～|～袴(kù)子弟。

级(級) jí ❶ 等次：～差|～别|等～|高～。❷ 年级：升～|留～。❸ 量词。用于台阶、塔层等：七～浮屠(七层的塔)|台阶只有两～。

纩(纊) kuàng 古代指絮衣服的新丝绵。

纪(紀) ㊀ jì ❶ 法度,必须共同遵守的规定:~律|法~|违~|军~。❷ 记年的单位。古时以十二年为一纪,或以一代为一纪。后指更长的时间:世~|中世~。❸ 地质学中的地质年代单位,根据生物出现和进化的顺序划分:寒武~|侏罗~。❹ 通“记”,记载。习惯上用于纪念、纪事、纪要、纪元、纪年等。

㊁ jǐ 姓。

【辨析】纪—记 二字都有记载的意思,但使用情况不完全相同,在组词时有分工。“记录”多指把听到的话或发生的事写下来,“纪录”多指在一定时期、一定范围内记载下来的最高成绩。“纪念”指用事物或行动对人或事表示怀念;“记念”多指惦记、挂念。

驰(馳) chí ❶ 车马跑得很快;引申为疾行,奔跑:~行|奔~|飞~而过|风~电掣。❷ 传播:~名世界。❸〈书〉向往:~想|神~|心~神往。

纫(紉) rèn ❶ 连缀,后主要指用针缝缀:缝~。❷ 缝纫时引线穿针:~针。

巡〔廵〕 xún ❶ 往来视察:~察|~视|~游|~警。❷ 量词。遍,用于为席中所有客人斟酒的次数:酒过三~。

七　画

[一]

寿(壽) shòu ❶ 活得长久;岁数大:～星|～考|人～年丰。❷ 年岁;喻指物品的存在或使用期限:短～|～命|延年益～。❸ 生日(指年老时):～辰|～诞|祝～。❹ 婉辞,生前准备为死后用的:～衣|～木|～穴。❺ 姓。

【备考】 繁体壽,金文作,形声字,从老,𠃬(chóu,古畴字)声。小篆作,从老,声符改为𠷎(chóu)。隶变作壽。简化字寿,来源于草书,敦煌汉简中已有与寿相近的形体,楷化的寿字出现在唐代敦煌变文写本中。

弄[1]〔挵〕 nòng ❶ 手里拿着玩;摆弄:～璋|不要～火|他好～个花儿啊草儿的。❷ 戏耍:玩～|戏～|嘲～|愚～。❸ 玩赏:吟风～月。❹ 施展;炫耀:卖～|～权术|班门～斧|搔首～姿。❺ 做;干;搞:～饭|～文学|事情～糟了|非～明白不可。❻ 设法取得:～点水来|想法～钱。

弄[2]〔衖〕 lòng 〈方〉小巷;胡同:～堂|里～。

【备考】 弄,会意字,从玉,从廾(gǒng)。本义为双手捧玉玩赏。

玙(璵) yú 〈书〉美玉。

麦(麥) mài ❶ 一种重要的农作物。有小麦、大麦等多种，籽实磨粉供食用。通常专指小麦。❷ 姓。

【备考】繁体麥，甲骨文作[古文字]，上象麦形，下部夂或认为是麦根，或认为是倒“止”(足)。简化字麦，见南朝字书《玉篇》，在睡虎地秦简中已有接近麦的字形。麦部字多与麦子有关，今多已不用，通用字中只有“麸”字。

玚(瑒) ㊀ chàng 古代祭祀用的一种圭。
㊁ yáng 古代的一种玉。

【备考】繁体瑒，形声字，从玉，昜(yáng)声。类推简化为“玚”。

玛(瑪) mǎ 【玛瑙】(—nǎo)一种矿物，主要成分是二氧化硅，有各种颜色，可做装饰品等。

进(進) jìn ❶ 向前、向上移动：～军｜前～｜迈～｜～退两难｜更～一层。❷ (向上)献出：～献｜～谏。❸ 往里面去(与“出”相对)：～入｜～门｜～部队(指当兵)｜～出自由。❹ 收入；买入：～款｜～货｜～了一批新设备。❺ 量词。房屋前后分成几个庭院，每个庭院称为一进。

【备考】繁体進，甲骨文作[古文字]，有人认为从隹(zhuī，鸟)、从止(脚)会意，因鸟的脚只能进，不能退。金文变为从隹，从辵，用意相同。简化字进，从辵，井声，是现代群众创造的新形声字。

远(遠) yuǎn ❶ 空间或时间的距离大：～方|～离北京|～近闻名|～古|久～|深谋～虑。❷ 关系不亲密：疏～|～房亲戚。❸ 程度相差大：差得～|～不如他。❹ 姓。

【备考】繁体遠，形声字，从辵，袁声。简化字远，从辵，元声，见于元抄本《京本通俗小说》。

违(違) wéi ❶ 离别；离开：久～。❷ 背离；不遵守：～背|～反|～法|不～农时。

韧(韌)〔靭〕〔韌〕〔韧〕 rèn 柔软结实而不易折断：～性|坚～|柔～。

刬(剗) chàn 【一刬】1. 一概；全部。2. 一味；总是：～迁就他。

【备考】1955 年 12 月发布的《第一批异体字整理表》"剗"("刬"的繁体字)处理为"鏟"的异体字。1964 年 5 月发表的《简化字总表》和 1986 年 10 月重新发表的《简化字总表》均收入"剗"的类推简化字"刬"，1988 年发布的《现代汉语通用字表》收入"刬"字，用于"一刬"。

运(運) yùn ❶ 转动；环绕行进：～转|日月～行。❷ 搬送：～输|搬～|～粮食|～到车站。❸ 动起来：～笔|～思。❹ 迷信认为命里注定的吉凶祸福：～气|命～|好～|幸～。❺ 姓。

【备考】繁体運，形声字，从辵，軍声。简化字运，从辵，云声，是现代群众创造的新形声字。

抚(撫) fǔ ❶ 用手轻按着并缓慢移动：～摸|～弄|～摩。❷ 安慰；慰问：～恤|～

慰|安～。❸ 爱护：～养|～育|～爱。❹〈书〉通“拊”。拍：～掌|～膺长叹。❺〈书〉弹奏：～琴。

坛[1](壇) tán ❶ 古代为举行祭祀(sì)、会盟、誓师等大典用土石砌成的高台：天～|先农～|登～拜将。❷ 用土、砖等筑成的种花的台子：花～。❸ 举行宗教仪式或拜神、集会的场所：法～|登～说法。❹ 指相同职业成员的总体：文～|体～|乒～|棋～|影～。❺ 讲学或发表言论的场所；也指报刊专栏：讲～|论～。

坛[2](罎)〔罈〕〔壜〕 tán 一种口小腹大的圆形陶器，后泛指各种物质制成的类似容器：～子|酒～|醋～|～～罐罐|一～酒。

【备考】 繁体壇，形声字，从土，亶(dǎn)声；罎，形声字，从缶，曇声。1932 年《国音常用字汇》和 1935 年《简体字表》以坛为壇的简化字，《简化字总表》又将罎并入坛。坛所从的“云”为一简化符号。

抟(摶) tuán 揉捏东西成球形。今多写作“团”。

坏(壞) huài ❶ 毁坏；败坏；自身变质，变得无用或有害：城墙～了|传统～了|自行车～了|一筐香蕉都～了|身体越来越～|记性一天比一天～。❷ 使毁坏：损～|破～|～了我的大事|成事不足，～事有余。❸ 不好；恶(与“好”相对)：～人|～事|～话|～蛋|～东西。❹ 坏主意：使～|一肚子～。❺ 放在动词后表示程度之深：饿～了|吓～了|想～了

|乐～了。

【备考】“坏”与繁体“壞”原为两个不同的字。坏，形声字，从土，不声，音 pī，今作“坯”；壞，形声字，从土，褱(huái)声。今土坯字作“坯”，以“坏”作“壞”的简化字。

抠(摳) kōu ❶ 用手指或细小的东西掏挖：～鼻子|孩子在～砖缝里的一枚硬币。❷ 在物体上挖出花纹：窗扇上～着花儿。❸ 过分地、死板地深究：～书本|～字眼儿|要实事求是，不要死～文件。❹ 吝啬；小气：～门儿|他可真～，大热天都舍不得给孩子买冰棍儿。

坬(堰) ㊀ ōu 地名用字：陈～(在山西)。
㊁ qū 地名用字：邹～(在江苏)。

坜(壢) lì 〈方〉坑。用于地名：中～(在台湾省)。

扰(擾) rǎo ❶ 搅乱；使失去秩序、规律：～乱|干～|骚～|困～。❷〈书〉混乱：～攘|纷～。❸ 客气话，意为“麻烦(他人)”：叨～|明天还得～您来一趟。

【备考】繁体擾，金文作[illegible]；小篆作[illegible]，从手，夒(náo)声，隶书夒讹作憂。简化字扰，从手，尤声，是现代群众创造的新形声字，与《玉篇》中的“扰”字(读 yòu，意为“福”)为同形字。

扼〔搤〕 è ❶ 用力掐住、握住；抓住：～死|～杀|～腕|～要。❷ 把守；控制：～守|～制。

址〔阯〕 zhǐ ❶ 地基;遗址:旧～|故～。❷ 建筑物的处所;位置:地～|住～|厂～|校～。

扯〔撦〕 chě ❶ 拽;拉:牵～|拉～|～后腿|她～着妈妈的衣服不肯放手。❷ 撕:～碎|～两尺布|把旧画～下来,换上新的。❸ 随便说话,闲聊:～谎|闲～|东拉西～。

【备考】扯,形声字,从手,止声。扯为“撦”的俗字。撦,形声字,从手,奢声。今以“扯”为正字。

贡(貢) gòng ❶ 古代指把物品进献给君主、朝廷;后泛指进献:～奉|～米|～品|～献。❷ 进献的物品:进～|纳～。❸ 封建时代指选拔人才,举荐给朝廷:～生|～举|～院。❹ 姓。

坝¹(垻) bà ❶ 坝子;平地。多用于地名:坪～|晒～|留～(地名,在陕西)。❷〈方〉沙滩;沙洲。多用于地名:葛洲～(在湖北)|珊瑚～(在重庆)。

坝²(壩) bà ❶ 拦水的建筑物:拦河大～|挡～取水|打～淘鱼。❷ 引导水流、保护堤岸的水利建筑物:丁～(与河岸成丁字形的坝)|顺～。

【备考】繁体壩,形声字,从土,霸声;垻,从土,貝声,与壩是两个不同的字。明清以后,壩、垻二字有时通用,1932 年《国音常用字汇》以垻为壩的简化字。《简化字总表》又将垻类推简化为坝。

折¹ ㊀ zhé ❶ 断;使断:～断|骨～|～戟沉沙|～根树枝当拐杖。❷ 死,多指年幼时死亡:夭～。

❸ 摧折；挫败：挫～｜百～不挠。❹ 损失：～寿｜损兵～将。❺ 在原价基础上减去：五～｜打～｜不～不扣。❻ 弯曲：～射｜转～｜曲～｜周～。❼ 心服：～服｜心～。❽ 换算成：～合｜～价｜～旧｜～算。❾ 抵偿：将功～罪。❿ 古代戏曲的段落名，每剧多分为四折，一折相当于一场：～子戏。

㊁ shé ❶ 断：笔杆～了｜他摔～了腿。❷ 损耗；亏损：～耗｜～本儿。❸ 姓。

㊂ zhē ❶ 翻转：～跟头｜把箱子～了个底朝天。❷ 倒在一起或倒过来倒过去：把饭菜～在一个碗里｜水太烫，拿两个杯子～一～再喝。

折²(摺) zhé ❶ 叠，将纸、衣服等的一部分翻过去，与另一部分贴在一起：～叠｜～扇｜～尺。❷ 折子，用纸折成的小册子：存～｜奏～。

坂〔阪〕〔岅〕 bǎn 〈书〉山坡；斜坡：长～坡｜如丸走～(比喻迅速)。

【备考】1955 年 12 月发布的《第一批异体字整理字表》“坂”有异体字“阪”。1956 年 3 月发布的《修正〈第一批异体字整理表〉内“阪、挫”二字的通知》中，确认“阪”不再作为“坂”的异体字。1988 年发布的《现代汉语通用字表》收入“阪”字。2013 年发布的《通用规范汉字表》确认“阪”仅用于地名，如“大阪”；表示“山坡、斜坡”的意义时仍为“坂”的异体字。

抡(掄) ㊀ lūn 手臂用力挥动：～拳｜～起大棒。

㊁ lún 〈书〉选拔；(被)挑选：～选｜～材。

坨(埨) lǔn 〈方〉田地中的土垄。

抢(搶) ㊀ qiǎng ❶ (用强力)夺取;争:～夺|～劫|～球。❷ 争先:～先|最苦最累的活他总是～着干。❸ 抓紧时间干:～救|～修|～险。❹ 刮掉或蹭掉物体表面的一层:磨剪子～菜刀|锅底油烟太厚,该～一～了|他摔了一跤,膝盖上～掉一块皮。

㊁ qiāng ❶〈书〉碰;撞:以头～地|呼天～地。❷ 同"戗"(qiāng)。逆着:～风|～水。

坎[1]〔埳〕 kǎn 地面低洼处;坑:凿地为～。

坎[2] kǎn ❶ 八卦之一,卦形为☵,代表水。❷ (～儿)地上的土埂子;土棱子:土～儿|田～儿|一会儿过沟,一会儿上～儿。❸【坎坷】(—kě)1. 地面坑坑洼洼:～不平。2. 比喻艰辛、困顿、不得志:一生～。

坞(塢)〔隖〕 wù ❶ 构筑在村落外围作为屏障的小型城堡:村～。❷ 地势四面高中间凹的地方:山～|穷山野～。❸ 四面如屏的花木深处:花～|竹～|柳～。❹ 水边建筑的停船或修船、造船的处所:船～。

坟(墳) fén 埋葬死人的墓穴和上面筑起的土堆:～地|～茔(yíng)|祖～。

【备考】繁体墳,形声字,从土,賁(bēn)声;简化字坟,从土,文声,见太平天国文书。

坑〔阬〕 kēng ❶ 洼下去的地方：泥～｜弹～｜～～洼洼｜一个萝卜一个～｜脸上浮肿，一摁一个～。❷ 地道；地洞：～道｜矿～。❸ 古代指活埋人：～杀｜焚书～儒。❹ 陷害；设计使人受到损害：～人｜～骗｜～害｜～蒙拐骗。❺ 姓。

抙（撝） huī ❶〈书〉裂；剖开。❷〈书〉谦逊。❸ 古同"指挥"的"挥"。

护（護） hù ❶ 尽力照顾；保卫：～理｜维～｜～林｜保～。❷ 包庇，盲目地支持、保护：～短｜袒～｜庇～。

【备考】繁体護，形声字，从言，蒦（huò）声；简化字护，现代新造形声字，从手，户声。

壳（殼） ㊀ ké （～儿）义同"壳"（qiào），用于口语：贝～儿｜脑～儿｜鸡蛋～儿｜子弹～儿｜核桃～儿。

㊁ qiào 坚硬的外皮（用于书面语）：甲～｜地～｜金蝉脱～。

【备考】繁体殼，甲骨文作𣪊，《说文》释为"从上击下，从殳，㱿（què）声"。有人认为是古代的打击乐器，引申为外皮。俗作殻，又作殼。简化字省作壳。清代字书《字汇补》殼作壳，1932 年《国音常用字汇》有壳字，与今简化字完全相同。

志[1] zhì ❶ 意愿；理想；决心：立～｜意～｜～同道合｜～大才疏｜有～者事竟成。❷〈方〉称轻重，量长短：用秤～～｜拿碗～～。❸ 姓。

志²〔誌〕 zhì ❶ 记住：～喜｜～哀｜博闻强～｜永～不忘。❷ 记述：～怪小说。❸ 记述的书或文章：杂～｜县～｜墓～｜地方～｜《三国～》。❹ 标记；记号：标～。

块(塊) kuài ❶（～儿）成疙瘩或成团的东西：糖～儿｜豆腐～儿｜把肉切成～儿。❷ 量词。1. 用于块状、片状的东西：两～肥皂｜一～手表｜三～地。2. 用于银币或纸币，相当于"圆"：三～大洋｜两～五毛钱。❸（～儿）〈方〉附在"这、那、哪"之后表示地点、处所：我们这～儿冬天特别冷。

【备考】 繁体塊，从土，鬼声，本义为土块。简化字块，从土，夬(guài)声。1935 年《手头字第一期字汇》有简化字块。

声(聲) shēng ❶ 声音，物体振动所产生的音响：～源｜默不作～｜大～疾呼｜风～雨～读书～。❷ 发声；宣称；表示：～明｜～讨｜不～不响｜～东击西。❸ 声母，汉语音节开头的辅音：双～叠韵。❹ 字调，字音的高低升降：四～｜平～｜仄～。❺ 名誉：～望｜～誉｜名～。❻ 量词。表示发声的次数：一～令下｜长叹一～。

【备考】 繁体聲，形声字，从耳，殸(qìng 古文磬)声。简化字取其一角。宋代刊行的《古列女传》等书已有声字，金代字书《改并四声篇海》也收入了声字。

报(報) bào ❶ 告诉：～告｜～警｜～到｜汇～。❷ 反应；回复：回～｜～仇｜～答｜～复｜～偿｜～以热烈的掌声。❸ 指报纸，刊登、宣传新闻、消

息的散页定期刊物：～社|日～|登～|订～。❹ 某些有特定内容的刊物：画～|学～。❺ 用文字传播消息、发表意见的某些东西：墙～|海～|喜～|黑板～。❻ 信息；消息：捷～|情～|谍～。❼ 指电报：发～|～务员。

【备考】简化字报，源于草书（居延汉简作扱），1935年《手头字第一期字汇》"報"简作报，今以"报"为规范简化字，左边"扌"仍有表意作用。

拟[1]（擬）〔儗〕 nǐ ❶ 模仿；仿照：～人|～作|模～。❷ 相比：比～。

拟[2]（擬） nǐ ❶ 准备；打算：～于明日出发|～于近期举行会晤。❷ 起草：～定|～稿|草～。❸ 猜测；假设：虚～。

【备考】繁体擬，形声字，从手，疑声；简化字拟，形声字，从手，以声，见于1935年《简体字表》。

却〔卻〕〔㕁〕 què ❶ 退：退～|～步。❷ 使退后：～敌。❸ 拒绝；推辞：谢～|推～|盛情难～。❹ 去掉；了结：忘～|了～。❺ 连词。表示意思上的转折：这顿饭钱没少花，～没吃饱。

劫〔刦〕〔刧〕〔刼〕 jié ❶ 挟持；胁迫：～持。❷ 用暴力抢夺；强取：～道|～狱|抢～|打家～舍。❸ 佛教指天地从形成到毁灭的整个周期。今泛指灾难、厄运：～数|～难(nàn)|浩～|～后余生|在～难(nán)逃。

扨（摗） sǒng ❶〈书〉挺立。❷〈方〉推：把他～了个跟头。

芜(蕪) wú ❶ 杂草丛生,田地荒废:~秽|荒~。❷ 丛生的草:庭~|平~。❸ 比喻繁杂(多指文辞):~词|~杂|辞义~鄙。❹【芜菁】(—jīng) 二年生草本植物。块根肉质,可做蔬菜。

苇(葦) wěi 芦苇:~席|~箔(bó)|~塘。

【备考】 苇,形声字,从艸,韦声。古代"苇"专指秀穗以后的芦苇。芦苇初生叫"葭(jiā)",长大后叫"芦",秀穗后叫"苇",今已无此区别,统称芦苇。

芸[1] yún ❶ 芸香。多年生草本植物,全草有香气,可驱虫、入药。❷【芸芸】形容众多。

芸[2](蕓) yún 【芸薹】即油菜。一年生或二年生草本植物,花黄色,种子可榨油。

【辨析】 "芸薹"指可榨油的油菜,不是指作为蔬菜的油菜。

苈(藶) lì 【葶苈】(tíng—)一年生草本植物,为原野杂草。种子叫葶苈子,可入药。

苋(莧) xiàn 苋菜。一年生草本植物,嫩茎叶为普通蔬菜。

苌(萇) cháng ❶【苌楚】(—chǔ) 古代指猕猴桃。❷ 姓。

花〔芲〕〔蘤〕 huā ❶ 种子植物的有性繁殖器官。由花瓣、花萼(è)、花托、花蕊(ruǐ)组成:~朵|开~|梅~。❷(~儿)可供观赏的植物:~盆儿|~坛|种~儿。❸(~儿)形状像花的东西:灯~儿|雪~儿|火~|浪~。❹ 供观赏的一

种烟火：～炮|礼～|放～。❺（～儿）花纹：白地儿红～儿。❻ 有花纹的，颜色错杂的：～布|～猫|～～绿绿。❼（眼睛）模糊迷乱：眼发～|老～眼|老眼昏～。❽ 虚假的；用来迷惑人的：～招儿|～账|～言巧语。❾ 衣服快要磨破的样子：裤子磨～了。❿ 指妓女或跟妓女有关的：～魁|寻～问柳。⓫ 棉花的简称：弹～|轧(yà)～机。⓬（～儿）某些小的、幼小的东西：泪～儿|葱～儿|蚕～|鱼～。⓭（～儿）指痘疮：天～|出过～儿。⓮ 打仗时受的伤：挂～。⓯ 使用；耗费：～费|～钱|～时间|力气白～了。⓰ 姓。

苁(蓯) cōng【苁蓉】(—róng) 草本植物，可入药。

苍(蒼) cāng ❶ 青黑色（深蓝或深绿色）：～翠|～郁。❷ 借指天：～天|上～。❸ 灰白色（多指头发斑白）：～髯|白发(fà)～～。❹ 姓。

严(嚴) yán ❶ 紧密；没有缝隙：～谨|关～窗子|嘴～点，别乱说。❷ 严厉；严格；认真：～守纪律|～办罪犯|～加管束。❸（仪容）庄重，令人敬畏：庄～|威～。❹ 厉害；程度深：～寒|～刑|～冬。❺ 指父亲：家～。❻ 姓。

【备考】繁体嚴，形声字，从吅(xuān，同喧)，厰(yín)声。本义为紧急，紧迫。明清小说中有接近“严”的简体字。

芳(蒍) wěi 部　春秋时期楚国地名。

苎(苧) zhù 【苎麻】多年生草本植物。茎皮纤维坚韧有光泽,是纺织、造纸工业的重要原料。根可入药,称“苎根”。

芦(蘆) ㊀ lú ❶ 芦苇,多年生草本植物。多生在水边,茎可以编席、造纸,地下茎叫芦根,可入药:~花|~席|~荡。❷ 姓。

㊁ lǔ 【油葫芦】一种像蟋蟀而体形较大的昆虫,危害棉花、芝麻等农作物。

【辨析】简化字“芦”下部是“户”,不是“卢”。

【备考】繁体蘆,形声字,从艸,盧(lú)声。简化字芦以“户”代盧。在元抄本《京本通俗小说》中已有简化字芦。

劳(勞) láo ❶ 辛勤;劳苦:~累|勤~|操~|积~成疾。❷ 役使;使辛劳:苦其心志,~其筋骨。❸ 劳动;工作:~作|按~分配|多~多得。❹ 烦劳:~神|~驾。❺ 劳动者或劳动力的简称:~资双方。❻ 功劳;功绩:勋~|汗马之~。❼ 慰劳:~军|犒(kào)~。❽ 姓。

【备考】简化字劳,上部类推简化。艹的写法来源于古隶,1935年《简体字表》上有劳字。

克[1] kè ❶ 能;能够:~勤~俭。❷ 约束;制服:~制|~己奉公|以柔~刚。❸ 公制重量、质量单位。1克为1公斤(千克)的千分之一。❹ 藏族地区容量单位。1克青稞约重12.5公斤。❺ 藏族地区地积单位。1克地约合1市亩。

克[2](剋)〔尅〕 kè ❶ 战胜;攻下:~敌制胜|攻无不~。❷ 消化:~

食。❸ 约定或限定(日期)：～日到达|～期送至。

【备考】① 克，甲骨文作[illegible]，象人躬身以手扶膝，上负重物之形，本义为肩负。繁体剋后起，常与"克"通用，简化字将两字合并。② 表示训斥、打人的"剋"读kēi，不简化作"克"。

苏[1]（蘇）〔蘓〕sū ❶ 紫苏，一年生草本植物。茎、叶、种子可入药，种子可榨油。❷ 须状下垂的饰物：流～|金～。❸ 江苏省的简称：～北。❹ 江苏省苏州市的简称：～绣|～白。❺ 苏维埃的简称：～区。❻ 苏联的简称：中～关系。❼ 姓。

苏[2]（蘇）〔甦〕〔蘓〕sū 从昏迷中醒过来：～醒|复～。

苏[3]（囌）sū 见"噜"(522页)。

【备考】① 繁体蘇，形声字，从艸，穌声；囌，从口，蘇声；1955年12月发布的《第一批异体字整理表》中繁体"蘇"有异体字"甦"，会意字，从更，从生。《简化字总表》将蘇囌合并，都简作苏("办"为不表音义的简化符号)。1935年《简体字表》中有苏字。② 2013年发布的《通用规范汉字表》确认"甦"为规范字，仅用于姓氏人名；表示"苏醒"的意义时仍为"苏"的异体字。

杆[1]〔桿〕gǎn ❶ 器物上像棍子的细长部分：笔～|秤～|枪～|烟袋～。❷ 量词。用于有杆的器物：一～秤|一～枪。

杆[2] gān 细长的木头或形状类似细长木头的东西：～子|旗～|电线～|水泥～。

【辨析】杆—秆—竿　三字都表示细而长的东西，但所指不同。"秆"音 gǎn，指禾本植物的茎，所以形旁是禾；"竿"指竹竿，所以形旁是"竹"。"杆"的使用范围比"竿"大，除竹竿外，其他细而长的东西都用"杆"表示。杆读 gǎn 时的意义更是秆和竿字所没有的。

杠[1]〔槓〕 gàng ❶ 较粗的棍子：木～｜铁～｜门～。❷ 体育器械：单～｜双～｜高低～。❸ 出殡时抬送灵柩的工具。❹ 批阅文字时画在行间的线条：在文理不通的地方打上红～。❺ 画线条以示删去：这句话被～掉了。❻ 车床上的棍状机件：丝～。

杠[2] gāng 〈书〉❶ 桥。❷ 旗杆。

村〔邨〕 cūn ❶ 农民聚居的地方；泛指聚居的地方：～庄｜农～｜工人新～｜梅园新～。❷ 粗俗：～野｜撒～｜～夫俗子。❸ 具有特定功能的居住与活动的大型处所：亚运～｜度假～｜儿童～。

【备考】1955 年 12 月发布的《第一批异体字整理表》中"村"有异体字"邨"。2013 年发布的《通用规范汉字表》确认"邨"为规范字，仅用于姓氏人名；表示"村庄"的意义时仍为"村"的异体字。

极(極) jí ❶ 顶点；尽头：登峰造～｜无所不用其～。❷ 尽；到达顶点：～力｜～目远望｜物～必反。❸ 最终的；最高的：～度｜～端｜～点｜～限｜～刑。❹ 地球的南北两端；磁体的两端；电

源或电器上电流进入或流出的一端：南～|北～|阳～|阴～|正～|负～。❺ 副词。表示达到最高度：～好|～大|～少数|～重要。

【备考】极和極本是两个不同的字，“極”形声字，从木，亟(jí)声，本义是房屋的正梁。《说文》有“极”字，从木，及声，解为“驴上负”，即驴背上的驮鞍，与现代群众造的“極”的简化字“极”同形。

杨(楊) yáng ❶ 杨树，落叶乔木，种类很多，有银白杨、毛白杨、小叶杨等。❷ 姓。

【备考】繁体楊，形声字，从木，昜(yáng)声。类推简化为杨。

杩(榪) ㊀ mǎ 〈书〉三脚木架，用来阻挡人马通行。

㊁ mà 【杩头】〈书〉床两头或门扇上下两端的横木。

豆[1] dòu 古代一种盛食物的器具，形似高脚盘：俎～。

豆[2]〔**荳**〕dòu ❶ 豆类作物及其种子：～荚|～油|黄～|绿～|种瓜得瓜，种～得～。❷ (～儿)像豆粒的东西：糖～儿|金～儿|花生～儿。

【备考】豆，甲骨文作，象高脚盘之形，本义为古代的一种食器。豆类作物是其假借义。今从豆的字大多和其假借义有关。

两(兩) liǎng ❶ 数字，一加一的和：～天|～半儿|～支笔|～口人|～万三千五。❷ 表示双方：～便|～利|～相情愿|势不～立。❸ 指

称某些成对的亲属关系：～兄弟|～姐妹|～兄妹|～口子(夫妻)。❹ 表示不定的数目，限于二到九，相当于“几”：回家取～本书|你真有～下子。❺ 市制重量单位。10两等于1斤，1两等于10钱。

【辨析】两 — 二 “二”和“两”有如下五方面的区别：第一，个位数在一般量词前用“两”，多位数中的个位数用“二”。如两个人，增加两倍，一年零两个月；四十二，一百零二，七十二人，五十二张。第二，传统度量衡单位前“二、两”都能用，以用“二”为常，如：二(两)亩、二(两)升、二(两)尺、二(两)斤。量词“两”前只能用“二”，如：二两酒。新兴的度量衡单位大都用“两”，如两吨、两米、两公里、两公斤。第三，“十”前只用“二”；“百”前一般用“二”；“千、万、亿”前多用“两”，少用“二”。如二十、二(两)百二十个、两亿元、两万三千五百、两千斤。第四，序数、分数、小数只能用“二”；“半儿”前用“两”。如第二、二分之一、二点二(2.2)、两半儿。第五，当作数字读，在数字中运用，以及不连量词时都用“二”。如一二三四，二加一等于三。

【备考】有人认为，繁体兩为一㒳的合文。㒳(liǎng)，金文作[illegible]，象二[illegible]相并([illegible]象钱币之形)。简化字两来源于行书，楷化后的两在元抄本《京本通俗小说》上已有。

丽(麗) ㊀ lì ❶〈书〉附着(zhuó)：附～。❷ 漂亮；好看；华美：美～|秀～|富～堂皇|风和日～。

㊁ lí ❶ 用于地名：～水(在浙江)。❷ 高丽，朝

鲜半岛历史上的王朝。

【辨析】“丽”上方是一横，不是两个短横(--)。

【备考】繁体麗，金文作[illegible]，《说文》小篆作[illegible]，均从鹿；古文作丽。有人认为从鹿的麗与古文丽(丽)为不同的两个字。“丽”表示成双成对的意思，后作俪(儷)；麗，形声字，从鹿，丽声，本义为(鹿)结伴而行，引申为附丽，“美丽”义后起。简化字丽，由古文字形演变而来。

医(醫) yī ❶以治病为职业的人：～生|神～|牙～|兽～|缺～少药。❷治疗：～治|～术|头疼～头，脚疼～脚。❸防治疾病的科学或工作：～学|～科|学～|从～。

【备考】繁体醫，形声字，从酉(酒的初文。酒与药品有关，后造的酒名常以“酉”作形旁)，殹(yì)声。简化字取醫字一角，与古代当盛弓箭器具讲的医(yì)字同形。在元抄本《京本通俗小说》上，已有将醫写作医的用例。

励(勵) lì ❶劝勉：鼓～|奖～|激～|勉～|～精图治。❷姓。

还(還) ㊀ hái ❶仍然；依旧(表示没有变化)：他～是那么热情|他～在写。❷更(表示进一层)：他比你～高|屋里的气温比室外～低好几度。❸再；另外(表示有所增补)：洗完了衣服，～要做饭|写得快，～应当写得好。❹放在形容词前，表示勉强过得去：做得～不错|工作～顺利。❺尚且：一个月～做不完呢，十天就更不行了。❻表示强调语气(有未曾料到之意)：他～真行|到这儿～真够远的。

㊁ huán ❶ 返回：～乡｜出门未～。❷ 恢复到原来的状态：～原｜～他的本来面目。❸ 使钱、物等回归：～账｜～书｜偿～。❹ 回报别人施加于自己的行动：～礼｜～手｜～嘴｜以血～血。❺ 姓。

【备考】繁体還，形声字，从辵，瞏(qióng)声。简化字还，来源于汉代草书，见于唐代敦煌变文写本。

矶(磯) jī 水边突出的岩石或石滩(多用于地名)：钓～｜燕子～(在江苏)｜采石～(在安徽)｜赤壁～(在湖北)。

奁(奩)〔匲〕〔匳〕〔籢〕 lián 古代妇女盛梳妆用品的匣子：镜～｜妆～(嫁妆)。

【备考】奁，小篆作籢，从竹，斂声。从竹，表示最初的镜奁用竹制。字也作匳，从匚，僉声，意符匚读 fāng，象器物之形。匳讹变作匲或奩；今以奩为正字，类推简化作奁。

歼(殲) jiān 消灭：～敌｜～灭｜～击｜围～。

【备考】繁体殲，形声字，从歹，韱(xiān)声。简化字歼，从歹，千声，是现代群众创造的新形声字。

来(來) lái ❶ 从别处到说话人所在处(与“去”“往”相对)：～往｜～信｜～去自由｜有～无回。❷ (情况、问题等)发生：麻烦事～了｜问题～了就得解决。❸ 现在以后的时间：～日｜～年｜未～｜继往开～。❹ 从过去到现在的时间：～历｜近～｜古往今～｜几千年～。❺ 用在动词后，表示到此处做某事：

我们看您～了|他们参观～了。❻ 用在动词前，表示打算做某事：我～试一试|你～打水，我～扫地。❼ 代替具体的或不易选择动词的动作：别胡～|再～一碗|你累了，我～吧|这个人会～事儿。❽ 用在动词或动词结构之后，表示动作朝向说话人：过～|拿个凳子～|跑～一群孩子。❾ 用在动词后，表示动作延续至今，或表示结果与估量：信笔写～|一觉醒～|看～形势不妙|想～你已经知道了。❿ 用在动（介）词结构与动词（动词结构）之间，表示前者为方式、态度，后者为目的：买把刷子～刷墙|拿什么～报答父母？|以何种方式～合作？⓫ 与“得”或“不”连用，表示动作、行为能实现或不能实现：他俩合得～|这事儿我做不～|儿子和邻居的孩子玩得～。⓬ 用于句尾，表示曾发生过什么事（又说“来着”）：我说什么～|你是不是打架～着？⓭ 用于数词（或数量词）后，表示概数：十～个|三十～斤|五米～远|二尺～高。⓮ 用在“一二三”等十以内的序数词之后，表示列举：一～探亲，二～旅游|一～没时间，二～没兴趣，所以就没去。⓯ 用在诗歌、熟语或叫卖声里做衬字：正月里～是新春|磨剪子～抢菜刀。⓰ 姓。

【备考】 繁体來，象形字，甲骨文作[illegible]，金文作[illegible]，象麦之形。本义为麦名，卜辞中均借用为往来之来。简化字“来”，在汉简、汉碑中已广泛使用。

连（連）

lián　❶ 相接：～接|藕断丝～|骨肉相～。❷ 接续；不间断：～续|～～称好|～天阴雨。❸ 包括在内；加上去：～根拔|～皮一

起算|～他们一共三十人。❹ 军队编制单位，下面是排。❺ 表示强调（常与“都”“也”相呼应）：～老师都说好|～我都去了，他能不去吗？|怎么～你也这么说|气得～饭也不吃了。❻ 姓。

【辨析】 连—联 见“联”字辨析（419 页）。

欤（歟） yú 古汉语语气助词。❶ 表示疑问或反问：王闻燕太子丹入质秦～？|子非三闾大夫～？❷ 表示感叹：一似管窥虎～！|归～！归～！

轩（軒） xuān ❶ 古代一种有帷幕而前顶较高的车。❷ 高：～昂|～敞|～朗。❸ 有窗的长廊。❹〈书〉窗户：朗月照～。❺ 小屋子（旧时多用为书斋名或茶馆、饭馆等的字号）。❻ 姓。

轪（軑） dài ❶ 古代指车毂上包的铁帽；也指车轮。❷ 西汉侯国，后为县。故城在今河南光山县西北。

轭（軏） yuè 古时小车车辕前端与横木衔接处的销钉。

轫（軔）〔軻〕 rèn 支住车轮不使滚动的木头：发～（拿掉支住车轮的木头，使车前进。喻指新事物或某种局面开始出现）。

〔丨〕

卤[1]（鹵） lǔ 卤素，即卤族元素，包括氟、氯、溴、碘、砹五种元素。

卤²(鹵)(滷) lǔ ❶〈书〉不长谷物的盐碱地：～地。❷ 盐卤，制盐剩下的汁液，呈黑色，味苦有毒，可用来做豆腐。❸ 用盐水加调味品或用酱油煮制食品：～味｜～鸡蛋｜～煮豆腐。❹ 饮料的浓汁或面食的汤汁：茶～｜打～面。

【备考】繁体鹵，甲骨文作[illegible]，象盛盐器形，内四“点”象盐形。滷为后起形声字，从水，鹵声。简化字将鹵、滷合并，又省去四“点”作卤。

邺(鄴) yè ❶ 古地名，在今河南安阳北。❷ 姓。

坚(堅) jiān ❶ 牢固；不易破坏：～冰｜～韧｜～硬｜～如磐石。❷ 结实、牢固的事物：攻～｜中～｜披～执锐｜无～不摧。❸ 稳定；不动摇：～决｜～强｜～持｜～守｜～信。❹ 姓。

【备考】繁体堅，会意兼形声字，从土，从臤(qiān，坚固)，臤兼表音。简化字坚，根据偏旁臤的简化方式类推。収的写法来源于草书，东晋王羲之作品中的“坚”与今简化字坚接近。

时(時)〔旹〕 shí ❶ 季节：四～｜农～｜应(yìng)～。❷ 时间；时候：～空｜历～｜旧～｜按～。❸ 时辰，旧时计时单位，一个时辰相当于现在的两个小时：子～｜午～。❹ 小时，法定计时单位，一小时等于一昼夜的二十四分之一：～速｜早八～。❺ 当前；眼下：～下｜～鲜。❻ 时俗；时尚：～装｜入～｜过～｜背～。❼ 时机：失～｜～不我待。❽ 常常；经常：～～｜～有所闻｜学而～习之。❾ 叠

用,相当于“有时……有时……”:～断～续|～高～低。❿ 一种语法范畴,表示动作发生的时间:现在～|过去～|将来～。⓫ 姓。

【备考】繁体時,形声字,从日,寺声。异体旹,从日,㞢(之)声。简化字时来源于汉代草书,敦煌简中已有和时基本相同的字形。楷化的时,可视为从日,从寸会意(日表示时光),见于宋刊本《大唐三藏取经诗话》。

呒(嘸) ㊀ fǔ 〈书〉迷惑不解。
㊁ ḿ 〈方〉没有。

县(縣) xiàn 行政区划单位:～城|易～|昔阳～|延庆～。

【备考】繁体縣为悬(懸)字本字,金文作[古文字],象人头悬于木(树)上之形。因縣用作州县字,又造从心的懸字表示悬挂义。

里[1] lǐ ❶ 古代的一种居民组织单位,25 家为一里。❷ 居民聚居的地方:～弄|乡～|故～|邻～之间。❸ 市制长度单位。1 里是 500 米。❹ 姓。

里[2]**(裏)〔裡〕** lǐ ❶ (～儿)衣物等的内层;织物的反面:被～子|鞋～子|箱子～儿|这是～儿,不是面儿。❷ 内部;一定范围之内:～外|～屋|城～|夜～|会～会外。❸ 附在“这”“那”“哪”等词后面表示处所:这～|那～|哪～。

【辨析】“里”和“裏”原是两个不同的字,后“里”用作“裏”的简化字。

【备考】繁体裏,从衣,里声。里,会意字,从田,从土。《简化字总表》将二字合并。

呓(囈) yì 梦话：～语|梦～。

呆〔獃〕 dāi ❶傻；愚笨：痴～|～头～脑。❷死板；不灵活：～板|～滞|～若木鸡。❸同“待(dāi)”。口语中指停留。

【辨析】“呆”和异体“獃”旧又读 ái，用于“呆(獃)板”一词。在这一意义上旧又作騃，騃音 ái，与呆(ái)音义相同，故《第一批异体字整理表》将其作为呆的异体字处理。后《审音表》规定呆统读 dāi，而騃本无 dāi 音，故不宜列于呆(dāi)字头后，2013 年发布的《通用规范汉字表》将此组异体字删除。

【备考】呆字义项❶❷初借用騃；騃，形声字，从馬，矣声，本义为马行勇壮的样子。后造獃字；獃，形声字，从犬，豈声，从犬，表示呆痴者如犬。今作呆，呆本为“保”的古文的隶变字，《说文》所载其六国古文作[古文]；用作呆傻字，从口从木，会说话而木讷之意。而义项❸本写作待，读 dāi，今又作“呆”。

呕(嘔) ǒu 吐(tù)：～吐|～血。

【辨析】呕—沤—怄—讴 四字声符同而形符不同，读音也不尽一致。讴字从言区声，读 ōu，本义为歌唱。呕字从口，本义为吐。怄字从心，本义为吝惜，读 ōu；今用作生气或使人生气，读 òu。沤字从水，本义为长时间地浸泡，使起变化，读 òu(沤另有水泡义，读 ōu)。

园(園) yuán ❶种有林木花草或瓜果蔬菜的地方：～艺|果～|菜～|植物～。❷供

人休息、游乐、观赏的地方：～林|公～|游～|动物～。❸ 墓地：陵～。❹ 用于某些商店名：酱～|冠生～。

【辨析】园—圆　两字音同形近，易混。注意区分：与"场所"义有关的用"园"字，如公园、果园、陵园；与"圆形"义及其引申义有关的用"圆"字，如：圆桌、银圆、圆满。

【备考】繁体園，形声字，从口，袁声。简化字园，形声字，从口，元声，见于元抄本《京本通俗小说》。

呖（嚦） lì【呖呖】拟声词。形容鸟类清脆的叫声：莺声～。

旷（曠） kuàng ❶ 空阔宽广：～野|空～|地～人稀。❷（心胸）开阔：～达|心～神怡。❸ 久远：年代～远。❹ 空缺：～世奇功|～古绝伦。❺ 耽误；荒废：～课|～日持久。

围（圍） wéi ❶ 四周拦起来；环绕：～墙|～困|包～|突～。❷ 包；裹：～头巾|腰里～着布裙。❸ 四周：周～|外～|四～|范～。❹ 某些物体周围的长度：腰～|臀～。❺ 量词。两只胳膊合抱起来的长度；也指两只手的拇指和食指合拢的长度。

【备考】繁体圍，甲骨文作[illegible]，早期金文作[illegible]，象人围攻或围守城池的样子，演变作韋。因后来韋字用为违背义，所以小篆又为其本义造[illegible]，加口为意符。今类推简化作围。

吨（噸） dūn　质量单位，一吨等于1 000千克，合2 000市斤［英ton］

【备考】简化字吨，形声字，从口，屯声，为现代群众创造。

旸(暘) yáng 〈书〉日出：～谷(古代传说中日出的地方)。

【备考】繁体暘，形声字，从日，昜(yáng)声。类推简化为旸。

虬〔虯〕 qiú ❶ 传说中的一种有角的小龙。❷ 蜷(quán)曲：～须。

邮(郵) yóu ❶ 古代传递文书且供应车马食宿的驿(yì)站。❷ 由专门机构传递信件或钱物：～递|～了两封信|～寄二百元钱。❸ 有关邮递事务的：～局|～票|～件|～费。

【辨析】古有亭名作"邮"，在今陕西高陵县境。此邮字不能写作繁体的郵。

【备考】繁体郵，会意字，从邑，从垂(边陲之陲的本字。古代边陲多设驿站)。邮，形声字，从邑，由声。本义为古亭名。《简化字总表》规定以邮代郵。

困[1] kùn ❶ 陷于艰难痛苦之中：被病魔所～。❷ 使处于艰难窘迫而无法摆脱的境地；包围住：围～|被～|～守。❸ 艰难：～苦|～难|～境|贫～。❹ 疲乏：～乏|～顿|人～马乏。

困[2](睏) kùn ❶ 疲倦想睡：我～了，先睡了。❷〈方〉睡：～觉|天不早了，快点～吧。

呗(唄) ㊀ bài 【梵呗】(fàn —)佛教徒诵经声。

㊁ ·bei 语气词。用于句末。❶ 表示申说，含有显而易见、不说自明的意思：不懂就学～。❷ 表示

勉强同意或无所谓：干就干～。

员(員) ㊀ yuán ❶〈书〉周围；四周：幅～。❷ 从事某种工作或学习的人：教～|学～|海～|炊事～。❸ 指参加某个团体或组织的人：队～|团～|党～|会～。❹ 量词。多用于武将：战将千～|一～大将。

㊁ yún　人名用字。伍员(即伍子胥)，春秋时人。

㊂ yùn　姓。

呙(咼) guō　姓。

【备考】繁体咼，形声字，从口，冎(guǎ)声。简化字形呙见于清初刊行的《目连记弹词》，其中剐、祸、窝等字偏旁与此写法相同。

听(聽) tīng ❶ 用耳朵接受声音：～觉|～筒|～众|～而不闻。❷ 服从；接受：～话|～信|言～计从|唯命是～。❸ 审察；断决；治理：～政|～讼。❹ 任凭；随：～任|～便|～其自然|～之任之。❺［英tin］用金属薄皮制成的筒子或罐子：～装|一～奶粉|两～饮料。

【备考】繁体聽，甲骨文作[illegible]、[illegible]，从耳，从一口或二口会意，口表发声，耳表闻声；金文作[illegible]，从聖从古会意，聖、聽古代同字，“古”为故，意指听已经发生的事。小篆作[illegible]，从耳、悳，王(tǐng)声；悳即德，耳德主听。隶楷作聽，简化作听。听，古有其字，形声字，从口，斤声，读yín，本义指笑的样子。听(yín)与听(tīng)为音义各不相同的同形字。在元抄本《京本通俗小说》和明代字书

《正字通》中,都有简化字听。

吟〔唫〕 yín 声调抑扬顿挫地诵读:~咏|~诗。

呛(嗆) ㊀ qiāng 水或食物进入气管引起咳嗽:喝水~着了。

㊁ qiàng 有刺激性的气体进入嗅觉、视觉或呼吸器官,感觉难受:~鼻子|~眼睛|~嗓子。

【辨析】呛—戗 水或食物进入气管引起咳嗽用“呛”;“戗”(qiāng)是“逆”的意思,故“戗风”(逆风)和言语冲突用“戗”,不用“呛”。

吻〔脗〕 wěn ❶ 嘴唇:唇~|接~。❷ 用嘴唇接触人或物,表示喜爱:~别|亲~。❸ 动物的嘴:鹿~。

呜(嗚) wū 拟声词。形容风声、汽笛声、哭声等:汽车~的一声开过去了|那孩子~~地哭。

别[1] bié ❶ 分开;分离:离~|临~赠言|久~重逢。❷ 分辨;区分:辨~|识~|分门~类。❸ 不同之处;差异:差~|天渊之~|男女有~。❹ 依据特点所作的分类:性~|派~|职~|级~。❺ 另外的;特殊的:~人|~名|特~|~有用心|~开生面。❻〈方〉扭转:~过脸|~过头去|倔脾气一时~不过来。❼ 用别针等把东西穿插附着在另一样东西(纸、布等)上:胸前~着校徽|把发票~在一起|头发在脑后~了个小鬏鬏(jiū · jiu)。❽ 插:腰里~着烟袋|头上~了根簪子。❾ 绊;横插阻挡:一伸脚,把对方~了

个跟头。⑩ 副词。表示禁止或劝阻,相当于“不要”:～听他的|这事你～管|小心～摔着。⑪ 副词。表示猜测、揣度(一般指不如意的事):天都黑了他还不来,～是忘了吧? ⑫ 姓。

别[2](彆) biè 【别扭】(—·niu)〈方〉1. 不顺畅:这个句子读起来真～。2. 不顺心;不得劲:听他这么说,心里挺～|屋里转不开身,干起活来太～。3. 不相投合:闹～。

帏(幃) wéi ❶ 古代佩带在身上的香囊。❷ 同“帷”。帷幕;帷幔。

岖(嶇) qū 【崎岖】(qí—)形容山路不平;也比喻处境艰难:山路～|～坎坷。

岍(巏) lì 【岍崌】(—jū)山名。在江西。

岗(崗) ㊀ gǎng ❶ 高起的土石坡儿:山～子|黄土～儿。❷ 平面上凸起的条形物:肩上肿起一道肉～子。❸ 守卫的位置;也泛指职位:～哨|～楼|～位|站～|在～。

㊁ gāng 同“冈”。

岘(峴) xiàn 岘山,古山名,在今湖北襄(xiāng)阳南。

帐(帳) zhàng ❶ 用布或其他织物制成的起遮蔽作用的东西:～子|～篷|蚊～。❷ 同“账”。

岚(嵐) lán 〈书〉山林中的雾气:～烟|山～|晓～。

财(財) cái 钱和物资的总称：～富|～政|发～|～大气粗。

囵(圇) lún 【囫囵】(hú—)完整不缺；整个儿：～吞枣。

贬(貶) yàn 地名用字：～口(在浙江)。

[丿]

针(針)〔鍼〕 zhēn ❶(～儿)缝织时引线用的尖细的金属工具：～线|～织品|绣花～。❷(～儿)针形物：表～|松～|指南～。❸中医针刺疗法用的针形器械，也指用这种针按穴位刺入体内医治疾病：扎～|～灸。❹西医注射用的器械：～头|～管|～剂|打～。

【备考】针，本作鍼，形声字，从金，咸声。针为后起俗字，今以鍼为异体，以针为选用字。

钉(釘) ㊀ dīng ❶钉子，用金属、竹木等制成的细小棍状物，一端尖利，可以打进别的物体，起固定或连接作用：铁～|图～|螺丝～儿。❷紧跟；监视：～梢|～住对方的前锋。❸不放松，督促：别老～着问|～着他快办。❹旧通"盯"。目光集中于目标。

㊁ dìng ❶把钉(dīng)子打进去或用钉(dīng)子把东西固定住：～马掌|～箱子|把地图～在墙上。❷用针线把带子、纽扣等缝住：～扣子|～帽带。

钊(釗) zhāo 〈书〉勉励。现多用于人名。

钋(釙) pō 金属元素,符号 Po。银白色,有放射性。

钌(釕) ㊀ liǎo 金属元素,符号 Ru。银灰色,熔点很高,可制作耐磨硬质合金和催化剂等。

㊁ liào 【钌铞儿】(—diàor)扣住门窗等的铁片,一端钉在门窗上,另一端有钩子钩在屈戌儿里,或者有眼儿套在屈戌儿上。

乱(亂) luàn ❶ 没有秩序;没有条理:混～|杂～|～作一团|把次序搞～了。❷ 战争;社会动荡的局面:动～|叛～|避～|兵～。❸ 混淆;使混乱:扰～|以假～真|惑～人心。❹ (心绪)不宁:心～如麻|心烦意～|心里太～,不知道该怎么办。❺ 随便;任意:～跑|～下命令|～设摊位|你可别～来。❻ 男女关系不正当:淫～。

【备考】繁体亂,甲骨文作[甲骨文],象一手持丝,另一手去整理,故"亂"本有治理和无序、无条理两个相反的含义。今"治理"义消失。简化字"乱"见于北魏《郑文公下碑》,宋元以来通俗读物中广泛使用。

体(體) ㊀ tǐ ❶ 人或动物的全身;有时也指身体的一部分:～重|肢～|四～不勤|衣不蔽～。❷ 事物或物质存在的形式、状态、风格等:固～|整～|字～|骚～|政～。❸ 实行;亲身去做:～会|～验|身～力行。❹ 设身处地为他人着想:～谅|

～恤|～贴。❺ 一种语法范畴，多表示动词所指动作进行的情况：进行～|完成～。

㊁ tī 【体己】(一·ji)也作“梯己”。1. 家庭成员个人积存的(钱财)；私房(钱)：～钱|～物。2. 亲近的；贴心的：～人|～话。

【备考】 繁体體，形声字，从骨，豊(lǐ)声；简化字体，会意字，从人，从本。“体”又读 bèn，“笨”的异体，从人，本声。两“体”字为音义不同的同形字。在元抄本《京本通俗小说》上，已有简化字体(tǐ)。

佣[1] yòng 佣金，买卖时付给中间人的报酬。

佣[2]**(傭)** yōng ❶ 出卖劳力以换取报酬；受雇用：～工|～耕。❷ 受雇用的人；仆人：女～。

【备考】 繁体傭，形声字，从人，庸声；简化字佣，从人，用声，是现代群众创造的新形声字，与佣金之“佣(yòng)”同形。

你〔妳〕 nǐ ❶ 称对方：～好|～校|～市|～的书|～哥哥在家吗？❷ 泛指任何人(有时实际上指我)：困难像弹簧，～弱它就强|遇上这种事，不由～不着急|电梯坏了，～不爬十层楼也不成。❸ 与“我”或“他”用在平行的语句中，相当于“这个”“那个”的意思：～追我赶|大家～一言，我一语，议论纷纷|几个部门之间～推给他，他推给～，谁也不肯承担责任。

【辨析】 ① 异体“妳”仅用于女性，多见于现代文学作品;又读 nǎi,是“奶”的异体字。② “你”和“您”所指对象相同,“您”表尊称。

【备考】你,会意兼形声字,从人,从尔(古代用作第二人称代词),尔兼表音。

㑇(㑳) zhòu 〈书〉乖巧;伶俐;漂亮(元曲中常用):~梅香。

皂〔阜〕 zào ❶ 黑色:不分青红~白。❷ 肥皂:香~|药~。

佛[1] fó ❶ 佛陀(梵文 buddha 的音译,意为“觉者”)的简称。佛教徒对佛教创始人释迦牟尼的称呼。❷ 佛教徒称修行圆满的人:立地成~。❸ 佛教:~寺|~老。❹ 佛像:玉~|卧~|乐山大~。❺ 佛号或佛经:念~。

佛[2]〔彿〕〔髴〕 fú 【仿佛】(fǎng—)1. 似乎;好像:狂风~要把大树连根拔起。2. 类似;像:烈日~一盆火。

彻(徹) chè 通;透:~夜|~底|透~|响~云霄。

【备考】繁体徹,甲骨文作[甲骨文],左为“鬲”(lì,古代炊具),右为手,象用手去移动炊具,本义应为撤除。小篆讹作[小篆],左边加彳,变“鬲”为“育”,右为“攴”(pū,打击的意思)。隶变为“徹”。《说文》释为“通”,成为常用义。简化字彻右从“切”,为现代群众创造。

余[1] yú ❶〈书〉我。❷ 姓。

余[2]**(餘)** yú ❶ 多出来;剩下:节～|多～|～钱剩米|绰绰有～。❷ 遗留:～风|～韵|劫后～生。❸ 整数后面的零头:一百～斤|三十～里。❹ 某种事情、情况以外或以后的:～外|业～|课～|工作之～|痛心之～。

佥(僉) qiān 〈书〉全;都:～言(众人的意见)。

【备考】繁体僉,从亼(jí,集的本字),从二口,从二人,以多人多口表示"全,都"的意思。简化字佥,来源于汉代草书,汉代史游《急就章》中"检"字偏旁与今简化字完全相同。

谷[1] ㊀ gǔ ❶ 两山或两块高地之间的流水道或狭长夹道:山～|峡～|山鸣～应(yìng)。❷ 姓。

㊁ yù 吐谷浑,我国古代西北的一个民族,隋唐时曾建立政权。

谷[2]**(穀)** gǔ ❶ 庄稼和粮食的总称:五～|百～。❷ 我国北方的一种粮食作物,子实去壳后叫小米。❸〈方〉稻;稻的子实:糯～|粳～。

【备考】谷甲骨文作[illegible],象水流出之形。繁体穀为形声字,从禾,㱿(què)声。《简化字总表》规定以谷代穀。

邻(鄰)〔隣〕 lín ❶ 古代的一种居民组织单位,五家为邻。❷ 居住的地方挨近;位置接近:～近|～居|～国|相～。❸ 住处挨近的人家:东～|街坊四～|远亲不如近～。

【备考】繁体鄰,形声字,从邑,粦(lín)声。简化字邻,从邑,令声,见于 1936 年陈光尧《常用简字表》。

肛〔疘〕 gāng 人和哺乳动物消化道的最末端,包括肛道和肛门:~肠|~裂|脱~。

【备考】肛,形声字,从肉,工声。异体字疘从疒(nè),仅指脱肛这种病。

肠(腸)〔膓〕 cháng ❶ 消化器官的一部分,管状,上端连胃,下端连肛门:~道|~炎|脑满~肥。❷ 代指心思、情感:心~|衷~|愁~|荡气回~。❸ 在肠衣内塞进肉、鱼、淀粉等制成的食品:香~|腊~|泥~。

【备考】繁体腸,形声字,从肉,昜(yáng)声。类推简化作肠。

龟(龜) ㊀ guī 一种爬行动物,背部有硬壳,寿命很长。

㊁ jūn 【龟裂】即"皲(jūn)裂",皮肤因寒冷或干燥而开裂。

㊂ qiū 【龟兹】(—cí),西域古国名,在今新疆库车一带。

【备考】龟,甲骨文作[甲骨文字形],象龟形。小篆作[小篆字形],隶、楷字形据小篆字形定。简化字龟见于 1923 年钱玄同《汉字革命》一文。

犹(猶) yóu 〈书〉❶ 如同;好像:~如|虽死~生|过~不及。❷ 副词。还;尚且:记忆~新|困兽~斗。

【备考】繁体猶,形声字,从犬,酋声,本为动物名。简化字犹,从犬,尤声,见于元抄本《京本通俗小说》。

狈(狽) bèi 传说中的一种野兽,前腿特别短,走路时要趴在狼身上,没有狼,它就不能行动,所以用“狼狈”形容困苦或受窘的样子,也比喻互相勾结:狼～不堪|狼～为奸|十分狼～。

飏(颺) yáng 同“扬”。多用于人名。

【备考】1955 年 12 月发布的《第一批异体字整理表》“颺”处理为“揚”的异体字。2013 年发布的《通用规范汉字表》确认“飏”为规范字,仅用于姓氏人名;表示“扬手、扬起、飘扬、传扬”等意义时,繁体“颺”仍为“扬”的异体字。

删〔刪〕 shān 除去(文章中的某些字句):～除|～改|～繁就简。

鸠(鳩) jiū 鸟名。样子像鸽子。常见的有斑鸠、山鸠等。

条(條) tiáo ❶ 植物细长的枝:枝～|荆～|柳～儿。❷(～儿)细长的东西:锯～|链～|面～儿|布～儿。❸ 细长的形状:～纹|～幅|～案|花～儿布。❹ 项目;分项目的:～约|～例|～文|宪法第一～。❺ 层次;次序:～理|有～不紊|井井有～。❻ 量词。1. 用于细长的东西:两～围巾|三～活鱼|一～大街。2. 用于分项的事物:两～意见|一～新闻。

【备考】條,甲骨文象树的枝条。后加声符攸(yōu),成为从木、攸声的形声字。简化字条,取條的右半,见于元刊本《古今杂剧三十种》。

岛(島)〔㠀〕 dǎo 海洋中被水环绕、面积比大陆小的陆地;也指江、河、湖泊中被水环绕的陆地：～屿｜～国｜海～｜群～。

邹(鄒) zōu ❶周代国名，在今山东境内。❷姓。

刨[1] páo ❶(猛力)挖掘；扒：～土｜～坑｜～土豆｜～花生。❷从原有事物中减去；扣除：～除｜～掉大礼拜，一周只干五天。

刨[2]〔鉋〕〔鑤〕bào ❶推刮木料或金属使其平滑的工具：～床｜～刃儿｜平～｜牛头～｜龙门～。❷用刨子或刨床刮平木料或金属等：～花｜～冰｜～木头｜桌子～得不平。

饨(飩) tún 见"馄"(393 页)。

饩(餼) xì 〈书〉❶赠送别人的粮食。又泛指粮食、饲料。❷赠送(粮食)。❸活的牲口；生肉。

饪(飪)〔餁〕 rèn 煮熟食物：烹～。

饫(飫) yù 〈书〉❶饱食；饱：～肥｜～饮｜～饱。❷充分：～闻。

【辨析】右边是"夭"不是"天"。

饬(飭) chì 〈书〉❶整治；整顿：整～。❷旧称命令、告诫：～令｜申～。❸谨慎；恭敬：谨～。

饭(飯) fàn ❶吃饭：～前｜茶余～后。❷煮熟的谷类食品，多指米饭：～菜｜～馆｜炒～｜蒸～。❸泛指每天定时吃的食物：早～｜午～｜

晚～。

饮(飲)〔歙〕 ㊀ yǐn ❶ 喝;特指喝酒:～料|～水|对～|畅～。❷ 可喝的东西:～食|冷～|热～。❸ 含;忍:～恨|～泣。❹ 没入;隐入:～弹|～羽(整枝箭射入,连箭上的羽毛也进去了)。❺中医称宜于冷喝的汤药:香苏～。

㊁ yìn 给牲畜喝水:～马|～牛。

【备考】饮,甲骨文作,象人低头伸舌向酒尊饮酒之形,小篆作(歙),从欠,酓(yǎn)声。隶变作“饮”,可视为从食、从欠的会意字。

系[1] xì ❶ 在顺序上有连属关系的:～统|～列|水～|谱～|语～。❷ 高等学校中按学科划分出的教学门类:中文～|数学～|理科～。❸ 地质学名称,相当于地质年代分期的纪,是地层系统分类的第二级。

系[2]**(係)(繫)** xì ❶ 关联;关涉:关～|干～|荣辱所～|成败～于此举。❷ 拴缚;拘囚:～马|～狱。❸ 捆缚以后往上提或往下送:～几颗白菜上来|～一捆柴下来。

系[3]**(繫)** ㊀ xì 牵挂;挂念:～念|心～故土。
㊁ jì 打结使连缀:把鞋带～好|炒菜时～上围裙。

系[4]**(係)** xì 〈书〉是:此～原物|所说确～实情|蒲松龄～今山东淄博人。

【备考】系,甲骨文作,金文作,象以手或爪(也是手)提丝之形,本义为连属、连续。係,会意兼形声字,从人,从系,系兼表音,本义为捆绑。繫,形声字,从糸,毄（jī）声，音 jì，本义为粗劣的絮；后又读 xì，义为连缀、维系。因三字义近，古代在某些意义上通用。1935 年《手头字第一期字汇》以系为繫的简化字，《简化字总表》将係、繫都简化为系。

［丶］

冻（凍） dòng ❶ 液体或含水分的物体遇冷而凝结。也指这种自然现象：霜～｜化～｜解～｜～豆腐｜萝卜～了。❷（～儿）汤汁凝成的胶状体：鱼～儿｜肉皮～儿。❸ 受冷或感觉冷：～得慌｜手～僵了｜～得脸生疼｜小心别～着。

状（狀） zhuàng ❶ 形状；样子：～态｜原～｜液～｜奇形怪～。❷ 情况；情形：～况｜现～｜病～｜惨～。❸ 陈述或描写：写景～物｜不可名～。❹ 陈述事件或记载事迹的文字：供～｜行～。❺ 指起诉书：～纸｜告～｜诉～。❻ 褒奖、委任等的文字凭证：奖～｜委任～。

【备考】 繁体狀，形声字，从犬，爿（qiáng）声。简化字状，来源于草书，汉代敦煌简中已有与状接近的字形，唐代《干禄字书》中有楷化的状字。

***亩（畝）〔畂〕〔畞〕〔畆〕〔畒〕〔畮〕** mǔ 地积单位，市亩的通称。10 分等于 1 亩；100 亩等于 1 顷。1 市亩等于 60 平方丈，合 666.7 平方米。

【备考】 亩，金文及《说文》小篆正体作畮畮，从田，每声。《说文》小篆或体作畞，从田，从十（指田地中的纵横小路),久声,隶变作畝。后繁体字以畝为正,简化字亩省“久”,见于 1935 年《手头字第一期字汇》。

况〔況〕 kuàng ❶ 情形;状况:实~|近~|概~。❷〈书〉比方;比较:自~|以古~今。❸〈书〉况且;何况:成人尚不能为,~幼童乎? ❹ 姓。

【备考】况,本作況,形声字,从水,兄声,本义为寒水。后讹作况。今以況为异体。

庑(廡) wǔ 古代正房对面和两侧的屋子,也泛指房屋。

床〔牀〕 chuáng ❶ 供睡卧用的家具:~铺|~单|木~|~头柜。❷ 像床一样的起承托作用的东西:冰~|机~|车~|琴~。❸ 某些像床的地面:苗~|河~|矿~|温~。❹ 量词。用于被褥等:两~被|一~铺盖。

库(庫) kù ❶ 集中存放东西的房屋或设施:~房|~存|仓~|书~|入~|冷~。❷ 姓。

疗(療) liáo 医治:~效|~养|治~|医~。

【备考】繁体療,形声字,从疒,尞(liào)声。简化字疗,从疒,了声,是现代群众创造的新形声字。

疖(癤) jiē 疖子,一种皮肤病,其症状是局部出现充血硬块,红肿,疼痛,严重时会化脓。

【备考】繁体癤,形声字,从疒,節(节的繁体)声。简化字疖将声旁省作“卩”,现代群众创造。

吝〔恡〕 lìn ❶ 舍不得；过分爱惜：～惜｜～啬｜悭～。❷ 姓。

应（應） ㊀ yìng ❶ 回答：～答｜呼～｜响～｜山鸣谷～。❷ 满足要求；接受：～承｜～邀｜有求必～。❸ 顺应；适应：～时｜～景｜得心～手。❹ 对付：～付｜～变｜～急｜～接不暇。

㊁ yīng ❶ 答应：～声｜喊了半天，他一声也不～。❷ 允诺；答应（做）：～许｜～允｜动员了半天，他才把这件事～了下来。❸ 理所当然；应该：～当｜～得｜～有尽有｜理～如此。❹ 姓。

【辨析】①"应"的应答、应许义过去均读 yìng，现在口语中单说时（如"喊他他不应""这件事他已经应了"）改读 yīng，少量口语中使用频率较高的双音词如应许、应允等也改读为 yīng，但多数词语如应对、回应、应承、应诺，有求必应等仍读 yìng，"应声"有二义，应答义改读为 yīng，随声义仍读 yìng。②"应名儿"（名义上；挂名）的"应"是承担的意思，应届的"应"是"正当；正值"的意思，旧读 yìng，今读 yīng。

【备考】繁体應，《说文》小篆作"[篆字]"，从心，㾕（yīng，即鹰字初文）声。简化字应，来源于草书，唐代怀素的书法作品中有接近应的字形，楷化的应字见于元抄本《京本通俗小说》。

这（這） ㊀ zhè ❶ 指示代词，指示比较近的人、物、时间、处所等（与"那"相对）。1. 常做修饰语：～孩子｜～衣服太贵｜～几天很忙｜～地方十分热闹。2. 做主语：～是谁｜～该怎么办？

3. 做宾语(常与“那”连用)：买～买那|洗～洗那。❷ 这时候;马上：～就去开门。

㊁ zhèi 〈口〉“这(zhè)”和“一”的合音(但表示的数量不限于一)：～家子|～程子|～三年。

【备考】繁体這,本读 yàn,从辵,言声,义为迎接。近代汉语借为近指代词,读“止也切”,俗又作“这”,见于清初刊行的《目连记弹词》。《简化字总表》确定以“这”为简化字。

庐(廬) lú ❶ 简陋的房屋：～舍|茅～。❷ 姓。

【辨析】“广”下是“户”,不是“卢”。

【备考】繁体廬,形声字,从广(yǎn),盧(lú)声,简化字庐,可视为从广、户声的形声字,见于宋代刊行的《古列女传》。

弃〔棄〕 qì 扔掉;舍去：～权|～学|抛～|放～。

【备考】弃,甲骨文作,象双手持箕将其中婴儿抛弃之形。《说文》籀文作,从収推華(bān),華为有柄的簸箕之类,中盛倒“子”;古文作,从収从倒子。楷书承籀文讹变作棄,今作异体字处理;选用字作弃,上承古文。

闰(閏) rùn 地球公转一周为 365 天 5 小时 48 分 46 秒,公历把一年定为 365 天,余下的时间约四年积为一天,加在二月里。农历把一年定为 354 天或 355 天,余下的时间约三年积为一个月,加在某一年里。这在历法上叫闰：～月|～年。

闱(闈) wéi ❶古时宫中的侧门。❷科举时代称考场：～墨|春～|秋～|入～。

闲(閑)〔閒〕 xián ❶没有事情做；有空：～暇|～逛|农～|清～。❷放着不用：～房|～置|～钱。❸与正事无关的：～谈|～聊|～人免进。

【备考】空闲、闲置等义本作“閒”。閒，从門，从月，以门中有月光射入会缝隙之义。空间上的缝隙是jiān，时间上的缝隙则是xián。这两个意义最初都用閒字表示。后为閒隙义造间字，而閒暇义除用“閒”外，还借用闲字表示。“闲”本指栅栏之类起遮拦作用的东西，引申指限制、防止，如防闲。字从门中有木会意。汉字整理前，“閒”与“閑”只是在空闲义上通用。《第一批异体字整理表》把閒作为閑的异体淘汰，此后，空闲义只写作“闲”。

闳(閎) hóng ❶〈书〉巷门。❷〈书〉宏大。❸姓。

间(間) ㊀ jiān ❶两个事物或两段时间当中：居～|课～|～不容发(fà)|彼此之～。❷一定的范围里：田～|人～|夜～|期～。❸房间：里～|单～|车～|卫生～。❹量词。用于房屋：一～卧室|三～门面。

㊁ jiàn ❶缝隙：～隙|乘～|当～儿|亲密无～。❷隔开；断开：～隔|～接|～作|晴～多云。❸挑拨，使关系不和：离～|反～计。❹除去(多余的)：～苗|～果。

【备考】“间”本作“閒”，后来閒字多用来表示闲暇义，于是造从门、从日的间字表示空隙的意思。

闵(閔) mǐn ❶〈书〉怜悯。❷ 姓。

阆(閌) ㊀ kāng 【阆阆】(—láng)建筑物中空廓的部分。

㊁ kàng 〈书〉高大。

闷(悶) ㊀ mēn ❶ 气压低或空气不流通引起的憋气、不舒畅的感觉：～热|屋里太～，出来透透气。❷ 盖严，不让透气：～茶|茶刚泡上，～一会儿再喝。❸ 不说话；不张扬：～头干活|～声不响。❹〈方〉声音不响亮：说话～声～气的。❺ 不到外面去：别老～在家里。

㊁ mèn ❶ 心情不舒畅；心烦：愁～|苦～|郁～。❷ 密闭；与外界隔绝：～子车|～葫芦。

羌〔羗〕〔羌〕 qiāng ❶ 我国古代西方的民族。❷ 羌族，我国少数民族名，分布在四川。

灶(竈) zào ❶ 用来生火烧水做饭的设备：炉～|煤气～。❷ 借指厨房：～间|下～。❸ 旧指灶神：祭～。

【备考】繁体竈，形声字，从穴，声旁为鼀(cù)的省写。简体灶，会意字，从火，从土，见金代韵书《五音集韵》。

灿(燦) càn 明亮耀眼；光彩明丽：～烂|～然。

【辨析】“璀璨”的“璨”不作“灿”。

【备考】繁体燦,形声字,从火,粲(càn)声。简化字灿,从火,山声,是现代群众创造的新形声字。

炀(煬) yáng 〈书〉❶ 熔化(金属):～铜。❷ 火旺。

【备考】繁体煬,形声字,从火,昜(yáng)声。类推简化为炀。

沣(灃) fēng 沣水,古水名。

怃(潕) wǔ 怃水,水名。

沩(湋) wéi 沩水,水名。

沄[1] yún 〈书〉水波汹涌回旋(常叠用):流水～～。

沄[2]**(澐)** yún 〈书〉大波浪。

沤(漚) ㊀ òu ❶ 长时间地浸泡:～麻|衣服泡了不洗,都～臭了。❷ 长时间壅埋堆积发热发酵:～肥|～粪。

㊁ ōu 古代指水面的浮泡:浮～|漂～。

【辨析】沤—呕—怄—讴 见“呕”字辨析(139页)。

沥(瀝) lì ❶ 水、泪、血等液体下滴:～～拉拉(形容液体零星下滴不断)|呕心～血|披肝～胆。❷〈书〉渗出;使渗出;滤:～酒。❸〈书〉汁液;特指酒:竹～|余～。❹【沥沥】拟声词。形容风声、水声等。❺【沥青】柏油。

浿(浿) ㊀ bèi 地名用字：虎～(在福建)。
㊁ pèi 古水名，在今朝鲜。

沦(淪) lún ❶ 水面的小波纹：河水清且～猗(yī，语气词)。❷ 陷入；向坏的方面转化：沉～|～为罪犯。❸ 丧失；灭亡：～丧|～陷。

汹〔洶〕 xiōng ❶ 水翻腾的样子：～涌澎湃。❷ 形容声势壮盛、凶猛：气势～～。

【辨析】 汹—凶—酗 凶，凶事；凶恶。汹，从水，叠用以形容声音、气势等。酗，音 xù，从酉(酒)，指喝酒无节制，醉酒生事。

泛[1]〔汎〕 fàn ❶ 浮；浮行：～舟|沉渣～起|水面上～着白沫。❷ 透出；呈现出：脸色～青|白里～红。❸ 普遍；广泛：～称|～指|～读。❹ 一般化；浮而不实：浮～|空～。

泛[2]〔氾〕〔汎〕 fàn 大水漫流：黄～区|～滥成灾。

【备考】 1955 年 12 月发布的《第一批异体字整理表》中“泛”有异体字“氾”。2013 年发布的《通用规范汉字表》确认“氾”读 fán 时为规范字，用于姓氏人名；读 fàn 表示“漂浮、宽泛、泛滥”等意义时仍为“泛”的异体字。

沧(滄) cāng 水深绿色：～海|～桑(沧海桑田的略语)。

沨(渢) fēng 【沨沨】拟声词。形容水声或风声等。

沟(溝) gōu ❶ 人工挖掘的水道；泛指一般的水道：～渠|地～|阴～|小河～儿。

❷ 人工挖掘的类似水道的工事：交通～|封锁～。❸（～儿）与沟类似的浅槽、凹处：瓦～|汗～|脊梁～。❹ 比喻隔阂：代～。❺ 指通连：～通。

【备考】繁体溝，形声字，从水，冓(gòu)声；简化字沟，从水，勾声，是现代群众创造的新形声字。

沩(溈) wéi 沩水，水名。

沪(滬) hù 上海的别称：～剧|～杭铁路。

【辨析】沪—泸 沪右从户，泸(lú，瀘的简化字)右从卢。

沈[1] ㊀ shěn 姓。
㊁ chén 古同“沉”。

沈[2](瀋) shěn ❶ 汁液：墨～。❷【沈阳】市名，在辽宁。

【备考】繁体瀋，形声字，从水，審(审的繁体)声。简化字沈，甲骨文作[古文字]，象牛羊沉于水中之形。金文作[古文字]，从水，冘(yín)声，小篆作[古文字]，结构同金文，即“沉”的本字。隶书有沈、沉二形，后两字音义均分化，沉读chén，表本义“没入水中”及其引申义；沈读shěn，表姓氏，今又以沈作为瀋(汁液)的简化字。

怃(憮) wǔ 〈书〉❶ 爱怜：爱～。❷【怃然】怅然失意的样子。

怀(懷) huái ❶ 胸前；胸部：敞着～|孩子不离娘～。❷ 胸怀；心怀：襟～坦白|壮～激烈|正中下～|耿耿于～。❸ 怀藏；怀揣：～石投

江|～瑾握瑜。❹ 心中藏有某种思想感情：～恨在心|胸～世界|不～好意。❺ 腹中有胎：～胎|～孕|～孩子。❻ 思念：～念|～乡|～古|～旧。❼ 姓。

【备考】繁体懷，形声字，从心，褱(huái)声。简化字怀，右边的“不”为简化符号，见于明代官府文书档案《兵科抄出》。

怄(慪) òu ❶ 逗弄；使不愉快：～人|～他玩儿。❷ 生闷气：～气|～了一肚子气。

【辨析】怄—呕—沤—讴 见“呕”字辨析(139页)。

忧(憂) yōu ❶ 担心：～国～民|杞人～天。❷ 发愁：～愁|～伤|～郁|～心忡忡。❸ 忧患；祸患：性命之～|人无远虑，必有近～。❹ 〈书〉居丧。多用指父母的丧事：丁～|居父～|居母～。

【备考】忧愁的“忧”，小篆本作(㥑)，会意字，从頁(头，颜面)，从心。后借用《说文》释作“和之行也”的憂(从夊，㥑声)字。今简作忧，从心，尤声，与《说文》释作“心动”的忧(yòu)字同形。

忤〔啎〕 wǔ 违逆；抵触，不顺从：～逆|与人无～。

忾(愾) kài 愤怒；仇恨：同仇敌～。

【备考】繁体愾，形声字，从心，氣声，本义为叹息，读xì；愤怒义读kài。今类推简化为忾，与古代释作“喜悦”的“忾”(qì)同形。

怅(悵) chàng 失意；不如意：～惘|惆～|～然若失。

怆(愴) chuàng 〈书〉悲伤;凄凉:凄~|悲~|~痛|~然泪下。

穷(窮) qióng ❶ 尽;完结:无~无尽|山~水尽|日暮途~。❷ 极端;达到极点:~凶极恶|~奢极欲。❸ 彻底:~追猛打。❹ 使尽,用尽:~兵黩(dú)武|~毕生力量。❺ 边远;荒僻:~乡僻壤|~山恶水。❻ 贫困;缺少财物:~困|贫~|一~二白。

【辨析】穷—贫 见“贫”字辨析(212页)。

【备考】繁体窮,形声字,从穴,躬声。简化字穷来源于草书,楷化的穷见于元抄本《京本通俗小说》。

灾〔災〕〔烖〕〔菑〕 zāi ❶ 自然或战争等造成的大的损害:~区|天~|水~|救~。❷ 个人遭遇的不幸:招~惹祸|没病没~。

【备考】灾,会意字,从宀,从火。火烧房屋,意指灾害。

谗(譾) jiàn 〈书〉善于言辞:谗人~~。

证(證) zhèng ❶ 提供一定的根据判明人或事物是否真实:~明|~实|~言|~物。❷ 证明时提供的根据:物~|旁~|工作~。

【备考】繁体證,形声字,从言,登声。简化字证,从言,正声。与当“谏正”讲的“证”同形。因谏证的“证”罕用,故借用来表示“验证”义,在唐代变文写本中已有这样的用例。

诂(詁) gǔ 对古代的语言文字作解释：训～|解～。

【备考】诂，形声兼会意字，从言，古声，古兼表义。

诃(訶) hē 【诃子】即藏青果。常绿乔木，果实像橄榄，可入药。

【备考】1955 年 12 月发布的《第一批异体字整理表》繁体“訶”处理为“呵”的异体字。1964 年 5 月发表的《简化字总表》和 1986 年 10 月重新发表的《简化字总表》均收入“訶”的类推简化字“诃”，1988 年发布的《现代汉语通用字表》收入“诃”字，用于植物名“诃子”和音译用字。

启(啓)〔唘〕〔啟〕 qǐ ❶ 打开：～封|～门|开～|某某～(信封用语，即由某人拆开信)。❷ 开始；开创：～行|～用|～基创业。❸ 开导；教导：～发|～迪|～蒙。❹ 陈述；报告：敬～者(旧时用于书信开头)|某某～(用于书信末署名处)。❺ 公文；书信(旧时的一种文体)：小～|谢～|奉～。❻ 姓。

【备考】启及其繁体啓、异体啟均见于古文字。甲骨文有[甲骨文](启)，从口，从户；又有[甲骨文](攴，与攴义同)，从又(手)，从户，都表示“开”的意思。甲骨文又有[甲骨文]，小篆作[小篆]，从攴，启声，《说文》解释为“教”，是启、攴的分化字。简化前通行啓、啟，后“啟”作为异体字处理，汉字简化时又确定以“啓”为繁体，以“启”作为规范的简化字。

评(評) píng ❶ 议论是非得失高下等：～论|～判|批～|～～这个理儿。❷ 评论的

文章或言语：书～|社～|一则影～|得到好～。

补(補)　bǔ　❶ 补缀衣服；泛指修补残破的东西：～丁|缝～|袜子烂了，～一～吧|修～|亡羊～牢。❷ 把不足的或缺少的添上：～充|～足|增～|弥～。❸ 补养：～品|滋～|～药。❹〈书〉利益；用处：～益|不无小～。

【备考】繁体補，形声字，从衣，甫(fǔ)声。简化字补，从衣，卜声，为现代群众创造的新形声字。

祀〔禩〕　sì　❶ 对祖先或神鬼进行祭奠：祭～。❷ 商代称年为祀。

【辨析】右作"巳"，不作"己"或"已"。

祃(禡)　mà　古代在军队驻扎处设祭祭神叫祃。

诅(詛)　zǔ　❶〈书〉祈求鬼神加祸于人；咒骂：～咒。❷ 古代指盟誓。

识(識)　㊀ shí　❶ 知道；能够辨认：～别|认～|素不相～|不～庐山真面目。❷ 了解掌握的事理：知～|常～|学～。❸ 认识事理的能力和水平：见～|远见卓～。

㊁ zhì　〈书〉❶ 记住，记忆：博闻强～。❷ 标记：标～(今规范为"标志")。

【辨析】标识、默而识之的"识"不读 shí。

【备考】繁体識，金文作[金文](戠)，形声字，从言，戠(zhī)声。本义为标志。简化字识，根据"戠"的简化方式类推。

诇(詗) xiòng 〈书〉❶ 侦察;刺探。❷ 了悟;知晓。❸ 求;探求。

诈(詐) zhà ❶ 欺骗:～骗|欺～|兵不厌～。❷ 假装:～降|～死。❸ 用言语试探,引诱对方说出真情:他被人一～,就把实情说了。

诉(訴)〔愬〕 sù ❶ 倾吐(内心的冤苦、不平等):～苦|～冤|倾～|～衷肠。❷ 说给别人听:告～|陈～。❸ 控告:控～|上～。

诊(診) zhěn 为了解病情对病人进行检查:～疗|～治|～所|会～。

诋(詆) dǐ 〈书〉❶ 责骂:丑～|痛～。❷ 说坏话诬蔑别人:～毁。

诌(謅) zhōu 胡乱编造:胡～|瞎～。

词(詞)〔䛐〕 cí ❶ 说出来的或写下来的语句;话语:～句|言～|义正～严。❷ 能够自由运用的最小的语言单位:～义|～性|组～成句。❸ 一种韵文的形式,又叫长短句,有格律的要求:唐诗宋～。

诎(詘) qū 〈书〉❶ 言语迟钝。❷ 弯曲。❸ 屈服。

【辨析】音 qū,不读 chù。注意和相形见绌的“绌(chù)”区别。

诏(詔) zhào ❶〈书〉告诫(多用于上对下):～告。❷ 诏书,皇帝颁发的命令:～书|下～。

诐(詖) bì 〈书〉偏颇,邪僻:～辞。

译(譯) yì ❶ 把一种语言翻成另一种语言:翻～|口～|将文章～成英语。❷ 把代表语言文字的符号或数码转换成语言文字:破～|我不会～旗语|快把电报～出来。

【备考】繁体譯,形声字,从言,睪(yì)声。类推简化为译。

诒(詒) yí 〈书〉通"贻"。遗留,送给。

[乛]

灵(靈) líng ❶ 神仙或关于神仙的:～怪|神～。❷ 精神;灵魂:心～|英～|亡～。❸ 灵柩或关于死人的:～车|～堂|守～|停～。❹ 有效:～验|～药|失～。❺ 敏捷;聪明:～敏|～活|机～|心～手巧|腿脚不～。

【备考】"灵"与"靈"原为两个不同的字。靈,形声字,从巫,霝(líng)声,本指跳舞降神的巫,引申为神灵、灵巧等义。"灵"本义为小热貌,由于此义罕见,民间把它作为"靈"的俗字使用,见于明代字书《正字通》。现为"靈"的简化字。

层(層) céng ❶ 重叠;重复:～林尽染|～出不穷。❷ 层次;由层次构成的系统:阶～|表～|地～|大气～。❸ 量词。用于重叠、积累、分项分步或能从表面揭开、抹掉的东西:两～楼|千～

饼|砌了三～砖|第二～意思|水面结了一～冰。

【备考】繁体層,形声字,从尸,曾声。本义为“重屋”(楼),引申为重叠。简化字层,来源于草书,《简化字总表》楷化为层。

屃(屓) xì 见“赑”(431页)。

迟(遲) chí ❶慢:～缓|或～或速。❷晚:～到|～早会来|一步来～,就没能和他见上面。❸姓。

【备考】遲,甲骨文作𢓭,从彳,尼声。《说文》或体及某些汉碑从辵,尼声。金文与《说文》籀文、古隶从辵,犀(xī)声,犀有迟缓之义,故兼表义。《说文》小篆作𨘅,从辵,犀声。简化字迟,从辵,尺声。

局[1] jú ❶棋盘:棋～。❷下棋或其他比赛一次叫一局:对～|平～。❸形势;情况:～势|大～|战～|结～。❹圈套:骗～。❺部分:～部。❻机关组织系统中按业务划分的单位:教育～|商业～|工商～|审计～。

局[2]**〔侷〕〔跼〕** jú 拘束;不得伸展:～促|～蹐。

【辨析】异体字侷,只用于“侷促”一词。“跼”本义是蜷曲。

【备考】局,小篆作𡰪,《说文》释为“从口在尺下”,象局促之形。

弫(彄) kōu 〈书〉弓弩两端系弦处。

张(張) zhāng ❶ 拉开弓弦：～弓搭箭｜剑拔弩～。❷ 绷紧：紧～｜一～一弛。❸（使合拢或紧缩的东西）分开；展开；放开：～嘴｜～开翅膀。❹ 扩大；夸大：夸～｜扩～｜铺～浪费｜虚～声势。❺ 放肆：嚣～。❻ 看；望：东～西望。❼ 商店开业：开～。❽ 设置；铺排：～灯结彩｜大～筵席。❾ 量词。用于可以张开、闭拢或卷起的东西，也用于人脸或有平面的东西：一～纸｜两～画｜一～嘴｜一～脸｜三～桌子。❿ 星宿（xiù）名，二十八宿（xiù）之一。⓫ 姓。

际(際) jì ❶ 边：边～｜天～｜一望无～。❷ 中间；里边：脑～｜胸～。❸ 彼此之间：国～｜校～｜人～关系。❹ 时候：危难之～。❺〈书〉正当；恰逢（指时机、境遇）：～此盛会。❻〈书〉遭遇；遇到的事情：～遇｜遭～。

【备考】繁体際，形声字，从阜（阝），祭声。简化字际，省"癶"，见于 1935 年《手头字第一期字汇》。

陆(陸) ㊀ lù ❶ 高出水面的土地：～地｜～路｜大～｜登～｜水～兼程。❷ 姓。

㊁ liù 数字"六"的大写。

【备考】陆，会意兼形声字，从阜（阝），从坴（lù，土块很大的样子），坴兼表音。简化字陆，来源于草书，楷化的陆见于太平天国文书。

陇(隴) lǒng ❶ 地名用字：～山（山名，在陕西、甘肃两省交界的地方）。❷ 甘肃的别称。

陈(陳) chén ❶ 排列;摆开:～兵|～列|～设。❷ 述说:～述|详～|慷慨～词。❸ 时间久的:～醋|～货|～年|～词滥调。❹ 周朝国名,在今河南东部和安徽北部一带。❺ 南朝之一,公元557—589年,陈霸先建立。❻ 姓。

附〔坿〕 fù ❶ 依傍;依靠:依～|魂不～体。❷ 依从:～议|～庸。❸ 贴近;靠近:～近|～耳低语。❹ 外加;从属:～设|～属|～加|～注。

坠(墜) zhuì ❶ 掉下;落下:～马|～楼|飞机～毁|摇摇欲～|天花乱～。❷ (重的东西)垂在下面;往下沉:锚～下去了|苹果把树～弯了|心里像～了块大石头。❸ 吊在下面的装饰品:耳～|扇～|剑～|香～。

【辨析】坠—堕 ①“堕”多指“落入”,着眼点在下端,如:堕水、堕地、堕入海中。“坠”多指“落下”,着眼点在上端,如:坠马、坠楼、摇摇欲坠。(但这一区别不是绝对的,如也可说坠地、堕马。)②“坠”还可以表示停在中途下压而并不下落的动作,“堕”则不能。如:“风筝发飘,下边拴个穗儿坠着吧。”“大包小包提着走,真坠得慌。”③“堕”有使落下的意思,如堕胎,而“坠”无此用法。④“堕落”与“坠落”意义不同,前者只用于比喻义,即指思想、行为变坏。

陉(陘) xíng 山脉中断的地方。多用于地名:井～(在河北)。

【备考】繁体陘,形声字,从阜(阝),巠(jīng)声,类推简化为陉。

妩(嫵) wǔ 【妩媚】(—mèi)形容女子、花木等姿态美好可爱。

妪(嫗) yù 〈书〉老年妇女：老～|翁～。

妙〔玅〕 miào ❶美好：美～|～不可言。❷奇巧；精微：～计|～诀|～药|～手回春|莫名其～。

妊〔姙〕 rèn 怀孕：～娠(shēn)|怀～。

【备考】妊是任的分化字。任，怀抱，引申为怀胎。后专为"怀胎"义造从女、壬声的妊字。

姊〔姉〕 zǐ 姐姐：～妹。

妫(媯) guī ❶妫水河，水名，在北京。❷姓。

妒〔妬〕 dù 因别人比自己强而忌恨：～忌|嫉贤～能。

刭(剄) jǐng 〈书〉用刀割脖子，砍头：自～。

【备考】繁体剄，形声字，从刀，巠(jīng)声。类推简化为刭。

劲(勁) ㊀ jìn (～儿)❶力气：有～儿|用～儿|使～儿|～头儿|手～儿。❷精神；情绪：干～儿|打牌打得正来～儿|干起活来真有冲(chòng)～儿。❸神态；模样儿：高兴～儿|爽快～儿|瞧这傻～儿。❹兴味；趣味：对～儿|节目真没～|越谈

越起～儿。❺ 效力;作用;某种属性的程度:药～儿大|仗着酒～儿|庄稼熟得过了～儿。

㊁ jìng　坚强有力:～弓|～卒(zú)|～旅|～敌|疾风知～草。

【备考】繁体勁,形声字,从力,巠(jīng)声。简化字依巠旁的简化方式类推。

鸡(鷄)〔雞〕 jī　一种家禽。翅短不能高飞。

【备考】繁体鷄,形声字,从鳥,奚声。简化字鸡以符号"又"代替奚。在清刊本《金瓶梅奇书》中有简化的鸡字。《简化字总表》又类推简化为鸡。

纬(緯) wěi　❶ 织物的横线(与纵的经线相对):～线|经～。❷ 地理学上假定同赤道平行的线。❸ 纬书,汉代人附会儒家经义写的书:五经六～。

纭(紜) yún　形容多而乱:纷～|～～。

驱(驅)〔駈〕〔敺〕 qū　❶ 赶(牲口):～马前进。❷ 驾驶:～车前往。❸ 奔驰:先～|并驾齐～|长～直入。❹ 赶走:～除|～逐|～虫剂。

纮(紘) hóng　〈书〉❶ 系在颔(hé)下的帽带。❷ 编磬(qìng)成组的绳子。

纯(純) chún　❶ 单一不杂:～一|～正|～洁|精～。❷ 相当于"完全""都":～属捏造|～是一派胡言。❸ 熟练:～熟|工夫不～。

纰(紕) pī ❶ 布帛丝缕等破散：线～了。❷ 疏忽；错误：～漏|～缪。

纱(紗) shā ❶ 古代指一种轻细的丝织品：轻～。❷ 用棉、麻等纺成的细丝，可用来捻线织布：～锭|纺～|棉～。❸ 经线纬线稀疏的网状编织品：～布|～灯|窗～|铁～。❹ 织物类名：羽～|乔其～。

驲(馹) rì 古代驿站专用的车、马。

纲(綱) gāng ❶ 渔网的总绳：引（拉）网之～|～举目张。❷ 比喻事物最重要的起决定作用的部分：～领|～要|提～|总～。❸ 唐宋时成批运送货物的组织：盐～|花石～。❹ 生物学中生物分类系统中的一个等级，纲下有目：鱼～|双子叶植物～|兔属于哺乳～。

纳(納) nà ❶ 收进；容受：出～|容～|吐故～新|闭门不～。❷ 接受：～降（xiáng）|采～。❸ 献出；缴付：～粮|～税。❹ 缝缀，现主要指在袜底、鞋底上密密地缝：～鞋底。

纴(紝) rèn 古代指织布帛的丝缕，后泛指纺织：～织。

驳[1](駁)〔駮〕 bó ❶〈书〉颜色不纯；泛指不纯：斑～|～杂。❷ 辩论是非；否定别人的意见：～斥|辩～|反～|批～|～得他哑口无言。

驳²(駁) bó ❶用船装载货物：～运|～卸|起～。❷驳船：铁～。

纵(縱) zòng ❶竖，直；南北的方向：～贯南北|～横交错。❷放：～火。❸释放：～虎归山|欲擒故～。❹放任；不加拘束：～恣|～欲|放～|～情歌唱。❺猛力向上向前引身：～身上马|将身一～|一～身就能过去。❻〈书〉即使；虽然：～使|～然|～有千难万险，也决不后退。❼〈方〉起皱纹：纸～了|衣服压～了。

纶(綸) ㊀ lún ❶〈书〉青丝带子。❷〈书〉钓丝：钓～|垂～。❸某些合成纤维的名称：涤～|锦～|丙～。

㊁ guān 【纶巾】古代用青丝带做的头巾：羽扇～巾。

纷(紛) fēn ❶多而杂乱：～乱|～杂|～繁|～至沓来|议论～～。❷争执：纠～|排难(nàn)解～。

纸(紙)〔帋〕 zhǐ ❶一种又轻又薄的片状制品，多用植物纤维制成，主要用来写字、绘画等：～张|～币|报～|～上谈兵。❷量词。用于公文、书信：一～公文|一～家书。

纹(紋) ㊀ wén ❶丝织品上的花纹。❷泛指各种花纹或纹路：～理|波～|指～|皱～|罗～纸。

㊁ wèn 同"璺"。器物上的裂痕。

驳(駁) wén 〈书〉马名。

纺(紡) fǎng ❶ 古指素色纱绢；今指平纹丝绸织物：～绸|杭(杭州)～|电力～。❷ 把丝、棉、麻、毛等纤维制作成纱、线：～纱|～织|～车|～棉花。

纻(紵) zhù 〈书〉苎(zhù)麻织成的布：～衣。

【辨析】纻，本作"紵"，右从"宁(zhù)"，因《简化字总表》规定"宁"作"寧"的简化字，为避免混淆，原从宁的字改为从"亡"。

驴(驢) lǘ 哺乳动物，比马小，可供骑乘、拉车、驮东西等用。

【辨析】注意右边是"户"，不是"卢"。

【备考】繁体驢，形声字，从马，盧声。在宋刊本《大唐三藏取经诗话》中有馿字，右边简化为"户"，《简化字总表》又类推简化为驴。

统(統) dǎn 古代冠冕两旁下垂的带子。

驮(駃) jué ❶【驮騠】(—tí)古良马名。❷ 公马与母驴杂交所生的力畜，也称驴骡。

纼(紖) zhèn ❶ 牛鼻绳。❷ 泛指牵牲口的绳子。❸ 牵引灵车的大绳子。

纽(紐) niǔ ❶ 器物上系带或用来提起的部分：秤～|印～。❷ 用来扣合衣服的小的片状物或球状物：～扣|衣～。❸ 联系：～带(喻指

起联系作用的人或事物)。❹ 事物的关键：枢～。

【辨析】纽一钮 纽本指打活结，钮本指印鼻(印纽)。过去二字在纽❶❷义上通用。现在钮只用于电钮、旋钮等词语和姓氏义。

纾(紓) shū 〈书〉❶ 宽缓；延缓：～死|民力稍～。❷ 解除：可以～忧|毁家～难(nàn)。

八　画

[一]

玩[1]〔翫〕 wán ❶ 戏弄;玩弄：～世不恭|～物丧志|这不是～我吗？❷ 供观赏的东西：古～|珍～。❸ 欣赏;观赏：～月|游山～水。❹ 忽视;轻慢：～忽职守。

玩[2] wán ❶ 游戏：～耍|别在马路上～。❷ 做某种文体活动：～扑克|～足球。❸ 耍弄;使用：～花招儿|～手段。

玮(瑋) wěi 〈书〉❶ 美玉。❷ 珍奇;贵重：～奇|明珠～宝。

环(環) huán ❶ 圆圈形的东西：耳～|花～|门～|铁～。❷ 围绕：～球|～绕|～城马路|～视一周。❸ 相互关联的许多事物中的一个：～节|～～相扣|最重要的一～。❹ 量词。用于射击、射箭比赛等活动中：三枪打中了二十八～。❺ 姓。

【备考】繁体環,形声字,从玉,瞏(qióng)声。简化字环,声旁简作符号"不",见于清初刊行的《目连记弹词》。

责(責) zé ❶ 要求(做成某事或做事达到一定标准)：～成|～令|求全～备。❷ 责

任：负～|尽职尽～|天下兴亡，匹夫有～。❸ 质问：～问|诘～。❹ 批评指摘：～备|斥～|谴～。❺ 处罚：～罚|杖～。

现(現) xiàn ❶ 显露：出～|显～|～原形。❷ 此刻；目前：～在|～任|～行|～状。❸ 当场；当时：～场|～做～卖。❹ 当时就有的：～货|～钱。❺ 可以当时交付的货币：兑～|贴～。

玱(瑲) qiāng 〈书〉拟声词。玉器等相碰的声音。

表[1] biǎo ❶ 外面；外部：～皮|地～|～里如一|徒有其～。❷ 称父亲或祖父的姊妹所生的子女、母亲或祖母的兄弟姊妹所生的子女：～姐|～叔|姑～|～兄弟。❸ 表示；显示：～达|～态|～现|～扬。❹ 服药把体内的风寒散发出来：清热解～。❺ 模范；榜样：～率|为人师～。❻ 古代的一种文体，臣子给君王的奏章：诸葛亮《出师～》|《陈情～》。❼ 分门别类按格记录的材料：考勤～|历代纪元～|元素周期～。

表[2](錶) biǎo 计时的器具，可随身携带：手～|电子～。

【辨析】繁体“錶”产生很晚，仅用于计时器，“表”的其他意义都不能写作“錶”。

规(規)〔槼〕 guī ❶ 画圆的工具：圆～|两脚～|没有～矩不成方圆。❷ 法则；成例：法～|家～|常～|循～蹈矩。❸ 谋划：～划|～避|～定。❹ 劝告：～劝|～过。

匦(匭) guǐ 〈书〉盒子：票～。

拓[1] tuò ❶ 开辟；开创；扩展：～展｜开～｜～荒｜～宽。❷ 姓。

拓[2]〔搨〕 tà 把薄纸蒙在石碑、铜器等器物上，轻轻拍打使凹凸显明，再上墨，使文字、图像等印在纸上：～片｜～印｜～本。

【辨析】“拓片”等词中的“拓”音 tà，不读 tuò。

【备考】拓，形声字，从手，石声。本义为拾取，读 zhí，后此音义用“拓”的或体(异体)“摭”表示。而拓字用于开辟等义，今音 tuò；用于拓印义，今音 tà。

拢(攏) lǒng ❶ 使聚到一起不分开：收～｜拉～｜聚～｜～人心。❷ 合上：他乐得嘴都合不～了。❸ 归总；合到一起：～共｜归～｜到月底把账～一～。❹ 靠近：～岸｜靠～。❺ 梳理：用梳子～头发。

拣(揀) jiǎn ❶ 选；挑：挑～｜柿子专～软的捏。❷ 通“捡”。拾，现在多写作“捡”。

【辨析】右边不作“东(dōng)”。

【备考】繁体揀，形声字，从手，柬声。简化字拣，来源于草书，东晋王羲之写“柬”作“东”，元代赵孟頫写“揀”作“拣”。

垆(壚) lú ❶ 黑色的土壤：～土。❷ 旧时酒店里安放酒瓮的土台子；借指酒店：酒～｜当～(卖酒)。

担(擔) ㊀ dān ❶ 用肩挑：～水。❷ 承当；承受：～负|承～|分～|～忧。

㊁ dàn ❶ 担子，挑子(即扁担和两头挂的东西)；比喻承当的责任、任务：货郎～|勇挑重～。❷ 量词。1. 市制重量单位，1 担等于 50 千克。2. 指挑在担子两头的东西，一挑即为一担：一～茶叶。

【备考】 担与擔本为两个不同的字，担在《玉篇》中释为“拂也”，即“撣”的意思，此字今已不用。肩挑义本作“擔”。后“擔”俗写作“担”，见于元刊本《朝野新声太平乐府》。《简化字总表》规定“担”为“擔”的简化字。

坤〔堃〕 kūn ❶ 八卦之一，卦形是☷，代表地。❷ 女方或女性的代称：～宅|～伶(戏剧女演员)|～表|～车|～包。

【备考】 1955 年 12 月发布的《第一批异体字整理表》中“坤”有异体字“堃”。2013 年发布的《通用规范汉字表》确认“堃”为规范字，仅用于姓氏人名；表示“乾坤”的意义时仍为“坤”的异体字。

拐[1]〔柺〕 guǎi 走路时拄着作为支撑的棍儿，上面的一头常弯曲便于抓拿，或者有短横木以支在腋下：～杖|～棍儿|拄双～走路。

拐[2] guǎi ❶ 改变方向：～弯|～角|往右～。❷ 瘸；跛行：一瘸一～|～着腿坚持上班。❸ 骗走(钱物或人)：～骗|～卖|诱～。❹ 某些场合(如发电报)读数字“7”：洞～(07)。

拖〔拕〕 tuō ❶ 拉，使物体移动(通常物体与地面或其他物体有接触或摩擦)：～

船|～地板|强行～走|他疲倦地～着双腿走回家。❷ 耷(dā)拉着;下垂:～鼻涕|～着一条长尾巴|清朝时,男人脑后都～着一条辫子。❸ 延长(时间、声音等):～延|～欠|～拉|～着长声。❹ 从后面拉住;比喻牵制:～后腿|～住敌人,为总攻争取时间。

【备考】拖,本作拕,形声字,从手,它声。"它"小篆作㐌,隶变作它、也、㐌等形,"拖"即拕字不同的隶定写法,后为异体关系。今以"拖"为正字。

顶(頂) dǐng ❶ 人或物体最上边的部分:头～|山～|屋～|～峰。❷ 用头支承:～碗|～天立地。❸ 支撑、抵住:～梁柱|用杠子～上门。❹ 用头或角撞击:～球|走远点儿,别让牛～了。❺ 顶撞:～嘴|我不愿听她唠叨,就～了她几句。❻ 冒着;逆着:～着雨|～风冒雪。❼ 代替:～替|～班。❽ 相当:一个～两个。❾ 担当:这活儿工作量大,一个人恐怕～不住。❿ 自下而上拱起:种子发芽把土～起来了。⓫ 转让或取得房屋、土地租赁权、企业经营权:这间房屋已经～出去了。⓬ 副词。最;极:～好|～多。⓭ 量词。用于有顶的东西:一～帽子|一～蚊帐。

拥(擁) yōng ❶ 抱:～抱。❷ 围绕;追随:簇～|前呼后～。❸ (人)挤在一起:～挤|蜂～而上|一～而入。❹ 有:～有|～兵自重。❺ 支持;赞成:～护|～戴|～军优属。

【备考】繁体擁,形声字,从手,雍声。简化字拥,从手,用声,是现代群众创造的新形声字。

抵[1] dǐ ❶ 顶着;支撑:椅子背上有个东西～得腰疼|把门～住。❷ 阻挡;反抗:～挡|～抗|～御。❸(价值等)被认为相当、相同:～偿|～消|一命～一命|一台电脑的工作量～得上好多人。❹ 抵押品,借款时作为偿还保证的财产:用房子作～贷款。❺ 到达:～达|明日～京。

抵[2]〔牴〕〔觝〕dǐ (牛、羊等)用角顶;对立;(相互)排斥:～牾|～触。

【辨析】右从氐(dǐ),不从氏,与"抵"(zhǐ)不同。

势(勢) shì ❶ 权力;政治、经济等诸方面的力量:～力|仗～欺人|人多～众|狗仗人～。❷ 事物所显示的力量;威力:气～|威～|声～。❸(实物的)形貌;状态;情况:山～|地～|伤～|雨～|火～。❹ 事物发展的状况;动态;趋向:时～|趋～|局～|态～|大～所趋。❺ 人的样子;姿态:姿～|手～|架～|装腔作～。❻ 雄性生殖器:去～。

【备考】繁体勢,形声字,从力,埶(yì)声。简化字势,从力,执声。势来源于草书,唐代敦煌变文写本中有与势接近的形体,在宋代刊行的《古列女传》上有楷化的势字。

拦(攔) lán ❶ 挡住;不让通过:阻～|～河坝|～路行凶。❷ 正对着:～腰斩断。

【备考】攔,形声字,从手,闌声。简化字拦,从手,兰声,是现代群众创造的新形声字。

幸[1]〔倖〕xìng ❶ 意外地得到好处或免去灾害:～免|～亏|～存|～好|侥～。❷ 旧指

皇帝的宠爱：～臣｜得～｜宠～。❸ 旧指皇帝驾临：巡～。

幸² xìng ❶ 幸福；幸运：荣～｜多～｜不～｜三生有～。❷ 认为幸福而高兴、喜悦：庆～｜欣～｜～灾乐祸。❸ 期望；希冀：～勿推却。❹ 敬词。表示对方的做法使自己感到幸运：～会｜～临｜～教｜～蒙赐教。❺ 姓。

扻(擓) kuǎi 〈方〉❶ 舀：～水｜～一碗白面。❷ 挠：～痒痒｜～破了皮。❸ 臂上挎着：～着个小竹篮儿。

拧(擰) ㊀ níng ❶ 握着物体两端，向相反方向转动：～毛巾。❷ 用手捏着皮肉转动：别～他耳朵｜在他脸上～了一把。

㊁ nǐng ❶ 控制住物体并向一个方向转动：～紧螺丝｜～开水龙头。❷ 正相反；颠倒：我本来是夸他，他听～了，反倒生气了。❸ 对立；抵触：他俩想法不同，越说越～。

㊂ nìng 〈口〉倔；与期望的相反：～脾气｜这孩子真～！

拨(撥) bō ❶ 手脚或棍棒等横向用力，使东西分开或跟着移动：～开额前的头发｜～浪鼓｜～门｜把钟～一下｜把篝火～旺。❷ 分发；调配：～款｜调～｜～几个人过来帮帮忙。❸ 弹奏（弦乐器）：弹～｜～弦。❹ 治理：～乱反正。❺ 量词。用于成批的人或物：咱们分两～儿走｜这批粮食得分成三～儿运。

择(擇) ㊀ zé 选;挑拣:选～|抉～|不～手段|饥不～食。

㊁ zhái 〈口〉义同“择(zé)”:～菜|这团毛线实在是～不开了。

【辨析】读 zhái 的“择”字通常单用。但是“择席(换了地方就睡不好)”一词中的“择”读 zhái,不读 zé。

【备考】繁体擇,形声字,从手,睪(yì)声。类推简化为择。

坳〔坳〕 ào 山间的低洼处:山～。

拗〔拗〕 ㊀ ào 不顺畅;不顺从:～口|违～。

㊁ niù 固执;倔:执～|他脾气～得很|谁也～不过他。

㊂ ǎo 〈方〉弯曲;折断:把竹竿～断了。

茏(蘢) lóng 【茏葱】(—cōng)(草木)青翠茂盛。

苹[1] píng 〈书〉❶同“萍”。浮萍。❷艾蒿:呦(yōu)呦鹿鸣,食野之～。

苹[2](蘋) píng 【苹果】落叶乔木,果实圆形,味甜或略酸,是常见水果。

【辨析】作浮萍和艾蒿义时的“苹”不可写作“蘋”。

【备考】1964 年 5 月发表的《简化字总表》中“苹”有繁体字“蘋”。《通用规范汉字表》确认“蘋”用于表示蕨类植物名时简化作“蘋”,不简化作“苹”。

茑(蔦) niǎo ❶常绿小灌木。茎蔓生,缠绕在其他树上,夏季开淡黄色小花,秋初结实,可入药。❷【茑萝】(—luó)草名,夏季开红花,为观赏植物。

范[1] fàn 姓。

范[2]**(範)** fàn ❶ 模型;模子:铁~|钱~。❷ 法则;榜样:~例|规~|示~|模~。❸ 界限:~畴|就~。❹ 限制:防~。

【辨析】作姓氏用的“范”不可写作“範”。

苧(薴) níng ❶〈书〉荠苧,草名。可提取芳香油。❷ 有机化合物,有香味,存在于柑橘类的果皮中。

茔(塋) yíng 墓地;后又指坟墓:~地|祖~|坟~。

茕(煢) qióng 【茕茕】孤单;孤独:~孑(jié)立。

茎(莖) jīng ❶ 草木的主干部分。❷ 像茎的东西:刀~(刀把)|阴~。❸〈书〉量词。用于细长的东西:数~白发(fà)|几~小草。

【备考】繁体莖,形声字,从艸,巠(jīng)声。类推简化为茎。

杯〔盃〕〔桮〕 bēi ❶ 盛饮料或其他液体的器具,一般容积不大:~子|茶~|~水车薪。❷ 像杯子的东西:奖~|银~|捧~。

枢(樞) shū ❶ 门的转轴:户~。❷ 事物的中心部分或重要部分:~纽|中~。

枥(櫪) lì 〈书〉❶马槽：老骥伏~。❷同"栎"。

柜[1](櫃) guì ❶装衣物、文件等用的器具：~子|书~|衣~|碗~|文件~。❷商店的账房，也指商店：~房|掌~|现金都交~了。

柜[2] jǔ 柜柳，落叶乔木。枝条可编器具，木材可做火柴杆。

【备考】柜和櫃原是两个不同的字，因一些方言中二字读音相同，所以将櫃也写作柜，《简化字总表》吸收了这一用法。

㭎(㭎) gāng ❶青㭎，树名。常绿乔木，木质坚硬。❷地名用字：青~坡(在贵州)。

枧(梘) jiǎn ❶同"笕"。引水的竹、木管子。❷〈方〉指肥皂：番~(洗衣皂)|香~。

枨(棖) chéng 〈书〉触动：~触。

板[1] bǎn ❶(~儿)硬的片状物：木~|铁~|黑~|玻璃~。❷(~儿)专指店铺的门板：上~儿(指商店关门)。❸特指黑板：~报|~书。❹打拍子的民族乐器：檀~|鼓~。❺(~儿)音乐中的节拍、节奏：快~|慢~|一~三眼。❻旧时笞刑刑具；也作量词：打他四十~。❼不灵活：呆~|死~。❽表情严肃：~着脸。❾硬化：~结|地太~。

板[2](闆) bǎn【老板】❶私营工商业的财产所有者。❷旧时对著名戏曲演员或组织戏班的戏曲演员的尊称。

【辨析】繁体字老板的“板”写作“闆”，木板的“板”不能写成“闆”。

【备考】繁体闆，从門（门），从品，本用于“老闆”，近代借木板之板，《简化字总表》吸收了这一用法。

枞（樅） ㊀ cōng　冷杉。
㊁ zōng　枞阳，地名，在安徽。

松[1] sōng　❶ 松科植物的泛称。种类很多，一般为常绿乔木。以其终冬不凋，四季常绿，常用以比喻坚贞或长寿。❷ 姓。

松[2]**（鬆）** sōng　❶ 不紧密（与“紧”相反）：～散｜土质很～｜行李捆得太～。❷ 放开；解开：～绑｜～手｜放～｜～一～腰带。❸ 不紧张；不严格：～弛｜轻～｜制度太～。❹ 不坚实：点心～脆可口。❺ 用瘦肉、鱼等做成的绒状或碎末状的食品：肉～｜鸡～｜鱼～。

【备考】松和鬆原为两个不同的字。松指松树，形声字，从木，公声。鬆原指头发乱，形声字，从髟（biāo，长发貌），松声。引申为散，不紧。后来两字通用，鬆也写作松，见于清初刊行的《目连记弹词》和《字汇补》。《简化字总表》吸收了这个用法，将鬆简化为松。

枪[1]**（槍）〔鎗〕** qiāng　❶ 古代兵器，在长柄的一端装有木制或金属的尖头：标～｜红缨～。❷ 口径在 20 毫米以下、发射子弹的武器：手～｜步～｜冲锋～。❸ 性能或形状像枪的东西：焊～｜水～｜烟～。

枪[2]（槍） qiāng 旧指代人应考：～手｜～替。

枫（楓） fēng 枫树，落叶乔木，叶子三裂，秋天变成红色。

构[1]（構）〔搆〕 gòu ❶建造；设计；组合：～筑｜～图｜～词｜虚～。❷结成：～怨。❸指文艺作品：佳～。

构[2]（構） gòu 构树。

【备考】繁体構，形声字，从木，冓声；简化字构，从木，勾声，见于明代字书《正字通》。

杰〔傑〕 jié ❶出色的；优异的：～出｜～作。❷才能出众的人：豪～｜俊～。

【备考】杰出的"杰"本作"桀"，象两足站在木上，表示高出人上之意。后加人作"傑"。杰，古代用于人名，与傑原为两个不同的字，今以杰为正字，以傑为异体字。

丧（喪） ㊀ sāng 跟人去世有关的（事情）：～葬｜治～｜奔～。

㊁ sàng ❶失去；丢掉：～生｜闻风～胆｜玩物～志。❷懊恼；情绪低沉；失意：～气｜沮～。

【备考】简化字丧，来源于草书，楷化后的丧在北魏《元飏（yáng）妻王夫人墓志》中已有。

画（畫） huà ❶用笔或类似工具描绘成图形：描～｜～画儿｜～人像｜～龙点睛。❷（～儿）画成的作品：国～｜年～儿｜一幅～儿。❸带画儿的；用画装饰的：～舫｜～屏｜雕梁～栋。❹用笔

或类似东西做出标记：～圈儿|～押|～十字。❺ 汉字的一笔叫一画：笔～|“中”字有四～。

【辨析】 画—划(劃)　“笔 huà ”一词曾“画”“划”混用，现规范为“笔画”。划(劃)是“画”的后起分化字，其意义最早只用画字表示。

【备考】 繁体畫，甲骨文作[illegible]，上从手持笔，下为所画之物；小篆作[illegible]，下从田，《说文》认为象田四界。简化字画，见元代字书《六书故》。

枣(棗) zǎo　❶ 枣树，落叶灌木或乔木。❷ (～儿)枣树的果实，椭圆形，暗红色，味甜，可食。

【备考】 繁体棗，从二朿(刺的初文)。简化字枣，以两点代替下面的朿，在清初刊行的《目连记弹词》上已有“枣”字。

卖(賣) mài　❶ 用物品等换钱：～货|贩～|～新棉|变～家产。❷ 用劳动、技艺或身体换取钱物：～苦力|～艺不～身。❸ 出卖(国家、集体或亲友利益)：～国贼|～友求荣。❹ 尽量用出来；不吝惜：干活～劲儿|干工作～力气。❺ 故意显露：～弄|～乖。

【备考】 简化字“卖”来源于汉代草书，见西汉史游《急就章》及汉简。

郁[1] yù　❶ 香气浓烈：～烈|馥～。❷ 姓。

郁[2]**(鬱)〔欝〕〔鬰〕** yù　❶ 草木繁盛：～～葱葱。❷ (忧

愁、愤闷)聚积不得疏散：～积|～结|忧～|～～不乐。

矾(礬) fán 某些金属硫酸盐的含水结晶，通称矾石。白色的叫明矾，也称白矾，可供制革、造纸、制染料等用，又用作媒染剂、浊水澄清剂等。

【备考】繁体礬，形声字，从石，樊声；简化字矾，从石，凡声，为现代群众创造的新形声字。

矿(礦)〔鑛〕 kuàng ❶埋藏在地壳中可开采和利用的物质：～物|～藏|金～|煤～|～产资源。❷采矿的：～井|～区|～工|～灯。❸采矿的场所、单位：～主|下～|在～上干活儿。

【备考】矿，旧读gǒng，形声字，从石，广声。

砀(碭) dàng 用于地名：～山(在安徽)。

【备考】繁体碭，形声字，从石，昜(yáng)声，类推简化为砀。本义为有花纹的石头。

码(碼) mǎ ❶表示数目的符号：数～|号～|页～|价～|明～标价。❷计算数目的用具：筹～|砝(fǎ)～。❸[英yard]英美制长度单位。1码=3英尺，合0.914 4米。❹量词。相当于"件""回""种"，指事情：这～事怕办不成了|你是你，我是我，咱们两～事。❺堆；垛；垒起：～砖头|～货箱|～积木。❻【码头】水边供停船上下旅客、装卸货物的建筑场地。

厕(厠)〔廁〕 cè ❶大小便的处所：～所|男～|女～|公～。

❷〈书〉参与;混杂在里面:~身|杂~。

【备考】厕,形声字,本从广(yǎn),则声;后讹为从厂。今从广者作异体字处理。

奔[1]〔奔〕〔犇〕bēn ❶ 快跑;急驰:~跑|~驰|飞~|狂~|~涌|~泻。❷ 逃跑;流亡:~逃|东~西窜。❸ 赶忙办急事:~丧(sāng)。

奔[2]〔奔〕〔逩〕bèn ❶ 走向;投向:投~|直~目的地。❷ 介词。朝;向:~这边看|~工地去。❸ 副词。年纪接近:两口子都是~六十的人了。❹ 为办成某事而到处活动:~火车票。

【备考】① 奔,早期金文作[古文字],从夭从三止(脚),夭象人奔走之形,三止也表示奔走之意。小篆讹作[古文字],下从卉。楷书旧字形作奔,新字形作奔。② 1955年12月发布的《第一批异体字整理表》中"奔(bēn)"有异体字"犇"。2013年发布的《通用规范汉字表》确认"犇"为规范字,仅用于姓氏人名;表示"奔跑"等意义时仍为"奔(bēn)"的异体字。

奋(奮)fèn ❶ 鸟张开翅膀:~飞。❷ 振作;鼓劲:~发|~勉|振~|兴~|勤~。❸ 举起;摇动:~臂高呼|~笔疾书。

【备考】繁体奮,金文作[古文字],从隹,从衣,从田,隹为一种鸟的象形,衣以覆鸟,田象一种网,缠缚鸟足,表示鸟被捉、鼓翅挣扎的意思。小篆讹变作[古文字](奮),简化字奋省"隹",见于清代刊行的《岭南逸史》。

态(態) tài ❶ 情状;样子:～度|神～|事～|状～|动～。❷ 一种语法范畴,多表明句中动词所表示的动作与主语所表示的事物间的关系:主动～|被动～。

瓯(甌) ōu ❶ 小盆:金～无缺(比喻国土完整)。❷〈方〉盅:～子|茶～|吃几～酒。❸ 古地名,在今浙江温州,后为温州的别称:～绣。❹ 水名,即永宁江,经温州入东海。❺ 姓。

欧(歐) ōu ❶ 指欧洲:～化|西～|～亚大陆。❷ 电阻单位欧姆的简称。❸ 姓。

殴(毆) ōu 打(人):～打|～伤|斗～|痛～。

垄(壟) lǒng ❶ 高起的田界,田埂。❷ 在地里培起的种植农作物的土埂:～背|打了五条～。❸ 农作物条播的行或行间空地:～作|宽～|一～麦子。❹ 形状像垄的东西:瓦～。

郏(郟) jiá ❶ 地名用字:～县(在河南)。❷ 姓。

轰(轟) hōng ❶ 拟声词。形容巨大的响声:～鸣|～的一声。❷ 雷击;炮击;火药爆炸:～击|～炸|炮～|雷～电闪。❸ 赶走:～鸡|～赶|～出去。

【备考】繁体轟,会意字,从三車,本义是形容众多车辆发出的声音。简化字轰,来源于草书。清代褚人获《坚瓠集》和通俗小说《目连记弹词》中有轰,《简化字总表》又类推简化为轰。

顷(頃) qǐng ❶〈书〉极短的时间：～刻|少～|俄～|有～。❷〈书〉刚才；前不久：～闻|～接来信。❸〈书〉某个时间的前后：乾隆八年～。❹ 地积单位。市顷的通称，100 亩等于 1 顷：五～地|良田万～。

转(轉) ㊀ zhuǎn ❶ 改换方向、位置、形势、情况等：～身|～弯|～移|好～|向左～|晴～多云。❷ 把一方的物品、信件、意见等传给另一方：～送|～交|～达|～告。

㊁ zhuàn ❶ 回旋；绕着中心运动：～圈|～椅|～来～去|轮子～得飞快|地球绕着太阳～。❷ 闲逛：～悠|上街～～。❸〈方〉量词。绕一圈叫一转。

㊂ zhuǎi 【转文】说话时不用口语，而用文言字眼，以显示有学问。

【辨析】转(zhuǎn)是改变方向，而转(zhuàn)则是作圆周运动。“峰回路转”指道路改变方向，故其中的“转”读 zhuǎn，而“天旋地转”指感觉大地在转圈，故其中的“转”应读 zhuàn。“转动”有二义，表示向各方向活动时读 zhuǎndòng，表示以一点为中心作圆周运动时读 zhuàndòng。

轭(軛) è 牛马等拉东西时架在脖子上的器具：车～。

斩(斬) zhǎn ❶ 砍头，古代死刑的一种；泛指砍杀：～首|腰～。❷ 砍断：～草除根|披荆～棘。

轮(輪) lún ❶ 车轮;泛指轮子:～轴|齿～|三～车。❷ 转动:眼珠间(jiàn)或一～。❸ 按次序周转替换:～班|～流|～换|下一个就～到你了。❹ 周围;边缘:～廓|耳～。❺ 像轮子的东西:日～|月～|年～。❻ 轮船:～渡|货～|江～。❼ 量词。1. 用于日、月等圆形物:一～红日|一～明月。2. 用于循环的事物或动作:比赛进入第二～。

軝(軝) qí 〈书〉车毂上的装饰。

软(軟)〔輭〕 ruǎn ❶ 物体内部的组织疏松,受外力作用后,容易改变形状:～膏|柔～|～组织|沙发很～|❷ 柔和;温和:～风|～语。❸ 弱;不坚强:～弱|两腿发～|欺～怕硬。❹ 容易被感动或改变主意:心～|耳朵～。❺ 温和的手段:～硬兼施|吃～不吃硬。❻ 能力弱;质量差:功夫～|货色～。❼ 姓。

鸢(鳶) yuān 猛禽,上嘴有钩,趾有利爪,善飞翔。俗称老鹰:纸～(风筝)|～飞鱼跃。

[|]

肯〔肎〕 kěn ❶ 附着在骨头上的肉:～綮(qìng)|中(zhòng)～。❷ 表示同意、愿意:首～|不～答应|劝了半天他才～了。

齿(齒) chǐ ❶ 牙齿,人类和高等动物咀嚼(jǔjué)食物的器官:～龈|唇～相依。

❷（～儿）像牙齿一样整齐排列的东西：～轮|锯～儿。❸〈书〉指年龄：年～|序～|～德俱尊。❹〈书〉谈到；提到：～及|不足～数(shǔ)|人所不～。

【辨析】注意"齿"和"牙"的区别。"牙"的本义指口腔后部的槽牙,"齿"的本义指门牙。"齿"的其他意义,"牙"都没有。

【备考】齿,甲骨文作[illegible],象口齿之形。从齿的字大都与牙齿有关。

虏(虜)〔虏〕 lǔ ❶俘获：～获。❷打仗时捉住的敌人：优待俘～。❸〈书〉奴隶；仆人：臣～。❹〈书〉对敌人的蔑称：敌～|强～。

【备考】繁体虜,形声字,本从毌(同贯),从力,虍声。后毌讹作田。简化字省毌,居延汉简上已有虏字。

肾(腎) shèn ❶人和高等动物的泌尿器官。俗称腰子：～脏|～虚。❷中医称人的睾丸为外肾。

【备考】繁体腎,形声字,从肉,臤(qiān)声。类推简化作肾。

贤(賢) xián ❶品德高尚；有才能：～人|～明|～慧|～妻良母。❷有德行的人；有才能的人：圣～|～达|选～举能。❸敬辞。一般用于称年龄小于自己的平辈或晚辈：～弟|～妹|～侄|～契(老师称弟子或长辈称朋友的子侄辈)。

【备考】繁体賢,形声字,从貝,臤(qiān)声,类推简化作"贤"。

晦(暐) wěi 〈书〉光很强烈。

昙(曇) tán ❶〈书〉云彩密布：～～。❷译音用字：～花(梵语优昙钵花的简称)。

果[1]〔菓〕 guǒ 植物的果实：～树|水～|开花结～。

果[2] guǒ ❶事情的结局：结～|成～|自食其～。❷〈书〉实现；成为现实：登山未～。❸〈书〉饱足；充实：食不～腹。❹副词。表示事情与所说或所料相符：～然|～真|如～|～不出所料。❺不犹豫：～敢|～断。❻姓。

【备考】果，象形字，金文作，《说文》小篆作，象果实在树上之形。

昆[1] kūn ❶众多：～虫。❷子孙；后嗣：后～。❸哥哥：～弟|～仲。

昆[2]〔崐〕〔崑〕 kūn 【昆仑】山名。

国(國) guó ❶国家：～法|～内|祖～|外～。❷代表国家的：～旗|～徽|～歌|～花。❸在一国之内最好的：～手|～色。❹本国的；特指中国的：～货|～画|～术|～产。❺姓。

【备考】国，甲骨文作，形声字，从口，戈声；口为口字讹变，表示诸侯封地的邦域。金文作(即“或”)，口之上下又从一，一指疆界。小篆又为本义造，加口为意符，隶变作國。古代國字俗体很多，在居延、敦煌汉简中，就有接近国的草书，北朝时期东魏李祔造像及唐敦煌变文写本中都有国字。俗体又作国，从口、从王会意，今以从王封建意识太浓，采用了国作为规范的简化字。

畅(暢) chàng ❶ 没有阻碍；不停滞：～行｜～销货。❷ 痛快；尽情：～谈｜～饮。❸ 姓。

【备考】繁体暢，本作“暘”，形声字，从田，易(yáng)声，讹变为“暢”。本义为田荒芜不生谷物。简化字畅，依易的简化方式类推。

砚(晛) xiàn 〈书〉❶ 日气；日光。❷ 明亮。

咙(嚨) lóng 【喉咙】咽喉，咽部和喉部的通称。

虮(蟣) jǐ 虮子，虱子的卵。

黾(黽) ㊀ měng 古代指蛙的一种。
㊁ miǎn 〈书〉同“渑”。
㊂ mǐn 【黾勉】〈书〉努力：～从事。

【备考】黾，象形字，甲骨文作[illegible]，象蛙形。从黾的字多为蛙类或爬行动物。

咒〔呪〕 zhòu ❶ 信奉某些宗教的人认为可以驱灾降妖的口诀：符～｜作法念～。❷ 说希望别人不顺利的话：～骂｜诅～｜～他不得好死。❸ 誓言：赌～。

呼[1]〔虖〕〔嘑〕〔謼〕 hū 大声喊：～号｜～救｜～喊｜惊～。

呼[2] hū ❶ 使气从口或鼻中出来,吐气(跟“吸”相对):～吸|～气。❷ 唤;叫:～应|～朋引类|～之欲出。❸ 拟声词。形容刮风、吹气等的声音:北风～～地吹着|大鸟～的一声飞过去了。❹ 姓。

鸣(鳴) míng ❶ 鸟兽昆虫叫:鸟～|鸡～|～蝉|～禽。❷ 发出声音:耳～|轰～|礼炮齐～。❸ 使发出声音:～鼓|～枪|～锣开道。❹ 发表意见;表达感情:～谢|～冤|不平则～|百家争～。

咛(嚀) níng 【叮咛】反复地嘱咐。

咏〔詠〕 yǒng ❶ 依照一定的声调缓慢地诵读或歌唱:～叹|歌～|吟～。❷ 用诗、词等抒写:～史|～梅|～怀|杂～。

【备考】咏,形声字,从口,永声。异体詠,从言,永声。今以咏为正体。

咝(噝) sī 拟声词。形容枪弹在空中飞过时的声音或物体燃烧时发出的细碎的声音:子弹～～地从头上飞过|导火线～～地响着,情况十分紧急。

岸〔屽〕 àn ❶ 江、河、湖、海等水边的陆地:～标|～边|海～|河～。❷〈书〉高大:伟～。❸〈书〉高傲;严肃:傲～|道貌～然。

岩〔嵒〕〔巗〕〔巖〕 yán ❶ 山峰:七星～(在广西桂林)。❷ 岩石;构成地壳的矿物集合体:～层|～心|花冈～|火成～。

岽(崬) dōng 地名用字：～罗(在广西)。

罗(羅) luó ❶ 捕鸟的网：～网|天～地网。❷ 张网捕鸟：门可～雀。❸ 招集；搜集；囊括：～致|搜～|网～|包～万象。❹ 陈列：～列|星～棋布。❺ 细筛的一种。用竹片或木片做成框架，卡好细网做成，用来筛物：绢～|铜丝～|把面过一下～。❻ 用罗筛东西：把这袋面～一～。❼ 一种质地稀疏轻软的丝织品：～衣|～扇|绫～绸缎。❽ 姓。

岿(巋) kuī 〈书〉高峻独立的样子：～然|～巍。

帜(幟) zhì 旗子：旗～|独树一～。

【备考】繁体幟，形声字，从巾，戠(zhī)声；简化字帜，从巾，只声，现代群众创造。

帙〔袟〕〔袠〕 zhì ❶ 古代书画外面包着的布套。❷ 量词。用于装套的线装书。

岭(嶺) lǐng ❶ 顶上有路可通行的山；泛称山峰：山～|峻～|翻山越～。❷ 连绵的高山：秦～|南～|大兴安～。❸ 特指大庾(yǔ)等五岭：～南(指广东、广西一带)。

刿(劌) guì 〈书〉刺伤；割伤。

迥〔逈〕 jiǒng ❶〈书〉远：山高路～。❷ 差别很大：～异|～别|～然不同。

剀(剴) kǎi 【剀切】(—qiè) 切实,恳切;切中事理:~之论|~中理|言多~。

凯(凱) kǎi ❶ 胜利的乐曲:~旋|~歌。❷ 姓。

峄(嶧) yì 峄山,山名,在山东。

【备考】峄,繁体作嶧,形声字,从山,睪(yì)声。类推简化作峄。

败(敗) bài ❶ 毁坏:~坏|~血症|伤风~俗。❷ 破旧;腐烂:~絮|腐~|~类。❸ 衰落:~落|衰~|花开~了。❹ 在战争或竞赛中失利(与“胜”相对):~仗|~退|胜不骄,~不馁。❺ 打败:大~敌军。❻ 消除;解除:~火|~毒。❼ 做事情没有成功(与“成”相对):功~垂成。

账(賬) zhàng ❶ 关于财务出入的记载:~目|记~|流水~|两笔~。❷ 记账的本子:一本~。❸ 债:借~|还~|放~。

【辨析】账字本作帐。后用形旁贝代巾,为账目义造账字,与帐并行。为使二字用法有明确的分工,账目义应写作账(账本、帐本已规范为账本)。

贩(販) fàn ❶ 买进货物再卖出去以获取利润;也单指买进货物:~卖|~私|~毒|到南方去~货。❷ 买货出卖的小商人:小~|摊~|牲口~子。

贬(貶) biǎn ❶ 降低:~谪|~黜|~值。❷ 指出缺点;给予不好的评价:~低|

～抑|似褒实～|把人～得一钱不值。

购(購) gòu 买：～买|～物|收～|邮～|～销两旺。

【备考】繁体購，从貝，冓(gòu)声。本义指重赏征求，重金收买(其对象不是通常的商品)，今双音词仍有购求、购募等。简化字购，形声字，从贝，勾声，现代群众创造。

贮(貯) zhù 储藏；积存：～藏|～存|积～。

【辨析】注意简化字右边不作"宁"。宁是繁体寧的简化字，而繁体字"宁(zhù)"及从"宁"的字今均简化作"㝉"。

【备考】贮，甲骨文作[illegible]，象贝藏于㝉(zhù，繁体作宁，古文字象橱柜形)中，或把贝移到㝉下作[illegible]。贮、㝉本为一字。贮可视为从贝，从㝉，㝉兼表音的会意兼形声字。

图(圖) tú ❶ 描绘或印出的形象：～象|～片|地～|插～。❷ 谋划；打算：～谋|力～|试～。❸ 谋求；希望得到：贪～|唯利是～|不～名，不～利。❹ 规划；计划：宏～|良～。

【备考】繁体圖，有人认为从囗、从啚会意，囗表示城邑，啚为鄙的初文，义为城外，乡下。有城邑，又有乡下的地方，故其本义为地图。简化字图来源于草书，清代刊行的《岭南逸史》中有图字，《简化字总表》改为"图"。

罔〔罔〕 wǎng 〈书〉❶ 蒙蔽：欺～。❷ 没有；无：置若～闻。

[丿]

钍(釷) tǔ 金属元素,符号 Th。银白色,质软,有放射性。

钇(釔) yì ❶〈书〉古代的一种方鼎。❷ 地名用字:~山镇|~庄(均在山东)。❸ 姓。

钎(釺) qiān 钎子,一头有尖或有刃的长钢棍,是凿孔的工具,常用于采掘工程:钢~|打~。

钏(釧) chuàn 镯子:金~|银~。

钐(釤) ㊀ shān 金属元素,符号 Sm。一种稀土金属,有放射性。

㊁ shàn 〈方〉用镰刀大片地割、砍:~草。

钓(釣) diào ❶ 在特制的钩上装上食饵,放入水中诱捕鱼虾等:~鱼|~竿|垂~。❷ 比喻用不正当的手段取得:沽名~誉。

【辨析】钓—钩 “钓”的右边是“勺”,“钩”的右边是“勾”。

钒(釩) fán 金属元素,符号 V。银白色,质硬,耐腐蚀,用于制造合金钢等。

钔(鍆) mén 金属元素,符号 Md。有放射性,由人工核反应获得。

钕(釹) nǚ 金属元素,符号 Nd。一种稀土金属,用来制作合金和光学玻璃等,也用于激光材料。

钖(鍚) yáng 〈书〉马额上的金属装饰品。

【备考】繁体鍚，形声字，从金，昜(yáng)声，类推简化为钖。

钗(釵) chāi 古代妇女别在发髻(jì)上的一种叉形首饰：金～。

制[1] zhì ❶ 规划；订立：～订计划|因地～宜。❷ 禁止；限定；约束：～服|～裁|控～|限～|节～。❸ 法则；制度：体～|百分～|供给～|民主集中～|全民所有～。

制[2](製) zhì 造；做：～品|～图|缝～|炼～。

【备考】制，会意字，小篆作𠛐，从刀，从未(有人认为"未"本义为树木枝条，隶变作"𠂔")，本义为割断，切割。引申为制作等义。后在"制作"的意义上又造製(从衣，从制，制兼表音，本义为"剪裁")，今以"製"为繁体，制作义也作"制"。

氛〔雰〕 fēn 周围的情景；环境呈现出的某种情调：～围|气～。

牦〔犛〕〔氂〕 máo 牦牛，牛的一种，全身有长毛，是我国青藏高原的主要力畜。

刮[1] guā ❶ 搂(lōu)在一起，搜求：搜～。❷ 用刀刃平削物体，把物体表面的某些东西去掉：～脸|～锅|把墙皮～下来。❸ 在物体表面上涂抹：～一

层糨糊。❹ 擦拭：～目相看。

刮²(颳) guā　(风)吹：～风|旗杆被～倒了。

【备考】刮，形声字，从刀，昏(guā)声。"昏"隶变作"舌"。"风吹动"的意义最初也用刮，后将意符"刀"改为"風"，分化出颳字。今《简化字总表》又将两字合并为刮。

秆〔稈〕 gǎn　(～儿)稻、麦等植物的茎：麦～儿|麻～儿|高粱～儿。

【辨析】秆—杆—竿　三字都表示细而长的东西，但所指不同。"秆"音 gǎn，指禾本植物的茎，所以形旁是禾；"竿"指竹竿，所以形旁是"竹"。"杆"的使用范围比"竿大"，除竹竿外，其他细而长的东西都用"杆"表示。杆读 gǎn 时的意义更是秆和竿字所没有的。

和¹〔咊〕〔龢〕 hé　❶ 温和，不猛烈：～蔼|～缓|柔～|～颜悦色。❷ 谐调；和睦：～谐|～乐|～美|兄弟不～。❸ 结束战争或争执：～解|～约|讲～|议～。❹ 比赛不分胜负(多指棋类、球类)：～局|～棋。❺ 姓。

和² hé　㊀ ❶ 连带：～盘托出|～衣而卧。❷ 连词。跟；与：我～他|白天～黑夜。❸ 介词。表示相关、比较等：你～他讲过这个故事吗？❹ 加法运算中，两个以上的数加起来的总数，如"3＋2＝5"中，和是 5。

㊁ hè　❶ 跟着唱或说：一唱一～|曲高～寡|附～。❷ 仿照别人诗词的题材和体裁写作：～诗|奉～

一首。

㊂ hú 打麻将、斗纸牌时某一方的牌合乎规定要求而获胜。

㊃ huó 将粉状物或粒状物加水搅拌：～面|～泥。

㊄ huò ❶ 混合，或混合后搅拌成稀的东西：～药|～稀泥|牛奶里～点儿糖。❷ 量词。指洗东西换水的次数或一剂中药煎的次数：菜洗了三～|药煎了两～。

【备考】1955 年 12 月发布的《第一批异体字整理表》中“和”有异体字“龢”。2013 年发布的《通用规范汉字表》确认“龢”为规范字，仅用于姓氏人名；表示“和谐、柔和、和煦、讲和、和棋”等意义时仍为“和”的异体字。

岳[1]〔嶽〕yuè 高大的山；特指“五岳”，即东岳泰山、西岳华山、南岳衡山、北岳恒山、中岳嵩山。

岳[2] yuè ❶ 对妻子的父母或叔伯的称谓：～父|～母|～家|叔～。❷ 姓。

【备考】岳，《说文》古文作[古文字形]，从山，上象山峰高的样子，为象形字，隶变作岳。嶽，本为五嶽之嶽的专用字，又与岳通。今作岳的异体字处理。

侠(俠) xiá ❶ 旧时指有武艺、讲义气、肯舍己助人的人：～客|游～|武～|七～五义。❷ 指讲义气，肯舍己助人的(行为、精神)：～骨|～肝义胆|行～仗义。

侥[1](僥)yáo 【僬侥】(jiāo—)古代传说中的一种小矮人。

侥[2](僥)〔儌〕jiǎo 求取(名利或幸运):~幸|~名。

【备考】1955年12月发布的《第一批异体字整理字表》中繁体“僥”有异体字“儌”,1965年发布的《印刷通用汉字字形表》和1988年发布的《现代汉语通用字表》均收入“儌”字,读jiào表示边界、巡查,并用作姓氏。

侄〔姪〕〔妷〕zhí 兄弟及其他同辈男性亲属的儿子;也指朋友的儿子:~媳|~孙|内~|世~|子~。

侦(偵)〔遉〕zhēn 暗中察看;探查:~察|~查|~探。

【备考】旧读zhēng。

侃〔偘〕kǎn ❶〈书〉刚直;理直气壮:~~而谈。❷用言语戏弄;调笑:调~。❸〈书〉和睦快乐的样子。❹〈方〉闲聊;闲扯:~大山。

侧(側)㊀cè ❶旁边:~门|~视|两~|旁敲~击。❷歪向旁边:~身|倾~|~着头|~目而视。

㊁zè 〈书〉同“仄”:平~。

㊂zhāi 〈方〉倾斜;不正:~歪|~棱着身子睡觉。

凭(憑)〔凴〕píng ❶身体靠着:~栏|~几(jī)。❷依靠;倚仗:~

借|～侬|～本事吃饭。❸ 证据：～证|文～|真～实据|空口无～。❹ 根据：～票入场|～证供应。❺ 连词。无论；任凭：～你怎么说，我也不信。

【辨析】“平心而论”指平心静气地评论，不能写作“凭”。

侨(僑) qiáo ❶ 在外国居住，古代也指居住他乡：～胞|～民。❷ 住在外国而保留本国国籍的居民；侨民：～务|华～|归～。

侩(儈) kuài 旧指撮合买卖从中取利的人：市～|牙～。

货(貨) huò ❶ 财物：杀人越～。❷ 商品：百～|售～|进了一批～。❸ 指人(骂人的话)：蠢～|泼辣～。❹〈书〉卖：～卖。

侪(儕) chái 〈书〉同辈；同类的人：～辈|～类|吾～|同～。

侬(儂) nóng ❶〈方〉你。❷〈书〉我：杏花村后是～家。❸ 姓。

迫〔廹〕 ㊀ pò ❶ 靠近：～近。❷ 压制；硬逼：压～|逼～|～害|被～投降。❸ 急促：急～|～不及待|从容不～。

㊁ pǎi 迫击炮，一种武器。炮身短，射程较近。

质(質) zhì ❶〈书〉抵押：以物～钱。❷ 抵押品：人～|以此物为～。❸ 事物的客观实体：物～|媒～|杂～。❹ 事物的根本属性：性～|本～|品～|素～|变～。❺ 质量；产品或工作的优劣程度：优～优价|保～保量。❻ 朴素；单纯：～朴。

❼ 询问;责问:～疑|～询。

【备考】繁体質,形声字,从貝,斦(zhì)声。东汉《北海相景君铭》中有质字(貝未简化),清初刊行的《目连记弹词》中已有与今简化字完全相同的质字。

欣〔訢〕 xīn 喜悦;快乐:～喜|～慰|～然|欢～鼓舞。

【备考】1955 年 12 月发布的《第一批异体字整理表》中"欣"有异体字"訢"。1964 年 5 月发表的《简化字总表》收入"訢"的类推简化字"䜣"。1988 年发布的《现代汉语通用字表》收入"䜣"字,2013 年发布的《通用规范汉字表》确认"䜣"为规范字,仅用于姓氏人名;表示"喜悦、快乐"的意义时,繁体"訢"仍为"欣"的异体字。

征¹ zhēng ❶ 走远路:～途|长～。❷ 出兵讨伐:～服|～讨|出～|南～北战。

征²(徵) zhēng ❶ 由国家召集或收用:～兵|～税|～用|～调。❷ 寻求;收集:～求|～稿|～集。❸ 证明,证验:～引|信而有～。❹ 表露出来的迹象;现象:～候|～兆|象～|特～。

【辨析】"徵"又读 zhǐ,不能简化作"征"。

【备考】征与徵原为两个字。征行、征伐义本作正,以足(止)指向某一区域,表示远行义(参见"正"字),后加彳作征。徵,《说文》释为"从𡈼(tǐng),从微省"的会意字,本义为"召"。两字古代通用,《简化字总表》将徵并入征。

往〔徃〕 wǎng ❶ 去:～来|～返|前～|人来人～。❷ 过去的:～年|～事|～昔|继～

开来。❸ 向某处去：你～东，我～西｜开～上海｜通～山区｜运～内地。❹ 介词。引进行为动作的方向：～前看｜～外走｜水～低处流。

【辨析】“往”的第❹义有人读作 wàng。《审音表》规定“往”统读为 wǎng，此义读 wàng 时可写作“望”。

径[1]（徑）〔逕〕jìng ❶ 狭长的小路：山～｜曲～。❷ 比喻达到目的的方法：捷～｜门～｜途～。❸ 直截了当：～自｜～直。

径[2]（徑）jìng 直径的简称：口～｜半～。

【备考】① 繁体徑，形声字，从彳，巠（jīng）声，类推简化为径。② 1955年 12 月发布的《第一批异体字整理表》中繁体“徑”有异体字“逕”。2013 年发布的《通用规范汉字表》确认“逕”的类推简化字“迳”为规范字，仅用于姓氏人名、地名；表示“小径、门径、径直”等意义时，繁体“逕”仍为“径”的异体字。

舍[1]（捨）shě ❶ 放弃；丢开：～弃｜～不得｜四～五入｜～舟登岸｜～本逐末。❷ 把钱物送给穷人或出家人：～饭｜～药。

舍[2] shè 8 画 人部 ❶ 房屋：宿～｜校～｜竹篱茅～。❷ 养家禽家畜的地方：鸡～｜猪～｜牛～。❸ 谦称。1. 指自己的家：～间｜寒～。2. 指年纪、辈分比自己小的亲属：～弟｜～侄。3. 指自己的亲戚：～亲。❹ 古时行军三十里为一舍：退避三～。❺ 姓。

【辨析】注意：宿舍、舍亲、退避三舍等名词义均读 shè，不读 shě。

【备考】繁体捨，形声字，从手（扌），舍声。舍，古通捨，《简化字总表》将"捨"并入"舍"。

刽（劊）　guì　〈书〉割断：～子手（旧指处斩罪犯的操刀手，泛指处决罪犯的执行者。喻指以各种方式杀人的凶手）。

郐（鄶）　kuài　❶ 周代国名，在今河南密县东南。❷ 姓。

命〔㑹〕　mìng　❶ 寿命；生命：短～｜舍～｜救～｜长～百岁｜拼上一条～。❷ 命运；人一生中的遭遇（生死、贫富等）：薄～｜苦～｜听天由～。❸ 上级、尊长给下级、小辈发指示：～部队转入进攻｜～儿子立即回家。❹ 上级、尊长给下级、小辈的指示：奉～｜待～｜收回成～｜父母之～。❺ 给予；确定：～名｜～题。

【备考】甲骨、金文"命""令"同字，小篆作 ，从口，从令。

肴〔餚〕　yáo　指鱼肉等做成的荤菜：菜～｜酒～｜美味佳～。

怂（慫）　sǒng　【怂恿】（—yǒng）从旁鼓动人（去做某事）：在他的～下，小王也开始逃学了。

采[1]〔採〕　cǎi　❶ 从草木上摘取：～桑｜～茶｜～莲｜～了一把野花。❷ 选取；选用：～购｜～纳｜～取｜博～众长（cháng）。❸ 搜集：～集｜～访｜～风｜～种（zhǒng）。❹ 挖掘矿藏：～矿｜～油｜～掘｜开～。

采[2] cǎi 精神;神色:神～|风～|兴高～烈|无精打～。

采[3]〔寀〕cài 古代卿大夫的封地:～邑|～地。

籴(糴) dí 买入粮食:～高粱|～谷子。

【辨析】上从入,不从人。

【备考】繁体糴,会意字,从入,从糴(dí,谷物);简化字籴,会意字,从入,从米。唐代《干禄字书》有籴字。

觅(覓)〔覔〕 mì 寻找:寻～|～食|～友|踏破铁鞋无～处。

贪(貪) tān ❶ 一心追求;不知满足:～财|～玩|～小便宜|～生怕死|起早～黑。❷ 指贪污:～赃枉法|～官污吏。

念[1] niàn ❶ 经常地想;惦记:思～|怀～|惦～|想～。❷ 想法:～头|私心杂～|一～之差|万～俱灰。❸ 姓。

念[2]〔唸〕niàn ❶ 诵读:～报|～信|～课文|～佛。❷ 读书上学:～中学。

贫(貧) pín ❶ 穷:～民|清～|扶～|劫富济～。❷ 缺少:～血|～油国。❸ 絮烦:耍～嘴|这个人真～。

【辨析】贫—穷 "贫"本指缺少衣食钱物,是就物质生活而言;"穷"则指走投无路,是就事业、仕途而言。后穷与贫都可表示缺少衣食,但穷多用于口语,可单说;贫多用于书面语,不单说。

瓮[1]〔甕〕〔罋〕 wèng ❶一种盛东西的陶器，腹部较大：水～|酒～|～中捉鳖|请君入～。❷形容声音重浊：～声～气。

瓮[2] wèng 姓。

戗（戧） ㊀ qiāng ❶逆；方向相反：～风|～辙儿走。❷（言语）冲突：两人说～了，吵了起来。

㊁ qiàng ❶撑；支持：用两根木头～住墙。❷斜对着墙角的屋架。❸支撑柱子或墙壁使免于倾倒的木头。❹大堤外围对大堤起加固和保护作用的小堤：土～。

【辨析】戗—呛 见"呛"字辨析（143 页）。

肤（膚） fū ❶身体的表皮：皮～|～色|切～之痛|体无完～。❷浅薄：～浅|～泛|～皮潦草。

【备考】繁体膚，形声字，从肉，声旁为盧（卢繁体）的省写。简化字肤，形声字，从肉，夫声，见于南朝字书《玉篇》。

肫（膞） zhuān 〈方〉禽类的胃：鸡～。

肿（腫） zhǒng 皮肉因生病、受伤等而浮胀：浮～|脓～|～瘤|手冻～了|头上～起一个包。

【备考】繁体腫，形声字，从肉，重声。简化字肿，从肉，中声，是现代群众创造的新形声字。

胀(脹) zhàng ❶ 身体内壁受到自内向外的压迫而产生的不舒服的感觉：肚子发～|头昏脑～。❷ 体积扩大：膨～|热～冷缩。

【辨析】胀—涨 见“涨”字辨析(355页)。

【备考】胀，形声字，从肉，长声。胀满、膨胀是扩张义的引申，字最初作“张”，后用改换偏旁的方法为这一意义造“胀”字。“胀”是“张”的后起分化字。

肮(骯) āng 【肮脏】(—zāng) ❶ 污垢多，不干净：～的垃圾场|被褥太～。❷ 比喻卑鄙、丑恶：～的交易|灵魂～。

【备考】① 繁体骯，形声字，从骨，亢声。“骯髒”本读kǎngzǎng，义为刚直的样子或身体肥胖的样子，与读āngzāng的“骯髒”不同。② 简化字肮，可视为从肉，亢声，是现代群众创造的新形声字。旧有肮字，读háng，指咽喉和颈部大脉，与简化字肮(āng)为音义不同的同形字。

胁(脅)〔脇〕 xié ❶ 胸部两侧有肋骨的部分：两～。❷ 挟制；逼迫：～迫|～持|～从|威～。

【备考】繁体脅，形声字，从肉，劦(xié)声。简化字胁，声旁简作“办”，以左右两点代替二“力”。胁见于明代官府文书档案《兵科抄出》，1935年《简体字表》也收入胁字。

周[1]〔週〕 zhōu ❶ 首尾相连的闭合图形；环绕中心的外围部分；圈子：～长|圆～|四～。❷ 绕一圈：～而复始。❸ 普遍；全：～游列国。

❹ 完备;细密: ～到|～密。❺ 时间的一轮;特指一个星期: ～期|～年|～刊|下～二。

周[2] zhōu ❶ 接济;救济: ～济。❷ 朝代名。1. 周朝,公元前 1046—前 256 年。分西周(姬发建)和东周(姬宜臼建)。2. 北周,北朝之一,公元 557—581 年。宇文觉建。3. 后周,五代之一,公元 951—960 年。郭威建。❸ 姓。

【备考】周,甲骨文作[甲骨文],象密致周帀之形,用作方国名或地名。金文作[金文](国名、地名用字常加口),《说文》小篆讹作[小篆],从用、口。

昏〔昬〕 hūn ❶ 天色即将变黑的时候: 黄～。❷ 天色暗;光线不足: ～暗|～黑|天～地暗。❸ 糊涂;头脑、视力不清: ～庸|～聩|头～脑胀|老眼～花。❹ 失去知觉: ～迷|～厥|～过去了。

迩(邇) ěr 〈书〉近: 遐～尽知。

鱼(魚) yú ❶ 生活在水里的一类脊椎动物。靠鳍游水,靠腮呼吸。多数有鳞、有鳔: 鲤～|捕～|热带～。❷ 指一些水生动物: 鲸～|甲～|鱿～|鳄～。❸ 姓。

【备考】鱼,甲骨文作[甲骨文],象鱼形。从鱼的字多数为鱼名,或表示鱼的器官、状貌等。

兔〔兎〕〔兔〕 tù 哺乳动物。耳长,上唇中间分裂,尾短而上翘,善于跳跃。

【备考】兔,甲骨文作[甲骨文],象兔长耳撅尾之形。

狝(獮) xiǎn 古代指君王秋天打猎：～场|秋～。

狞(獰) níng 凶恶：～恶|～笑|狰～面目。

备(備)〔俻〕 bèi ❶ 有；具有：齐～|完～|德才兼～。❷ 预先筹划；事先安排：～课|准～|～用|～料|～荒|有～无患|以～不时之需。❸ 做某件事所必需的成套建筑或器物：设～|军～|装～。❹ 完全：～受尊重|艰苦～尝|关怀～至。

【备考】繁体備，形声字，从人，𤰈(bèi)声。南朝字书《玉篇》有异体"俻"，简化字又省"亻"作"备"。

枭(梟) xiāo ❶ 鸟名，同"鸮"，即猫头鹰。❷ 勇猛；凶悍：～将|～雄。❸ 魁首；首领：毒～。❹ 旧时指私贩食盐的人：私～|盐～。❺〈书〉悬挂：～首|～示。

【辨析】枭，上半部是鸟，不是乌。

【备考】枭，会意字，从鸟(表示鸟头)，从木。

饯(餞) jiàn ❶ 设酒食送行：～别|～行。❷ 用蜜或糖浸渍(zì)果品：蜜～。

饰(飾) shì ❶ 使人或物美观：装～|修～。❷ 装饰品：首～|衣～。❸ 遮掩；掩饰：～词|文过～非|粉～太平。❹ 扮演(角色)：这出戏他～武松。

饱(飽) bǎo ❶ 吃足：吃～了|～食终日|酒足饭～。❷ 丰满；充足：～满|～学|～

经风霜|谷粒很～。❸ 满足：一～眼福。

饲(飼)〔飤〕 sì 喂养：～养|～料|～育。

【备考】饲，形声字，从食，司声。饲养就是“使吃”，是“食”的使动用法，古本作“食”，音 sì，后加声旁作“饲”。

饳(飿) duò 见“馉”(443 页)。

饴(飴) yí 用麦芽等制成的糖稀；今指某些软糖类糖果：～糖|高粱～。

［丶］

变(變) biàn ❶ 与原来不同；改变：～化|～样|～老|～红|～卦|一成不～|瞬息万～|沧海～桑田。❷ 使改变：～废为宝|～被动为主动。❸ 可变的：～数|～量。❹ 突然发生的非常事件：事～|兵～|～乱。❺【变文】唐代说唱文学作品之一种：目连～。

【备考】繁体變，形声字，从攴(pū，小击)，䜌(luán)声。简化字变，根据䜌旁的简化方式类推简化，同时下部的攵改为又。

享〔亯〕 xiǎng ❶ 受用；物质上或精神上得到满足：～受|～福|～用|坐～其成。❷ 取得；拥有：～有。

【备考】享，甲骨文作𠅏，象宗庙之形，本义为用食物供奉鬼神，引申指用食物招待人，宴请，后作“飨”。供奉鬼神与烹饪义与亨通义均相通，享字后分化为享、亨、烹三字，古多通用。

庞(龐) páng ❶大：～大｜～然大物。❷多而杂乱：～杂。❸(～儿)脸盘：面～儿。❹姓。

【备考】庞，形声字，从广(yǎn)，龙声。本义是高屋，罕见用例；引申为高大。

夜〔亱〕 yè　从天黑到天亮的一段时间(与“日”“昼”相对)：～班｜深～｜不舍昼～｜日日～～。

庙(廟) miào　❶旧时供祖宗神位的处所：宗～｜家～。❷供神佛或历史名人的处所：～宇｜寺～｜龙王～｜孔～｜岳～。❸庙会，设在寺庙里或附近的集市：赶～。

【备考】繁体廟，形声字，从广(yǎn)，朝声。简化字庙，由战国古文“庿”(从广，苗声)发展而来，见于元抄本《京本通俗小说》。

疟(瘧) ㊀ nüè　疟疾。一种急性传染病，其症状是周期性发冷发热。通称疟子(yào · zi)，有的地区称打摆子。

㊁ yào　疟子，一种急性传染病，口语中称疟(nüè)疾。

【备考】繁体瘧，形声字，从疒，虐声。简化字疟，将声旁省作“⺕”，现代群众创造。

疠(癘) lì 〈书〉❶瘟疫：～疫。❷恶疮。

【辨析】疠—疬　前者是癘的简化字，后者是癧的简化字。

疡(瘍) yáng ❶〈书〉疮。❷ 溃烂：溃～。

【备考】繁体瘍，形声字，从疒，昜(yáng)声。类推简化为疡。

剂(劑) jì ❶ 调节，配合：调～。❷ 配合而成的药物；制剂：药～|针～|汤～|麻醉～|清凉～。❸ 某些起化学或物理作用的制剂：杀虫～|冷冻～|催化～。❹ 指从和好的面团中分出的小块：～子|擀～儿包饺子。❺ 量词。用于若干味中药配好的汤药：一～药。

卒〔卒〕 ㊀ cù 突然：～中(zhòng，中风)。
㊁ zú ❶ 差役：走～|狱～。❷ 步兵；泛指士兵：士～|小～|马前～|一兵一～。❸〈书〉完毕；终结：～业|不忍～读|聊以～岁。❹〈书〉死亡：暴～|～于某年。❺〈书〉到底；终于：～成伟业|～胜敌军。

废[1](廢) fèi ❶ 不再使用；不再继续：～止|～弃|荒～|半途而～。❷ 没有用的或失去了原来作用的：～品|～料|～渣|修旧利～。

废[2](廢)〔癈〕 fèi 身体伤残：～人|残～。

【辨析】从"广"，不从"疒"。

净〔淨〕 jìng ❶ 清洁；没有污垢或杂质：干～|洁～|白～|窗明几～|饭前要把手洗～。❷ 洗擦干净：～手|～面|把桌子～一～。

❸ 没有余剩：～尽|分光吃～|人都走～了。❹ 纯：～重|～利|～挣5万元。❺ 副词。1. 相当于单一；没有别的：别～听他瞎说。2. 相当于全，全部：游泳池里～是小孩儿。3. 相当于总是：眼花了，～写错字|这几天～下雨。❻ 戏曲角色，花脸，扮演性格刚烈、粗暴或奸诈的男性人物。

【备考】净，本作淨，形声字，从氵，爭(争旧字形)声。后又作淨，新字形作净，淨则作为异体字处理。

闸(閘)〔牐〕 zhá ❶ 一种可以启闭的用以控制河渠水流的水利设施：～口|水～|开～放水。❷ 用闸或其他东西把水截住：把渠水～住。❸ 使机械减速或停止运行的制动装置：～盒|～皮|车～。❹ 电闸：～盒|拉～限电。

闹(鬧)〔閙〕 nào ❶ 声音大而杂乱；不安静：～市|热～|喧～。❷ 争吵；扰乱：～腾|吵～|无理取～。❸ 发泄(感情)：～情绪|～脾气。❹ 发生：～病|～灾|～矛盾。❺ 干；搞：～革命|把事情～清楚。

【备考】① 繁体鬧，会意字，从市，从鬥("争斗"的"斗"的繁体字)。鬥字头的字，一般也写作門字头，如閙、鬮、鬩等字，所以《简化字总表》把这些字都简化作门字头。② 1955年 12 月发布的《第一批异体字整理表》以"閙"为"鬧"的异体字，1964 年 5 月发表的《简化字总表》及 1986 年 10 月重新发表的《简化字总表》均以"鬧"为"闹"的繁体字，2013 年发布的《通用规范汉字表》确认"鬧"为正字，"閙"为异体字。

郑(鄭) zhèng ❶ 周代国名,在今河南新郑一带。❷ 姓。

【备考】繁体鄭,形声字,从邑,奠声。简化字郑,来源于草书,楷化的郑字见于清代刊行的《岭南逸史》。

券[1]〔劵〕 quàn 古指凭证,契约;今专指纸片式的凭证、票据:丹书铁~|债~|入场~|优惠~。

券[2] xuàn(又读 quàn) 拱券,门窗上方、桥梁下方悬空的弧形部分:发~|打~。

卷[1](捲) juǎn ❶ 把东西弯转成圆筒形:~帘子|~铺盖|~起裤腿|烙饼~大葱。❷ 某种较大的力量把东西掀起或裹住:~入旋涡|大风~着雪花|汽车~起黄尘。❸ (~儿)裹成圆筒形的东西:烟~儿|纸~儿。❹ (~儿)量词。用于成卷儿的东西:两~儿纸|一~儿铺盖。❺〈方〉责骂;讥讽:我~了他一顿。

卷[2] juàn ❶ 成本或成轴的书画:~帙|画~|手~|开~有益。❷ 量词。一部书的一部分:读万~书|全书分三~。❸ (~儿)考卷;考试写试题及答案用的纸:交~|答~。❹ 存档的文件:~宗|查~。

单(單) ㊀ dān ❶ 一个;单独:~身|~杠|孤~|~人床|~口相声。❷ 奇(jī)数(一、三、五、七等):~日|~月|~页。❸ 薄弱;微弱:~薄|~弱|势~力薄。❹ 不复杂:~纯|~句|简~。❺ 只有一层的(衣被等):~衣|~被|冬穿棉,夏换~。❻ (~儿)铺盖在床上的大幅布:床~儿|被~儿。

❼（～儿）分项记载事物的纸片：菜～儿|账～儿|传～|清～|三联～。❽副词。仅；只：～说不练|调查研究不能～听少数几个人的。

㊁ chán 【单于】（—yú）古代匈奴君主的称号。

㊂ shàn ❶地名用字：～县（在山东）。❷姓。

【备考】繁体單，甲骨文作¥，象类似“干”的兵器之形。在居延汉简中已有简化字形单。

炜（煒） wěi 〈书〉光明。

炬（熰） ǒu 柴草等没有充分燃烧：柴禾让雨淋了，一生火，～了一屋子烟|他把落叶扫成一堆，又点火～着。

炝（熗） qiàng ❶把菜在沸水中略煮后再用酱油等作料来拌：～虾仁。❷把肉、葱花等用热油略炒，使出味：～锅。

炕〔匟〕 kàng ❶北方用砖或土坯等砌成的睡觉用的台子，可以烧火取暖：热～|火～。❷〈方〉烤：把淋湿的衣服～干。

炉（爐）〔鑪〕 lú 做饭、烧水、取暖、冶炼用的设备：火～|锅～|炼钢～。

【备考】① 繁体爐，形声字，从火，盧声。简化字炉，从火，户声，见于宋刊本《大唐三藏取经诗话》。金代字书《篇海类编》以炉为爐的俗字。② 1955 年 12 月发布的《第一批异体字整理表》中繁体“爐”有异体字“鑪”。2013 年发布的《通用规范汉字表》确认“鑪”的类推简化字“铲”为规范字，仅用于科学技术术语，指一种人造的放射性元素;表示“火炉”等意义时,繁体“鑪”仍为“炉”的异体字。

浅(淺) ㊀ qiǎn ❶ 水不深;泛指由上到下或由外到内距离小(与“深”相对):~海|~井|坑挖得~|屋子进深~。❷ 学识、修养不深:~薄|~陋|~见|才疏学~。❸ 明白易懂:~显|深入~出。❹ 时间短;历时不久:日子~|年代~|人命危~,朝不虑夕。❺ 感情不深:交情~。❻ 颜色淡薄:~红|~妆。❼ 程度低:害人不~|~尝辄(zhé)止。

㊁ jiān 【浅浅】(—jiān)〈书〉形容流水声:流水~。

【备考】浅,形声字,从水,戋(jiān)声。戋有微小的意思,故兼表义。

法〔浛〕〔灋〕 fǎ ❶ 刑法;法律、法令:~院|~学|~典|宪~|合~。❷ 准则;标准;规范:~书|~帖|~度。❸ 合法的:~定|非~|不~行为。❹ 效法;仿效:~古|取~|师~自然。❺ 方法;办法:无~|设~|土~|加~。❻ 佛教指教义或宗教仪式:佛~|听~参禅(chán)|现身说~|~事|~师|~器。❼ 法术,运用念咒、画符等驱邪的迷信手法:作~|斗~。❽ 法国的简称:英~联军。❽ 姓。

【备考】法,金文作[古文字],小篆作[古文字],从水,从廌(zhì),从去。《说文》认为,从水,因法律公平如水;廌是传说中的一种神兽,能判断是非曲直,故从廌;从去,指去掉理曲不直的一方。《说文》有或体作“法”,省廌。

泄〔洩〕 xiè ❶（液体、气体）排出：～洪|排～|水～不通。❷放松：～气|～劲。❸漏；露出：～密|～底|～漏天机。❹尽力发出：～恨|～愤|发～。

【辨析】泄—泻　泄和泻都有液体流出的意思，区别在于："泄"是从封闭的地方排出或溢出，是受控制的（如"泄洪"。"泄漏"是因没有控制住）；"泻"本义是水向下急速流动，是自然、不受控制的，所以一泻千里不能说一泄千里。在"泻肚"的意义上，泻与泄较接近，但习惯用"泻"，以表示完全失去了控制。

泷（瀧） ㊀ lóng ❶泷水，古水名。即今山东孝妇河。❷〈方〉湍（tuān）急的流水，多用于地名。

㊁ shuāng ❶泷水，古水名。即今武水。❷用于地名：～冈（山名，在江西永丰凤凰山）。

沾[1]〔霑〕 zhān ❶浸湿：～润|～湿|泪水～衣。❷因接触而附着上：柳絮～身|～了一手面|～染了坏习惯。

沾[2] zhān ❶受益；分享：～恩|～光|利益均～|一分钱不～。❷稍稍接触或挨上：～边儿|脚不～地|烟酒不～|～亲带故。

沾[3] zhān （旧读 tiān）【沾沾】轻薄自得的样子：～自喜。

泸（瀘） lú ❶泸水，古水名。指今金沙江下游一段，上有泸定桥。❷用于地名：～州（在四川）。

泪〔淚〕 lèi 眼泪；喻指某些形似眼泪的东西：～水｜热～盈眶｜烛～。

【备考】泪的异体“淚”为形声字，从水，戾声；泪字为后起会意字，从水，从目。

泺(濼) luò 泺水，古水名。

注[1] zhù ❶流入；灌入；倾泻：～入｜～射｜大雨如～。❷聚集；集中于：～意｜～目｜～重｜关～。❸投入赌博的钱物：～码｜下～｜孤～一掷。❹〈方〉量词。用于赌注、钱款交易及酒等物：一～买卖｜下了一～｜倒了一～酒。

注[2]〔註〕 zhù ❶给书中的字句作解释：～解｜～疏。❷解释字句的文字：附～｜脚～｜夹～。❸记载；登记：～册｜～销。

泞(濘) nìng 烂泥；泥浆：泥～。

泻(瀉) xiè ❶水急速地流：倾～｜一～千里。❷腹泻；拉肚子：～药｜～肚｜上吐下～。

【辨析】泻—泄 见“泄”字辨析(224页)。

泯〔泯〕 mǐn 消灭；消失：～灭｜～除｜相逢一笑～恩仇。

泼(潑) pō ❶用力倾倒液体使散开：～水｜瓢～大雨。❷凶悍蛮横；无所顾忌：～妇｜撒～。❸(做事)放得开，有魄力，有生气：这小伙子干活儿真～。

泽(澤) zé ❶ 聚水的洼地;水草丛杂之处:湖～|沼～|水乡～国。❷ 湿;滋润:润～。❸ 恩惠:恩～|～被万世|～及枯骨。❹ 物体表面反射出来的光亮:光～|色～。

【备考】繁体澤,形声字,从水,睪(yì)声。类推简化为泽。

泾(涇) jīng ❶ 泾河,水名。渭河支流:～渭分明(泾河清,渭河浊,两水合流处界限分明。比喻两事物明显不同)。❷ 泾县,在安徽。

【备考】繁体涇,形声字,从水,巠(jīng)声。类推简化为泾。

怜(憐) lián ❶ 哀怜;同情:～悯|～惜|同病相～。❷ 爱;爱惜:～爱|爱～。

【备考】繁体憐,形声字,从心,粦(lín)声。简化字怜,从心,令声,与《玉篇》中义为聪明、机灵的"怜(líng)"字同形。怜作为憐的简化字见于隋代《董美人墓志》、唐代敦煌变文写本及《干禄字书》等。

㤘(㥮) zhòu 〈书〉〈方〉固执;刚愎。

怿(懌) yì 〈书〉喜悦;高兴:不～。

【备考】繁体懌,形声字,从心,睪(yì)声,类推简化为怿。

怪〔恠〕 guài ❶ 奇异的;不常见的:～事|～物|～石奇松|奇谈～论|～模～样。❷ 觉得奇怪;惊奇:大惊小～。❸ 奇异的事物或性情

奇特的人：妖～|鬼～|扬州八～。❹ 责备；怨：～罪|～怨|～他多嘴。❺ 很；非常：～没意思|～心疼|～寒碜（·chen）|～有意思。

峃（嶨） xué 〈书〉形容山多大石。

学（學） xué ❶ 学习；接受教育：～生|～徒|～制|辍～|～科学|～而不厌|教～相长（zhǎng）。❷ 模仿：～鸟叫|他～得真像。❸ 学校：大～|小～|上～|转～。❹ 学问；学识：治～|博～|才疏～浅。❺ 学术；学说：绝～|显～|西～|黄老之～。❻ 学科：数～|文～|哲～|物理～。❼〈口〉说；讲述：你把我的苦处对他～～。

【备考】繁体學，金文作[illegible]，象两手持爻（算筹），膝下之“子”从而学习之形。类推简化为学。𦥯字头的简化写法“⺍”，来源于草书，见于西汉史游《急就章》。

宝（寶）〔寳〕 bǎo ❶ 珍贵的东西：～库|国～|献～|财～。❷ 珍贵的：～刀|～剑|～石。

【备考】① 繁体寶，会意兼形声字，从宀，从貝，从王（玉），从缶（fǒu），缶兼表音。简化字宝，可以理解为从宀从玉会意。汉代中山王印上有宝字，下从王（即玉）；下从玉的宝字出现在唐代敦煌变文写本中。② 1955年12月发布的《第一批异体字整理表》以“寳”为“寶”的异体字，1964年5月发表的《简化字总表》及1986年10月重新发表的《简化字总表》均以“寶”为“宝”的繁体字，2013年发布的《通用规范汉字表》确认“寳”为正字，“寳”为异体字。

宠（寵） chǒng 喜爱；偏爱：～物｜得～｜哗众取～。

审（審） shěn ❶〈书〉知道：～悉。❷ 详细；周密：～慎｜精～。❸ 仔细考察：～阅｜～稿｜～读｜～核。❹ 审讯：～案｜～判｜提～｜公～。❺〈书〉的确；果然：～如其言。

【备考】 繁体審，会意字，从宀，从番（fán，兽足）。简化字审，可视为从宀，申声的形声字。现代群众创造。

帘[1] lián 旧时酒家、商店用作标志的小旗：酒～。

帘[2]（簾） lián 用布、竹子、苇子等制成的遮蔽门窗的东西：～子｜门～儿｜窗～儿。

【辨析】 古代簾、帘二字是有分别的：门帘作“簾”，酒帘作“帘”。

【备考】 簾，形声字，从竹，廉声；帘，从巾，穴声。现代群众通用，《简化字总表》合并为帘。

实（實）〔寔〕 shí ❶ 充满；不空：坚～｜充～｜壮～｜～心球｜把地基夯～。❷ 不虚假：～惠｜～效｜～干｜～话｜诚～｜～不相瞒。❸ 客观存在的情况：史～｜务～｜名不副～。❹ 果实；种子：开花结～｜春华秋～。

【备考】 繁体實，会意字，从宀，从貫（穿钱的绳索），指屋内有钱币。“实”由“實”的草书楷化而来。

诓（誆） kuāng 欺骗；哄骗：～人。

【备考】1955 年 12 月发布的《第一批异体字整理表》繁体“詿”处理为“誑”的异体字。“詿”“誑”二字义近，但读音稍有不同（“詿”今音读 kuāng，“誑”今音读 kuáng），不宜视为异体关系，1964 年 5 月发表的《简化字总表》和 1986 年 10 月重新发表的《简化字总表》均收入“詿”的类推简化字“诓”。1988 年发布的《现代汉语通用字表》收入“诓”字。

诔(誄) lěi 〈书〉古时叙述死者生平表示哀悼的文章。

试(試) shì ❶ 先做一做，看有什么结果；尝试：～飞｜～用｜～～看｜这个办法，过去我们是～过的。❷ 考试，通过书面、口头回答或当场操作的方式，检查知识或技能水平：～题｜～卷｜笔～｜复～。

诖(詿) guà 〈书〉❶ 牵累：～误（被别人牵连而受到处分或损害）。❷ 欺骗。

【辨析】右边是两个“土”，不是四横一竖。

诗(詩) shī 文学的一种体裁。通过有节奏、韵律的语言反映生活、抒发情感。形式很多，一般要押韵：～歌｜～人｜律～｜～情画意。

诘(詰) ㊀ jié 〈书〉追问；责问：～难（nàn）｜～问｜反～｜盘～。

㊁ jí 【诘屈聱牙】同“佶屈聱牙”。曲折拗口，形容文章艰涩。

诙(詼) huī 〈书〉戏谑（xuè）；用逗趣的话开玩笑：～谐。

诚(誠) chéng ❶真心实意：～实|～恳|忠～|开～布公。❷〈书〉实在；的确：～然。

郓(鄆) yùn ❶地名用字：～城(地名，在山东)。❷姓。

衬(襯) chèn ❶贴身的(衣服)：～衣|～裤。❷附在衣服鞋帽等里面的材料：领～|帽～ㄦ。❸在里面或下面附上、托上：～料|～上一层布。❹附加某些事物使主要的事物更突出：陪～|～托|白雪把梅花～得更红了。

【备考】繁体襯，形声字，从衣，親(亲)声("親"也有表意作用)。简化字衬，从衣，寸声，为现代群众创造的新形声字。

祎(禕) yī 〈书〉美好；珍贵。

【辨析】祎—袆　"袆"(huī)，古代王后穿的一种祭服，从衣。"祎"从示。

视(視)〔眎〕〔眡〕 shì ❶看：～觉|～力|注～|～而不见|熟～无睹。❷看待；对待：重～|敌～|～死如归|一～同仁。❸考察：～察|监～|巡～。

【辨析】视—见　见"见"字辨析(22页)。

调(調) tóng 〈书〉共同。

诛(誅) zhū ❶杀：～戮(lù)|天～地灭|罪不容～。❷责备；谴责：口～笔伐。

❸ 索取：～求。

诜(詵) shēn 【诜诜】〈书〉众多。

话(話)〔語〕 huà ❶ 说出来的言语：～音|～头|几句～|明白如～。❷ 谈论；说：～别|～旧|～说|对～。

诞(誕) dàn ❶ 虚妄；不合情理：虚～|荒～|怪～。❷ 生育；出生：～生|～辰。❸ 生日：华～|寿～。

诟(詬) gòu 〈书〉❶ 耻辱。❷ 辱骂：～骂。

诠(詮) quán 〈书〉❶ 详细解释，阐明事理：～释|～注。❷ 事物的道理：真～。

诡(詭) guǐ 〈书〉❶ 欺诈；奸猾：～诈|～计。❷ 怪异；奇特：～奇|～怪|～异。

询(詢) xún 征求意见；探问：探～|咨～|质～。

诣(詣) yì 〈书〉❶ 前往；去到。❷（学业、技术等）所达到的境地：造～|苦心孤～。

诤(諍) zhèng 〈书〉直言规劝：～友|～言。

该(該) gāi ❶ 按顺序应当是；轮到：今天～我值班|下面～你发言|现在～小张表演。❷ 表示理应如此；应当：队伍～出发了|做事情～有个长远打算。❸ 估计情况应当如此：你的孩子今年～大学毕业了吧？|再过几年，这里～有多大变化呀！

❹ 活该;表示不值得同情:~!摔疼了吧?谁让你不小心呢!❺ 欠:~账|他~我一笔钱|我还~着他人情呢。❻ 那个(用于书面语中,指上文说过的人或事物):~校|~生|~书|~产品。

详(詳) xiáng ❶ 细密:~备|~尽|~情|不厌其~。❷ 说明;细说:内~。❸ (事情)清楚:未~|不~。

诧(詫) chà 惊奇:~异|~愕|~然|惊~。

诨(諢) hùn 开玩笑;逗趣的话:~名|打~。

退(詪) hěn 〈书〉(言语)古怪,不合情理。

诩(詡) xǔ 〈书〉夸耀;说大话:自~。

[乛]

郇(郇) xún ❶ 古邑名。在今河南。❷【斟郇】古国名。在今山东。❸ 姓。

肃(肅) sù ❶ 恭敬:~立|~然起敬。❷ 庄重;威严:~静|~穆|严~。❸ 萎缩:~杀(形容秋冬天气寒冷,草木枯落)。❹ 清除:~清|~反。

【备考】繁体肅,《说文》释为"从聿(niè,义同聿)在㴞(同淵)上"。简化字肃来源于草书,《隋宫人房氏墓志》、隋代的《张夫人墓志》中都有接近肃的字形。

录(録) lù ❶ 记载;登记:～音|记～|抄～|摘～。❷ 选取;任用:～取|收～|～用。❸ 记载言行或事物的书籍、文章:语～|备忘～|回忆～。

【辨析】 旧字形作“彔”,新字形录及从录的字,如剥、渌、绿、碌、禄、箓中的“彐”不要写作“彑”(与彝、彘及从“彖”的字不同)。

【备考】 录,甲骨文作[illegible],象辘轳形,《说文》解为“刻木录录也”,其义罕用。録,形声字,从金,录声。本义为金色,借作记録之“録”。《简化字总表》取“录”作为“録”的简化字。

隶(隸)〔𨽻〕〔隷〕 lì ❶ 指旧时地位低下被奴役的人:奴～|仆～。❷ 特指衙役:～卒|皂～。❸ 附属:～属。❹ 汉字形体的一种,即隶书。

帚〔箒〕 zhǒu 扫除尘土、垃圾的用具:扫～。

届〔屆〕 jiè ❶ 到:～时|～期。❷ 次;期:上～|应～|历～|第一～。

【备考】 届本作屆,形声字,从尸,凷(kuài)声。讹作届,《异体字表》以屆为异体字。

鸤(鳲) shī 【鸤鸠】(—jiū)古书上指布谷鸟。

弥[1](彌) mí ❶ 补;填补:～补|～缝。❷ 副词。更加:欲盖～彰。❸ 姓。

弥[2](彌)(瀰) mí 遍;满:～漫|～月|～天大谎。

弦〔絃〕 xián ❶弓上发箭用的有弹性的绳状物：弓～|箭在～上。❷（～儿）乐器上用来发声的线：～子|琴～。❸月亮半圆的形状名。这时的月相像一张弓绷紧了弓弦：上～|下～。❹发条：上～|钟～。❺连接圆周上任意两点的线段。❻我国古代称不等腰直角三角形的斜边。

陕（陝） shǎn ❶古地名，即今河南陕县。❷指陕西：～北|～甘宁。❸姓。

【备考】繁体陝，形声字，从阜（阝），夾（shǎn，注意与夾 jiā 不同）声。简化字陕，改夾为夹。

陔（隑） gài ❶〈书〉梯子。❷〈方〉斜靠。

济（隮） jī 〈书〉❶登上；升上。❷虹。

函〔圅〕 hán ❶〈书〉匣；封套：石～|镜～|全书分装四～。❷信件：～件|～授|公～|来～照登。

【备考】函，甲骨文作[甲骨文字形]，象盛矢（箭）之器。

姗〔姍〕 shān 【姗姗】形容走路缓慢从容的样子：～来迟。

娙（娙） xíng 〈书〉女子身材修长美丽。

驽（駑） nú 〈书〉❶劣马；能力低的马：～马。❷喻指才能低下：～才|～钝。

虱〔蝨〕 shī 虱子，寄生在人、畜身上的一种昆虫，吸食血液，能传染疾病。

驾(駕) jià ❶ 套着牲畜拉(车或农具):~辕|用两匹马~车。❷ 开动;操纵:~驶|~驭|~飞机。❸ 指车辆;借用为敬辞,称对方:枉~|~临|劳您的~|让人挡了~。❹ 特指帝王的车;借指帝王:晏~|~崩。❺ 乘:腾云~雾。❻ 高于;在……之上:凌~。

迳(逕) jìng ❶ 地名用字:~头(在广东)。❷ 同"径"。

【备考】1955年12月发布的《第一批异体字整理表》繁体"逕"处理为"徑"的异体字。2013年发布的《通用规范汉字表》确认"迳"为规范字,仅用于姓氏人名、地名;表示"小径、门径、径直"等意义时,繁体"逕"仍为"径"的异体字。

参[1](參)〔叅〕 ㊀ cān ❶ 加入:~军|~加|~与(yù)。❷ 考察验证:~验|~考|~阅。❸ 地位、辈分低的进见地位、辈分高的:~见|~拜。❹ 检举;揭发:~劾(hé)|~了他一本。❺ 探究;领会:~禅(chán)|~破红尘|这个道理他总是~不透。

㊁ cēn 【参差】(—cī)1. 不整齐;不一致:~不齐。2.〈书〉差不多;几乎:~十万人家。

㊂ shēn 星宿(xiù)名,二十八宿之一。

参[2](參)〔叅〕〔葠〕〔蓡〕 shēn 指人参,一种药用植物,也指与人参形状和作用相类似的植物,如党参、西洋参。

【备考】参宿(shēnxiù)共有七颗星,其中三颗最为明亮,俗称“三星”。甲骨文参字作[古文字],象人头顶上三星照耀、光芒下射之形。引申指数字三,音 sān,后作“叁”,为三的大写。

艰(艱) jiān　困难:~难|~苦|~辛|文字~深|物力维~。

【备考】繁体艱,形声字,从堇(qín,又作莫,黄土),艮(gèn)声。本义为土地难治理。简化字艰以符号“又”代替莫。在明刊本《薛仁贵跨海东征白袍记》和明代官府文书档案《兵科抄出》中都有简化字艰。

线(綫)〔線〕 xiàn　❶ 用丝、棉、麻、金属等做成的细长的东西,可以曲折缠绕:丝~|电~|穿针引~。❷ 像线的东西:~香|光~|航~|铁路~。❸ 边际;交界的地方:防~|火~|海岸~|生命~|国境~。❹ 几何学名词。只有长度没有宽度和厚度的图形:~段|~条|直~|曲~。❺ 量词。与数词“一”连用,表示极少(用于抽象事物):一~希望|一~生机。

【备考】1955 年 12 月发布的《第一批异体字整理表》中繁体“綫”有异体字“線”。2013 年发布的《通用规范汉字表》确认“線”的类推简化字“缐”为规范字,仅用于姓氏人名;表示“棉(丝、麻、毛)线、路线、防线、直线”等意义时,繁体“線”仍为“线”的异体字。

绀(紺) gàn　略微带红的黑色。

绁(紲)〔絏〕 xiè 〈书〉❶ 牵牲畜的绳子：羁(jī,马笼头)～。❷ 转指捆罪人的绳索：缧(léi,大绳子)～。❸ 捆绑。

駓(駓) pī 〈书〉毛色红白相杂的马。

绂(紱) fú 〈书〉❶ 系印章的丝带：印～。❷ 通"市(fú)"。古代祭祀时戴的蔽膝。

【辨析】右部是"犮"，不是"发(fā)"。

练(練) liàn ❶ 把生丝煮得洁白柔软：～丝。❷〈书〉白色的熟绢：江平如～。❸ 反复地学习、实践：～习|～兵|～功|训～。❹ 经验多；精熟：～达|～事|熟～|老～。❺ 姓。

【辨析】① 练，右旁是"𠂉"，不是"东"。② 练—炼见"炼"字辨析(291 页)。

【备考】繁体練，形声字，从糸，柬声。简化字练来源于草书，1935 年《简体字表》中練简化作練，与练形体接近。

驵(駔) zǎng 〈书〉壮马；骏马。

组(組) zǔ ❶ 结合；构成：～织|～合|～建|～装。❷ 若干人员结合成的单位：～员|～长|小～|第二～。❸ 几部分合成一个整体的(用于文艺作品)：～诗|～曲|～歌。

绅(紳) shēn ❶ 古代士大夫束在衣外的大带子。❷ 绅士，旧指地方上有势力有地位的人：乡～|劣～|开明士～。

细(細) xì ❶ 微小：～小|～沙|～枝末节|事无巨～。❷ 微弱：～声～气|和风～雨。❸ 窄小；(长条的东西)周边到中心的距离小：～绳|～竹竿|涓涓～流。❹ 精致；精良：～布|～巧|精～|～瓷茶碗。❺ 周密；不粗疏：详～|～～琢磨|深耕～作|胆大心～。❻ 间谍；密探：～作|奸～。

【辨析】在现代汉语中，"细"和"粗"是一对反义词，如：粗绳—细绳，粗心—细心。但有些用细的地方不能用粗，如不能说粗末、粗节、粗雨。

驶(駛) shǐ ❶ (车、马等)飞快地跑：急～而过。❷ 开动；操纵：驾～|行～。

织(織) zhī ❶ 用丝和麻、棉、毛的纱或线编制成绸、布、衣服等：～布|纺～|～麻袋|～袜子|～毛衣。❷ 搜罗；收集：罗～罪名。

【备考】繁体織，形声字，从糸，戠(zhī)声。简化字织根据戠的简化方式类推。

驹(駉) jiōng 〈书〉❶ 牧马苑。❷ 马肥壮的样子。

䌹(絅) jiǒng 〈书〉罩在外面的单衣。

驷(駟) sì 〈书〉驾四匹马的车或一车所驾的四匹马：一言既出，～马难追。

驸(駙) fù 古指驾在辕外的马或驾副车(随从车辆)的马。

【备考】驸，形声字，从马，付声。汉代设"驸马"一职，主管拉副车的马匹。因此官常由帝王的女婿担任，故后称帝王之婿为“驸马”。

驹(駒) jū ❶少壮的马：千里～。❷(～儿)初生的马、驴、骡：～子|马～儿。

终(終) zhōng ❶尽头；末了：～端|～点|～了|始～。❷指人死(生命的尽头)：临～。❸到头来；到底：～归|～将成功。❹从开始到结束(指时间)：～日|～年|～生。❺姓。

驺(騶) zōu ❶古时为王公贵族养马并掌管驾车的人。❷姓。

绉(縐) zhòu 一种有皱纹的丝织品：双～|湖(湖州)～。

驻(駐) zhù ❶停留：～足|～颜。❷为执行职务而居留：～防|～守|～外大使|～京办事处。

弦(駭) xuán 〈书〉一岁的马。

绊(絆) bàn ❶行走时有东西挡住或缠住：～马索|～脚石|不小心～了一跤。❷牵制；束缚：羁(jī)～。

驼(駝)〔駞〕 tuó ❶骆驼：～峰|～绒。❷脊背弯曲：～背。

【辨析】注意驼从“马”，不从“鸟”，与鸵鸟的“鸵”不同。

绋(紼) fú 〈书〉大绳，特指下葬时引棺入穴的绳索：执～。

绌(絀) chù 〈书〉不足：相形见～|左支右～。

绍(紹) shào ❶〈书〉接续;继续:~复先王大业。❷ 引荐:介~。❸ 浙江绍兴的简称:~酒|~剧。

驿(驛) yì 驿站,古代供传送公文的人或往来官员中途换马或休息、住宿的地方。现多用于地名:龙泉~(在四川)|郑家~(在湖南)。

绎(繹) yì〈书〉抽引出事物的头绪:抽~|寻~。

【备考】繁体繹,形声字,从糸,睪(yì)声。类推简化为绎。

经(經) ㊀ jīng ❶ 织物的纵线(与横的纬线相对):~纬。❷ 中医把人体气血运行的主要通路称作"经":~脉|通~活络。❸ 地理学上假定通过南北极与赤道成直角的分度线,以英国格林尼治天文台为中,以东称东经,以西称西经:~度。❹ 长久不变的;正常的:天~地义|荒诞不~。❺ 其思想可以起指导作用的被推崇为典范的著作:~典|十三~|《古兰~》|《黄帝内~》。❻ 妇女周期性地每月由阴部排出血液的生理现象:~期|月~。❼ 治理;从事:~营|~理|~商|整军~武。❽ 通过;经历:~过|道~上海|身~百战|久~考验|~我手处理。❾ 表示动作行为已完成,时间已过去(常与"已""曾"连用):已~|曾~。❿ 禁(jīn)受;承受:~得住挫折|~不起考验。⓫〈书〉吊死:自~。⓬ 姓。

㊁ jìng 织布之前把纺好的纱或线密密地绷起来,来回梳理,使成为经(jīng)纱或经(jīng)线。

【备考】繁体經,形声字,从糸,巠(jīng)声。类推简化为经。

骀(駘) ㊀ dài 【骀荡】〈书〉1. 使人舒畅：春风～。2. 放荡。

㊁ tái 〈书〉劣马;喻指庸才：驽～。

绐(紿) dài 〈书〉❶ 破旧的丝。❷ 欺骗。

贯(貫) guàn ❶ 穿过;连通：～穿|～通|如雷～耳|学～中西|铁路纵～南北。❷ 一个一个地连着：鱼～而入。❸ 量词。古代用绳子把方孔钱穿起来,每一千个穿成一串,叫一贯：腰缠万～。❹ 世代居住的地方;出生地：籍～。

九 画

[一]

贰(貳) èr ❶数字“二”的大写。❷不专一，有异心：～心。❸背叛：～臣。

春〔萅〕 chūn ❶一年的第一个季节：～光|～风|～种秋收。❷比喻生机：妙手回～|病树前头万木～。❸指男女情欲：～心|～情|怀～。

帮(幫)〔幇〕〔幚〕 bāng ❶某些物体的两旁或周围立起的部分：腮～|桶～|船～。❷协助；支援：～忙|～办|～手。❸由于一定目的而结合的集团：马～|茶～|青～|匪～。❹量词。用于一群人：一～人|一大～学生。

珐〔琺〕 fà 【珐琅】(—láng)用硼砂、玻璃粉、石英等加铅、锡的氧化物烧制成的像釉子的涂料。涂在金属表面作为装饰，又可防锈。

珑(瓏) lóng ❶【珑璁】(—cōng)〈书〉1. 金属、玉石等撞击的声音。2. (草木)青翠茂盛。❷【珑玲】(—líng)〈书〉1. 金属、玉石等撞击的声音。2. 明亮。❸【玲珑】(líng—)1. 器物精巧细

致：小巧～。2. 人灵活敏捷：～活泼|八面～。

玳〔瑇〕 dài 【玳瑁】(—mào)一种形状像龟的爬行动物，甲壳黄褐色，有黑斑，很光润。

顸(頇) hān ❶〈口〉粗：这根水管太～，不能用。❷ 见"颟"(533 页)。

珍〔珎〕 zhēn ❶ 宝贵的东西：～宝|山～海味|如数家～。❷ 宝贵的；稀有的：～贵|～品|～禽。❸ 重视；爱惜：～爱|～藏|～惜|～重。

珠(瓅) lì 【玓珠】(dì—)〈书〉形容珠光闪耀。

珊〔珊〕 shān 【珊瑚】(—hú)由许多珊瑚虫分泌的石灰质骨骼聚集而成的树枝状东西，多为红色，也有白色或黑色的。

韨(韍) fú ❶ 古代朝觐(jìn)或祭祀时，遮蔽在衣裳前面的一种服饰，用熟皮制成。❷ 古代系(jì)玺印的丝绳。

挂[1]〔罣〕〔掛〕 guà ❶ 用钩子、绳子、钉子等使物体悬起来或竖直地贴在某个地方：悬～|～钩|把衣服～起来|墙上～着一幅画。❷ 钩住；用钩子连起来：裤脚被荆棘～得一条一条的|这列火车～了十节车厢。❸ 惦记：～念|牵～|她把母亲的健康时刻～在心上。

挂[2]〔掛〕 guà ❶ 把听筒放回，切断通话的线路：你别～电话，先听我说。❷ 打电

话：这件事你可以～个电话问办公室。❸ 登记：～号|～失|～个专家门诊。❹（物体表面）粘上；蒙上：葡萄～霜了|鱼片先～一层蛋浆再炸|他脸上～着微笑。❺ 量词。用于成串、成套的东西：一～鞭炮|一～马车。

垭（埡） yā 两山之间的狭窄地方。多用于地名：黄桷(jué)～(在重庆)|凉风～(在贵州)|马头～(在湖北)。

挝（撾） ㊀ wō 老挝，国家名，位于东南亚。
㊁ zhuā 〈书〉击打；敲（鼓）：～打|～鼓。

项（項） xiàng ❶ 脖子的后部；泛指脖子：～背|～链|～圈|～上人头。❷ 事物的门类，条目：～目|事～。❸ 特指钱、经费：款～|用～|存～|进～。❹ 量词。用于门类条目：第一～议程|三大纪律八～注意|合同第三条第二款第一～。❺ 代数中不用加、减号连接的单式部分，如 2a，3ab，a^2b^2 等：多～式|合并同类～。❻ 姓。

【辨析】古汉语中项指脖子后部，故说“望其项背”；颈指脖子前部，故说“刎颈”。今项、颈都指脖子。

垯（墶） ㊀ dā 〈方〉地方；处所：这～|那～|咱们两个生死在一～。
㊁ ·da 【圪垯】(gē—)1. 同“疙瘩”。2. 小土丘，多用于地名：刘家～。

挞（撻） tà 用鞭子、棍棒等打人：鞭～(喻指严厉批判)|大张～伐。

挟(挾) xié ❶夹在腋下：～泰山以超北海(比喻做根本办不到的事)。❷心里怀着(怨恨等)：～恨|～嫌报复。❸威胁、强迫别人顺从：～持|～制|要(yāo)～。

挠(撓) náo ❶阻止：阻～。❷弯曲；比喻屈服、放弃：～钩|不屈不～|百折不～。❸弯曲手指或用东西抓、搔：～痒|～头(形容遇到难办的事)|抓耳～腮。

赵(趙) zhào ❶战国国名，在今河北南部和山西中部、北部。❷姓。

【备考】繁体趙，形声字，从走，肖声。简化字赵用简化符号×代替声旁肖，见于清初刊行的《目连记弹词》。

贲(賁) ㊀ bēn ❶【虎贲】指勇士。❷【孟贲】古代勇士名。

㊁ bì 〈书〉装饰得很美。

垱(壋) dàng 〈方〉筑在河中或低洼田地中挡水的小堤：砌～|筑～挖塘。又用作地名：舒家～(在江西)。

挡[1](擋)〔攩〕 dǎng ❶拦住；抵抗：～路|拦～|抵～|兵来将～，水来土淹。❷隔开；遮蔽：遮～|房子破得～不了风雨|太晒了，挂个帘子～～阳光吧。❸用来遮挡的东西：炉～儿|窗～子。❹机动车等用来控制牵引力、改变速度或倒车的装置：换～|挂二～。

挡[2](擋) dàng 【摒挡】(bìng—)〈书〉收拾，料理：～行李|～婚事。

垲(塏) kǎi 〈书〉地势高且土质干燥：～壤|爽～。

括[1]〔括〕 kuò ❶〈书〉收束；扎起：～发(fà)|～约肌。❷包含：包～|概～|囊～。❸用括号标记文字：这段话是重点，～起来。

括[2] guā 【挺括】〈方〉形容衣服的质地、款式讲究，熨烫得平平整整。也可形容活儿做得出色。

【辨析】"括"字除了在方言词"挺括"中读 guā 以外，其他用法统读 kuò。

【备考】括，本作括，形声字，从手，𠯑(guā)声。隶书"𠯑"作偏旁时一般写作"舌"，故"括"又作"括"。今以括为正字。

垛〔垜〕 ㊀ duǒ ❶墙两侧或上方突出的部分：门～子|城～子。❷设置箭靶的小土墙；也指箭靶子：箭～子|土～子。

㊁ duò ❶整齐地堆积：～麦子|把稻草～起来。❷成堆的东西：麦～|砖～|柴火～。❸量词。用于成堆的东西：两～砖|一～麦子|三～柴禾。

垫(墊) diàn ❶用东西加在下面使增高、平稳或起隔离作用：～操场|把枕头～高些|～张报纸坐在地下。❷临时填补一下空缺：先吃点饼干～补一下|先～一小段戏，正戏等会儿才能开演。❸垫在下面的东西：鞋～儿|椅～儿|床～儿|草～子|～上运动。❹暂时替别人付钱：～付|你没带钱，我先替你～上。

挤(擠) jǐ ❶ 用身体推开(密集的人)：在人群中～来～去|人太多,～不出去。❷ 紧靠在一起；集中在(一定的时间内)：会场上～满了人|很多事都～在这个月。❸ 使从孔隙中压出来；比喻尽量拿出：～奶|～牙膏|～时间|～出点经费添置设备。❹ 排斥；迫使失去某种资格：排～|被～出足球世界杯八强|他的名额被人～掉了。

挥(揮) huī ❶ 举起手臂晃动：～动|～手|～舞|～鞭。❷ 指挥(军队)：～师南下。❸ 用手抹去：～泪|～汗如雨。❹ 散出；散去：～发|～金如土。❺ 驱赶：～之不去。

挦(撏) xián 〈方〉拔取(毛发)；拉扯：～扯|～鸡毛。

【备考】 挦,形声字,从手,寻声。旧也读 xún。

荐(薦) jiàn ❶ 古代指牧草：戎狄～居(找有水草的地方居住)。❷〈书〉草席；草垫子：草～|棕～。❸〈书〉进；献：君赐腥,必熟而～之。❹ 推举；介绍：～举|～人|推～。

【备考】 荐,形声字,从艸,存声。繁体薦,会意字,从艸,从廌(zhì,传说中的神兽)。《简化字总表》以荐代薦。

荙(薘) dá 【莙荙菜】(jūn—cài)二年生草本植物,开绿色小花,嫩叶可作蔬菜。

荚(莢) jiá 豆科植物的果实：～果|豆～|皂～|槐树～。

【备考】 荚,形声兼会意字,从艸,夹声,夹兼表义,因豆科植物多是由外壳从两侧夹住豆粒的。

贳(貰) shì 〈书〉❶ 出借;出赁。❷ 赊欠。❸ 宽大;赦免。

荛(蕘) ㊀ ráo 〈书〉柴草:薪～。
㊁ yáo 【荛花】又称黄芫(yuán)花,落叶灌木,花有毒,供药用,茎皮纤维为造纸原料。

荜(蓽) bì ❶ 同"筚"。❷【荜拨】多年生藤本植物。干燥果穗可入药。

带(帶) dài ❶ (～儿)带子,用皮、布等做成的窄而长的条状物:皮～|鞋～儿|领～。❷ 像带子的长条形物:录音～|传送～。❸ 轮胎:外～|车～。❹ 区域:地～|热～|黄河一～。❺ 随身拿着:～干粮|～衣服。❻ 顺便做:捎～|把门～上。❼ 连着:拖泥～水|沾亲～故。❽ 呈现:面～笑容。❾ 含有:这瓜～苦味儿。❿ 引导;率领:～领|～兵|～徒弟|以点～面。

【备考】带,小篆作帶,象形字,象带上系有佩饰的形状,上部略象带,下部象佩饰之物,本义指古时系在上衣外面的大带。隶变作帶。简化字带来源于草书,西汉史游《急就章》中有接近于今简化字的写法。

草〔艸〕 cǎo ❶ 除栽培植物以外的草本植物的总称:～地|青～|一棵～。❷ 特指作饲料或燃料的草:～料|粮～|柴～。❸ 荒野;引申为山野、民间:～野|～民|落～为寇。❹ 马虎;简略:潦～|～～了事|字写得太～。❺ 初步的;非正式的:～创|～案|～稿|～图。❻ 底稿:起～。❼ 写底稿:

～拟。❽ 文字书写形式的名称。1. 草书,汉字的一种字体:章～|狂～|真～篆隶。2. 拼音字母的手写体:大～|小～。❾ 雌性的(家畜或家禽):～驴|～马|～鸡。

【备考】据《说文》,草本音 zào,指栎(lì)树的果实,形声字,从艸,早声。此义后写作皂。青草的草,小篆作艸,象草形,隶定作艸,今为草(cǎo)的异体字。

茧(繭)〔蠒〕 jiǎn ❶ 蚕或某些昆虫在变成蛹之前吐丝做成的壳:蚕～|作～自缚。❷ 茧子,手掌或脚掌上磨起的硬皮。

【备考】繁体繭,会意字,从糸,从虫(huǐ),从黹(绣成的花纹)省。简化字下部省作虫。1949 年出版的《增订注解国音常用字汇》中有简化字茧。

荞[1](蕎) jiāo 即大戟(jǐ)。多年生草本植物,根可入药。

荞[2](蕎)〔荍〕 qiáo 荞麦,一年生草本植物,种子磨粉可供食用。

【备考】异体荍还另指锦葵。

荟(薈) huì 〈书〉草木繁盛的样子。引申为聚集;会集:～萃(cuì)|～集。

荠(薺) ㈠ jì 荠菜,一年生或二年生草本植物。嫩叶可吃,全草可入药。

㈡ qí 【荸荠】(bí—)多年生水生草本植物。地下球茎皮赤褐色,肉白色,可吃,又可制淀粉。

蔄(蔄) màn ❶ 地名用字:～山镇(在山东)。❷ 姓。

垩(堊) è ❶白色的土,可用来涂饰墙壁;泛指可用来涂饰的各色土:白~|砖红~白。❷〈书〉用白色涂料粉刷;涂饰:~涂|~壁。❸〈方〉施肥。

荡[1](蕩)〔盪〕 dàng ❶洗涤:冲~|涤~。❷清除:扫~|倾家~产。❸摇动;摆动:~桨|动~|摇~|飘~|~秋千。

荡[2](蕩) dàng ❶走来走去:游~|闲~。❷放浪;放纵:放~|浪~|淫~。❸平坦:坦~。❹浅水湖:芦~|黄天~。

荣(榮) róng ❶草木繁茂:欣欣向~。❷兴盛:繁~|一~俱~。❸光彩:~誉|~辱|~获|光~。❹姓。

【备考】金文荣(榮)作[古文字形]、[古文字形]。有人认为,[古文字形]即桊(荣)之古文,象树木枝柯相交之形,上部的炏象花形,表示树木开花。

荤(葷) hūn ❶古代指葱蒜等有特殊气味的菜。❷肉食:~菜|~腥|~馅儿|不吃~。❸指粗俗的、淫秽的:~话|~口。

荥(滎) ㊀ xíng 地名用字:~阳(在河南)。
㊁ yíng 地名用字:~经(在四川)。

荦(犖) luò 〈书〉明显;突出:卓~|~~(形容事理明显)。

荧(熒) yíng ❶〈书〉亮光微弱、闪烁的样子:~~|一灯~然。❷眼光迷乱;疑惑:~惑。❸荧光,某些物质受光或其他射线照射时发出

的可见光：～屏。

荨（蕁） ㊀ qián 【荨麻】多年生草本植物，茎、叶有细毛，皮肤接触时会引起刺痛。茎皮纤维可做纺织原料。

㊁ xún 【荨麻疹】一种皮肤病，俗称风疹块。

【辨析】注意荨麻与荨麻疹中两个“荨”字读音不同。两义本都读 qián，《审音表》规定荨麻疹的荨读 xún。

【备考】荨，形声字，从艸，寻声。据《说文》和《本草纲目》，荨又读 tán，药草名，即知母。

荩（藎） jìn ❶荩草，一年生草本植物。茎、叶可作黄色染料，纤维可造纸。❷〈书〉忠善：～臣（忠臣）|忠～。

胡[1] hú ❶古代泛称北方或西方的少数民族；泛指来自外族或外国的：～人|～虏|～琴|～椒。❷胡琴：二～|京～|板～。❸副词。表示任意乱来：～说|～闹|～作非为|～言乱语。❹〈书〉疑问代词。相当于“为什么”“怎么”：～不归？|～可比也？❺姓。

胡[2]〔衚〕 hú 【胡同】（一·tòng）巷子；小街道。

胡[3]（鬍） hú 嘴周围及连着鬓角长的毛：～子|～须|山羊～|八字～。

【备考】繁体鬍，形声字，从髟（biāo，长发），胡声。胡，形声字，从肉，古声，本指兽类颔下下垂的肉。胡须义古代本用胡，后分化出鬍字，《简化字总表》规定以胡代鬍，恢复了古代的用法。

剋〔尅〕 kēi ❶ 打;打架:小王今天跟别人～了一架。❷ 责骂;训斥:挨～|小刘办事不力,老总把他～了一顿。

【备考】❶ 剋,形声字,从刀,克声。❷ 表示训斥、打人的"剋"读 kēi,不简化作"克"。

荪(蓀) sūn 古书上记载的一种香草。

荫[1](蔭) yīn ❶ 树荫:绿～|绿树成～。❷ 姓。

荫[2](蔭)〔廕〕 yìn ❶ 庇护:～庇。❷〈书〉封建时代子孙因前辈功勋而受到封赏:资～|父～|封妻～子。❸ 不见阳光;又凉又潮:～凉|屋子里太～。

荔〔茘〕 lì 荔枝。常绿乔木,果实外皮有瘤状突起,熟时紫红色。果肉白色,甜而多汁,是我国特产。

荬(蕒) mǎi 菜名。分苦荬、苣(qǔ)荬多种。多年生草本植物。嫩茎叶可吃。

荭(葒) hóng 荭草,又名水红。一年生高大草本植物。果实及全草可入药。

荮(葤) zhòu 〈方〉❶ 用草包裹。❷ 量词。用以计量用草绳捆扎的器皿。

药(藥) yào ❶ 能治病的植物;后泛指可治病之物:草～|中草～|西～|吃～|良～苦口利于病|～到病除。❷ 用药物治疗:不可救～。❸ 用药毒死:～老鼠|鸡被～死了。❹ 某些有一定作用的化

学物质：火～|炸～|焊～|农～。❺ 芍药的简称：红～。

标(標) biāo ❶〈书〉树梢：～枝|松～。❷ 事物的枝节或表面：治～不治本。❸ 记号：～志|～点|路～|商～。❹ 表明；写明：～价|～题|～上记号。❺ 用比价方式发包工程或买卖货物时各竞争者标出的价格：投～|招～。❻ 一定的准则或规格：～准|达～|超～。❼ 给竞赛优胜者的奖品：夺～|锦～。❽ 清代军队编制的名称，相当于后来的团。❾ 量词。用于队伍：一～人马。

【备考】繁体標，形声字，从木，票声。简化字标，来源于草书，楷化为标。

栈(棧) zhàn ❶ 养牲畜的竹木栅栏：马～|羊～。❷ 在悬崖绝壁上用木桩木板等建筑的道路：～道|云～。❸ 存放货物的地方：货～|粮～。❹ 旅馆：客～。

栉(櫛) zhì 〈书〉❶ 梳子、篦子等梳头发的用具。❷ 梳理：～发|～风沐雨。

栊(櫳) lóng 〈书〉❶ 围养禽兽的栅栏。❷ 窗户：房～|帘～。

栋(棟) dòng ❶〈书〉屋的正梁：雕梁画～。❷ 量词。用于房屋，一座叫一栋：一～房子|两～楼。

栌(櫨) lú 【黄栌】落叶灌木，叶子卵形或倒卵形，秋天变红。

查〔査〕 ㊀ chá ❶ 考察；检验：～办|～访|调～|盘～|追～。❷ 翻检(图书)：～地

图|～资料|～字典。

㊁ zhā ❶“楂”的本字。❷ 姓。

【备考】查,形声字,从木,且(后讹变为旦)声,本义是山楂。

柏[1]〔栢〕bǎi ❶ 柏树,常绿乔木,叶鳞片状,果实为球形,木质坚硬,纹理致密,为优良用材。❷ 姓。

柏[2] ㊀ bó 柏林,德国首都。

㊁ bò 【黄柏】树名,即黄檗。

栀〔梔〕zhī 【栀子】(—·zi)❶ 常绿灌木或小乔木,花大,白色,有香气。❷ 这种植物的果实。

栎(櫟) ㊀ lì 落叶乔木,叶子可喂柞蚕。通称柞树。

㊁ yuè 栎阳,地名,在陕西。

栅〔柵〕㊀ zhà 栅栏,用竹、木、铁条等做成的阻拦物:～门|铁～|木～。

㊁ shān 【栅极】(—jí)多极电子管中最靠近阴极的一个电极。

柳〔桺〕〔栁〕liǔ ❶ 柳树,落叶乔木或灌木,枝条柔韧,叶子狭长。种子有毛,成熟后随风飞散。❷ 星宿(xiù)名,二十八宿之一。❸ 姓。

柿〔梯〕shì ❶ 落叶乔木,果实扁圆形或圆锥形,橙黄色或红色,味甜可吃。❷ 这种植物的果实。

【辨析】柿,从㕚(讹作市)得声,与从市(bèi)得声的柹(fèi,从木头上削下的木片)不同。

栏(欄) lán ❶ 栏杆;起阻挡作用的东西:铁～|石～|栅～|桥～|凭～远望。❷ 饲养家畜的圈:牛～|出～(指猪、羊等长成,可供屠宰)。❸ 纸或织物上的分格标记:乌丝～|朱丝～。❹ 表格中区分项目的大格子:籍贯～|备注～|社会关系～。❺ 报刊按排版或性质、内容划分的部分:左～|专～|文艺～|知识～|广告～。❻ 专供张贴布告、报纸等的地方:布告～|宣传～。

【备考】繁体欄,形声字,从木,闌声。简化字栏,从木,兰声,是现代群众造的新形声字。

柠(檸) níng 【柠檬】(—méng) ❶ 柠檬树,常绿小乔木,果实味道极酸,可制饮料。❷ 这种植物的果实。

柽(檉) chēng 【柽柳】落叶小乔木,老枝红色,枝条可编筐,枝叶可入药。也叫红柳、河柳。

树(樹) shù ❶ 木本植物的总称:～木|柳～|栽～。❷ 种植;培养:十年～木,百年～人。❸ 建立:～立|建～|独～一帜|～雄心,立壮志。❹ 姓。

【备考】繁体樹,形声字,从木,尌(shù)声。简化字树,为现代群众创造,中间用简化符号"又"代替。

鸸(鳾) shī 鸟名,嘴长而尖,捕食森林中的昆虫。

郦(酈) lì 姓。

咸[1] xián ❶〈书〉副词。全;都：～受其益|老少～宜。❷姓。

咸[2](鹹) xián 像盐的味道：～菜|～鱼|菜太～了。

【备考】咸与鹹本为二字。咸,《说文》释"皆,悉",会意字,从口,从戌。有人认为本义为杀戮。鹹,形声字,从鹵,咸声。《简化字总表》以咸代鹹。

砖(磚)〔塼〕〔甎〕 zhuān ❶用黏土制坯烧制而成的建筑材料,多为长方体：～瓦|青～|瓷～|耐火～。❷形状像砖的东西：金～|茶～|冰～。

厘〔釐〕 lí ❶〈书〉整理;治理：～定。❷改变;改正：～正。❸某些公制计量单位的百分之一：～米。❹市制计量单位名称。一般介于分与毫之间,1 分等于 10 厘,1 厘等于 10 毫。1. 长度,尺的千分之一。2. 重量,两的千分之一。3. 地积,亩的百分之一。❺利率单位名,年利率 1 厘是本金的百分之一,月利率 1 厘是本金的千分之一。

【备考】1955 年 12 月发布的《第一批异体字整理表》中"厘"有异体字"釐"。釐,甲骨文作[illegible],象一手持麦穗,另一手持棍棒敲击之形。后加里声作"釐"。"厘"为"釐"的省形。2013 年发布的《通用规范汉字表》确认"釐"读 xī 时为规范字,用于帝王谥号,如周釐王;读 lí 时仍为"厘"的异体字。

砗(硨) chē 【砗磲】(—qú)软体动物中的一科,生活在热带海洋中。形似大蚌,介壳呈三角形,长可达一米。

砚(硯) yàn ❶磨墨的文具:~台|画~|笔墨纸~。❷旧指有同学关系的:~兄|~友|同~。

斫〔斮〕〔斲〕〔斵〕 zhuó 〈书〉用刀斧等砍削:~轮老手(指技艺精湛、经验丰富的人)。

砜(碸) fēng [英 sulfone]硫酰(xiān)基与烃(tīng)基或芳香基结合而成的有机化合物:二甲~|二苯~。

面¹ miàn ❶脸:~孔|~目|~前|春风满~。❷物体的外表或上部的一层:表~|路~|脚~。❸当面:~谈|~交。❹向着;朝着:~壁|~南背北。❺部位;方位;方面:东~|里~|后~|全~|片~|~~俱到。❻几何学上指线体移动所构成的图形:平~|锥~。❼量词:一~旗|一~镜子。

面²(麵)〔麪〕 miàn ❶粮食磨成的粉,也特指小麦粉:~粉|白~|玉米~。❷特指面条:切~|汤~|炒~。❸(~儿)粉末:药~儿|胡椒~儿。❹某些食物柔软易嚼:~瓜|土豆很~。

【备考】面,甲骨文作[图],象形字,象人面的形状。繁体麵,形声字,从麦,面声。《简化字总表》规定以面代替麵。

牵(牽) qiān ❶ 拉；挽：～引｜顺手～羊。❷ 连带：～扯｜～连｜～累｜～涉。❸ 挂念：～挂｜～念。

【备考】 牵，小篆作[小篆字形]，会意兼形声字，从玄，从牛，从冂省，玄兼表音。玄字金文作[金文字形]，本象绳索悬挂，在此表示牵牛的缰绳，冂读 jiōng，为户扃的"扃"初文，在此表示门户，牵字本义为牵牛出户。隶变作牽。简化字牵来源于晋代行草。清初刊行的《目连记弹词》中有牽，《简化字总表》进一步简化作牵。

鸥(鷗) ōu 水鸟名。羽毛多为白色，生活在湖海上，捕鱼、螺为食：沙～｜海～｜～鹭忘机。

龑(龑) yǎn 五代时南汉刘龑为自己名字造的字。字义取自《易·乾》的"飞龙在天"。

残(殘) cán ❶ 伤害；杀：～害｜～杀｜摧～｜骨肉相～。❷ 剩余的；将尽的：～敌｜～冬｜～余｜风卷～云｜～羹剩饭。❸ 不完整的；有缺陷的：～废｜～品｜～缺｜身～志不～。❹ 凶恶：～暴｜～酷｜～忍｜凶～。

殇(殤) shāng 〈书〉❶ 没有到成年就死去。❷ 指牺牲者：国～。

【备考】 繁体殤，形声字，从歹，声旁为傷(伤的繁体)的省写；类推简化为殇。

轱(軲) gū 【轱辘】(—·lu)❶ 车轮子。❷ 滚动：皮球～远了。

轲(軻) kē 人名用字。孟子，名轲，战国时人。

轳(轤) lú　见“辘”(520页)。

轴(軸) ㊀ zhóu　❶ 穿在轮子中间的圆杆：车～|轮～。❷ 中心；枢纽：～心|当～。❸ 把平面或立体分成对称部分的直线：对称～。❹ 用来往上绕东西的圆柱形器物：画～|线～。❺ 量词。用于缠在轴上的线以及装裱带轴子的字画：一～画|两～线。

㊁ zhòu　一场戏曲演出中作为轴心的主要剧目。排在最后的一出戏叫大轴子，倒数第二出戏叫压轴子或压轴儿戏。

轵(軹) zhǐ　〈书〉古代车毂外端贯穿车轴的小孔，又泛指车轴的末端。

轶(軼) yì　❶ 超过；超越：超～绝尘。❷ 通“逸”。散失：～文|～事|～闻。

轷(軤) hū　姓。

轸(軫) zhěn　❶〈书〉车后横木；借指车：车～|连～而来。❷ 星宿(xiù)名，二十八宿之一。❸〈书〉悲痛：～怀|～念。

轹(轢) lì　〈书〉❶ 车轮碾轧。❷ 欺压：凌～。

轺(軺) yáo　古代一种轻便的小马车。

轻(輕) qīng　❶ 重量小；比重小：～如鸿毛|纸箱比木箱～。❷ 负载小；装备简

单：～骑｜～装前进｜～车简从。❸ 程度浅；数量少：～伤｜年纪～｜病得不～｜工作很～。❹ 负担不重；不紧张：～便｜～快｜～松｜～闲｜～音乐。❺ 不重要：责任～。❻ 用力不猛：～声｜～拿～放｜～手～脚｜～～地咳了一声。❼ 随便；不审慎：～率｜～信｜～举妄动。❽ 不庄重；不严肃：～薄｜～浮｜～佻｜～狂。❾ 不重视；不注意：～视｜～敌｜～财重义。

【备考】繁体輕，形声字，从车，巠(jīng)声，本义是一种轻便的兵车。类推简化为轻。

鸦(鴉)〔鵶〕 yā 鸟的一属，全身多为黑色。

虿(蠆) chài 蝎子一类的毒虫：蜂～｜虫～。

【备考】虿，繁体蠆，金文作[illegible]，象形字，象蝎子形。

[丨]

韭〔韮〕 jiǔ 韭菜，多年生草本植物，叶子细长而扁，花白色，是普通蔬菜。

背[1] bèi ❶ 躯干上与胸腹相对的部位：～影｜汗流浃～｜驼～｜后～｜脊～｜马～。❷ 某些物体的后面、反面或上面：手～｜力透纸～｜刀～儿｜畦～儿。❸ 背部对着：～山面海｜～阴向阳｜～窗户坐着。❹ 朝向后面：～着手｜～过脸去。❺ 避开：～人｜这是他～着大伙儿干的。❻ 离开：～井离乡。❼ 彻底违反；对立：违～｜～约｜～叛｜～信弃义。❽ 不顺利；倒霉：～时｜～运｜手气～。❾ 偏僻：～静｜这条路太

～。❿ 听觉不灵：耳朵有点～。⓫ 不看文字，凭记忆念诵：～书|～诵|死记硬～|倒～如流。

背[2]〔揹〕bēi ❶ 人用脊背负重：～孩子|～着一筐草。❷ 负担；承受：～债|～处分|～思想包袱|出了问题我～着。

【辨析】背—悖 见"悖"字辨析(356页)。

战(戰) zhàn ❶ 打仗：～斗|～争|停～|作～|游击～。❷ 泛指争胜负、比高下：笔～|舌～|论～|挑～|应～。❸ 发抖；哆嗦：～抖|～栗|寒～|打冷～|胆～心惊。❹ 姓。

【备考】繁体戰，形声字，从戈，單声；简化字战，形声字，从戈，占声，见于明末官府文书档案《兵科抄出》和清初刊行的《目连记弹词》。

觇(覘) chān 〈书〉窥视；察看：～候|～标(一种测量标志)。

点(點) diǎn ❶ 细小的痕迹：斑～|污～|泥～儿。❷ 小滴的液体：雨～|胸无～墨。❸ 使一点一滴地滴下或落下：～播|～眼药|种瓜～豆。❹ 点心，某些不作为主食的糕饼等小食品：早～|茶～|西～。❺ 汉字的一种笔画，形状是丶。❻ 用笔所加的点；用笔加上点子：评～|圈～|画龙～睛。❼ 一定的位置或限度：起～|沸～|立足～。❽ 事物特定的部分或方面：特～|优～|重～|疑～。❾ 逐个检查、核对：～名|～数|盘～。❿ 对人或事物按要求进行挑选、指定：～菜|～歌|～将。⓫ 启发；提示：～拨|指～。⓬ 衬饰：～缀|～染|装～。⓭ 引着(zháo)

火：～火|～燃。⓮ 刚一触到物体就立刻离开：～穴|蜻蜓～水。⓯ 头或手向下略微动一动后即恢复原状：～头致意|指指～～。⓰ 时间单位，一昼夜的二十四分之一：六～三十分|现在几～？⓱ 指规定的时间：误～|正～到达。⓲ 节奏：鼓～|步～。⓳ 古时指选定官员或选拔人才：～翰林。⓴ 几何学上指没有长、宽、高而只有位置的几何图形：交～|切～。㉑ 指小数点，数学上表示小数的符号，简称为点：如 5.48 读作五～四八。㉒ 量词。表示项或少量：两～意见|一～儿钱。

【备考】繁体點，形声字，从黑，占声。简化字点，省點字左上的"里"，见于明刊本《薛仁贵跨海东征白袍记》。

临(臨)

lín ❶〈书〉从上往下看：居高～下|登高～四野。❷ 从上到下；引申为到来，到达：光～|莅～|～场|身～其境|喜事～门。❸ 挨着；靠近；对着：～街|面～。❹ 照着字画模仿：～摹|～帖。❺ 副词。快要；将要：～别|～产|～睡|～走。❻ 姓。

【备考】繁体臨，象形字，金文作[金文字形]，象人俯视众物之形。简化字临，来源于草书。元代刊行的《古今杂剧三十种》中有接近"临"的写法，1935 年《简体字表》中的"临"与今简化字完全相同。

览(覽)

lǎn 观看：～胜|游～|阅～|饱～。

【备考】繁体覽，会意兼形声字，从见，从監（jiàn，照影子，引申为看），監兼表音。因監处于上部，故写作

"臨",该偏旁简化作"⺊⺊"。"⺊⺊"的写法来源于草书,东晋王羲之作品中有与此接近的写法。印刷物中的"⺊⺊"见于元抄本《京本通俗小说》(揽字偏旁)。

竖(竪)〔豎〕 shù ❶ 立;直立:~立|~起一面大旗。❷ 纵的,从上到下,从前到后的(与"横"相对):~线|~琴|~着挖沟。❸ 汉字笔画"丨"的名称。❹〈书〉童子;僮仆。

【备考】 异体豎,形声字,从臤(qiān,坚固),豆声。因语音的变化,后来"豆"和"豎"的声音已相差很远,因而出现俗字竪,改"豆"为"立",强调其直立之义。类推简化为竖。

尝[1](嘗)〔甞〕〔嚐〕 cháng 辨别滋味:品~|卧薪~胆。

尝[2](嘗)〔甞〕 cháng ❶ 试;试探:~试。❷ 经历;感受:~尽辛酸|备~艰苦|~到了甜头。❸ 副词。曾经:何~|未~。

【备考】 繁体嘗,形声字,从旨,尚声。后又加口分化出嚐字。简化字尝来源于草书,在元抄本《京本通俗小说》中,有与今简化字完全相同的尝字。

眍(瞘) kōu 眼窝深陷的样子:~~眼|~瞜(—·lou)(眼窝深陷)|一场病,眼睛就~进去了。

是〔昰〕 shì ❶ 文言代词。1. 表示近指,相当于"这":如~|以~|~可忍,孰不可忍? 2. 复指前置宾语:唯利~图|唯才~举。❷ 对;正确(与"非"相对):似~而非|自以为~|这话说得很

～。❸ 认为对(与“非”相对)：～古非今。❹ 表示答应：～,我马上去办|～,我懂了。❺ 表示判断：他～老师|北京～中国的首都|这件衣服～新买的。

眇〔眇〕 miǎo 〈书〉❶ 一只眼睛失明,偏盲;又指双目失明,瞎：～目|目～耳聋。❷ 微小：～然。

晛(晛) xiàn 人名用字。嵬名晛,西夏末帝名(嵬名,复姓)。

昽(曨) lóng ❶【曚昽】(méng—)日光不明。❷【曈昽】(tóng—)太阳初升时由暗而明的样子。

哄[1] ㊀ hōng ❶ 许多人同时发出大声：～然|～传|～堂。❷ 拟声词。形容喧哗声：人们～的一声把他围住。

㊁ hǒng ❶ 欺骗：～骗|欺～|瞒～。❷ 逗引使高兴：～逗|～孩子。

哄[2]**〔閧〕〔鬨〕** hòng 吵闹;喧嚣：～闹|起～|一～而散。

哑(啞) ㊀ yǎ ❶ 由于生理缺陷或疾病而失去言语功能：～巴|聋～。❷ 不说话;不发声：～剧|～铃。❸ 声音干涩,不响亮：嘶～|沙～|嗓子～了。❹ 因发生故障,炮弹、子弹打不响：～炮|～火。

㊁ yā 【哑哑】(—yā)拟声词。1. 形容乌鸦之类的叫声：～乌啼。2. 形容婴儿学说话的声音：～学语。

显(顯) xiǎn ❶ 露在外面容易看出来：～著|明～|～而易见。❷ 表露出：～现|～

示|～摆(一·bai)|大～身手|屋子～得小了。❸(名声、权势等)盛大:～达|～赫|～贵|～要。❹电子显示器的简称:彩～(彩色电子显示器)|汉～(能够显示汉字信息的寻呼机)。

【备考】元刊本《古今杂剧三十种》等,把顯简化为显,《简化字总表》进一步简作显。

冒〔冐〕 ㊀ mào ❶顶着;不顾:～险|顶风～雪|～着敌人的炮火。❷触犯:～犯。❸鲁莽;轻率:～进|～失。❹用假的充当真的:～充|～名|～牌货|假～伪劣。❺向上升;向外透:～尖|～烟|～汗|～水|～头儿。❻姓。

㊁ mò 【冒顿】(一dú)汉初匈奴族一位首领的名字。

映〔暎〕 yìng ❶因光线照射而显出物体形象:～射|～现|晚霞～红了天际|塔影倒～在湖面上。❷指放映(影片等):上～|重～|播～|首～式。

哒(噠) dā ❶【哒嗪】(一qín)[英pyridazine]一种有机化合物。❷拟声词。形容马蹄声、机枪声、脚步声等:～～的马蹄声|机枪～～～一阵扫射|小闹钟～～地走着。

昵〔暱〕 nì 亲近;亲热:～爱|～称|亲～。

哓(嘵) xiāo 【哓哓】(一xiāo)〈书〉1.形容鸟类因恐惧而发出的鸣叫声。2.形容争辩、吵嚷声:～不休。

哔(嗶) bì 【哔叽】(—jī)［法 beige］一种密度比较小的斜纹纺织品。

毗〔毘〕 pí 〈书〉❶ 辅助：～佐|～辅。❷ 连接：～连|～邻。

贵(貴) guì ❶ 价格高：昂～|贱买～卖|这件衣服太～。❷ 地位高：～族|尊～|权～。❸ 值得珍视或重视：宝～|珍～|和为～。❹ 以……为可贵：兵～神速|人～有自知之明。❺ 敬辞。称与对方有关的事物：～姓|～恙|～厂。

虾(蝦) ㊀ xiā 一种节肢动物，身上有薄而透明的软壳，生活在水中，种类很多：～皮|～酱|对～|龙～。

㊁ há 【虾蟆】(—·ma) 同"蛤蟆"，今规范为"蛤蟆"。

【备考】 繁体蝦，形声字，从虫，叚(jiǎ)声。简化字虾，形声字，从虫，下声，见于 1935 年《简体字表》。

虻〔蝱〕 méng 昆虫的一科，形似蝇而稍大，雄的吸植物的液汁，雌的吸人、畜的血。

【辨析】 虻，旧读 máng，今统读 méng。

蚁(蟻) yǐ ❶ 昆虫的一科，体小，多在地下做窝，群居，种类很多。也称蚂蚁。❷ 姓。

蚂(螞) ㊀ mā 【蚂螂】(—·lang)〈方〉蜻蜓。

㊁ mǎ ❶【蚂蟥】(—huáng) 蛭(zhì)纲动物，生活在水田、湖沼中，有的吸食人或动物的血液。❷【蚂蚁】(—yǐ) 见"蚁"(266 页)。

㊂ mà 【蚂蚱】(—·zha)〈方〉蝗虫。

虽(雖) suī 连词。❶ 表示让步关系，相当于“虽然”“尽管”：麻雀～小，五脏俱全。❷ 表示假设关系，相当于“纵使”“即使”：为人民利益而死，～死犹荣。

【备考】繁体雖，形声字，从虫，唯声，本义为一种类似蜥蜴的动物；简化字省“隹”，见于元刊本《朝野新声太平乐府》。

咽[1] ㊀ yān 咽头，口腔深处通食道和喉头的部分：～喉｜～炎。

㊁ yè 声音低沉不畅：呜～｜幽～｜悲～。

咽[2]**〔嚥〕** yàn 使嘴里的食物或别的东西通过咽头到食道里去；吞入：吞～｜狼吞虎～。

骂(駡)〔傌〕〔罵〕 mà ❶ 用恶毒或粗野的话侮辱：～街｜～人｜谩～｜辱～｜咒～。❷ 斥责：责～。

哕(噦) ㊀ huì 〈书〉鸟鸣声。

㊁ yuě 〈口〉❶ 呕吐：干～。❷ 拟声词。形容呕吐的声音：～的一声，把刚吃的东西都吐了。

剐(剮) guǎ ❶ 割骨离肉。古代将人慢慢割死的酷刑，又叫“凌迟”：千刀万～｜舍得一身～，敢把皇帝拉下马。❷ 划破：～破了手｜衣服～了个口子。

【备考】繁体剮，会意兼形声字，从刀，从咼（剐的初文），咼兼表音。类推简化为剐。

郧(鄖) yún ❶ 地名用字：～县(在湖北)。❷ 姓。

勋(勛)〔勳〕 xūn ❶ 大功劳；特殊功劳：～劳｜～业｜功～｜屡建奇～。❷ 标志功劳、荣誉的：～章｜～爵。❸ 有功勋的人：元～。

哗[1](嘩) huā 拟声词。形容流水声或撞击声：河水～～地流着｜铁栅栏门～的一声拉开了。

哗[2](嘩)〔譁〕 huá 人声杂乱；喧闹：～然｜～变｜～笑｜喧～。

咱[1] ㊀ zá 【咱家】我(多见于早期白话)。
㊁ ·zan 〈方〉一般认为是"早晚"两字的合音：这～｜那～｜多～。

咱[2]〔偺〕〔喒〕〔儹〕〔噜〕 zán ❶〈口〉代词。我们(包括听话者在内)：～们｜～家｜～俩｜～一起走吧。❷〈方〉我：这个道理～懂。

【辨析】在普通话中，"咱"与"我"不同，"我"为单数第一人称，"咱"为复数；"咱"与"我们"也不尽相同，"咱"包括听话者在内，"我们"则不一定。

咿〔吚〕 yī ❶【咿呀】(—yā) 拟声词。形容小孩学话的声音或划桨声。也作"咿哑"。❷【咿唔】(—wú) 拟声词。形容读书的声音。

响(響) xiǎng ❶ 回声：～应｜影～。❷ 发出声音：～器｜台下～起掌声｜枪～了。❸ 使发出声音：～枪｜～锣。❹ 声音高而大：～亮｜

～音|山～。❺ 声音：声～|音～。❻ 量词。表示发出声音的次数：鸣礼炮21～。

【备考】繁体響，形声字，从音，鄉(乡繁体)声；简化字响，从口，向声。见于明刊本《清平山堂话本》。

哙(噲) kuài 〈书〉吞咽；咽下去。

咬〔齩〕 yǎo ❶ 上下牙相对用力压碎或夹住东西：～牙|～馒头。❷ 钳子等夹住或齿轮等相互卡紧：齿轮～死了，转不动。❸ 紧跟不放：被敌人～住了，不得脱身。❹ 受责难或审讯时牵扯别人(多指无辜的)：贼～一口，入骨三分。❺ 念出字音；也指过分地计较字句的意义：～字清楚|～字眼儿|～文嚼字。❻ 狗叫：到了半夜，狗又～起来了。

咳[1]〔欬〕 ké 咳嗽，呼吸器官受到刺激时产生的一种反射作用，把吸入的气急促呼出，声带振动发声：～喘|干～|百日～。

咳[2] hāi ❶ 叹词。1. 表示伤感、后悔或惊异：～！我怎么这么笨！2. 表示招呼人，提醒人注意：～，快点走！❷ 叹息，发出叹气声：～声叹气。

咩〔哶〕〔咪〕 miē 拟声词。形容羊叫的声音。

【备考】咩，甲骨文作[古文字]，小篆作[古文字]，从羊，上象声气上出，表示羊鸣；隶变作芈。后又造咩字，从口从羊会意。

咤〔吒〕 zhà 【叱咤】(chì—)呼喊；怒喝：～风云。

【备考】1955年12月发布的《第一批异体字整理表》

中"咤"有异体字"吒"。2013 年发布的《通用规范汉字表》确认"吒"读 zhā 时为规范字，用于神话人名，如哪吒；读 zhà 用于"叱咤"时仍为"咤"的异体字。

哝(噥) nóng ❶【哝哝】(—·nong) 低声说话：母女俩～了好半天。❷【咕哝】(gū·nong) 小声说话(多带不满情绪)：他嘴里～着，一脸的不高兴。

哟(喲) ㊀ yō 叹词。❶ 表示轻微的惊异(有时带玩笑语气)：～，他害臊了。❷ 表示赞叹：～，好大的气派！

㊁ ·yo ❶ 语气词。1. 用于句末表示祈使语气：大家一齐用力～！2. 用于句中停顿处：话剧～，京剧～，他都能演。❷ 助词。歌词中做衬字：呼儿嗨～。

峡(峽) xiá 两山夹水的地方：～谷|三门～(在河南)|青铜～(在宁夏)。

峣(嶢) yáo 〈书〉高峻。

帧(幀) zhēn ❶ 画幅：装～。❷ 量词。用于字画、照片等，相当于"幅"：一～照片。

罚(罰)〔罸〕 fá 处分；惩办：～款|处～|惩～|责～|赏～分明。

【备考】罚，会意字，从网，从言，从刀(刂)。清代徐灏认为，"网"为"罪之省"(罪，从网、非)，即法网；"言"指将所犯罪行记录下来，"刀"指对肉体的各种刑罚。"析言之，则重者为刑，轻者为罚。"简化字罚，依"言"字偏旁的简化方式类推简化而成。

峒〔峝〕 ㊀ dòng 山洞，多用于地名：～中（在广东）|吉～坪（在湖南）。

㊁ tóng 【崆峒】（kōng—）山名，在甘肃。又岛名，在山东。

峤（嶠） ㊀ jiào 〈书〉山道。

㊁ qiáo 〈书〉山又尖又高。

贱（賤） jiàn ❶ 价格低：～价|～卖|这几天鸡蛋～了。❷ 地位低：～民|贫～。❸ 品格卑下：犯～|～骨头。❹ 谦辞。称与自己有关的事物：～内（旧时对人称自己妻子）。

贴（貼） tiē ❶ 把片状的东西粘在另一个平面上：张～|剪～|～邮票|～春联|把布告～在墙上。❷ 紧挨：～身|～心|～墙站着。❸ 补助；补偿：～补|倒～|把积蓄都～进去了。❹ 工资以外补助的钱：房～|煤～。❺ 量词。用于膏药：一～狗皮膏。

【辨析】贴—帖 在妥适、顺服的意义上，贴与帖多通用，如妥 tiē、服 tiē。现通常写作帖。

贶（貺） kuàng 〈书〉赠；赐。

贻（貽） yí 〈书〉❶ 赠给：～赠。❷ 遗留：～厥子孙|～患无穷。

［丿］

钘（鈃） xíng 古代一种盛酒的器皿。

铁(鈇) fū 〈书〉❶ 铡刀。❷ 斧头。

钙(鈣) gài 金属元素,符号 Ca。银白色轻金属。其化合物生石灰、石膏等用途很广。

钚(鈈) bù 金属元素,符号 Pu。银白色,有放射性。

钛(鈦) tài 金属元素,符号 Ti。银白色,强度高,有延展性,耐腐蚀性强。钛合金质硬而轻,主要用来制造飞机等。

钜(鉅) jù ❶ 同“巨”。❷ 地名用字:~兴(在安徽)。❸ 姓。

【备考】1955 年 12 月发布的《第一批异体字整理表》繁体“鉅”处理为“巨”的异体字。2013 年发布的《通用规范汉字表》确认“钜”为规范字,仅用于姓氏人名、地名;表示“巨大”的意义时,繁体“鉅”仍为“巨”的异体字。

钝(鈍) dùn ❶ 不锋利:菜刀~了,切不动肉了。❷ 笨;不灵活:迟~|鲁~|愚~。

钞(鈔) chāo ❶ 纸币:~票|现~|验~机。❷ 抄写。

钟[1](鍾) zhōng ❶ 古代一种盛酒的圆形壶。❷ 通“盅”。饮酒或喝茶用的没有把儿的杯子。❸ (情感等)专一;专注:~爱|~情|情有独~。❹ 姓。

钟[2](鐘) zhōng ❶ 古代的一种打击乐器。也用于报时、报警、作集合信号等:编~|~

楼|撞～|～鸣鼎食|暮鼓晨～。❷ 计时器(挂着或放着):挂～|闹～|座～|自鸣～。❸ 用计时器计量的时间:三点～|十分～。

【备考】繁体鐘,形声字,从金,童声;繁体鍾,从金,重声。简化字钟,形声字,从金,中声。鐘、鍾两字古代有时通用,《简化字总表》将两字合并简化为钟。2013年发布的《通用规范汉字表》确认“鍾”用于姓氏人名时可简化作“锺”。

钡(鋇) bèi 金属元素,符号 Ba。银白色,燃烧时发黄绿色的光。用来制合金、烟火和钡盐等。

钢(鋼) ㊀ gāng 铁和碳的合金:～材|～铁|炼～。

㊁ gàng ❶ 把刀放在布、皮、石头或缸沿上面用力磨,使刀刃锋利:～刀布|把刀～一～。❷ 在用钝了的刀口上加上钢,重新打造,使更锋利:这口铡刀该～了。

钠(鈉) nà 金属元素,符号 Na。银白色,燃烧时火焰呈黄色。

铱(鋹) chǎng 〈书〉锋利。

钘(釿) jīn ❶ 古代砍伐树木的工具。❷ 古代金属重量单位;货币单位。

钣(鈑) bǎn 金属板材:钢～|铝～。

铊(錀) lún 金属元素,符号 Rg。有放射性。

钤(鈐) qián ❶〈书〉锁。比喻管束：～束。❷官印；公章：接～任事。❸盖章；盖印：～印。

【辨析】右半边是"今"，不是"令"。

钥(鑰) ㊀ yào　钥匙，开锁的器具。
㊁ yuè　〈书〉❶锁。❷钥匙：锁～(1. 比喻做好一件事的关键。2. 比喻军事要地)。

【辨析】依据《审音表》"钥"有文白二读：钥 yào 为口语音；钥 yuè 为书面语音，用于文言词语。

【备考】繁体鑰，形声字，从金，龠(yuè)声。简化字钥，形声字，从金，月声。现代群众创造。

钦(欽) qīn　❶恭敬；敬重：～佩|～仰。❷封建社会指由皇帝亲自做：～定|～赐|～差大臣。❸姓。

钧(鈞) jūn　❶古代的重量单位，三十斤为一钧：千～一发|雷霆万～。❷旧时对尊长或上级的敬辞：～安|～启|～令|～座。

钨(鎢) wū　金属元素，符号 W。灰黑色，质硬而脆，耐高温。

钩(鈎)〔鉤〕 gōu　❶(～儿)钩子，头部弯曲，用来探取、悬挂或连接器物的用具：挂～|秤～儿|钓鱼～儿。❷用钩子或钩状物探取、悬挂或连接：～挂|把掉在水里的东西～上来。❸〈书〉探索；探讨：～沉|～玄。❹汉字的笔画，附在横、竖等笔画的末端，成钩形，形状是"亅、乛、乚、乀"等。❺一种缝纫法，用针粗缝：～贴边。❻用带钩的针编织：～一

顶帽子。❼（～儿）钩形符号，形状是"√"，一般用来标志内容正确的文字、算式或合格的事物：打对～。❽ 姓。

钪(鈧) kàng 金属元素，符号 Sc。一种稀土金属。

钫(鈁) fāng ❶ 古代一种方形盛酒器皿，方口大腹，为青铜或陶制品。❷ 古代锅类器皿。❸ 金属元素，符号 Fr。有放射性。

钬(鈥) huǒ 金属元素，符号 Ho。一种稀土金属。

钭(鈄) ㊀ dǒu ❶〈书〉酒器。❷ 地名用字：～家山（在甘肃）。❸ 姓。

㊁ tǒu ❶ 古代一种酒器。❷ 姓。

钮(鈕) niǔ ❶ 通"纽❶❷"。❷ 器物上用手操作、转动的部件，起开关或调节作用：电～|旋～|按～。❸ 姓。

【辨析】钮—纽 见"纽"字辨析（176 页）。

钯(鈀) ㊀ bǎ 金属元素，符号 Pd。银白色，可用做催化剂，其合金可用作牙科材料和装饰品。

㊁ pá 同"耙(pá)"。

矩〔榘〕 jǔ ❶ 画直角用的工具：～尺|不以规～不能成方圆。❷ 规则；法度：规～|循规蹈～。

毡(氈)〔氊〕 zhān ❶ 用羊毛、驼毛等压制成的片状物，像厚呢子或毯子：～子|～房|～帽|擀～。❷ 像毡子的建筑材料：

油～。

【备考】《说文》作氈，形声字，从毛，亶(dǎn)声。氊字后起，变为半包围结构。毡为后起俗字，从毛，占声。今以氈为异体，以氊为繁体，毡为规范简化字。

氢(氫) qīng 气体元素，符号 H。无色无臭(xiù)无味，是已知元素中最轻的。

【备考】繁体氫，形声字，从气，巠(jīng)声。类推简化为氢。

选(選) xuǎn ❶ 挑拣；择取：～择|～派|～读|挑～。❷ 选择后加以推举：～举|推～|～主席。❸ 挑出一部分编在一起的作品：诗～|小说～|作品～。

【备考】繁体選，形声字，从辵，巽(xùn)声，本义为遣送，放逐。简化字选，从辵，先声，见于1932年《国音常用字汇》。

适[1] kuò 〈书〉疾速。多用于人名：南宫～(孔子弟子)。

适[2](適) shì 〈书〉❶ 到……去：民知所～。❷ 出嫁：尚未～人。❸ 合宜：～合|～宜|～用|此种工作于我不～。❹ 舒服：舒～|稍感不～。❺ 恰好：～逢其会(时机)|～得其反|～值国庆来临。

【辨析】简化字“适(shì)”与古字“适(kuò)”(本作“䒽”)同形，“适(kuò)”没有对应的繁体。

【备考】繁体適，形声字，从辵，啻(chì)声，啻隶变为商。

简化字适，从辵，舌声，是现代群众创造的新形声字。

秕〔粃〕bǐ ❶ 空的或不饱满的子粒：～子|～糠。❷ 子实不饱满：～粒|～谷子。

种[1]（種）㊀ zhǒng ❶ 生物传代繁殖的物质：麦～|配～|优良品～。❷ 事物延续的根源：火～|谬～流传。❸ 有共同起源和相同遗传特征的人群：人～|～族|黄～人。❹ 依据性质、特点划分的事物的门类：～类|品～|工～|剧～|某～现象|特～部队。❺ 量词。表示种类、样式，用于人和事物：三～人|两～东西|各～情况。❻ 姓。

㊁ zhòng 把种子或秧苗埋入或栽到土里使生长：～植|～地|～棉花。

种[2] chóng 姓。

【辨析】读 chóng 的"种"没有对应的繁体字。

【备考】繁体種，形声字，从禾，重声。简化字种，从禾，中声，为现代群众创造的新形声字，与作姓用的种(chóng)为音义不同的同形字。

秋[1]〔烌〕〔龝〕qiū ❶ 秋季，一年四季中的第三季：～风|～色|深～|～高气爽。❷ 庄稼成熟的时期：麦～。❸ 指一整年的时间：千～万代|一日不见，如隔三～。❹ 指某个时期(多指不好的)：多事之～。❺ 姓。

秋[2]（鞦）qiū 【秋千】(—qiān)一种运动和游戏的器具。在木架或铁架上悬挂两条绳子，下拴横板，人在板上前后摆动。

复[1]**(復)** fù ❶ 转过去或转回来：反～|往～|翻来～去。❷ 回答：～信|敬～|答～|电～|批～。❸ 还原：～刊|光～|收～|～原|康～|修～。❹ 报复：～仇。❺ 再；又：～发|～议|～查|死灰～燃|去而～返。

复[2]**(複)** fù ❶ 重复：～核|～习|～写|～制|～述。❷ 非单一的；两重(chóng)或两重(chóng)以上的：～句|～姓|～杂|～合|～分数。

【辨析】"复"不是"覆"的简化字。

【备考】复，甲骨文作[illegible]，上半部是城邑之形(或说是器皿之形)，下半部从夊(suī，足)，本义是往来。后增加意符成为復字。复和復是古今字。複，从衣，复声，本义是有里子的衣服。複同复、復本是不同的字。现《简化字总表》将復、複合并简化为复。

笃(篤) dǔ ❶ 深厚；深切：～爱。❷ 忠实；全心全意：～守|～信|～志|～学不倦。❸ (病势)沉重：病～。

俦(儔) chóu 〈书〉伙伴；同伴：～侣|～列。

俨(儼) yǎn 〈书〉❶ 庄重。❷ 整齐：屋舍～然。❸ 宛如；很像：～如天成。

俩(倆) ㊀ liǎ ❶ 两个：～人|～书包|娘儿～|咱哥儿～。❷ 少数几个；不多：仨瓜～枣|就这～人，还想开山修路？

㊁ liǎng 【伎俩】(jì—)不正当的手段：戳穿骗子的～。

【辨析】俩(liǎ)是“两个”的合音，故俩(liǎ)后不再带量词。

俪(儷) lì ❶ 成双的；配成对的：～句|骈～。❷ 指夫妇：～影|伉～。

倈(倈) lái 元朝时称供使唤的小厮；又指元杂剧中扮演童仆的角色。

贷(貸) dài ❶ 借出或借入：告～|向银行～款|银行～给他十万元。❷ 指贷款，借给的款项：农～|信～|高利～。❸ 宽恕；饶恕：宽～|严惩不～。❹ 推卸(责任)：责无旁～。

顺(順) shùn ❶ 不违逆；依从：～服|恭～|归～。❷ 向着同一个方向：～风|～流而下。❸ 依次：～次|～延。❹ 沿着；循着：～藤摸瓜|～着这条马路往前走。❺ 使顺；理顺：她～了～头发|文稿不错，但词句还得～一～。❻ 适合；如意：～眼|～心。❼ 趁便：～手|～便。❽ 顺利：～畅|～当。❾ 姓。

修[1]〔脩〕xiū ❶ 使完美；装饰：～饰|～辞|～理|～浚。❷ 建造：～建|～铁路|～水库。❸ 编写；写：～史|～书。❹ 学习研究并锻炼：～业|～行(xíng)|～炼|自～|进～。❺ 削或剪，使整齐：～脚|～剪枝条。❻〈书〉高；长：～短|茂林～竹。

修[2] xiū 姓。

【备考】1955 年 12 月发布的《第一批异体字整理表》

中“修”有异体字“脩”。2013年发布的《通用规范汉字表》确认“脩”为规范字，仅用于表示干肉，如“束脩”；表示“装饰、修理、修养、修长”等意义时仍为“修”的异体字。

俭(儉) jiǎn 爱惜物力；不浪费：～朴|～省|节～|省吃～用。

俟[1]〔竢〕 sì 〈书〉等待：～机而动。

俟[2] qí 见“万[2](mò)”(8页)。

俊[1]〔儁〕〔雋〕 jùn ❶才智过人：～士。❷才智过人的人：～杰|青年才～。

俊[2] jùn 容貌秀丽好看：～美|～俏|这孩子长得真～。

【辨析】旧读zùn，今统读jùn。

徇〔狥〕 xùn ❶〈书〉巡行。❷〈书〉对众宣示。❸〈书〉无原则地依从：～私|～情。❹同“殉”。陪葬。

须[1](須) xū ❶〈书〉等待；等到：～以时日|～晴日，看红装素裹，分外妖娆。❷一定要：～要|～知|务～|必～。❸姓。

须[2](鬚) xū ❶胡子：～发(fà)|～眉|胡～。❷须子，像胡须的东西：～根|触～|花～。

【备考】须，甲骨文作[古文字]，金文作[古文字]，象面生胡须之形。本义是胡须。后又造从髟(biāo，长发)、須声的形声字鬚表胡须义。"須"用作等待或必须义，《简化字总表》将"鬚"并入"須"，简化作"须"，"须"又恢复了"胡须"义。

舣(艤) yǐ 〈书〉使船靠岸。

叙〔敍〕〔敘〕 xù ❶〈书〉次序；次第：四时不失其～。❷ 排列次序；特指按等级次第授官或按劳绩大小评奖：～功｜～奖。❸ 说；谈：～说｜～谈｜～家常。❹ 记述；述说：记～｜～述｜～事诗。❺ 序言(古书中多用)：《说文解字·～》。

剑(劍)〔劒〕 jiàn 古代兵器。长条形，尖端有锋，两边有刃，中间有脊，短柄：宝～｜刀枪～戟｜～拔弩张。

鸧(鶬) cāng 【鸧鹒】(—gēng)〈书〉即黄鹂。

胚〔肧〕 pēi 初期发育的生物体：～胎｜～芽。

胧(朧) lóng 【朦胧】(méng—)1. 月光不明亮。2. 模糊不清。

胨(腖) dòng ［英 peptone］蛋白胨的简称。有机化合物，可作细菌培养基，也用来治疗消化道疾病。

【备考】《玉篇》有"腖"字，罕用。今借为化学专用字，并类推简化。

胪(臚) lú 〈书〉陈列：～列。

胆(膽) dǎn ❶胆囊,浓缩和贮存胆汁的器官。❷胆量:~怯|~儿小|壮~儿|~识|闻风丧~。❸装在某些器物内层盛空气或水的东西:球~|保温瓶~。

【备考】繁体膽,形声字,从肉,詹声。简化字胆,形声字,从肉,旦声;见于元抄本《京本通俗小说》和明代字书《正字通》。

胜[1](勝) shèng ❶能够承担或承受:~任|不~其烦|不可~数(shǔ)|防不~防。❷胜利;战胜(与"败"或"负"相对):获~|~仗|战无不~|以少~多|~败乃兵家之常。❸超过:~似春光|事实~于雄辩|条件~过从前。❹优美的;美好的:~景|~境|~会|~友。❺尽:不~枚举|数不~数。❻古代戴在头上的一种首饰:方~|玉~。

胜[2] shēng 肽(tài),有机化合物,由氨基酸脱水而成。

【备考】繁体勝,形声字,从力,朕(zhèn)声。今简化作胜。胜有三个不同的来源:一是"勝"的简化字;二是"腥"的本字,从肉,生声;三是化学专用字。三个字为音义不同的同形字。

脉[1]〔脈〕〔衇〕〔蛨〕 mài ❶血管:动~|静~|~络。❷心脏收缩时由于输出血液的冲击引起的动脉的跳动:~搏|~象|号~。❸像血管一样连贯而成系统分布的东西:山~|矿~|叶~。❹关键的事物:命~|国~所系。

脉[2]〔脈〕(—mò) 【脉脉】(—mò)默默地用眼神表达情意的样子：含情～。

胫(脛)〔踁〕 jìng 小腿：不～而走。

【备考】繁体脛，形声字，从肉，巠(jīng)声。类推简化作胫。从圣得声的字多有直义，如“胫”“经”“茎”“颈”。

鸨(鴇) bǎo ❶ 鸟名。似雁而略大，能涉水，不善飞。也叫地鵏。❷ 指鸨母(开设妓院的女人)：老～。

狭(狹)〔陿〕 xiá 窄：～小|～窄|～长|～路相逢。

狮(獅) shī 狮子，哺乳动物，四肢强壮，雄狮的颈部有长鬣。以羚羊、斑马等动物为食。产于非洲和亚洲西部。

独(獨) dú ❶ 孤单：～身|孤～。❷ 一个；单个：～子|～唱|～奏|～自|～木桥。❸ 特指年老没有儿女依靠的老人：鳏(guān)寡孤～。❹ 专断：～揽大权|～断专行。❺ 特异：～特|～具慧眼。❻ 自私；容不得人：他专吃～食|这个人很～。❼ 副词。只；惟有：惟～|大家都同意，～他反对。

【备考】繁体獨，形声字，从犬，蜀声。因犬好单独活动，故从犬。简化字独，右边省作“虫”，见于宋刊本《古列女传》。

狯(獪) kuài 〈书〉狡猾：狡～。

飐(颭) zhǎn 〈书〉指风吹物体使颤动。

飑(颮) biāo 气象学上指风向突变、风速急增的天气现象。

狱(獄) yù ❶ 官司;罪案:冤～|文字～。❷ 监禁罪犯的地方:监～|牢～|入～。

【备考】狱,会意字,从㹜(yín,指两犬相咬),从言,本义是争讼。

狲(猻) sūn 【猢狲】(hú—)猕猴的一种。也泛指猴:树倒～散。

贸(貿) mào 交换财物;交易:～易|财～。

饵(餌) ěr ❶ 糕饼;泛指食物:饼～|果～。❷ 钓鱼或诱捕其他禽兽的食物:钓～|鱼～|诱～。❸〈书〉引诱:～以重利。

饶(饒) ráo ❶ 多;丰富:丰～|富～|～有风趣。❷ 另外添加:～头|买两只小兔～个笼子。❸ 宽恕;宽容:～恕|求～|他不懂事,～了他吧。❹〈方〉连词。尽管:～他这么忙,还惦记着我们。❺ 姓。

蚀(蝕) shí ❶ 虫蛀东西:蛀～。❷ 损伤;亏耗;损失:腐～|剥～|做买卖～了本。❸ 同"食"。"日食""月食"也写作"日蚀""月蚀"。

【辨析】日食、月食原也作日蚀、月蚀,今以作"食"为规范。

饷(餉)〔饟〕 xiǎng ❶〈书〉送食物给人吃：～田。❷ 军粮；后泛指薪金(多指军警的薪金)：粮～|军～|发～。

饸(餄) hé 【饸饹】(—·le)一种用荞麦面、高粱面等轧成的面条状食品，煮着吃。

饹(餎) ㊀ gē 【饹馇】(—·zha)一种饼状食品，用豆面制成，切成块炸着吃或炒着吃：绿豆～。

㊁ ·le 见“饸”(285 页)。

饺(餃) jiǎo 饺子，一种半圆形的用和好的面擀(gǎn)皮包馅的食品：水～|烫面～。

饻(餏) xī 老解放区用过的一种货币单位，一饻等于若干种实物价格的总和。

饼(餅) bǐng ❶ 用面粉制成的扁圆形食品：～干|月～|烧～|蒸～|油～。❷ 像饼的东西：豆～|柿～|铁～。

［丶］

峦(巒) luán 〈书〉多指连绵的或小而尖的山：冈～|峰～|山～。

【备考】繁体巒，形声字，从山，䜌(luán)声；类推简化作峦。

弯(彎) wān ❶ 开弓：～弓。❷ 曲折；不直：～路|～曲。❸ 使弯曲：～腰|～着身子。❹ (～儿)弯曲的地方：臂～|拐～|这根竹竿有个～儿。❺ 量词：一～新月。

【备考】繁体彎,形声字,从弓,䜌(luán)声。类推简化为弯。

孪(孿) luán 〈书〉双生:～生兄弟。

【备考】繁体孿,形声字,从子,䜌(luán)声。类推简化为孪。

娈(孌) luán 〈书〉相貌美:～童|婉～。

【备考】繁体孌,形声字,从女,䜌(luán)声。类推简化为娈。

将(將) ㊀ jiāng ❶〈书〉搀扶;带领:～雏(带着孩子)。❷保养:～养|～息。❸下象棋时攻击对方的"将(jiàng)"或"帅":～军。❹(用言语)刺激:拿话～他。❺介词。1. 拿:恩～仇报|～功折罪|～计就计。2. 把:～革命进行到底。❻快要:～要|大雨～至。❼又;且(叠用):～信～疑。❽姓。

㊁ jiàng ❶高级武官:～士|名～|猛～|上～。❷〈书〉带兵:～军击赵|韩信～兵,多多益善。

㊂ qiāng 〈书〉愿;请:～进酒。

【辨析】依《简化字总表》第二表,"将"是可以作简化偏旁用的简化字,从將的字如蔣、鏘,类推简化作蒋、锵。但奬、槳、漿、醬四个字不类推,而是把上部將简作㢡,分别作奖、桨、浆、酱。

奖(奬)〔獎〕 jiǎng ❶劝勉;鼓励:～励|～售|～惩。❷称赞;夸奖:

～掖｜嘉～｜谬～｜夸～。❸ 为了鼓励或表扬而给予的荣誉或财物：中～｜领～｜金～。

迹〔跡〕〔蹟〕 jì ❶ 脚印：兽蹄鸟～。❷ 痕迹；印儿：血～｜笔～｜痰～。❸ 前人留下的事物、言行、功业：遗～｜古～｜事～。

疬（癧） lì 【瘰疬】（luǒ—）由结核杆菌侵入颈部或腋窝部的淋巴结而引起的病。

【辨析】疬一疠。见“疠”字辨析（218 页）。

疭（瘲） zòng 【瘛疭】（chì—）中医指手脚痉挛、口眼歪斜的症状。俗称抽风。

疮（瘡） chuāng ❶ 皮肤或黏（nián）膜肿烂的疾病：～疤｜疔～｜冻～｜口～。❷ 外伤：刀～。

疯（瘋） fēng ❶ 精神失常：～子｜发～｜他已经～了。❷ 轻佻（tiāo）不稳重；言语不合常理：那婆娘～～癫癫的｜喝了几口酒就说起～话来了。❸ 指无拘无束地玩：这几个孩子～了半天了。❹ 指农作物生长旺盛，但不结果：～枝｜～长。

亲（親） ㊀ qīn ❶ 父母（或其中之一）：双～｜父～｜母～。❷ 血缘关系最近的：～兄弟。❸ 有血统关系或婚姻关系的：～友｜～人｜～属。❹ 婚姻：～事｜结～。❺ 关系密切；感情好（与“疏”相对）：～切｜～密｜～热｜～疏。❻ 亲近：～华｜～美。❼ 自己（做）：～手｜～口。❽ 用嘴唇接触，表示喜爱：～吻｜他～了那孩子一下。

㊁ qìng 【亲家】(—·jia)夫妻双方父母的彼此关系或称呼。

【备考】繁体親,形声字,从見,亲(zhēn,同榛)声。简化字亲,省"見",见于金代字书《改并四声篇海》。

飒(颯)〔颭〕 sà 形容风声、雨声等:~然|~~作响。

闺(閨) guī ❶〈书〉上圆下方的小门。❷旧时指女子居住的内室:~房|~阁|~女|深~|待字~中。

闻(聞) wén ❶听见;听到:~名|~讯|耳~目睹|视而不见,听而不~。❷听见的事情;消息:新~|奇~|见~|趣~。❸名声:默默无~。❹用鼻子嗅:~到香味。❺姓。

闼(闥) tà 〈书〉门:排~而入。

闽(閩) mǐn ❶闽江,水名,在福建。❷福建的别称。

闾(閭) lǘ ❶〈书〉里巷的门:倚~而望。❷〈书〉里巷;邻里:~里|乡~|~巷。❸姓。

闿(闓) kǎi 〈书〉开启。

阀(閥) fá ❶权势很大,起支配作用的人或集团:军~|财~。❷管道上起调节、控制作用的活门:~门。

阁(閣)〔閤〕 gé ❶ 放东西的架子：束之高～。❷ 在大房间里隔出来的小房间：～楼|暖～。❸ 旧指女子的住房：闺～|出～。❹ 古代收藏图书器物的房子：文渊～|麒麟～。❺ 古代中央官署;内阁：台～|组～|倒～。❻ 类似楼房的建筑物：亭台楼～。

【辨析】"閤"与"阁"意义并不等同。"閤"的本义是大门旁的小门,除与"阁"通用外,"閤"还音 hé,是近代产生的"合"的分化字,用同"阖"(阖家团圆又作合家团圆、閤家团圆)。《第一批异体字整理表》将"閤"(gé)作为"閣"的异体字淘汰之后,读 hé 的"閤"仍在使用,故《简化字总表》又将"閤"作为"合"的繁体字处理。

阂(閡) hé 阻隔不通：隔～。

养(養) yǎng ❶ 供给生活资料或生活费用：～育|～家|抚～|寄～。❷ 饲养;培植：～猪|～蚕|～花|驯～。❸ 生育：她～了一个男孩儿。❹ 使身心得到滋补和休息：～病|保～|休～|疗～。❺ 保护修补：～护|～路。❻ 扶植;扶助：以工～农。❼ 培养：～成好习惯。❽ 修养：素～|涵～。❾ 非亲生而抚养的：～子|～女。

【备考】繁体養,形声字,从食,羊声。简化字养来源于草书,楷化的养见于元抄本《京本通俗小说》。

姜¹ jiāng 姓。

姜[2](薑) jiāng 多年生草本植物，地下茎有辣味，可做调味品和药。

【备考】薑，形声字，从艸(草)，畺(jiāng)声。姜，形声字，从女，羊声，本为姓氏专用字。姜、姬、嬴、姚等一批古老的姓氏从女，反映了古代曾经历过母系氏族社会阶段。《简化字总表》以姜作为"薑"的简化字。

类(類) lèi ❶ 许多相同或相似事物的综合：～别｜种～｜分～｜同～｜属于一～。❷ 像；相似：～似｜～人猿｜画虎不成反～狗。

【辨析】下从"大"，不从"犬"。

【备考】繁体類，形声字，从犬，頪(lèi)声。简化字类省"頁"，见于明刻本《改併四声篇海》。

籼〔秈〕 xiān 籼稻，水稻的一种。

娄(婁) lóu ❶〈方〉糟糕；差劲儿：他学习特～，老考不及格｜他身子骨儿越来越～了，动不动就感冒。❷〈方〉(某些瓜类)过熟变质，瓜瓤变成稀汤：西瓜～了，别吃了。❸ 星宿(xiù)名，二十八宿之一。❹ 姓。

【备考】娄本义为物体中空，故引申为瓜中空。简化字娄来源于汉代草书，楷化后的娄见于宋刊本《古列女传》。

总(總) zǒng ❶ 聚集；汇合：汇～｜归～｜～而言之。❷ 全面的；全部的：～账｜～体｜～攻击｜～览全局。❸ 概括、统领全部的；为首的：～则｜～公司｜～工会｜～经理｜～路线。❹ 一直；一向：

他～是迟到|胃病～不好。❺ 毕竟;无论如何：事实～是事实|孩子病了,你当爹的～不能不管。❻ 表示推测、估计：走了～有十来天了|这房子盖了～有二十多年了。

【备考】繁体總,形声字,从糸(mì),悤(cōng)声。本义为把丝线、毛发等聚集起来系住。在明末的官府文书档案《兵科抄出》和清初刊行的《目连记弹词》中,已有简化字总。

炼(煉)〔鍊〕

liàn ❶ 用加热等方法使物质纯净或坚韧：～铁|～油|提～|冶～。❷ 用心推敲琢磨,使词句精当简洁：～字|～句。

【辨析】① 右边不是东。② 炼一练 主要区别是：1. 练侧重指反复学习而纯熟,炼侧重指艰苦改造使精良。练习、训练、操练、历练作"练",锻炼、锤炼、提炼、修炼作"炼"。"磨 liàn"指在艰苦的环境中锻炼,以作"炼"为宜。"练字"是练习写字,"炼字"则是锤炼字词。2. 搭配要求不同。(1) 炼及由炼作语素组成的动词多与结果组合,如炼丹、炼油、炼铁、炼就过硬本领、炼得更坚强;练及由练作语素组成的动词多与对象组合,如练字、练兵、练拳、练嗓子。(2) 练及练系动词可带名词性宾语,也可带动词性宾语,如练习骑马、练写毛笔字。炼及炼系词语只能带名词性宾语。3. 由 liàn 作语素组成的双音节形容词一般写作"练",如练达、干练、老练、熟练、简练、精练、凝练、洗练。精 liàn、凝 liàn 又为动词,这时作"炼"不作"练"。如：精炼原油,文章由真情实感凝炼而成。

【备考】繁体煉,形声字,从火,柬声。简化字炼,来源于草书,1935年《简体字表》收入炼字,与今简化字炼形体接近。

炽(熾) chì (火)很旺。比喻热烈、旺盛:~烈|~热。

【备考】繁体熾,形声字,从火,戠(zhì)声;简化字炽,从火,只声,根据偏旁"戠"的简化方式类推简化。

炯〔烱〕 jiǒng 〈书〉明亮:目光~~。

【辨析】右半边是"冋",不是"同"。

烁(爍) shuò 光亮闪动的样子:闪~。

【辨析】烁—铄 "烁"后起,与"铄"同源,二字旧多通用。今销铄义作"铄",光彩义作"烁"。铄石流金、精神矍(jué)铄作"铄",闪烁、震烁古今作"烁"。火部字与金部字有时相通,如燈(灯)与鐙,爐(炉)与鑪,煉(炼)与鍊。

炮[1]〔砲〕〔礮〕 pào ❶古代指可以发射石块或铁弹的机械。现指一种重型武器,口径在两厘米以上,能发射炸弹:大~|迫(pǎi)击~|~火连天。❷爆竹,用纸卷裹火药,点燃后会爆裂发出响声:~仗|鞭~。

炮[2] ㊀ pào 爆破土石时,先在施工处凿眼,放进火药,这种眼叫"炮":打眼放~。

㊁ páo ❶烧;烤:~凤烹龙。❷【炮烙】(—luò)

古代的一种酷刑，强迫犯人在烧红的铜柱上爬行。❸ 中药制法，把药放在烧得很热的锅里急炒：～制（后比喻照已有的样子做）|～姜。

㊂ bāo ❶ 一种烹调方法，把肉片、肉丁放在锅里旺火急炒：葱～羊肉。❷ 烘焙（bèi）：鞋湿了，在炉子上～一～吧。

【备考】炮在《说文》中释为“毛炙肉也”，也就是用泥裹住带着毛皮的肉放在火上烤。此炮字为会意兼形声字，从火，从包，包兼表音。古代发射石块的武器写作礮（从石，駮声）或砲（从石，包声），炮（pào）字后起，用于火炮、爆竹及爆破时放火药的“眼儿”。此炮字为形声字，从火，包声，与炮（bāo，páo）为音义不同的同形字。

烂（爛） làn ❶ 食物烹煮得软而易碎：肉炖得很～。❷ 某些固态物混合或吸收水分后变得松软易碎或成为糊状：～泥|衣服泡了好几天，再不洗就沤～了。❸ 由于微生物的作用，有机体腐坏：腐～|溃～。❹ 破旧的；残碎的：破衣～衫|破砖～瓦。❺ 混乱无头绪：～摊子。❻ 表示程度极深：滚瓜～熟|～醉如泥。

【备考】繁体爛，形声字，从火，闌声。简化字烂，形声字，从火，兰声，现代群众创造。

烃（烴） tīng 由碳和氢两种元素构成的有机化合物。

【备考】繁体烴，形声兼会意字，从火（有机化合物的类别符号），巠（jīng）声。类推简化为“烃”。

剃〔薙〕〔鬀〕 tì　用刀具刮去毛发：～刀|～头|～胡子|～度出家。

洼(窪) wā　❶深池；低凹的地方：～地|水～|坑坑～～|团泊～(地名，在河北)。❷低凹；深陷：路面～陷|眼睛～进去。

洁(潔)〔絜〕 jié　❶清洁；干净：～净|～癖|整～。❷白；明净：～白|皎～。❸德行操守清白不污：纯～|廉～|～身自好|志向高～。❹(语言)简练；精练：简～。

【备考】①繁体潔，形声字，从水，絜(jié，潔本作絜)声。简化字洁，从水，吉声，是现代群众创造的新形声字。②1955年12月发布的《第一批异体字整理表》中繁体“潔”有异体字“絜”。2013年发布的《通用规范汉字表》确认“絜”读xié以及读jié用于姓氏人名时为规范字；读jié用于其他意义时仍为“洁”的异体字。

洒(灑) sǎ　❶把水均匀地散布在地面上：～水。❷散落：～泪而别|血～中原|油～了|口袋里的东西～了一地。❸【洒脱】无拘束的样子。❹姓。

【备考】洒，形声字，从水，西声，本音xǐ，为“洗”的古字，古代就已借为灑水的“灑”(sǎ)。今以洒为灑的简化字，音sǎ。

浃(浹) jiā　遍及；透：汗流～背。

浇(澆) jiāo　❶灌溉：～地|～灌。❷浇铸，把金属溶液或搅拌的水泥、沙子、石子

混合物注入模型铸成物体的一种工艺：～版｜～桩｜～铅字。❸液体落下；淋：～了一身水｜全身都叫雨～湿了。❹〈书〉刻薄：～薄。

浈(湞) zhēn 浈水，水名。在广东。

浉(溮) shī 浉河，水名。在河南。

浊(濁) zhuó ❶液体混浊：～酒｜～流｜混～｜污～｜～浪滔天。❷喻指社会混乱：～世。❸低沉粗重：～音（发音时声带振动的音）｜～声～气。

【备考】繁体濁，形声字，从水，蜀声。简化字浊，右作"虫"，取"蜀"的一部分，见于元刊本《古今杂剧三十种》。

测(測) cè ❶利用仪器或特定的方式确定有关数值：～量｜～绘｜～定｜～算｜～验｜深不可～。❷揣摩；推想：～字｜揣～｜神秘莫～｜天有不～风云。

涎〔次〕 xián ❶口水：垂～｜馋～欲滴。❷嬉笑的样子（带贬义）：～着脸｜～皮赖脸。

浍(澮) ㊀ huì ❶浍河，水名。古称浍水，在山西。❷浍河，水名。在安徽。

㊁ kuài 古代指田间水沟。

浏(瀏) liú ❶〈书〉水深而清澈。❷浏水，水名。也称浏江，今名浏阳河，在湖南。

济(濟) ㊀ jì ❶ 渡河;度过：共～艰危|同舟共～|和衷共～。❷ 成;有益：不～事|假公～私。❸ 救助;拯救：救～|周～|杀富～贫|兼～天下。❹ 齐全;好：文武兼～|命不～|眼力不～。

㊁ jǐ ❶ 济水,古水名。❷【济济】众多：～一堂|人才～。

【辨析】用于地名和众多的意义时读 jǐ,不读 jì。

浐(滻) chǎn 浐河,水名。在陕西。

浑(渾) hún ❶ 水混浊;污浊：趟～水|把水搅～|～水摸鱼。❷ 糊涂;不明事理：～人|～话|～蛋(骂人的话)|～～噩噩|～头～脑。❸ 天然的：～厚|～金璞玉。❹ 全;满;整个：～身|～然|～如。❺ 姓。

浒(滸) ㊀ hǔ 〈书〉水边：江～|水～。

㊁ xǔ 地名用字：～墅关(在江苏)|～湾(在江西)|～浦(在江苏)。

【辨析】地名"浒湾"有二,其中的"浒"读音不同。读 hǔ 的在河南,读 xǔ 的在江西。

浓(濃) nóng ❶ 厚;密;多：～枝|～霜|～密。❷ 液体、气体中含某种成分多：～郁|～度|～茶|～烟。❸ 颜色重：～绿|～妆|～艳。❹ 程度深：睡意正～|兴趣～厚|～～的亲情。

浔(潯) xún ❶〈书〉水边：江～。❷ 江西九江的别称(九江古称浔阳,长江流过浔阳的一段古称浔阳江)：南～铁路。

浕(濜) jìn 浕水，水名。一在湖北，一在陕西。

恸(慟) tòng 〈书〉极度悲哀；痛哭：～哭｜大～。

恒〔恆〕 héng ❶ 长久；固定不变的：永～｜～温｜～星｜～等式。❷ 指恒心：持之以～｜行之有～｜学而有～。❸ 经常的；普通的：～态｜～言。❹ 姓。

恹(懨) yān 【恹恹】〈书〉病体倦怠，委靡不振的样子：病～｜～欲睡。

恍[1]〔怳〕 huǎng ❶ 模糊；不清楚：～惚。❷【惝恍】(chǎng—)〈书〉1. 失意；不高兴。2. 恍惚；不清楚。

恍[2] huǎng ❶ 仿佛；好像(与"如""若"等连用)：～如隔世｜～若天堂。❷ 猛然(醒悟)：～悟｜～然大悟。

恺(愷) kǎi 〈书〉快乐；安乐。

恻(惻) cè ❶ 悲痛；忧伤：～然｜凄～。❷【恻隐】对受苦难的不幸者表示同情；不忍：～之心。

恤〔卹〕〔邮〕〔賉〕 xù ❶〈书〉顾虑；忧虑：不～人言。❷ 怜悯；体谅：体～｜怜～。❸ 救济：抚～｜～金。❹〈方〉[英 shirt]英语"衬衫"的音译：～衫(衬衫)｜T～(短袖套头衬衫)。

恼(惱) nǎo ❶ 发怒;生气:~火|~怒|惹~了。❷ 烦闷;苦闷:烦~|苦~|懊~。

【辨析】 恼—脑 恼表示心态,故从心;脑是生理器官,故从月(肉)。

【备考】 繁体惱,形声字,从心,声旁为腦的省写。简化字恼,见于清初刊行的《目连记弹词》。

恽(惲) yùn 姓。

举(舉)〔擧〕 jǔ ❶ 向上托;向上伸:~手|~旗|~重。❷ 举动;行动:壮~|一~一动。❸ 发起;兴起:~行|~兵|~办。❹ 推选;推荐:~荐|推~|公~他担任村委会主任。❺ 揭示;提出:~报|列~|~例说明。❻ 全:~世闻名|~座皆惊。❼ 举人的简称:武~|范进中~。

觉(覺) ㊀ jué ❶〈书〉睡醒:大梦初~。❷ 醒悟;明白:~醒|~悟|先知先~。❸ 有所发现;感到:~察|发~|不知不~|我~得有点累。❹ 器官对外界刺激的感知和辨别:知~|嗅~|幻~。

㊁ jiào 从入睡到睡醒的过程:午~|睡了一~。

宪(憲) xiàn ❶ 法令:典~。❷ 宪法:~章|立~。

【备考】 繁体憲,《说文》解为形声字,从心,从目,声旁为"害"的省写。本义为敏捷,敏锐。罕见用例。简化字宪可视为从宀、先声的形声字,现代群众创造。

窃(竊) qiè ❶ 偷盗:~取|盗~案。❷ 暗中;偷偷地:~听|~笑。❸〈书〉谦

辞，指自己：～以为。

【辨析】窃—偷 见“偷”字辨析(387 页)。

【备考】简化字窃，形声字，从穴，切声。见于元抄本《京本通俗小说》。

诫(誡) jiè 警告；规劝：告～|劝～|规～。

诬(誣) wū 捏造事实冤枉人：～告|～蔑|～陷|～良为盗。

语(語) yǔ ❶ 话；说出来或写出来的能够表达思想的声音或文字：话～|评～|～重心长|千言万～。❷ 说：低～|自言自～|窃窃私～。❸ 语言，人类最重要的交际工具：汉～|英～|外～。❹ 代替语言表示意思的动作或方式：手～|旗～|灯～。

袆(褘) huī 袆衣，古代王后的一种祭服。

【辨析】袆—袆(yī) 见“袆”字辨析(230 页)。

衽〔袵〕 rèn 〈书〉❶ 衣襟：披发(fà)左～。❷ 睡觉用的席子：～席。

袄(襖) ǎo 有里子的中式上衣：夹～|皮～|棉～。

【备考】繁体襖，形声字，从衣，奥声。简化字袄，形声字，从衣，夭声，见于 1935 年《手头字第一期字汇》。

诮(誚) qiào 〈书〉❶ 责备：～呵。❷ 讽刺：讥～。

祢(禰) mí 姓。汉末有祢衡。

【备考】祢，形声字，从示，尔声，本义为奉祀亡父的宗庙，音 nǐ。姓氏义旧时也读 nǐ。

误(誤) wù ❶ 不正确；错误：～解｜～会｜笔～｜计算有～。❷ 耽搁：～事｜～场｜～工｜延～。❸ 妨害；使受损害：～国｜～人子弟｜～人不浅。❹ 不是故意地：～伤。

诰(誥) gào ❶ 古代一种告诫或勉励性的文章。❷ 帝王对臣子的命令：～封。

诱(誘) yòu ❶ 引导；教导；劝导：～导｜劝～｜循循善～。❷ 使用手段引人上当：引～｜～骗｜～敌深入。❸ 吸引：景色～人。❹ 招致：～致｜～因。

诲(誨) huì 教育；诱导：教～｜训～｜～人不倦。

诳(誑) kuáng ❶ 欺骗：～语。❷〈方〉谎话：说～｜扯了个～。

【备考】1955 年 12 月发布的《第一批异体字整理表》中繁体“誑”有异体字“誆”。“誆”“誑”二字的读音稍有不同(“誆”今音读 kuāng，“誑”今音读 kuáng)，不宜视为异体关系，1964 年 5 月发表的《简化字总表》和 1986 年 10 月重新发表的《简化字总表》均收入“誆”类推简化字“诓”。1988 年发布的《现代汉语通用字表》收入“诓”字。

鸩[1](鴆) zhèn 传说中的一种毒鸟，喜食蛇，以它的羽毛泡酒，人喝了能被毒死。

鸩[2](鴆)〔酖〕 zhèn ❶ 用鸩羽浸泡的毒酒：饮～止渴。❷ 用毒酒杀人。

说(説) ㊀ shuō ❶ 用语言表达意思：～话|～服|～笑|口～无凭|～三道四。❷ 解释；阐明：～明|解～。❸ 言论；主张：学～|著书立～|百家之～。❹ 责备：挨了一顿～|狠狠地～他一顿。❺ 从中介绍：～亲|～媒。❻ 曲艺的一种语言表演手段：～唱|～相声。

㊁ shuì 劝说别人，使听从自己的意见：游～|说服。

㊂ yuè 〈书〉同“悦”。

诵(誦) sòng ❶ 朗读；读出声音来：朗～|吟～。❷ 述说：传～。❸ 背诵；凭记忆念出读过的文字：～记|暗～|过目成～。

【辨析】诵—颂 见“颂”字辨析(341页)。

［乛］

垦(墾) kěn 翻耕；开发(荒地)：～荒|～殖|开～|屯～。

【备考】繁体墾，形声字，从土，豤(kūn)声。本义指对土地进行翻耕，后主要用于开发、开垦荒地。简化字垦为现代群众创造，从土，艮声，表音作用更明显。

昼(晝) zhòu 白天(与“夜”相对)：～夜|白～。

费(費) fèi ❶ 消耗：～劲|花～|消～|～了很多精力。❷ 消耗的钱：～用|经～|电～|生活～。❸ 消耗得过多(与“省”相对)：这种车

～油|他穿鞋真～。❹ 姓。

逊(遜) xùn ❶ 让;退让:～位。❷ 恭顺;谦恭:谦～|出言不～。❸ 差;不如:～色|稍～一筹。

陨(隕) yǔn 从高处落下:～落|～石|～铁。

【辨析】陨—殒 见"殒"字辨析(375页)。

险(險) xiǎn ❶ 高峻;地势不平坦:～地|～峰|～滩。❷ 地势险峻不容易通过的地方:天～|山～|无～可守。❸ 狠毒:阴～。❹ 不安全;有可能遭到不幸或发生灾难:冒～|脱～|危～。❺ 差点;几乎:～遭不测。

娅(婭) yà 〈书〉姐妹的丈夫之间的互称,俗称"连襟":姻～。

娆(嬈) ㊀ ráo 柔弱、妩媚的样子:娇～|妖～。

㊁ rǎo 〈书〉烦扰;扰乱:烦～。

姻〔婣〕 yīn ❶ 婚姻:～缘|联～。❷ 泛指由婚姻结成的比较间接的亲戚关系:～亲|～兄。

娇(嬌) jiāo ❶ 美丽可爱:～美|～媚|～娆|～艳|江山多～。❷ 柔嫩;脆弱:～嫩|～气。❸ 过分爱护;宠爱:～贵|～生惯养。

贺(賀) hè ❶ 庆祝:～喜|～年|～信|祝～。❷ 姓。

怼(懟) duì 〈书〉怨恨：～恨|～怒|怨～。

垒(壘) lěi ❶ 军事上防守用的建筑：堡～|壁～|深沟高～|两军对～。❷ 垒球、棒球运动守方的据点：跑～|一～|二～。❸ 用砖、石、土块等物砌：～墙|～鸡窝|锅台还没～好。

【备考】垒、壘古代为两个不同的字。垒，会意字，从厽(lěi，象形，用土块垒墙)，从土，本义为用土、石砌墙。壘，形声字，从土，畾(léi)声，本义为军垒。后两义均多用壘字，今又以垒作壘的简化字。

绑(綁) bǎng 用绳、带等捆起来：～扎|～缚|捆～|～紧点儿。

绒(絨)〔毧〕〔羢〕 róng ❶ 细软的毛：～毛|鸭～|驼～|棉～。❷ 上面有一层绒毛的某些纺织品：丝～|长毛～|灯心～。

结(結) ㊀ jié ❶ 在绳、线或其他条状物上打疙瘩：～网|～扎|～绳而治|悬灯～彩。❷ 绾(wǎn)成的扣；凸起的块状物：打～|死～|喉～|蝴蝶～。❸ 聚合在一起，成为一块(用于物)：～冰|～晶|～成硬块。❹ 联合；发生关系(用于人)：～婚|～社|～仇|～交|～识。❺ 收束；完了(liǎo)：～算|～局|～论|了～。❻ 旧时指一种保证性的字据：具～。

㊁ jiē 植物长出果实：开花～果|这棵树～了不少梨。

【辨析】“结”除了在“结了个果子”、“结实”、“结巴”等少数词语中读 jiē 外,都读 jié。“结果”有两音:在“开花结果”中读 jiē,表示最后状态和将人杀死的意义时读 jié。

绔(絝) kù 古指无裆的套裤,后指一般的裤子。现用于“纨(wán)绔”一词中。

骁(驍) xiāo ❶良马:良～。❷〈书〉健壮勇猛:～悍|～健|～将|～勇。

绕[1](繞) rào 用绳、线、带等缠:缠～|～线。

绕[2](繞)〔遶〕 rào ❶围着转:环～|盘～|～场一周|鸟～着圈儿飞。❷不从正面直着走,从侧面走弯曲的路:～路|～远|前面不能走,得～到后面。

【辨析】绕读 rào,不读 rǎo。

绖(絰) dié 〈书〉古代服丧时在头部或腰间的用葛麻做成的带子。

骃(駰) yīn 毛色黑白相间的马。

细(絪) yīn 【细缊】(—yūn)〈书〉云烟弥漫的样子。

骁(駪) shēn 【骁骁】〈书〉1. 很多马一起疾跑的样子。2. 引申指人多,义同“莘莘”。

綎(綎) tīng 古人系佩玉的丝带。

骄(驕) jiāo ❶自满;傲慢:～傲|～横|～兵必败|戒～戒躁。❷〈书〉猛烈:～阳

似火。

綖(綖) yán ❶ 古代覆在冠冕上的装饰。❷〈书〉延缓。

骅(驊) huá 【骅骝】(—liú)〈书〉赤色的骏马。

绗(絎) háng 做棉被、棉衣时用大针粗粗地缝,把布和棉花连在一起:～被子。

绘(繪) huì 画;描写:～画|～图|描～|～声～色。

给(給) ㊀ gěi ❶ 送与对方;使对方得到:～你一支笔|谁～的书|～他们以大力支持|～一点儿具体帮助。❷ 替;为(wèi):～我画一幅画儿|这是～大家办事。❸ 表示被动,相当于“被”:书～(他)借走了|衣服～(雨)淋湿了|玻璃～(孩子)打破了。❹ 让;允许:他的车子不～我用|有钱不～花。❺ 用在被动句式和把字句式中,放在谓语动词前面,加强语气(“给”也可不用):书叫他(～)借走了|衣服让雨(～)淋湿了|孩子把玻璃(～)打破了。❻ 朝;向:～老师敬个礼|～奶奶赔个不是。

㊁ jǐ ❶〈书〉丰足:家～人足。❷ 供(gōng)应:～予|供(gōng)～|补～|自～自足。

绚(絢) xuàn 色彩华丽:～烂|～丽。

绛(絳) jiàng ❶ 深红色:～紫(暗紫中带红的颜色)。❷ 绛草,一种可做染料的植物。

骆(駱) luò ❶ 古书上指鬃尾黑色的白马。❷【骆驼】沙漠地区的主要力畜。身体高大,背上有驼峰,耐饥渴。❸ 姓。

络(絡) ㊀ luò ❶ 缠绕:~丝|~线|盘~。❷ 网状的东西:经~|脉~|网~|橘~|丝瓜~。❸ 用网状的东西罩住:笼~(用于抽象意义)|用络(lào)子~住。

㊁ lào 义同"络(luò)❷",用于"络子"(1. 用线结成的网状袋子。2. 一种绕纱绕线的器具)。

绝(絕) jué ❶ 断开:~交|断~|络绎不~。❷ 穷尽;没有救的;没有出路的:~路|~症|气~|~处逢生。❸ 极端的:~妙|~密|~早|~顶聪明。❹ 少有的;独一无二的:~技|~活儿|其诗、书、画堪称三~。❺ 全然;无论如何:~对|~不允许|~无此心|~不相干。❻ 绝句,旧体诗的一种,每首四句,每句五字或七字,有一定的格律要求:五~|七~。

【辨析】绝—决 见"决"字辨析(98 页)。

绞(絞) jiǎo ❶ 一种勒死人的刑法:~刑|~死|~架。❷ 把两股以上的长条物扭结合成一股:~麻绳。❸ 轮上系有绳索,转动轮轴盘绕绳子,使系在绳另一端的物体移动:~车|~盘|~辘轳。❹ 量词。用于纱、毛线:一~毛线。

骇(駭) hài 惊吓;震惊:惊~|~人听闻|惊涛~浪。

统(統) tǒng ❶〈书〉丝的头绪:抽其~纪(纪也指丝的头绪)。❷ 事物一脉相承的

顺序关系：系～|血～|传～。❸ 总起来；综合：～筹|～称|～共五天|～起来算算。❹ 管辖：～治|～兵|～辖|～得过死。

骈(駢) pián 并列的；对偶的：～句|～文|～肩。

骉(驫) biāo 〈书〉很多马一起奔驰的样子。

【备考】 骉，会意字，从三马。

十　画

[一]

耕〔畊〕 gēng ❶ 用犁翻地松土：～种｜春～。❷ 比喻致力于某种劳动：笔～｜目～｜舌～。

艳(艷)〔豔〕〔豓〕 yàn ❶ 色彩光泽鲜明美丽：～丽｜娇～｜鲜～｜这裙子我穿着太～了。❷ 关于爱情方面的：～诗｜～史。❸〈书〉羡慕：～羡。

顼(頊) xū 姓。

珰(璫) dāng ❶〈书〉耳坠。❷ 汉代侍中、中常侍等武官帽子上的装饰品。东汉以后,因此类官职常由宦者担任,故成为宦官的代称。

勣(勣) jì 同"绩"。多用于人名：李～(唐初大将,本名徐世勣)。

【备考】1955 年 12 月发布的《第一批异体字整理表》处理为繁体"績"的异体字。2013 年发布的《通用规范汉字表》确认"勣"的类推简化字"勣"为规范字,仅用于姓氏人名;表示"功业、成绩"的意义时,繁体"勣"仍为"绩"的异体字。

珲(琿) ㊀ huī 见“瑷”(493页)。 ㊁ hún ❶玉名。❷【珲春】地名，在吉林。

珝(璕) xún 〈书〉一种美石。

蚕(蠶) cán 昆虫名，幼虫能吐丝结茧，茧丝可织绸缎：～蛾|～丝|春～|养～。

顽(頑) wán ❶愚昧无知：～民|愚～不化。❷固执；不容易改变：～固|～敌|～强。❸淘气；不听劝导：～皮|～童。

盏(盞)〔琖〕〔醆〕 zhǎn ❶浅而小的杯子，多指酒杯：酒～|灯～|推杯换～。❷量词。多用于灯：一～油灯|三～电灯。

【辨析】“盏”的声旁繁体作“戔”，今类推简化为“戋”，不要误写为“戈”。

捞(撈) lāo ❶从水里或其他液体里取出东西：打～|捕～|把锅里的饺子都～出来。❷获取；特指用不正当的手段取得：爷爷小时候家里穷，一年到头也～不到一顿饱饭|～外快|～油水|～个一官半职。

塄(壋) láo 【圪塄】(gē—)〈方〉角落。多用于地名：周家～(在陕西)。

载(載) ㊀ zài ❶装运：～货|～客|装～|～重汽车|满～而归。❷充满：怨声～道。❸〈书〉又；且：～歌～舞。❹姓。

㊁ zǎi ❶ 年：一年半～|三年五～|千～难逢。❷ 记录；刊登：记～|登～|连～|转～。

赶(趕) gǎn ❶ 追：追～|～不上|～潮流。❷ 快走：一天～了八十里|天黑前～过前面那座山。❸ 加快行动；快做：～作业|～进度|～活儿。❹ 驱逐；迫使对方离开原来的地方：驱～|～尽杀绝|把他～出了家门。❺ 使向前移动；驾驭：～驴|～马车。❻ 等到(某一时间)：～后天再走|～春节回来。❼ 碰上(某种情况)：～上一场大雨|正～上他开会。

【备考】繁体趕，形声字，从走，旱声；简化字赶，从走，干声，见于元抄本《京本通俗小说》。

盐(鹽) yán ❶ 食盐，一种有咸味的调味品：～水|～池。❷ 酸中氢原子被金属原子置换所成的化合物：复～|酸式～|碱式～。

【备考】繁体鹽，从鹵(盐卤)，監声。南朝字书《玉篇》中有俗体塩，《简化字总表》简作盐。

捍〔扞〕 hàn (坚决)保卫；抵御：～卫|～御。

【备考】1955 年 12 月发布的《第一批异体字整理表》中“捍”有异体字“扞”。2013 年发布的《通用规范汉字表》确认“扞”为规范字，仅用于表示相互抵触，如“扞格”；表示“保卫、抵御”的意义时仍为“捍”的异体字。

捏〔揑〕 niē ❶ 用拇指和别的手指夹住：～着鼻子|他～起一撮茶叶放在嘴里嚼。❷ 用手指把软而有可塑性的东西做成某种形状：～泥人|～橡皮泥|饺子没～严，一煮都开了。❸ 使人与人

合作或建立某种关系：～合|他和她没什么共同语言，肯定～不到一块儿。❹ 握紧手：太险了！真让人为他～把汗|他把字条～在手心里，谁也不给看。❺ 假造：～造。

埘(塒) shí ❶ 在墙壁上挖洞做成的鸡窝：鸡～。❷ 泛指鸟类在墙上的窝。

捆〔綑〕 kǔn ❶ 用绳子等把东西或人缠紧并打结：～绑|～扎|被一些杂事～住了手脚。❷ 捆扎好的东西：柴～儿|韭菜～儿。❸ 量词。用于捆扎好的东西：两～儿葱|一～书。

埙(塤)〔壎〕 xūn 古代用陶土烧制的一种吹奏乐器，形状像鸡蛋，有六个音孔。

埚(堝) guō 【坩埚】(gān—)熔化金属等物质的器皿。能耐高温。

损(損) sǔn ❶ 减少：～失|亏～|～兵折将。❷ 原有的形状或功能遭破坏：～坏|破～|完好无～。❸ 使遭到损失或伤害：～人利己|乘车时看书有～视力。❹〈方〉用尖刻的话讽刺挖苦人：他已经认错了，你就别～他了。❺〈方〉刻薄：你这么做太～了。

哲〔喆〕 zhé ❶ 明智；有智慧：～人|明～保身。❷ 贤明的人；有智慧的人：先～|贤～。❸ 哲学的简称：～理|文史～。

【备考】1955 年 12 月发布的《第一批异体字整理表》中“哲”有异体字“喆”。2013 年发布的《通用规范汉字表》确认“喆”为规范字，仅用于姓氏人名；表示“哲理、先哲”等意义时仍为“哲”的异体字。

捡(撿) jiǎn 拾取：～拾|～破烂儿|～了串钥匙。

挽¹ wǎn ❶ 拉：～弓|手～手。❷ 改变事情的趋向；收回：～救|～留|～回|力～狂澜。❸ 卷起(衣服)：～起袖子|～起裤腿。❹ 屈起小臂挎着：～着花篮|～着他的胳膊。❺ 通“绾”。

挽²〔輓〕 wǎn ❶ 拉(车)；车运：～具|～输。❷ 哀悼死者：～联|～车|～歌。

贽(贄) zhì 古代指初次拜见长辈时送的礼物：～见(拿着礼物求见)。

挚(摯) zhì 真诚；诚恳：～爱|真～|深～。

热(熱) rè ❶ 温度高(和“冷”相对)：～水|天气真～|冷～不均。❷ 使温度升高：加～|～一～饭菜。❸ 因病引起的高体温：发～|退～。❹ 情意深：～情|亲～。❺ 受到很多人欢迎的；很多人去做的：～门|～点|旅游～。❻ 物理学称物体内部分子、原子运动放出的能。

【备考】繁体熱，形声字，从火，埶(yì)声。简化字热来源于汉代草书。楷化的热见于元刊本《古今杂剧三十种》。

捣(搗)〔擣〕〔擣〕 dǎo ❶ 用棍棒形工具的一头撞或捶：～蒜|～药|～米|～衣服。❷ (用手等)用力顶；撞：～

了我一拳|用胳膊肘在他肋骨上狠狠地～了一下。❸ 击打;攻打:～毁|直～敌人的老巢。❹ 扰乱;搅乱:～乱|～鬼|～蛋。

壶(壺) hú ❶ 一种有把儿有嘴、用来盛液体的容器:～底|酒～|茶～|喷～。❷ 姓。

【辨析】下边不是"亚"。

盍〔盇〕 hé 〈书〉疑问词。何;何不:花开酒美～不归|～往视之?

耻〔恥〕 chǐ ❶ 羞愧:无～|可～|羞～。❷ 声誉上所受的损坏;可耻的事情:～辱|雪～|奇～大辱。

耽〔躭〕 dān ❶ 沉溺;迷恋:～玩|～于幻想。❷ 滞留;延误:～搁|～误。

聂(聶) niè 姓。

莔(蒳) liǎng 地名用字:～塘|沙～圩(均在广东)。

莱(萊) lái 〈书〉❶ 草名,即藜。❷ 杂草:草～。❸ 古时指郊外休耕的田地,也指荒地。

莲(蓮) lián ❶ 荷的种子,即莲子:采～|湘～(湖南产的莲子)。❷ 荷,多年生水生草本植物。地下茎叫藕,种子为莲子。

莳(蒔) ㊀ shí 【莳萝】(—luó) 又称小茴香、土茴香。多年或一年生草本植物。嫩叶可吃,果实可提取芳香油,又可入药。

㊁ shì ❶〈方〉移栽;分种:～秧|～田。❷〈书〉栽种:～花。

莴(萵) wō【莴苣】(一·jù)一年或二年生草本植物,是普通蔬菜。其变种有生菜、莴笋等。

莅〔涖〕〔蒞〕 lì〈书〉临;到:～任|～会|～临。

【辨析】"莅"多用作敬辞。

莶(薟) xiān【豨莶】(xī—)一年生草本植物。秋季开黄花,全草可入药。

获[1](獲) huò ❶ 猎得;擒住:猎～|捕～|擒～|俘～。❷ 得到:～得|～胜|～救|不劳而～。

获[2](穫) huò 收割(庄稼):收～。

【辨析】繁体"獲"指擒获猎物,"穫"指收割庄稼。获得之"获"为"獲",收获之"获"为"穫"。

【备考】① 繁体"獲"甲骨文作,象捕鸟在手之形。此形(隻)在甲骨文中又用作量词"隻"。金文作,隹上有,此即"蒦"字,小篆又加"犬"作,成为从犬、蒦(huò)声的形声字。② 繁体"穫"为形声字,从禾,蒦声,是獲的分化字。在清刊本《目连记弹词》中,獲简作茯,与获接近,《简化字总表》采用获作为獲、穫的简化字形。

莸(蕕) yóu ❶ 一种有臭味的草:薰～不同器(比喻好人和坏人不能在一起)。❷ 落叶小灌木。花、果供观赏,茎、叶可入药。

晋〔晉〕 jìn ❶ 向前进;向上升:~见|~级|加官~爵。❷ 周代诸侯国名,国土主体部分在今山西。后为山西省的别称:~剧。❸ 朝代名。1. 公元 265—420 年,司马炎所建。历史上又分为西晋、东晋。2. 公元 936—946 年,石敬瑭所建。史称后晋。❹ 姓。

恶[1](惡) ㊀ è ❶ 罪过;极坏的行为:~贯满盈|疾~如仇|无~不作|罪大~极。❷ 凶狠:~狼|~毒|~骂|凶~|一场~战。❸ 坏的:~劣|~习|~意|~果。

㊁ wū 〈书〉❶ 疑问代词。哪里;怎么:汝~得避是名哉? ❷ 叹词。表示惊讶:~,是何言也!

㊂ wù 憎恨;讨厌:可~|厌~|憎~|深~痛绝。

恶[2](噁) ě 【恶心】1. 想要呕吐的感觉:一坐车就觉得~。2. 厌恶;使人厌恶:肉麻得叫人~|真~人。3. 使人难堪(有时叠用):你这是在~我|这家伙太不识趣,咱们去~~他。

【备考】繁体“噁”晚起,可看作“恶”的分化字,从口,从恶,恶兼表音。此“噁(ě)”字与用于科学技术术语“二噁英”的“噁(è)”的繁体字为同形字。

藭(藭) qióng 【芎藭】(xiōng—)又名川芎,多年生草本植物,根茎可入药。

莹(瑩) yíng ❶ 玉色光洁;泛指光亮透明:晶~|如玉之~。❷ 光洁如玉的石头:如玉如~。

莺(鶯)〔鸎〕 yīng ❶鸟名。古又名黄鸟、鸧鹒,今名黄莺、黄鹂,体型小,叫声清脆:～歌燕舞|草长～飞。❷莺亚科鸟类的通称。

鸪(鴣) gū 见“鹁”(423 页);“鹧”(541 页)。

莼(蒓)〔蓴〕 chún 莼菜,多年生水生草本植物。嫩叶供食用。

桠(椏) yā 【五桠果】常绿乔木。根、皮可入药。

【备考】1955 年 12 月发布的《第一批异体字整理表》繁体“椏”处理为“丫”的异体字。2013 年发布的《通用规范汉字表》确认“桠”为规范字,仅用于姓氏人名、地名和科学术语(如“五桠果科”“苘桠素”);表示“树木分叉”的意义时,繁体“椏”仍为“丫”的异体字。

栖[1]〔棲〕 qī ❶鸟歇宿在树上:～息。❷居住;停留:～身|～止|两～。

栖[2] xī 【栖栖】形容忙碌不安定。

梜(梜) jiā 〈书〉保护书籍的夹板。

桡(橈) ráo 〈书〉划船的桨。

桢(楨) zhēn ❶古代筑墙时树立在两端的木柱。❷〈书〉骨干;支柱:～干(喻指能担当重任的人才)。

档(檔) dàng ❶ 器物上起支撑固定作用的木条儿：床～|横～。❷ 存放公文案卷的橱架：存～|归～。❸ 分类保存的文件、材料：～案|查～。❹ 货物的等级：～次|低～货|高～商品。❺〈方〉货摊：大排～。

桤(榿) qī 【桤木】落叶乔木，木质坚韧，可制器具。

桥(橋) qiáo ❶ 架在水上或空中以便人和车辆等通行的建筑物：～梁|天～|立交～|长江大～。❷ 姓。

桦(樺) huà 落叶乔木或灌木。木材致密，可做器具、胶合板等。

桧(檜) ㊀ guì 常绿乔木。木材可供建筑及制家具工艺品等用。

㊁ huì 人名用字。秦桧，南宋奸臣。

桩(樁) zhuāng ❶ 插进地里的柱形物：～子|打～|桥～|木～。❷ 树木砍伐后留下的部分：树～。❸ 量词。件(用于事情)：一～大事|三～要案。

【备考】繁体樁，形声字，从木，舂声。简化字桩，从木，庄声，是现代群众创造的新形声字。

核[1] ㊀ hé ❶ 果实中心坚硬的包含果仁的部分：杏～|桃～|枣～。❷ 物体中像核的部分：细胞～。❸ 原子核的简称：～能|～武器|～燃料。

㊁ hú (～儿)同“核[1](hé)❶❷”，用于口语：梨～|桃～|煤～。

核[2]〔覈〕hé ❶ 仔细地对照考察：～对|～实|～算|考～|审～。❷〈书〉真实：其文直，其事～。

样(樣) yàng (～儿)❶ 法式；形状；情形：～式|模～|家乡变了～儿|一脸不高兴的～儿|看～子天要下雨。❷ 用来做标准的：～本|～品|榜～|货～。❸ 量词。表示种类：～～都好|各种各～|四～小菜。

【备考】繁体樣，形声字，从木，羕(yàng)声。简化字样，从木，羊声，本指栎树的果实，音 xiàng，即"橡"字的早期写法。样作为樣的简化字见于 1936 年《常用简字表》。

栗[1] lì ❶ 落叶乔木，果实可食。❷ 栗子树的果实，又叫板栗、栗子。❸ 姓。

栗[2]〔慄〕lì 因恐惧或寒冷而发抖、哆嗦：战～|不寒而～。

【备考】① 甲骨文栗作[illegible]，象树上果实带刺形，为栗子树的象形。小篆栗，果实讹作"卤"，隶书又讹变为"西"。② 1955 年 12 月发布的《第一批异体字整理表》中"栗"有异体字"凓"。2013 年发布的《通用规范汉字表》确认"凓"为规范字，表示"寒冷"的意义（如"凓冽"），不再作为"栗"的异体字。

贾(賈) ㊀ gǔ ❶ 做买卖：多财善～。❷ 商人。古时特指有固定营业地点的坐商：商～|行商坐～。❸〈书〉买：～马。❹〈书〉招致：～祸|～害。❺〈书〉卖：余勇可～。

㊁ jiǎ 姓。

颏(頍) kuǐ　古代一种束发固冠的发饰。

逦(邐) lǐ　【迤逦】(yǐ—)连延曲折：～而行。

翅〔翄〕 chì　❶ 鸟类、昆虫等动物的飞行器官：～膀|展～高飞。❷ 鱼类的鳍；特指鲨鱼的鳍：鱼～。❸（～儿）物体上形状像翅膀的部分：～果|帽～儿|风筝～。

唇〔脣〕 chún　人或某些动物口边缘红色的部分：嘴～|～齿相依。

砺(礪) lì　〈书〉❶ 磨刀石：～石。❷ 磨；磨治：砥～|磨～。

砧〔碪〕 zhēn　❶ 锻锤金属用的垫具：铁～。❷ 切物用的垫具：～板|刀～|肉～。❸ 泛指物体下部的垫基：～木(嫁接时承受接穗的植物体)|门～。

砾(礫) lì　小石块：～岩|～石|砂～|瓦～。

础(礎) chǔ　房屋柱子下垫的石礅(dūn)：基～|～润而雨。

【备考】繁体礎，形声字，从石，楚声。简化字础，从石，出声，为现代群众创造的新形声字。

硁(硜) kēng　〈书〉❶ 击石声。❷【硁硁】浅薄固执：～自守|～之见(谦称自己的见解)。

【备考】繁体硜，形声字，从石，巠(jīng)声。简化字硁,据偏旁"巠"的简化方式类推简化。

砻(礱) lóng ❶ 木制农具名。形状如石磨,转动摩擦以去掉稻壳。❷ 用砻去掉稻壳:~坊|~谷舂米|~稻子。

顾(顧) gù ❶ 回头看;看:瞻前~后|~盼|回~|~影自怜。❷ 注意;照管:~及|~全|~此失彼|奋不~身。❸ 探望;拜访:光~|三~茅庐。❹ 服务行业称其营业对象到来:~客|主~。❺〈书〉连词。但是。❻ 姓。

【备考】繁体顧,形声字,从頁,雇声。顧在晋以后的书法作品中常写作頋,唐敦煌变文写本中也作頋。今类推简化为顾。

轼(軾) shì 古代车厢前面用做扶手的横木。

轾(輊) zhì 【轩轾】(xuān—)〈书〉车前高后低叫轩,前低后高叫轾;喻指高低优劣:不分~。

轱(輄) guāng 〈书〉车下横木。

轿(轎) jiào 轿子,旧时的一种交通工具,方形,用竹子或木头制成,外面套着帷子,两边各有一根长杆,一般由人抬着走。

辀(輈) zhōu 〈书〉车辕。

辁(輇) quán 〈书〉❶ 没有辐的车轮。❷ 浅薄:~才。

辂(輅) lù ❶ 古代车辕上供人牵挽的横木。❷ 古代的一种大车。

较(較) jiào ❶ 比；相比：～量｜～劲儿。❷ 介词。比：病情～前有好转。❸ 副词。表示达到一定的程度：～多｜～好｜～大的贡献。❹〈书〉在意；计较：锱铢必～。❺〈书〉明显：彰明～著。

鸫(鶇) dōng 鸟类的一科，嘴细长，羽毛淡褐或黑色，叫声悦耳。

顿(頓) ㊀ dùn ❶ 以头叩(kòu)地；泛指以足或以物叩地：～首｜～足｜～地。❷ 略停一下：停～｜抑扬～挫。❸ 突然；立刻：～时｜～悟。❹ 处理；放置：整～｜安～。❺ 疲惫；劳累：劳～｜困～。❻ 量词。用于吃饭、劝说、打骂、斥责等行为的次数：一～饭｜一～打｜一～批评。❼ 姓。

㊁ dú 【冒顿】(mò—)汉初匈奴族首领的名字。

趸(躉) dǔn ❶ 整数：～买～卖。❷ 整批买进货物：～货｜现～现卖。

毙(斃)〔獘〕 bì ❶〈书〉仆倒。❷ 死(用于人时多含贬义)：～命｜击～｜枪～｜倒～。❸ 失败；灭亡：多行不义必自～。❹ 开枪打死：战士们都想亲手～了这个土匪头子。

【备考】 繁体斃，形声字，从死，敝声。简化字毙，从死，比声，是现代群众创造的新形声字。

致[1] zhì ❶ 送去；给予；表示：～词｜～函｜～意｜～敬。❷ 集中(精力、思想)于某个方面：～力｜专

心～志。❸ 招引;引来:～病|～使|招～。❹ 实现;达到:～富|学以～用。❺ 意态;情趣:兴～|情～|雅～|韵～。

致[2](緻) zhì 精密;周密:～密|精～|细～。

[丨]

龀(齔) chèn 〈书〉指儿童换牙。

赀(貲) zī 〈书〉❶ 罚缴钱财。❷ 计算;估量:所费不～。❸ 价值;价格。

【备考】 1955 年 12 月发布的《第一批异体字整理表》繁体“貲”处理为“資”的异体字。2013 年发布的《通用规范汉字表》确认“赀”为规范字,仅用于姓氏人名和“计量”的意义(如“所费不赀”);表示“钱财”的意义时,繁体“貲”仍为“资”的异体字。

桌〔槕〕 zhuō ❶ 桌子,一种家具:～椅|饭～|书～|办公～。❷ 量词:一～菜|三～客人|酒席摆了四十～。

鸬(鸕) lú 【鸬鹚】(—cí)水鸟,羽毛黑色,嘴扁长,尖端有钩。经驯养能帮助渔民捕鱼。俗称鱼鹰。

虑(慮) lǜ ❶ 思考;谋划:考～|谋～|深思熟～|处心积～。❷ 忧虑;担心:忧～|顾～|疑～|不足为～。

【备考】 繁体慮,形声字,从思,虍(hū)声。简化字虑，省田，现代群众创造。

监(監) ㊀ jiān ❶ 监视；督察：～工｜～察｜～考｜～督。❷ 牢狱：～牢｜收～｜男～。

㊁ jiàn ❶ 古代官署名：中书～｜钦天～｜国子～。❷ 姓。

【备考】 繁体監，金文作，象人对着盛水的器皿俯视，以照自己的容貌。后分化出"鑑(鉴)"，又分化出"镜"。简化字监来源于草书，楷化的监见于元抄本《京本通俗小说》。

紧(緊)〔緊〕〔緊〕 jǐn ❶ 物体受到大的拉力后呈现出的一种张大状态：～绷绷｜把绳子拉～｜鼓绷得很～。❷ 物体之间间隙极小，密切合拢的一种状态（与"松"相对）：～密｜～握双拳｜把瓶盖拧～｜两扇窗关得太～，不好开。❸ 接连不断，没有空隙时间：功课～｜任务～｜时间～｜～走几步｜～着催也写不完。❹ 使变紧：～鞋带儿｜把弦～一～。❺ 形势急迫严重；关系重大：～急｜～迫｜要～。❻ 生活不宽裕：手头太～｜日子过得～巴巴的。❼ 严格；严紧：他对孩子管得很～｜他家的门户～，别人很难进。

【备考】 緊，会意字，从臤(qiān，坚固)，从糸。本义指丝弦受拉力后呈现的张大状态。类推简化作"紧"。

党[1] dǎng【党项】我国古代少数民族之一。

党[2]**(黨)** dǎng ❶ 古代地方户籍编制单位，五百家为党：乡～。❷〈书〉亲族：宗～｜父

～|妻～。❸ 由私人利害关系结成的集团：死～|同～|结～营私。❹〈书〉偏袒：～同伐异。❺ 政党；在我国特指中国共产党：～派|～争|～章|～校|入～。❻ 姓。

【备考】党与黨原为两个不同的字。"党"从儿(人)，尚声，主要用于姓氏，又用于党项(古族名)。"黨"从黑，尚声，本义为不鲜明，已不通行，常用义为党派、朋党。后来"党"和"黨"通用，《简化字总表》以"党"代"黨"。

昽(曨) lóng 【蒙昽】快睡着或刚睡醒时睡眼惺忪、看东西模糊的样子：睡眼～。

【辨析】蒙昽—朦胧 蒙昽，指因睡意而眼睛看不清(客观上可能是清楚的)。朦胧，指月光不明，也泛指模糊、不清楚，如"暮色朦胧""烟雾朦胧"。

唛(嘜) mài ［英 mark］指货物包装上的识别标记。

晒(曬) shài 太阳照射；接受太阳照射：西～|暴～|～得汗流浃背|到外面～～太阳|场上～着粮食。

【备考】繁体曬，形声字，从日，麗(丽)声。简化字晒从日，西声，见于明代字书《正字通》。

晓(曉) xiǎo ❶ 天刚亮：～色|拂～|金鸡报～。❷ 知道：通～|～得|家喻户～。❸ 使知道：～喻|～之以理。

哄(嗊) hǒng 【啰哄】(luó—)〈书〉也作"罗哄"。古歌曲名，又名"望夫歌"。

唠(嘮) ㊀ láo【唠叨】(—·dao) 说起话来没完没了：你～什么！

㊁ lào 〈方〉说话；闲谈：～家常。

鸭(鴨) yā 水鸟，扁嘴短腿，善游泳。通常指家鸭。

晃[1] huǎng ❶ 明亮：明～～。❷ 闪耀：阳光～眼。❸ 很快地闪过：虚～一枪|窗外～过一个人影。

晃[2]**〔搖〕** huàng 摇动；摆动：～动|～荡|摇头～脑|两腿直打～|把药水～一～再喝。

晔(曄) yè 兴盛的样子。

【备考】1955 年 12 月发布的《第一批异体字整理表》中繁体"曄"处理为"燁"的异体字。1965 年发布的《印刷通用汉字字形表》和 1988 年发布的《现代汉语通用字表》均收入"曄"的类推简化字"晔"，表示"光明、兴盛"的意义，光辉灿烂的意思仍作"烨"。

晖(暉) huī 阳光：朝(zhāo)～|春～。

【备考】1955 年 12 月发布的《第一批异体字整理表》繁体"暉"处理为"輝"的异体字。1965 年发布的《印刷通用汉字字形表》和 1988 年发布的《现代汉语通用字表》均收入"晖"字，特指阳光，用于"朝晖""余晖"等词。

晕(暈) ㊀ yùn ❶ 太阳、月亮或灯光等周围出现的光圈：日～|月～|灯～。❷ 中心浓而四周逐渐变淡的一团颜色：墨～|脸上泛起一层

红～。❸ 头发昏、周围物体好像在旋转的一种感觉：～车|～场|～高|眼～。

㊁ yūn ❶ 同“晕(yùn)❸”，用于头晕、晕头转向、晕头晕脑、晕晕乎乎等词语中。❷ 昏迷；失去知觉：～厥|～倒|吓得～过去了。

【辨析】晕车、晕场、晕高等词语中，与“晕”搭配的名词或形容词(车、场、高)是引起“晕”的原因，“晕”音yùn。头晕，是头部本身的感觉，音yūn。眼晕与头晕形式上相同，实际不同，眼晕不是眼睛的感觉，而是看到令人眼花缭乱的事物后，引起头晕的感觉，所以应读yùn。

鸮(鴞) xiāo 见“鸱(chī)”(344页)。

蚬(蜆) xiǎn 一种软体动物，生活在淡水中或河流入海处。

蚝〔蠔〕 háo 牡蛎(lì)。

蚊〔螡〕〔蟁〕 wén 蚊子，一种昆虫，雄蚊吸食花果液汁，雌蚊吸人、畜的血，传染疾病：～虫|～帐|～香|灭～。

唢(嗩) suǒ【唢呐】(—nà)簧管乐器，其制大小不一，常用的管身正面七孔，背面一孔。

鄳(鄳) méng 古县名，在今河南。

唣〔啅〕 zào 见“啰(luó)”(379页)。

恩〔恩〕 ēn ❶ 给予的好处（多指上对下）：～惠|～德|～情|～怨|～将仇报|小～小惠。❷ 情义：～爱|一日夫妻百日～。❸ 感恩：千～万谢。❹ 姓。

鸯（鴦） yāng 见“鸳（yuān）”（345 页）。

帱（幬） ㊀ chóu 〈书〉❶ 床帐；帐子。❷ 舟车的帷幔。

㊁ dào 〈书〉覆盖。

崂（嶗） láo 崂山，山名，在山东。

畲（畬） shē ❶ 同“畲”。❷ 地名用字：登～镇（在广东）。

崃（崍） lái 崃山，即邛（qióng）崃山，山名，在四川。

罢（罷） ㊀ bà ❶ 免除；解除：～免|～官。❷ 停止：～工|～手|～休|欲～不能。❸ 完毕；结束：说～就走了|吃～饭。

㊁ ·ba 语气词，同“吧”。用于句尾，表示请求、无奈、疑问、揣测等语气（今多用“吧”）：没办法，就这样～|他不来了，咱们还是走～|雨这么大，他不会来了～？

【辨析】 罢了（bà·le）—罢了（bàliǎo） 前者用在陈述句的末尾，有仅此而已的意思，常与“不过”“只是”和“无非”等词前后呼应。如：他哪敢动手，不过说说罢了。后者意为算了，有容忍、放过、不再深究的意思。

如：他不来也就罢了，别勉强。

【备考】繁体罷，会意字，从网、能。意思是：贤能之人(既贤能，则有官职)犯了罪而被罢免官职。简化字罢，从"去"，可理解为"去"掉官职。罢源于行书，楷化的罢字见于清代刊行的《金瓶梅词话》《岭南逸事》等书。

峭〔陗〕 qiào ❶ 山势险峻，又高又陡：～拔|～壁|～立|陡～。❷ 严厉；严峻：～直。❸ 寒冷：寒～。

峨〔峩〕 é 〈书〉山势高峻；泛指高，矗起：巍～|～然不群。

崄(嶮) xiǎn 古同"险"。

峰〔峯〕 fēng ❶ 山的尖顶：山～|高～|顶～|群～。❷ 状如山峰形的东西：洪～|驼～|眉～|冰～。❸ 喻指事物发展的顶点：登～造极。❹ 量词。用于骆驼：数～骆驼。

圆(圓) yuán ❶ 圆形，从中心到周边距离相等的几何图形：～圈|～桌|～柱|老师在黑板上画了一个～。❷ 球形的东西：肉～|桂～|汤～。❸ 圆形的货币：铜～|银～。也作"元"。❹ 我国的本位货币单位，一圆等于十角。也作"元"。❺ 完满；周全：～满|～全|这话说得不～。❻ 使完满；使周全：～梦|～谎|自～其说。❼ 姓。

【辨析】圆—园 见"园"字辨析(139 页)。

觊(覬) jì 〈书〉企求;希图:～觎(希望得到不应得到的东西)。

贼(賊) zéi ❶〈书〉伤害:戕(qiāng)～。❷做大坏事的人;危害国家和人民的人:卖国～|独夫民～|乱臣～子。❸强盗;偷东西的人:～寇|窃～|抓住一个～。❹不正当;不正派:～心|～头～脑。❺狡猾:这家伙真～,几次抓捕都让他逃掉了。❻〈方〉副词。表示性质状态异乎寻常:今天～冷|皮鞋擦得～亮。

贿(賄) huì ❶〈书〉财物:财～。❷用财物买通别人:～选|～赂公行。❸用来买通别人的钱:受～|纳～|索～。

赂(賂) lù ❶〈书〉财物:货～。❷用财物买通别人:贿～。

赃(贜) zāng 通过贪污、受贿、盗窃等非法手段所得到的财物:～款|～物|追～|坐地分～。

【辨析】与肮脏的脏不同。赃官、赃物等不能写作脏。

【备考】繁体贜,从貝(贝),藏声,藏兼表义(收纳)。简化字赃,形声字,从贝,庄声,见于《搜神后记·朱弼》和唐代张鷟《朝野佥载》卷三。

赅(賅) gāi ❶完备:言简意～。❷包括:以偏～全。

赆(贐) jìn 〈书〉送行时赠送的礼物:～仪。

[丿]

钰(鈺) yù 〈书〉珍宝。今多用于人名。

钱(錢) qián ❶ 金属货币。特指铜钱：～串儿|一个～。❷ 货币：花～|一块～。❸ 费用，款子：车～|饭～|一笔～。❹ 钱财：有～有势。❺ 形状像铜钱的东西：纸～|榆～儿。❻ 市制重量单位，10 钱为 1 两，1 钱等于 5 克。❼ 姓。

钲(鉦) zhēng 古代行军时用的一种铜制打击乐器。形状像钟，有长柄。

钳(鉗) qián ❶ 古代的一种刑具，束颈的铁圈。❷ 限制；约束：～口|～制。❸ 夹东西的工具：～子|老虎～。

钴(鈷) gǔ 金属元素，符号 Co。银白色，可做玻璃和瓷器的蓝色颜料。

【备考】钴，形声字，从金，古声。古有钴字，用于"钴𨱔"(即熨斗)，与金属"钴"同形。

钵(鉢)〔盋〕〔缽〕 bō ❶ 一种盛东西的器具，形状像盆而较小：饭～|瓷～|乳～。❷ 特指僧人盛饭的器具：～盂|衣～(原指佛教中师父传给徒弟的袈裟和钵，后泛指前人传下来的思想、学术、技能等)。

钬(鉥) shù 〈书〉❶ 长针。❷ 刺。

钷(鉕) pǒ 金属元素,符号 Pm。一种稀土元素,有放射性。

钹(鈸) bó 打击乐器,有两个圆铜片,中部隆起如半球状,拍击发声。

钺(鉞) yuè 古兵器,形状像斧头而较大,圆刃,由青铜、铁或石头制成。

钻(鑽)〔鑚〕 ㊀ zuān ❶ 用尖的物体在另一物体上转(zhuàn)动打孔:~孔|~眼儿|~木取火。❷ 进入;穿过:~山洞|~到水里|阳光从云雾中~出来。❸ 深入细致地研究:~研|~理论|~书本。

㊁ zuàn ❶ 穿孔打眼的工具:~头|电~。❷ 钻石的简称:~戒|十七~的手表。

【备考】繁体鑽,形声字,从金,贊声;简化字钻是现代群众造的新形声字,从金,占声。

𬬻(鑪) lú 放射性金属元素,符号 Rf。由人工核反应获得。

【备考】1955 年 12 月发布的《第一批异体字整理表》处理为繁体"爐"的异体字。2013 年发布的《通用规范汉字表》确认"𬬻"为规范字,仅用于科学技术术语,指一种人造的放射性元素;表示"火炉"等意义时,繁体"鑪"仍为"炉"的异体字。

钽(鉭) tǎn 金属元素,符号 Ta。银白色,耐腐蚀性强。

钼(鉬) mù 金属元素,符号 Mo。银白色,熔点高,是农业上重要的微量元素肥料。

钾(鉀) jiǎ 金属元素，符号 K。银白色，化学性质活泼，与水相遇产生氢气，并能引起爆炸。

钟(鉮) shén 含五价砷的有机衍生物被看作有机金属衍生物，命名为钟。

钿(鈿) ㊀ diàn ❶ 古代一种嵌金花的首饰。❷ 用金银、宝石或螺壳等镶嵌在器物上做成的装饰：金～|螺～。

㊁ tián 〈方〉❶ 钱；硬币：铜～。❷ 费用：车～。

铀(鈾) yóu 金属元素，符号 U。银白色，有放射性。可用做核燃料。

铁(鐵) tiě ❶ 金属元素，符号 Fe。银白色，质硬，是炼钢的主要原料，可用来制造各种器械、用具等。❷ 指刀、枪等武器：手无寸～。❸ 比喻确定不移：～定|～证|～的事实。❹ 比喻强有力的；牢靠的：～骑|～拳|～饭碗|～石心肠|铜墙～壁。❻ 形容强暴或精锐的：～蹄。❺ 姓。

【备考】繁体鐵，形声字，从金，戴(zhì)声。简体鉄见于元代《古今杂剧三十种》等书，《简化字总表》类推简化为铁。

铂(鉑) bó 金属元素，符号 Pt。银白色，导热导电性能好，化学性质稳定。通称白金。

铃(鈴) líng ❶ 铃铛，金属制成的小型响器：～声|车～|电～|打～。❷ 像铃的东西：棉～|哑～。

铄(鑠) shuò 〈书〉❶ 熔化(金属):～石流金|众口～金。❷ 消损;削弱。❸ 通"烁"。

【辨析】铄一烁 见"烁"字辨析(292 页)。

铅(鉛)〔鈆〕 ㊀ qiān ❶ 金属元素,符号 Pb。银灰色,质软而重,易氧化。❷ 用黑铅(石墨)或用加入带颜料的黏土做的笔芯:～笔。

㊁ yán 用于地名:～山(在江西)。

铆(鉚) mǎo 铆接,连接金属构件的一种方法。把要连接的器件打眼,用铆钉(一头有帽的金属细圆柱)穿在一起,在没有帽的一端锤打出一个帽,使器件固定在一起。

铈(鈰) shì 金属元素,符号 Ce。一种稀土金属。灰色,质地软,用作还原剂、催化剂等。

铉(鉉) xuàn 古代一种举鼎用的器具。

铊(鉈) ㊀ tā 金属元素,符号 Tl。白色,质软。铊的化合物有毒,用于医药。

㊁ tuó 同"砣"。秤砣。

铋(鉍) bì 金属元素,符号 Bi。银白色或粉红色。其合金熔点很低,可作保险丝和汽锅上的安全塞等。

铌(鈮) ní 金属元素。符号 Nb。灰白色,质硬,化学性质稳定。用来制耐高温合金、电子管等。

铝(鋁) zhāo 〈书〉镰刀。

铍(鈹) ㊀ pī 中医用的长针，下端如宝剑形，两面有刃，用来刺破毒疮，排出脓血。

㊁ pí 金属元素，符号 Be。灰白色，最轻的金属之一。最易透 X 射线，可用来制造 X 射线管。

钹(鏺) pō ❶〈书〉一种两边有刃、装有长木柄的镰刀。❷〈方〉用镰刀等割草。

铎(鐸) duó 古代一种大铃，用于宣布政令或有战事时使用：木～|金～|铃～。

【备考】繁体鐸，形声字，从金，睪(yì)声。类推简化为铎。

锝(鍀) mǔ 〈书〉熨斗。

氩(氬) yà 稀有气体元素，符号 Ar。大气中含量最多的稀有气体。放电时发蓝色光。

牺(犧) xī 〈书〉供祭祀用的毛色纯而不杂的牲畜：～牛|～牲。

乘〔乗〕〔椉〕 ㊀ chéng ❶ 骑；坐：～马|～车|～飞机。❷ 利用(机会或条件)；就着：～机|～人之危|～便|～势|～胜追击。❸ 佛教的教义：大～|小～。❹ 进行乘法运算。❺ 姓。

㊁ shèng ❶ 古代称一辆四匹马拉的车为一乘：千～之国。❷ 春秋时晋国史书叫乘，后通称一般史书：史～。

敌(敵) dí ❶ 和本身有利害冲突而不能相容的一方：仇～|抗～|～我双方。❷ 有利害冲突不能相容的：～人|～意。❸（力量）相当：～手|匹～|势均力～。❹ 对抗；抵挡：寡不～众|所向无～。

【备考】繁体敵，形声字，从攴（pū 攵），啇（chì）声。"啇"隶变作"商"。简化字敌，为现代群众创造，由適的简化方式类推而来。

积(積) jī ❶ 聚积；累聚：～存|～压|堆～|～土成山|日～月累。❷ 长时间积累下来的：～习|～弊|～案。❸ 停滞；中医特指儿童消化不良的病：食～|奶～。❹ 乘积，乘法运算的得数。

【备考】繁体積，形声字，从禾，責声。本义为积聚谷物。简化字积改声旁为只，现代群众创造。

称(稱) ㊀ chèn 适合；相当：～职|～心|对～|相～。

㊁ chēng ❶ 叫；叫作：自～|泛～|通～|～他为英雄。❷ 名号；名称：～号|别～|简～|俗～。❸ 说：～谢|拍手～快|无不～便。❹ 赞扬：～赞|～道|～许。❺ 测定物体的轻重：～一～这条鱼有多重。

【备考】繁体稱，形声字，从禾，爯声。爯读 chēng，为稱本字，甲骨文作[illegible]，象以手举物。从禾，是因为古人以谷物作为长度及重量单位的标准。简化字称来源于草书，楷化的称见于宋刊本《古列女传》。

秘〔祕〕 ㊀ mì ❶ 不公开的；让人摸不透的：～方|～诀|隐～|神～。❷ 保守秘密，

不公开：～而不宣。❸ 罕见的：～籍｜～宝｜～本。

㈡ bì　译音用字，如秘鲁（南美洲国名）。

【辨析】秘，旧读 bì。今除在“秘鲁”中读 bì 外，一律读 mì。

【备考】1955 年 12 月发布的《第一批异体字整理表》中“秘”有异体字“祕”。秘为祕的俗字（禾旁为礻旁的讹变）。2013 年发布的《通用规范汉字表》确认“祕”读 mì 时为规范字，仅用于姓氏人名；读 mì 表示“秘密、秘籍”等意义以及读 bì 用于国名“秘鲁”时仍为“秘”的异体字。

笕（筧） jiǎn　安在屋檐下或田间，用来引水的长竹管。

笔（筆） bǐ　❶ 写字、画图的工具：毛～｜铅～｜钢～｜～筒。❷ 用笔写：～者｜代～｜亲～。❸ 写出的字；手迹：～迹｜遗～。❹ 笔画：五～字型输入法｜“人”字有两～。❺（写字、画画、作文的）技法：～法｜工～｜伏～｜败～。❻ 量词。1. 用于款项或与款项有关的事物：一～钱｜两～账｜三～生意。2. 用于书画艺术：写一～好字｜画几～山水画。

【备考】繁体筆，从聿（yù）、从竹会意。“聿”甲骨文作[illegible]、金文作[illegible]，象手持笔形，为“筆”的初文。小篆加“竹”作“[illegible]”，读音也和“聿”稍有不同。“聿”和“筆”记录了古代“笔”这个字在不同方言中的读音，“聿”是楚国的方音，“筆”是秦国的方音。简化字笔，从竹从毛会意，见于北齐的隽敬碑和房周陀墓志，北宋韵书《集韵》也收入了笔字。

笑〔咲〕 xiào ❶ 露出喜悦的表情,发出的欢乐的声音:~容|~嘻嘻|哈哈大~|他~得真开心。❷ 讥笑;嘲笑:见~|耻~|怕人~话。❸ 敬辞,表示希望对方接受赠物:~纳。

【备考】据大徐本《说文新附》,孙愐《唐韵》所引《说文》中的"笑"作"笑",下从犬。《马王堆帛书·老子乙》下也从"犬"。

笋〔筍〕 sǔn ❶ 竹子的嫩芽,可供食用:~干儿|竹~|芦~。❷ 嫩的:~鸡|~鸭。

债(債) zhài 欠别人的钱财;有所亏欠于人的:~务|~权|借~|血~|相思~|~台高筑。

借[1] jiè ❶ 借入;暂时用别人的财物:~据|~用|~宿|~你的笔用一下|我向他~了十块钱|我在图书馆~了一本小说。❷ 借出;将财物暂时给别人用:我把自行车~给小李了|这本书只能~给你三天。

借[2](藉) jiè ❶ 假托:~口|~题发挥|~故退场。❷ 利用;凭借:~古讽今|~花献佛。

【备考】借,形声字,从人,昔声。繁体藉,形声字,从艸(艹),耤(jiè)声,本义为古代祭祀朝聘时陈列礼品的垫物,引申为凭借。古书中藉、借常通用,《汉字简化方案》以借代藉,但"狼藉(jí)""慰藉(jiè)"的"藉"不简化作"借"。

倾(傾) qīng ❶ 歪;斜;偏:~斜|~耳听|身子前~。❷ 倒塌;覆灭:~塌|~覆|大厦将~。❸ 全:~城出迎。❹ 用出全副(精力);倒出

全部(东西)：～吐|～诉|～箱倒箧|～全力做好工作。❺〈书〉超越；压倒：权～一方|势～朝野。❻〈书〉向往；钦佩：～慕|一见～心。

倏〔倐〕〔儵〕 shū 〈书〉迅疾；极快：～而|～然|～已半年|～来忽往。

赁(賃) lìn 租借(租入或租出)：租～|这房子是～的人家的|这房子～给人家了。

隽〔雋〕 ㊀ juàn ❶〈书〉言语、诗文等意味深长：～永|～语。❷姓。

㊁ jùn 才智过人的人：～杰|才～。

俯〔俛〕〔頫〕 fǔ ❶头低下(跟“仰”相对)：～拾即是|～首帖耳。❷向下：～冲|～视。❸敬辞，称对方对自己的动作行为：～允|～念。

【备考】① 俯，形声字，从人，府声；异体頫，又读tiào，视、望之意。② 1955年12月发布的《第一批异体字整理表》中“俯”有异体字“頫”。2013年发布的《通用规范汉字表》确认“頫”的类推简化字“頫”为规范字，仅用于姓氏人名，如赵孟頫；表示“低头、向下”等意义时，繁体“頫”仍为“俯”的异体字。

倦〔勌〕 juàn ❶疲乏：疲～。❷厌烦：厌～|孜孜不～|诲人不～。

僤(僤) dàn 〈书〉盛；大。

射〔䠶〕 shè ❶放箭：驰～。❷用机械力或其他力量把子弹等快速送出去：～击|

扫～|高～炮|～门(足球)。❸ 液体快速喷出：喷～|～了一身水。❹ 放出(光、热、电等)：～线|反～|辐～|光芒四～。❺ (言语、作品等)有所指：影～|暗～。

皋〔臯〕〔皐〕 gāo ❶〈书〉水边的高地：江～。❷ 姓。

躬〔躳〕 gōng ❶ 身体。❷ 亲身；亲自：～耕|～行|事必～亲。❸ 弯下(身子)：～身下拜。

衄〔衂〕〔衄〕 nǜ〈书〉❶ 鼻孔出血，泛指出血：鼻～|大～(七窍出血)。❷ 战败：败～。

颀(頎) qí 〈书〉身材修长高大：～长|～伟。

徕(徠) ㊀ lái〈书〉招；使……来：招～。
㊁ lài 〈书〉慰劳：劳～。

殷[1] ㊀ yīn ❶ 丰盛；富足：～实|～富。❷ 古地名，在今河南安阳西北。公元前 14 世纪商王盘庚迁都于此，故商朝后期也称殷。❸ 姓。
㊁ yān 暗红色：～红。

殷[2]**〔慇〕** yīn 恳切；深厚：～勤|～切。

舰(艦) jiàn 大型军用船只；军舰：～艇|～队|～只|巡洋～|航空母～。

【备考】舰，古代指四周设置护板的大型战船，字本作"槛"。"槛"本指关动物的栅栏或笼子，槛船是其引申义。后以舟旁替换木旁造艦字，成为从舟、监声的形声字。简化字舰,从舟,见声,为现代群众创造的新形声字。

舱(艙) cāng 船或飞行器中载人或装东西的地方:~位|货~|客~|机~。

拿〔拏〕〔舒〕〔挐〕 ná ❶ 抓住;握住;挪动(东西):~着一束花|~着一沓纸|你把这几本书~去看看。❷ 捕捉;强行获取;捉~|缉~|这个碉堡我们一定要~下来。❸ 掌握:~权|~得准。❹〈口〉要挟:~他一把|你别想用这事来~我。❺ 获得:~奖金|他一人~了三枚金牌。❻ 故意做出;装出:~架子|~腔作势。❼ 强烈的作用使物体变化(多指变坏):疾病把他~得脱了形|馒头发黄,是碱~的。❽ 介词。1. 引进动作凭借的工具等,相当于"用":~刀砍|~证据说话。2. 引进动作的对象:真~你没办法|不要~别人的缺陷开玩笑。

【备考】《说文》中有拏(ná,牵引,持)、挐(rú,牵引;ná,持),均为形声字。后在"持"的意义上又作拿、舒(读 ná),均为会意字,从合,从手。1955 年 12 月发布的《第一批异体字整理表》以"拏、挐"为"拿"的异体字。

耸(聳) sǒng ❶ 矗立;高起:~立|高~入云。❷ 短暂而迅速地向上抬或向前移:~肩|~身一跳。❸ 惊动;引起注意:~人听闻|危言~听。

爱(愛) ài ❶ 对人或事物有很深的感情;特指男女之间的恋情:敬~|疼~|~心|~情|恋~|~父母|~祖国。❷ 喜欢从事某种活动或喜

欢某种状态：～游泳|～占小便宜|～清净。❸ 爱惜；爱护：～公物|～面子|～荣誉。❹ 容易发生某种行为或变化：他唱歌～跑调|这孩子～生病|冬天～刮北风|这一带～闹水灾。

【备考】喜爱的“爱”《说文》作㤅，从心，旡(jì)声。爱字《说文》作夒，从夂(suī)，㤅声，隶变作愛，本义为“行貌”(行走的样子)。后㤅字及愛的“行貌”义不用，以愛表示喜爱义。简化字爱，来源于草书，楷化的爱见于元抄本《京本通俗小说》。

鸰(鴒) líng 见“鹡”(528 页)。

颁(頒) bān 发布；发下：～布|～发|～奖。

颂(頌) sòng ❶ 赞扬：～扬|歌～。❷ 祝愿(多用于书信)：敬～安好。❸ 以颂扬为内容的诗文：《红旗～》。

【辨析】颂—诵 “传诵”与“传颂”在用法上有细微区别。传诵：辗转传布诵读及称道。例如：这个故事传诵一时；他的名字在民间广为传诵。传颂：辗转传布颂扬。其中赞扬的成分比“传诵”要多一些。例如：全村人传颂着他英勇救人的事迹。这种差别非常小，使用时要用心体会。

胭〔臙〕 yān 【胭脂】一种用来涂在两颊或嘴唇上的红色化妆品，也可作国画的颜料。

【备考】胭脂是来自匈奴语的借词，曾写作“燕支”、“燕脂”等，后定形为“胭脂”。“胭”本为咽喉的“咽”的异体,从肉,因声。

脍(膾) kuài 〈书〉切得很细的鱼或肉:食不厌精,~不厌细|~炙人口。

【备考】1955年12月发布的《第一批异体字整理表》中繁体"膾"有异体字"鱠"。1964年5月发表的《简化字总表》及1986年10月重新发表的《简化字总表》均收入"鱠"的类推简化字"鲙"。1988年发布的《现代汉语通用字表》收入"鲙"字,用于鱼名。

脆〔脃〕 cuì ❶容易断裂破碎;缺乏韧性:~弱|~性物质|这纸太~。❷食物硬而容易弄碎:~生|~枣|饼干又酥又~。❸声音清亮:清~|嗓音挺~。❹说话做事爽利痛快:干~|他办事很~。

胸〔胷〕 xiōng ❶颈与腹之间的身体部位:~腔|~围|袒~露背。❷指内心:~怀|心~|~无大志|~有成竹。

胳[1] ㊀gā 【胳肢窝】〈口〉(—·zhiwō)腋窝。

㊁gé 【胳肢】(—·zhi)〈方〉在别人身上抓挠,使发痒、发笑。

胳[2]〔肐〕 gē 【胳膊】(—·bo)人的上肢,从肩膀到手腕的部分。也说"胳臂"(—·bei)。

【备考】1955年12月发布的《第一批异体字整理表》中"胳"有异体字"骼"。1965年发布的《印刷通用汉字字形表》和1988年发布的《现代汉语通用字表》均收入"骼"字,表示"骨骼"的意义;"胳"不再表示"骨骼"义。

脏[1]（髒） zāng　有污垢，不干净：手～了|～乱差|～话。

脏[2]（臟） zàng　人或动物身体内部器官的总称：五～|内～|心～|脾～。

【备考】髒与臟原为两个字。"髒"从骨葬声；"臟"从肉藏声，藏兼表义（古人认为五脏是"气之所藏"），本写作"藏"。1936年陈光尧《常用简字表》以脏作为臟的简化字，《简化字总表》又将臟、髒二字合并，简化为"脏"，从肉，庄声。

脐（臍） qí　❶ 肚脐：～带。❷ 螃蟹腹部下面的甲壳：尖～|团～。

胶（膠） jiāo　❶ 某些具有黏性的物质，多用动物的皮、角熬制成，或用某些植物的分泌物加工而成：鹿～|牛～|桃～|阿(ē)～。❷ 用化学方法人工合成的用来粘合器物的物质：～水|万能～。❸ 像胶一样具有黏性的：～泥。❹ 用胶粘合：～合|～着(zhuó)状态。❺ 专指橡胶：～皮|～鞋。

【备考】繁体膠，形声字，从肉，翏(liù)声；简化字胶，形声字，从肉，交声，是现代群众创造的新形声字。

脑（腦） nǎo　❶ 人和脊椎动物神经系统的主要部分，主管全身知觉、运动和思维、记忆等活动：大～|小～|～神经|～溢血。❷ 指头部：～门儿|摇头晃～|鬼头鬼～。❸ 指人的思考、记忆等能力：～筋|动～。❹ 颜色、形状或作用等像脑子的东西：樟～|薄荷～|豆腐～|电～。❺ 东西的零碎部分：针头线～。

【备考】繁体腦,《说文》小篆作㛴,左象人(《说文》释匕),右下象脑形,上巛为头发。后俗字将“匕”改为“月”(肉),简化字脑,为半记号半表意字。

脓(膿) nóng 由某些炎症病变所形成的黄白或黄绿色黏液:~疮|化~。

鸱(鴟) chī ❶〈书〉鹞(yào)鹰。❷【鸱鸮】(—xiāo)鸟类的一科,头大嘴短,以鼠、兔、昆虫等为食。也作鸱枭。❸【鸱鸺】(—xiū)一种凶猛的鸟,昼伏夜出,俗称猫头鹰、夜猫子。属鸱鸮科。

玺(璽) xǐ 帝王的印:玉~|掌~大臣。

魛(魛) dāo 古人指形状似刀的鱼,如带鱼、鲚鱼等。

鸲(鴝) qú ❶鸟类的一种,体小,羽毛美丽。❷【鸲鹆】(—yù)鸟名,全身黑色,能模仿人说话的某些声音。俗名“八哥”。

狸〔貍〕 lí 【狸猫】(—māo)也叫豹猫,哺乳动物,形状跟家猫相似。性凶猛,以小动物为食。

狷〔獧〕 juàn 〈书〉❶性情急躁;偏激:~急。❷性情耿直:~介。

猃(獫) xiǎn ❶〈书〉嘴部较长的狗。❷【猃狁】(—yǔn)我国古代北方的一个民族。

鸵(駝) tuó 鸵鸟,现存鸟类中最大的一种,不能飞,善走。

【辨析】注意鸵从“鸟”,不从“马”,与骆驼的“驼”

不同。

留〔畄〕〔畱〕〔罶〕 liú ❶ 停止在某处不动：逗～|停～|～任|～城|～在这儿别走了。❷ 使不离开；阻止：～客|～用|挽～|扣～|拘～。❸ 保持；保存：保～|～胡子|～底稿|自～地|～有余地|停薪～职。❹ 存下来传给他人：～言|～念|遗～|人过～名，雁过～声。❺ 注意力放在某些方面：～心|～神|～意。❻ 接受；收下：收～|送来的礼物一律不～。❼ 特指住在外国求学：～学|～洋|～日。❽ 姓。

【辨析】不能简化作"畄"。

袅（裊）〔嫋〕〔褭〕〔嬝〕 niǎo 〈书〉细长柔弱：～娜(nuó)|～绕|炊烟～～。

【备考】袅，形声字，从衣，鸟(省略为乌)声。

鸳（鴛） yuān 【鸳鸯】(—·yāng) 水鸟名，形体似野鸭，羽毛美丽，雌雄多成对生活在一起。常用来比喻夫妻。

皱（皺） zhòu ❶ 物体表面因收缩或揉弄而起的纹路：～纹。❷ 起皱纹：～眉头|衣服～了。

饽（餑） bō 【饽饽】(—·bo)〈方〉1. 糕点。2. 馒头或其他面食，也指用玉米粉或其他杂粮制成的块状食品：贴～|玉米～。

悚（餗） sù 〈书〉鼎中的食物。泛指佳肴美味。

饿(餓) è ❶腹中无食,想吃东西:饥~|~虎扑食|肚子~了。❷使挨饿:我带着吃的呢,~不着|别把孩子~坏了。

馁(餒) něi ❶〈书〉饥饿:冻~|饥~。❷丧失勇气:气~|自~|胜不骄,败不~。❸〈书〉鱼腐烂;泛指食物腐败:鱼~肉败|食物~败。

[丶]

凄[1]〔淒〕 qī ❶寒冷:~风苦雨|风雨~~。❷比喻冷落;萧条:~凉|~清。

凄[2]〔悽〕 qī 悲伤;难过:~楚|~怆|~切|~婉。

栾(欒) luán ❶栾树,落叶乔木,种子可榨油。叶子可做青色染料,花可做黄色染料,也可入药。❷姓。

【备考】繁体欒,形声字,从木,䜌(luán)声。类推简化为栾。

挛(攣) luán (身体)抽搐蜷曲,不能伸直:~缩|痉~|拘~。

【备考】繁体攣,形声字,从手,䜌(luán)声。类推简化为挛。

恋(戀) liàn ❶想念不忘;依依不舍:~家|~战|~旧|留~|~~不舍。❷男女相爱:~爱|~人|初~|失~。

【备考】繁体戀,形声字,从心,䜌(luán)声,类推简化为恋。

桨(槳) jiǎng 划船的用具。

【备考】 繁体槳,形声字,从木,將声。简化字桨,来源于草书,见于唐代孙过庭等人的书法作品。

浆(漿) ㊀ jiāng ❶ 古代酿制的一种微带酸味的饮料:箪(dān)食壶~|引车卖~者流。❷ 较浓的汁液:豆~|泥~|血~|刷~。❸ 特指稻麦等植物在成熟过程中果实颗粒里的液状物质:灌~。❹ 用粉浆或米汤浸泡纱、布、衣服,使其干后发硬变挺:~洗缝补。

㊁ jiàng 同"糨"。糨糊。

【备考】 繁体漿,形声字,从水,將声。简化字浆,上部的"將"简作"丬夕",古文字及汉隶的结构与此相同。

席[1]〔蓆〕 xí ❶ 用草、竹或苇子等编成的平片的东西,用来铺炕、床、地或搭棚子等:~棚|草~|凉~|炕~。

席[2] xí ❶ 会场上的座位:出~|列~|首~|退~。❷ 成桌的饭菜;酒菜:酒~|筵~|摆~。❸ 量词。用于谈话、酒席等:一~话|一~酒。❹ 姓。

准[1] zhǔn 许可;允许:~许|获~|批~|~予请假|不~随便穿越马路。

准[2](準) zhǔn ❶ 衡量事物所依据的原则、尺度:~则|~绳|基~|水~。❷ 比照;依据:~前例办理。❸ 大致相似,可以作某事物看待:~将(jiàng)|~圆体。❹ 准确;正确:~时|瞄~|猜得不~。❺ 确定不变的:~信|~主意|双方已经说~

了。❻（～儿）确定的主意、方式、把握等：心里有～｜那人说话没个～。❼ 一定：今晚七点我～到｜这事他不～办得了。❽〈书〉鼻子：隆～。

【备考】繁体準从水，隼(sǔn)声，本指水平面，引申指标准等。允准是其远引申义。"准"由"準"省简而来，旧多用于公文，表准许、依照等义。今用为"準"的简化字。

症[1]（癥） zhēng　中医指腹内结块的病：～结（比喻事情弄坏或不能解决的关键）。

症[2] zhèng　病象，也泛指疾病：～候｜～状｜急～｜对～下药。

【备考】症(zhèng)本作"证(證)"，后改换意符作症，为证的后起分化字。《简化字总表》将癥结的"癥"并入症。

疴〔痾〕 kē　〈书〉病；疾病：卧～｜沉～｜养～。

【辨析】疴，旧读 ē，今统读 kē。

斋（齋）〔亝〕 zhāi　❶ 旧时指祭祀鬼神或举行典礼前整洁身心：～戒｜～禁。❷ 佛教、道教信徒所吃的素食：～饭｜吃～。❸ 向出家人舍饭：～僧。❹ 指房屋，常用作书房、商店或学校宿舍的名称：书～｜荣宝～。

【备考】繁体齋，形声字，从示，齊(zhāi)声。斋是齋的俗字，见于金代字书《篇海》，《简化字总表》定为齋的简化字。

痈（癰） yōng　一种结成块状的毒疮。

【备考】繁体癰,形声字,从疒,雝(yōng)声。简化字痈,从疒,用声,为现代群众创造的新形声字。

疱〔皰〕 pào 皮肤上起的小疙瘩,样子像水泡:~疹。

痉(痙) jìng 【痉挛】(—luán)肌肉紧张,不能自控地收缩。

【备考】繁体痙,形声字,从疒,巠(jīng)声。类推简化为痉。

效[1]〔傚〕 xiào 模仿:~法|~尤|仿~|上行下~。

效[2]〔効〕 xiào 为别人献出(力量或生命):~力|~命|报~。

效[3] xiào 效果;功用:~益|~能|疗~|奏~。

离(離) lí ❶ 分开;分别:分~|~婚|~家出走|貌合神~。❷ 相距:距~|单位~家3公里|~新年很近了。❸ 缺少:实现现代化~不开科学技术。❹ 八卦之一,卦形为☲,代表火。❺ 姓。

颃(頏) háng 见"颉(xié)"(417页)。

资[1](資)〔貲〕 zī 钱财;费用:~产|物~|耗~|投~。

资[2](資) zī ❶ 用钱财帮助;帮助:~助|~敌。❷ 提供:可~借鉴|以~鼓励。❸ 人天生的素质和性情:~质|天~。❹ 可作行事凭借的身份、经历等:~格|~历|~望|论~排辈。

【备考】1955 年 12 月发布的《第一批异体字整理表》中繁体“資”有异体字“貲”。2013 年发布的《通用规范汉字表》确认“貲”的类推简化字“赀”为规范字，仅用于姓氏人名和“计量”的意义（如“所费不赀”）；表示“钱财”的意义时，繁体“貲”仍为“资”的异体字。

凉〔涼〕　㊀ liáng　❶ 温度较低；微冷：～风｜～菜｜秋风起，天气～。❷ 冷淡：世态炎～｜他俩的关系早就～了。❸ 冷清：荒～｜凄～｜苍～。❹ 比喻灰心或失望：我的心～了。❺ 防热避暑用的：～席｜～棚。

㊁ liàng　把热东西搁置一会儿，使凉下来：茶太烫，～会儿再喝。

竞（競）　jìng　竞争；比赛：～选｜～走｜～技｜～赛。

【备考】繁体競，甲骨文作[illegible]，象二人竞技形（上部䇂，即辛 qiān，为奴隶的标志），小篆讹作[illegible]，从二言，从二人，隶变作競。简化字竞，省去一个“竞”，见唐代敦煌变文写本。

阃（閫）　kǔn　〈书〉❶ 门坎。❷ 指妇女居住的内室。❸ 借指妇女：～范。

阄（鬮）　jiū　（～儿）为了赌胜负或决定事情而抓取东西；也指抓取的东西：～定｜抓～儿。

【备考】繁体鬮，形声字，从鬥，龟声。简化字取门字头。

訚（誾）　yín　〈书〉❶ 说话和悦而又能明辨是非。❷ 同“狺”。❸ 高大。❹ 茂盛。

阅(閱) yuè ❶ 看(文字)：～览｜订～｜翻～｜传～。❷ 察看；视察：～兵｜检～。❸ 经历；经过：～历｜～世。

阆(閬) ㊀ láng 见"闶(kāng)"(159 页)。
㊁ làng 阆中，地名，在四川。

瓶〔缾〕 píng 一种小口、细颈、大腹的容器，多用来装液体：～颈(瓶子上部较细的部分，喻指对全局产生影响的关键部位或环节)｜～装｜花～｜一～酒｜守口如～。

郸(鄲) dān ❶ 地名用字：～城(在河南)。❷【邯郸】(hán—)市名，在河北。

烦(煩) fán ❶ 心情不安宁，不畅快：～闷｜～恼｜心～意乱。❷ 厌倦；讨厌：耐～｜厌～｜这话已经听～了。❸ 使讨厌；使厌倦：～人｜别～我。❹ 多而乱：～杂｜～琐。❺ 请求；托付：～你帮个忙｜今天有事相～。

【辨析】烦—繁 "烦"和"繁"都有"多"的含义，可以相通，如"烦琐"也作"繁琐"，"繁杂"也作"烦杂"。二者在语义的侧重点上又有不同。"烦"偏重于"乱"，使人不安定，多指主观感受；"繁"只是指"多"。

烧(燒) shāo ❶ 使着(zháo)火：～毁｜燃～。❷ 使物体受热或因接触某些化学药品而发生变化：～水｜～炭｜硫酸把桌面～坏了。❸ 两种烹调方法，一是用火烤，二是把食物先蒸或炸一下再炒或炖：～饼｜～鸡｜～茄子｜红～肉。❹ 因生病而体温高：发～。❺ 比正常水平高的体温：高～｜退～。

❻ 肥料过多使植物枯萎或死亡。❼ 形容因有钱或条件优越而头脑发热，喜欢炫耀：有了两个钱，看～得他！

烛(燭) zhú ❶ 蜡烛，中间用线绳等做芯，周围用蜡油或其他油脂包裹而成：～台|～光。❷〈书〉照亮；明察：火光～天|洞～其奸。❸ 灯泡的瓦特数俗称为烛：60～的灯泡。

【备考】繁体燭，形声字，从火，蜀声。本义指火把。后指油脂做的照明物。简化字烛，右边省作"虫"，见于元抄本《京本通俗小说》。

烟[1]〔煙〕yān ❶ 物质燃烧时产生的带有悬浮颗粒物的气体：点火冒～|一股浓～|～囱|～幕|煤～。❷ 烟子，烟气中碳素颗粒的凝结物：～墨|松～。❸ 像烟一样雾蒙蒙的景观：～波浩渺。❹ 指鸦片：～土|抽大～。

烟[2]〔菸〕yān 烟草及烟草制品：吸～|旱～|～卷|～袋。

烨(燁)〔爗〕yè 〈书〉光盛；明亮：～～震电。

【备考】1955 年 12 月发布的《第一批异体字整理字表》中繁体"燁"有异体字"曄"。1965 年发布的《印刷通用汉字字形表》和 1988 年发布的《现代汉语通用字表》均收入"曄"的类推简化字"晔"，表示"光明、兴盛"的意义。

烩(燴) huì ❶ 烹调方法，把菜放在锅里炒后再加芡汁煮烧：～白菜|～虾仁。❷ 烹

调方法,把多种菜或菜与主食混在一起煮:～饼|杂～。

焨(燖) xún 〈书〉❶ 祭祀时在汤中煮肉,泛指煮肉。❷ 畜、禽宰杀后,用热水烫以去毛。

烬(燼) jìn 物体燃烧后剩下的残余物:灰～|余～。

递(遞) dì ❶ 轮流;顺次:～进|～加|～补|～减。❷ 传送:传～|～送|呈～。

【备考】繁体遞,形声字,从辵,虒(sī)声。递同遞,从辵,弟声,在南朝字书《玉篇》中已有;《简化字总表》确定为遞的简化字。

涛(濤) tāo ❶ 大波浪:波～|惊～骇浪。❷ 像波涛的声音:松～。

浙〔淛〕 zhè ❶ 浙水,水名。又叫渐江、曲江,即今钱塘江。❷ 浙江省的简称。

涝(澇) lào ❶ 雨多成灾:旱～。❷ 田地里积存的雨水:排～。

涞(淶) lái 涞水,水名。又名拒马河,在河北。

涟(漣) lián ❶ 水面波纹:～漪。❷ 泪流不断的样子:泪～～。

涅〔湼〕 niè 〈书〉❶ 矿物名,黑矾石,即石墨,古代用作黑色染料:白沙在～,与之俱黑。❷ 染;染黑:～而不缁(缁音 zī,黑。比喻品格高尚,不受外界污染)。❸【涅槃】[梵 nirvāna]佛教用语,指超脱生死的境界,也用作佛、僧"死"的代称。

【辨析】注意“涅”的右边与“毁”的左边不同。

涠(潿) wéi 地名用字：～州(岛名,在广西壮族自治区北海市南)。

涢(溳) yún 涢水,水名。在湖北。

涡(渦) ㊀ guō 涡水,水名。今称涡河,源于河南。

㊁ wō ❶ 回旋水流中间的圆形低洼处：～流|旋～。❷ 涡状;涡状物：～轮机|酒～儿。

涂¹ tú ❶ 涂水,古水名。即今云南的牛栏江。❷ 姓。

涂²(塗) tú ❶ 泥：生灵～炭(比喻人民生活在极端困苦的环境中。炭,炭火)。❷ 海涂,河流或海水中的泥沙在入海处及海边形成的浅海滩：～田|滩～。❸ 刷抹涂料、油漆、颜料、脂粉等：～饰|～墙|～颜料|～脂抹粉|～一层油漆。❹ 抹去：～改|～掉。❺ 乱写;乱画：～鸦(形容字写得糟糕,多用作谦词)。❻〈书〉通“途”。

【备考】涂,形声字,从水,余声;繁体塗从土,涂声。涂与塗原为不同的两个字,古代民间常以涂代塗,如睡虎地秦墓竹简和马王堆汉墓帛书中有许多用例。《简化字总表》规定以涂代塗。

涤(滌) dí ❶ 洗;清洗：洗～。❷ 扫除;除净：～除|荡～。

润(潤) rùn ❶ 滋润;使不干枯：～滑|～嗓子。❷ 潮湿：～泽|湿～。❸ 细腻;光

滑：光～|珠圆玉～。❹ 修饰加工，使有光彩：～色。❺ 好处；利益：利～|外～|分～|～笔（指给作诗文书画的人的报酬）。❻ 润水，水名。在安徽。

涧（澗） jiàn 山间水沟：山～|溪～。

浣〔澣〕 huàn 〈书〉洗濯；漂洗：～纱|～洗衣物。

涨（漲） ㊀ zhǎng ❶ 水上升：～潮|水～船高。❷ 增长；高出：～价|～幅。

㊁ zhàng ❶ 充满；充血：烟尘～天|～红了脸。❷ 固体吸收液体后体积增大：豆子泡～了。❸ 多出；超出（定数）：钱花～了|招生名额已经～了|布买回来一量，～出了半尺。

【辨析】涨—胀 在体积增大的意义上，本作"张"，后来分化出"胀"。"涨"所表示的增大与水或其他液体的增多有关，因此物体吸收水分后变大用"涨"，如豆子泡涨了；面部充血时涨红了脸。"胀"一是指物体自身由于受热等原因而体积增大，如热胀冷缩、膨胀；二是指人的一种体内充塞的感觉，所以肚子发胀、脑子发胀写作"胀"。

【备考】涨，形声兼会意字，从水，张声，张兼表义。

烫（燙） tàng ❶ 肉体被火或高温物体灼痛或灼伤：～伤|把手～了。❷ 感觉到温度特别高，难以承受：水太～|饭一点都不～了。❸ 用高温物体使低温物体升温或改变状态：～酒|把衣服～平。

涩(澀)〔澁〕〔濇〕 sè ❶ 不光滑;摩擦阻力大:枯～|滞～|车轴太～,吱扭吱扭响。❷ 味不甘滑;像明矾一样使舌头麻木的味道:～口|苦～|～柿子。❸ 说话、行文迟钝生硬,不流畅:生～|艰～|晦～。

【备考】涩,《说文》小篆作𣥖,从四"止",隶变作歰,两倒"止"变作两"刃"。后又加水旁作"澀",简化字涩,省去一"刃",为现代群众创造。

涌[1]〔湧〕 yǒng ❶ 水向上冒出:～泉|海上～起巨浪。❷ 水奔腾翻滚:汹～澎湃。❸ 像水涌一样冒出:风起云～|云中～出一轮明月|～现许多好人好事。

涌[2] chōng 〈方〉河汊。多用于地名:河～|虾～(在广东)|白泥～(在广东)。

浚〔濬〕 ㊀ jùn 深挖以清理、疏通(水道):～河|疏～|～泥船。

㊁ xùn 地名用字:～县(在河南)。

悖〔誖〕 bèi 〈书〉❶ 惑乱;糊涂:～乱|～晦。❷ 违背;违反:～逆|有～常理|并行不～。❸ 不合常理;荒谬:～谬|～妄|～论。

【辨析】悖—背 两字都有违反的意义,所以在部分合成词中有两字相通的情况。如背理、背时也作悖理、悖时,悖谬、悖晦也作背谬、背晦。但由于两字的本义不同,所以在相同的引申义(违反)上,两字又有细微的差别。"背"本指背对着,由此引申出违背的意义,又引申为不顺利、倒霉(如走背字儿、背运);"悖"本义为迷乱、心乱，由此引申出糊涂，不合事理，又引申出违反的意义。所以“背”侧重于相反、背道而驰，而“悖”侧重于错误、不合道理。此外，“悖”字较生僻，多用于书面语。

悭（慳） qiān ❶ 吝啬：～吝。❷ 欠缺：缘～一面（欠缺一面之缘）。

悍〔猂〕 hàn ❶ 勇猛；干练：～勇|强～|剽～|精～。❷ 凶狠；蛮横：～然|～妇|凶～。

悯（憫） mǐn 哀怜；同情：～惜|怜～|悲天～人|其情可～。

岩（礐） què 〈书〉山多大石。用于地名：～石（在广东）。

宽（寬） kuān ❶ 横的距离大，范围广：～广|～阔|～敞|～泛。❷ 宽度：这条河～一里。❸ 放宽；使松缓：～限|～心|～解|～慰。❹ 宽大：～容|～待|～让|～恕。❺ 富裕：～余|～裕。❻ 姓。

家[1] ㊀ jiā ❶ 家庭的住所；家庭：～属|～乡|～信|回～。❷ 经营某种行业的人家或具有某种身份的人：农～|厂～|船～|行（háng）～。❸ 有专门学识、技能的人：专～|作～|哲学～|教育～。❹ 学术流派：儒～|法～|一～之言。❺ 谦词，对人称自己的长辈亲属或平辈亲属中的年长者：～父|～兄。❻ 饲养的：～畜|～禽|～兔。❼ 量词。用于家庭或企业：一～人家|两～饭馆。❽ 姓。

㊁ ·jia 〈口〉后缀，用在某些名词后面，表示属

于那一类人：女人～|孩子～|姑娘～。

㊂ ·jie 同“价”(·jie)。

家²(傢)jiā 用于家庭的：～伙|～具|～什。

宴¹ yàn 安乐；安闲：～安|～乐|～居。

宴²〔醼〕〔讌〕yàn ❶ 请人吃酒饭：～请|～客|欢～。❷ 酒席；宴会：设～|赴～|盛～|国～。

【备考】1955 年 12 月发布的《第一批异体字整理表》中“宴”有异体字“讌”。1964 年 5 月发表的《简化字总表》收入“讌”的类推简化字“䜩”，1988 年发布的《现代汉语通用字表》收入“䜩”字。经重新审查，2013 年发布的《通用规范汉字表》仍将“讌”作为“宴”的异体字。

宾(賓)bīn ❶ 客人：～客|～馆|外～|～至如归。❷ 姓。

【备考】宾，甲骨文作[illegible]，从宀，从人，或又从足，意思是有人来到屋里，故本义是客人。金文作[illegible]，从宀，从人，从貝。小篆字体演变为[illegible]，从貝，丏(bīn，楷书作㝉)声。古时宾客至，主人要赠以礼物，故从貝。简化字宾可视为从宀，兵声的形声字，见于清刊本《岭南逸史》。

窍(竅)qiào ❶ 窟窿；孔；洞：石～|七～流血。❷ 比喻事情的关键或要害：～门|诀～。

【备考】繁体竅，形声字，从穴，敫(jiǎo)声。简化字窍，从穴，巧声，为现代群众创造的新形声字。

窎(窵) diào ❶〈书〉深远。❷用于地名：～沟(在青海)。

请(請) qǐng ❶请求；说明要求，希望得到满足：～假｜～教｜提～｜申～。❷有礼貌地约人来：～客｜约～｜聘～｜～医生。❸敬辞。用于希望对方做某事：～坐｜～您稍等。❹旧时表示恭敬的行为(代替某些动词，如指买香烛纸锭、佛龛[kān]神像等)：～香｜～了一座神像。

诸(諸) zhū ❶文言虚词。"之于"或"之乎"的合音：付～实施｜藏～名山｜子闻～？❷表示复数，众多：～君｜～位｜～子百家｜～事如意。❸姓。

诹(諏) zōu 〈书〉征求意见；商量。

诺(諾) nuò ❶〈书〉答应声(表示同意)：～～连声｜唯唯～～。❷答应；应允：～言｜许～｜允～｜承～。

读(讀) ㊀ dú ❶照着文字念出声来：朗～｜宣～｜跟我～。❷阅读；看(文字材料)：～物｜～者｜默～｜～一本好书。❸指上学：走～｜就～｜～小学｜～研究生。❹字的念法；读音：旧～｜破～。

㊁ dòu 句子中的短暂停顿。古代没有标点，诵读文章时极短的停顿叫"读"，稍长的停顿叫"句"，后来把"读"写成"逗"，现代所用逗号就是取这个意义：

句～。

冢〔塚〕 zhǒng 高大的坟墓：荒～|衣冠～。

【辨析】下从豕，不从豖。

诼（諑） zhuó 〈书〉造谣诬蔑：谣～。

诽（誹） fěi 无中生有，说人坏话：～谤。

袜（襪）〔韈〕〔韤〕 wà 袜子，用棉、丝、尼龙等织成，穿在脚上起保护作用的东西：～套|～筒|短～|尼龙～。

【辨析】右半部是"末"，不是"未"。

【备考】襪，形声字，从衣，蔑声。袜，形声兼会意字。袜用于人体末端（脚），所以从末，末又兼为声符。袜同襪，见南朝字书《玉篇》，今为襪的简化字。

袒〔襢〕 tǎn ❶ 脱去或敞开上衣，露出身体的一部分：～露|～胸露怀。❷ 无原则地支持或保护：～护|偏～。

袯（襏） bó 【袯襫】（—shì）古时指农夫穿的蓑衣之类粗而结实的衣服。

祯（禎） zhēn 〈书〉吉祥；吉兆：～祥。

课（課） kè ❶ 按内容划分的教学科目：～程|～表|功～。❷ 教学的时间单位：～时|上～|一节～。❸ 教材的段落：这本教科书共有25课。❹ 旧时机关中按工作性质分设的办事单位，类

似现在的“科”：秘书～|会计～。❺ 旧指赋税：国～|完粮交～。❻ 征收(赋税)：～税。❼ 占卜的一种：卜～|起～。

冥〔冥〕〔寘〕 míng ❶ 昏暗：幽～|云雨～晦。❷ 幽深；深沉：～思|苦思～想。❸〈书〉高远；也指天空：苍～。❹ 愚昧：～顽。❺ 迷信的人称人死后去的地方；阴间：～府|～钞|～衣。

诿(諉) wěi 把责任推给别人；推卸：～过|～罪|推～。

谀(諛) yú 〈书〉用好听的话讨好别人；奉承：～辞|阿(ē)～。

谁(誰) ㊀ shéi (又读 shuí) 疑问代词。❶ 指某个人、某些人：相当于“哪个”：你是～？|～会做这道题？❷ 虚指，表示不能肯定的人：这件事情好像～说过。❸ 任指，表示任何人：这件事～都知道|～都不肯落后|～有事～先走。

㊁ shuí “谁(shéi)”的又音。多用于读文言词语和古诗文。

谂(諗) shěn 〈书〉❶ 规劝；劝告。❷ 知道：～知|～悉。

调(調) ㊀ diào ❶ 更动安排：～遣|～令|～任|对～。❷ 查访；了解：外～|～查|～研。❸ 说话、读书的口音：南腔北～。❹ 喻指言论或意见：陈词滥～。❺ 喻指风格或才情等：情～|格～。❻ 语音上的高低变化：声～|～号。❼ 乐曲以什

么音做 do 就叫做什么调：C～。❽ 音乐上高低长短配合起来的一组音：曲～｜这个～很好听。

㊁ tiáo ❶ 和谐；配合合适：失～｜协～｜风～雨顺。❷ 使配合得合适：～试｜～剂｜～配｜～味｜把收音机的声音～得小一点。❸ 使消除纠纷达到和谐：～解｜～停。❹ 嘲弄；挑逗：～情｜～戏｜～笑｜～侃。❺ 挑拨：～唆｜～三窝四。

冤〔寃〕〔寃〕 yuān ❶ 受到不公平的待遇；被加上不应有的罪名：～案｜～枉｜～屈｜～情｜申～。❷ 因受侵害而产生的仇恨：～仇｜～家｜～孽。❸ 吃亏；上当：花～钱｜大老远的白跑一趟，真～。❹〈方〉欺骗；使人上当：不许～人。

【辨析】下从兔(tù)，不从免(miǎn)。

谄(諂)〔謟〕 chǎn 〈书〉讨好；献媚：～媚｜～佞｜～笑｜～谀。

谅(諒) liàng ❶ 宽容：～解｜体～｜原～。❷ 猜测；预料：～已收到｜～你也不会这么做。

谆(諄) zhūn 诚恳；恳切（多叠用）：～～教诲｜～～告诫。

谇(誶) suì 〈书〉❶ 责骂：诟～。❷ 规劝。

谈(談) tán ❶ 对话；说：～话｜～判｜～天说地｜俩人～得很投机。❷ 言论；主张；所说的话：奇～｜笑～｜传为美～｜老生常～。❸ 姓。

谊(誼) yì 交情;友情:友～|情～|深情厚～。

[→]

恳(懇) kěn ❶诚信;真诚:～求|～请|～谈|诚～。❷〈书〉请求:敬～|转～。

【备考】繁体懇,形声字,从心,貇(kūn)声;简化字恳,省"豸",见于明代官府文书档案《兵科抄出》。恳,从心,艮声,表音作用更明显。

剧(劇) jù ❶极;厉害(指程度深):～烈|～痛|～毒|～变|病情加～。❷戏剧,演员化装后表演故事的一种文艺形式:～情|～务|京～|越～。❸姓。

【备考】繁体劇,形声字,从刀,豦(jù)声;简化字剧,从刀,居声,是现代群众创造的新形声字。

娲(媧) wā 【女娲】我国古代神话中炼石补天的女神。

娴(嫻)〔嫺〕 xián 〈书〉❶熟练:～熟|～于书画。❷文雅;文静:～静|～雅。

娘[1]〔孃〕 niáng ❶母亲:～家|爹～|～儿俩。❷称长一辈或年长的已婚妇女:大～|婶～|姨～。

娘[2] niáng ❶年轻女子:姑～。❷妇女的通称:厨～|船～。

婀〔婐〕 ē 【婀娜】(—nuó)姿态柔软而美好：～多姿｜体态～。

【备考】① 婀(旧读 ě)，形声字，从女，阿声。② 1955年12月发布的《第一批异体字整理表》以"婐"为"婀"的异体字。经审查，2013年发布的《通用规范汉字表》将此组异体字删除。

难(難) ㊀ nán ❶ 不容易；做起事来费事：～题｜(事)～办｜(路)～走｜(字)～写｜有苦～言。❷ 使感到困难：这下子可把他～住了。❸ 不大可能：～免｜～保｜谁胜谁负，还很～说。❹ 使人感到不好：～听｜～看。

㊁ nàn ❶ 不幸的遭遇：～民｜灾～｜遇～｜患～之交｜多～兴邦。❷ 质问；诘责：非～｜责～｜问～。

【备考】繁体難，形声字，从隹(zhuī，短尾鸟)，堇(qín，又作菓)声。本义为一种鸟。简化字难，以符号"又"代替菓。在明刊本《薛仁贵跨海东征白袍记》和明代官府文书档案《兵科抄出》中都有简化字难。

预(預) yù ❶ 事前；事先：～防｜～报｜～告。❷ 参加：干～｜参～。

【辨析】預的简化字是预，不能简化作予。

桑〔桒〕 sāng ❶ 桑树，落叶乔木，叶子可喂蚕。果实叫桑葚，味甜，可吃。❷ 姓。

绠(綆) gěng 〈书〉汲水用的绳子：～短汲深(比喻才力不够，任务重大，难以胜任)。

骊(驪) lí 古书指深黑色的马。

绡(綃) xiāo 〈书〉生丝织成的薄绸，后常指轻纱、薄绢类织品：～帐|红～。

骋(騁) chěng ❶ 奔驰：驰～。❷ 放开：～怀|～目。

绢(絹) juàn ❶ 一种薄而坚韧挺爽的丝织品：～本。❷ 手绢，手帕。

绣(綉)〔繡〕 xiù ❶ 用彩色的丝、绒、棉线在布帛上刺成花纹图案：～花|～像|刺～|～鸳鸯。❷ 绣出的物品：湘～|蜀～。

駼(駼) tú 见"騊"(412页)。

絺(絺) chī 〈书〉细葛布。

验(驗)〔騐〕 yàn ❶ 察看；检查：～血|查～|检～|试～。❷ 产生预期的效果：灵～|效～|应～|屡试屡～。

绤(綌) xì 古代指粗葛布：冬裘夏～。

绥(綏) suí ❶〈书〉车上的绳子，登车时作拉手用：援～|执～。❷ 安；安抚：～靖。❸ 安好(旧时书信结尾用语)：台～|近～。

绦(縧)〔絛〕〔縚〕 tāo 用丝织成的带子，可用来镶饰衣物的边：～子|～虫(体形像绦子而得名)|丝～。

骍(騂) xīng 古书指羊马牛等毛皮红色。

继（繼） jì 后者接续前者，不间断：～承｜～续｜～往开来｜相～完成｜前仆后～。

【备考】繁体繼，本作㡭，后加意符糸，又简化为继。继在汉碑中常用，并作为俗字收入南朝顾野王所著《玉篇》。

绨（綈） ㊀ tí 古代一种厚绸子。
㊁ tì 织物名。用蚕丝或人造丝做经线，棉纱做纬线织成，比绸子厚实，表面较绸子粗糙：线～。

绕（繞） huán 古代的一种测风仪。

骎（駸） qīn 【骎骎】〈书〉形容马跑得很快的样子；喻指进展得很快：岁月～｜～日上。

骏（駿） jùn 良马：～马。

鸶（鷥） sī 见“鹭”(554 页)。

十一画

[一]

焘(燾) ㊀ dào 〈书〉覆盖。
㊁ tāo “焘(dào)”的又音,用于人名。

琎(璡) jìn 〈书〉像玉的石头。

球[1]**〔毬〕** qiú ❶ 某些圆形立体的体育用具:篮~|足~|网~|垒~|乒乓~。❷ 球类运动:~迷|看~。

球[2] qiú ❶ 球形或接近球形的物体:煤~|眼~|红血~。❷ 特指地球或其他星球:全~|北半~|月~。❸ 数学名词。以半圆的直径为轴,使半圆旋转一周而成的立体;由中心到表面各点距离都相等的立体:~面|~体|~心。

琏(璉) liǎn 古代宗庙中盛黍稷的器皿。

琐(瑣)〔瑣〕 suǒ ❶ 卑微;平庸:猥~。❷ 细碎:~事|~碎|烦~。

麸(麩)〔粰〕〔麪〕 fū 麸子,小麦磨面用罗筛过后剩下的皮:~皮|麦~。

琉〔瑠〕〔璢〕 liú 【琉璃】(—lí)1. 一种矿石。学名青金石,又名天蓝石。2. 用硅酸化合物烧制成的釉料,多加在黏土的外层,烧制成缸、盆、砖瓦等。

琅〔瑯〕 láng ❶【琅玕】(—gān)〈书〉像珠子的美石。❷【琅琊】(—yá)山名;又地名。在山东。

捷〔捷〕 jié ❶战胜:~报|告~|大~。❷速度快:敏~|~足先登。❸近便的;方便的:~径|便~。

掳(擄) lǔ 抢劫;抢走:~掠|~获。

掴(摑) guāi(又音 guó) 用手掌打;打耳光:~他一记耳光。

捶〔搥〕 chuí 用拳或棍棒、工具等敲打:~背|~打|~胸顿足|用榔头~铁板。

掏〔搯〕 tāo ❶挖:~河泥|在墙上~洞。❷用手或工具伸进去取:~钱包|~耳朵|~出证件。

鸷(鷙) zhì ❶鸷鸟,凶猛的鸟,如鹰、雕等。❷〈书〉喻凶猛:~勇。

掷(擲) zhì 用力投:投~|~铅球|~地有声|弃~。

掸(撣) ㊀ dǎn ❶【掸子】(—zi)用鸡毛、布条等绑扎成的拂尘用具:鸡毛~。❷用掸子、毛巾等轻轻抽打或扫,以去掉灰尘等:~掉身上

的土|～～书架上的灰。

㊁ shàn ❶ 古时对傣族的称呼。❷ 缅甸的民族之一,大多居住在掸邦。

堚(墠) shàn 〈书〉❶ 郊外的土地。❷ 祭祀用的场地。❸ 通"禅",一种祭祀方法。

壸(壼) kǔn ❶ 古指宫中的道路,借指宫内。❷ 古同"阃"。

悫(愨) què 〈书〉恭谨;忠厚。

据[1] jū 【拮据】(jié—)缺钱,经济状况窘迫:手头～。

据[2](據)〔攄〕 jù ❶ 凭借;依靠:依～|根～|～险固守。❷ 可以作为凭证的东西:证～|凭～|单～。❸ 根据;按照:～理力争|～广播明天有大雨。❹ 占有;占领:占～|盘～|～为己有。

【备考】繁体據,形声字,从手,豦(jù)声,本义为凭借;"据"音 jū,用于"拮据",和"據"本是两个不同的字。由于"据""據"音近,常常通用。1932 年《国音常用字汇》以"据"为"據"的简化字。

掺(摻) ㊀ càn 古代的一种鼓曲:渔阳～挝。

㊁ chān 把一种东西加入到另一种东西里;混合:～杂|～假|果汁里～点水。

㊂ shǎn 〈书〉握;抓着:～手|～袂。

掼(摜) guàn 〈方〉❶ 扔;抓住一端使劲摔另一端:～手榴弹|～乌纱帽|～小麦|～

稻。❷ 跌倒;使跌倒:～跤|他把那人～倒在地。

职(職) zhí ❶ 掌管:～掌。❷ 依照职位应该担负起的工作,分内应做的事:～责|～权|尽～|天～。❸ 职位;工作岗位:～守|～业|求～|辞～。

聍(聹) níng【耵聍】(dīng—)耳垢,俗称耳屎。

菱〔蔆〕 líng 一年生水生草本植物。果实即菱角,可食用。

萚(蘀) tuò 〈书〉草木脱落的皮或叶。

勚(勩) yì ❶〈书〉辛劳;劳苦。❷〈方〉器物磨损失去棱角、锋芒:螺丝扣～了。

萝(蘿) luó ❶ 通常指某些蔓生植物:女～|藤～|茑(niǎo)～。❷【萝卜】(—·bo) 一年生或二年生草本植物。主根肥大,是普通蔬菜。

萤(螢) yíng 萤火虫,一种昆虫,尾部有发光器,能发绿光。

营(營) yíng ❶〈书〉四周垒土居住。❷ 军队驻扎的地方:～垒|军～|安～扎寨。❸ 现代军队的编制单位,团之下连之上的一级:一～|两个～。❹ 建造:～造。❺ 经营;管理:～业|～销|联～|民～。❻ 谋求:～生|～利|～私|～救。❼ 姓。

萦(罃) yīng 古代的一种长颈瓶。

萦(縈) yíng 〈书〉❶ 缠绕;盘绕:～怀|～系|琐事～身。❷ 弯曲;回旋:～回|～绕。

萧(蕭) xiāo ❶ 古代指艾蒿(hāo)。❷ 凄清冷落:～瑟|～疏|～索|～条。❸ 古通"肃"。肃敬:～墙(古指门屏,因臣见君时,走到门屏外而肃然起敬。)❹【萧萧】1. 形容马鸣、风雨、草木摇落等声音:马～|风～|无边落木～下。2. 头发花白稀疏的样子:白发～。❺ 姓。

萨(薩) sà ❶【菩萨】(pú—)佛教指修行到了一定程度、地位仅次于佛的人。❷ 译音字,常用于少数民族或外国的人名、地名等。❸ 姓。

梼(檮) táo ❶【梼杌】(—wù)1. 古代传说中的猛兽。借指恶人。2. 楚国史书名。❷【梼昧】〈书〉愚昧。多用作谦词。

梦(夢) mèng ❶ 睡眠中的幻象:～话|～境|南柯一～。❷ 做梦:～见。❸ 比喻幻想:～想|幻～|迷～。

【备考】 睡梦的"梦",甲骨文作,象人依床而睡。小篆作,从宀(mián,房屋),从爿(床),从夢(意为不明)。意思是夜里在床上睡觉,眼前模糊,即做梦。小篆又有夢字,作,从夕,瞢(méng)省声,本义为不明。简化字梦,来源于草书,北宋蔡襄的书法作品中已有梦字,元刊本《朝野新声太平乐府》上也有梦字。

婪〔惏〕 lán 贪:贪～。

梾(棶) lái 梾木,也叫灯台树,落叶乔木或灌木。木材细致坚硬,树皮和叶子可制栲胶或紫色染料。

梿(槤) lián ❶【梿枷】(—jiā)一种用来脱谷的农具。今多作连枷。❷用于地名:~市(在浙江)。

梅〔楳〕〔槑〕 méi ❶落叶乔木,耐寒,早春开花,后生叶芽。果实叫梅、梅子或酸梅,未熟时为青色,成熟后为黄色,味酸,可吃。❷节候名。初夏时节,江淮流域的雨季较长,正值梅子黄熟时期,所以称这一时期为梅或梅雨时节。❸姓。

觋(覡) xí 〈书〉男性巫师。

检(檢) jiǎn ❶约束;限制:~点|行为不~|言语失~。❷考查;察验:~查|~修|~验|~阅。❸挑选;拾取。今通常写作"捡"。❹姓。

棂(欞) líng 旧式窗户的窗格子:窗~。

救〔捄〕 jiù ❶制止:~火。❷纠正:~正|补~|补偏~弊。❸援助使脱离或避免灾难、危险:抢~|挽~|~苦~难|~了三条人命。

啬(嗇) sè 小气;该用的财物不用:吝~。

【备考】啬,甲骨文作[illegible],金文作[illegible],象禾穗堆积在田野之形，为“穡”字初文。简化字啬，来源于草书，清代同治年间刊行的《岭南逸史》中有“穑”字，其右部与今简化字完全相同。

匮（匱） kuì 〈书〉缺乏；缺少：～乏｜贫～。

敕〔勅〕〔勑〕 chì 〈书〉❶ 告诫：申～｜戒～。❷ 皇帝的命令、诏书：～命｜～使｜奉～。

酝（醖） yùn ❶ 酿酒：酝酿（原指造酒的发酵过程，后比喻磋商、准备使逐渐成熟）｜春～夏成。❷ 酒：佳～。

【备考】 繁体醖，形声字，从酉，昷（wēn）声。简化字酝，为现代群众创造的形声字，声旁为“云”，与“酝”的读音更接近。

酞 tài ［英 phthalein］有机化合物的一类：酚～。

厢〔廂〕 xiāng ❶ 厢房，正房前面两侧的房屋：东～。❷ 类似房子隔间的地方：车～｜包～。❸ 靠近城的地区：城～｜关～。❹ 边；方面：这～｜那～｜两～。

靥（靨） yǎn ❶ 螺类介壳口圆片状的盖。❷ 蟹腹下面的薄壳。

戚[1] qī ❶ 古代兵器，像斧：干～｜共工舞～。❷ 亲属：～友｜亲～。❸ 姓。

戚[2]〔慽〕〔慼〕 qī 忧愁；悲哀：悲～｜休～相关。

戛〔戞〕 jiá ❶轻轻地敲打：～击。❷拟声词：～然而止|～然长鸣。

硕(碩) shuò 大：～大无朋|～果累累|丰～成果。

跶(躂) ㊀ dá 古代以石筑成的水利设施：石～|造闸～以储潮水。

㊁ tǎ 地名用字：～石(在浙江)。

硖(硤) xiá 地名用字：～石(在浙江北部)。

硗(磽) qiāo 土地坚硬，不肥沃：～确|～薄。

硙(磑) wèi 同“碨”。用于地名：水～(在陕西)。

硚(礄) qiáo 地名用字：～头(在四川)|～口(在武汉)。

鸸(鴯) ér 【鸸鹋】(—miáo)鸟名，形似鸵鸟，腿长善走，不能飞。

厩〔廐〕〔廄〕 jiù 马棚，泛指牲口棚：马～|～肥。

聋(聾) lóng 耳朵失去听觉；听觉迟钝：～哑|～子|耳～眼花。

龚(龔) gōng 姓。

袭(襲) xí ❶因循；照样做：～用|因～|沿～|抄～。❷继承：～位|世～。❸〈书〉量词。用于成套的衣物：一～棉衣。❹乘人

不备而进攻：～击|奇～|夜～|空～。❺（气流）传来；扑来：香气～人|寒风侵～。❻ 姓。

鴷（鴷） liè 鸟名，即啄木鸟。

殒（殞） yǔn 死亡：～命|～身。

【辨析】殒—陨 “陨”是从高处坠落，故从“阝”（阜，土山）。“殒”为死亡，与陨同源；“殒”是“陨”的后起分化字。在现代汉语中，跟死亡有关的词用“殒”，如殒命，殒身；跟坠落有关的词用“陨”，如陨落、陨石、陨星等。

殓（殮） liàn 把死人装进棺材：～葬|入～|装～。

赉（賚） lài 〈书〉赐予：赏～。

辄（輒）〔輙〕 zhé 〈书〉副词。总是；就：动～得咎|浅尝～止。

辅（輔） fǔ ❶〈书〉面颊：～车相依，唇亡齿寒。❷ 帮助；协助：～导|～助|相～相成。❸ 古代指京城附近的地方：畿～。

辆（輛） liàng 量词。用于车：一～汽车|三～自行车。

【备考】辆，两的后起分化字，形声字，从车，两声。车辆一般有两个成对的车轮，所以用“两（liàng）”作为指称车的量词，后来这个意义加车旁作辆。

堑（塹） qiàn ❶ 壕沟：～壕|天～|沟～。❷ 喻指挫折：吃一～，长一智。

[丨]

龁(齕) hé 〈书〉用牙齿咬东西。

颅(顱) lú 指头盖骨及脑,也用以指头:～骨|头～。

眦〔眥〕 zì ❶〈书〉上下眼睑的结合处,眼角:目～尽裂。❷【睚眦】(yá—)瞪眼,怒目而视;借指小的怨恨:～之怨|～必报。

啧(嘖) zé ❶〈书〉大声纷争;人多口杂:～有烦言。❷叹词。表示惊叹:～,～,好拳脚!❸拟声词。形容咂嘴的声音:人言～～|～～称羡。

眺〔覜〕 tiào 〈书〉远望:凭栏～望|登高远～。

眯〔瞇〕 ㊀ mī ❶眼皮微合:～缝着眼|～着眼笑。❷〈方〉小睡:～一会儿|～瞪一阵儿。

㊁ mí 尘埃等异物进入眼中,一时不能看东西:～了眼。

悬(懸) xuán ❶吊挂:～挂|～灯结彩|～梁刺股|解民倒～。❷吊挂或停留在空中(或一定的高度),没有依托:～腕|～肘|～空|明月高～。❸距离大;差别大:～殊|～隔。❹公布;公开揭示:～赏|～令。❺挂念;牵挂:～念|～望|～心。❻凭空设想:～想|～知|～断|～拟。❼没着落;没

解决：～案｜～而未决｜那件事还～着呢。❽〈方〉危险：好～，差点儿撞上｜加油站里抽烟，这事儿真～。

【备考】 悬（懸）挂义本作"縣"，金文作[古文字]，象"首"（人头）倒系于"木"（树）上，小篆作[篆字]，从系持県（倒首）。后"縣"用作行政区划名称，又加"心"作"懸"。在悬挂的意义上，縣、懸为古今字。今"懸"类推简化作悬。

野〔埜〕〔壄〕 yě ❶ 郊外；村外：～外｜郊～｜田～。❷ 界限；范围：分～｜视～。❸ 民间的；不当政的：朝～｜下～。❹ 不是人工养殖的：～生｜～菜｜～牛｜～兽。❺ 不合法的；非正式的：～种｜～汉子。❻ 不驯顺；缺乏教养：～蛮｜粗～｜撒～｜说话太～。❼ 不受约束：～性｜心越玩越～。

皗（皗） dí 〈书〉美好。

勖〔勗〕 xù 〈书〉勉励：～勉｜～励。

啭（囀） zhuàn 鸟婉转动听地叫：啼～。

跃（躍） yuè 跳：～进｜跳～｜～过栏杆。

【备考】 繁体躍，形声字，从足，翟声。简化字跃为现代群众创造的新形声字，从足，夭声。

啮（嚙）〔齧〕〔囓〕 niè 〈书〉鼠、兔等动物用牙啃或咬；泛

指咬，啃：～噬|～合|～齿类动物。

【备考】啮，小篆作𪘂，形声字，从齒，㓞(qià)声。后加形旁口作囓。俗作嚙，从口从齒会意；类推简化作啮。今以啮为正体。

跄(蹌) ㊀ qiāng 【跄跄】〈书〉走路从容有节的样子。

㊁ qiàng 【跄踉】同"踉跄"。走路失去平衡，身体歪斜：一个～，差点摔倒。

略〔畧〕 lüè ❶ 计划；智谋：谋～|方～|策～|战～|雄才大～。❷ 夺取；掠夺：侵～|攻城～地。❸ 简单；不详细：简～|粗～|～写|～图|详～得当。❹ 简省；省去：省～|忽～|从～。❺ 简略的叙述：史～|要～。❻ 大约；大体上；大致：大～|～见一斑|英雄所见～同。❼ 稍微：～微|～表寸心|～有赢余|～知一二|～高一筹。

蛎(蠣) lì 牡蛎，一种贝类，肉可食用，味鲜美：～黄(牡蛎的肉)|蚶～。

蛛(蝀) dōng 见"䗖"(521 页)。

蛊(蠱) gǔ ❶ 古代传说把许多毒虫放在一个器皿中，使它们互相吞食，最后剩下的不死的毒虫叫蛊，可以用它毒害人。❷ 借指毒害：～惑人心|挟邪作～。

蛇〔虵〕 ㊀ shé 一种爬行动物，身体圆而细长。种类很多，有的有毒。

㊁ yí 【委蛇】(wēi—)。1. 形容依顺：虚与～。

2. 道路、河流、山脉等弯曲而长：河道～。

蛏(蟶) chēng　蛏子，一种软体动物，生活在近岸的海水里，肉味鲜美。

累[1] ㊀ lěi　牵连；使受连累：牵～|连～|～及无辜。

㊁ lèi　❶ 疲劳：劳～|不怕苦不怕～。❷ 操劳：～了一天，快歇歇吧。❸ 使累；烦劳：这活真～人|千万别～着他。

累[2]**(纍)** ㊀ lěi　❶ 堆积；积累：～积木|日积月～|危如～卵。❷ 屡次；连续：～教不改|～～失误|连篇～牍。

㊁ léi　❶ 古通"缧"。绳索；捆绑。❷【累累】1. 连缀成串：果实～。2. 颓丧的样子：～若丧家之犬。❸【累赘】1. 多余，麻烦：看戏还带个孩子，多～。2. 多余、麻烦的事：提着这大包小包，真是个～。

【备考】繁体纍，形声字，从糸(mì)，畾(léi)声，本义为连缀得有条理。累本义为堆积，积聚；又指牵连，疲劳。古汉语中两字在某些意义上通用。《简化字总表》以累为纍的简化字。

啰(囉) ㊀ luō　【啰唆】(—·suō) 也作"啰嗦"。〈口〉1. 指话说得多而重复：他讲话爱～。2. 指事情琐碎、麻烦：手续太～。

㊁ luó　【啰唣】(—zào) 吵闹寻事。

㊂ ·luo　语气词。用于句末，表示肯定语气，相当于"了""啦"：这样太好～！

啴(嘽) ㊀ chǎn 〈书〉宽舒：～缓。

㊁ tān 【啴啴】〈书〉形容牲畜喘息。

啖〔啗〕〔噉〕 dàn ❶〈书〉吃：～食｜～啜。❷〈书〉给吃：～养｜以枣～之。❸〈书〉利诱：～以重利。❹姓。

啸(嘯) xiào ❶撮口出声；打口哨：登高长～｜～聚山林。❷鸟兽拉长声音用力叫：虎～｜猿～。❸自然界或某些器物发出的某种声响：尖～｜海～｜风～。

帻(幘) zé 古代包扎发髻(jì)的头巾。

崭(嶄)〔嶃〕 zhǎn ❶〈书〉高峻；突出：～然｜～露头角。❷极；非常：～新。

逻(邏) luó ❶巡察：～卒｜巡～。❷【逻辑】(—·ji)〔英 logic〕1. 思维的规律：文章写得不合～。2. 客观规律性：战争的～。3. 指逻辑学。

帼(幗) guó 古代妇女覆于发上的饰物，丝制：巾～(古代妇女戴的头巾和发饰，借指妇女)。

赇(賕) qiú 〈书〉贿赂：受～。

赈(賑) zhèn 救济：～济｜～恤｜～灾｜以工代～。

婴(嬰) yīng ❶刚生下不久的小孩：～儿｜妇～｜男～｜女～。❷〈书〉触；缠绕：～疾(得病)。

赊(賒) shē 买卖货物时延期付款或收款：～购｜～销｜～账｜到小酒店～二斤酒｜这批货可以先～给你。

［丿］

铏(鉶) xíng 古代盛羹的小鼎，两耳三足，有盖。

鿏(鉒) jī 〈书〉金圭。见于人名。

铐(銬) kào ❶ 手铐，锁手腕的刑具：镣～｜手～。❷ 给人戴上手铐：把犯人～上。

铑(銠) lǎo 金属元素，符号 Rh。银白色，质硬耐磨。

铒(鉺) ěr 金属元素，符号 Er。一种稀土金属。用来制有色玻璃、搪瓷等。

铁(鉷) hóng 〈书〉弩弓上钩弦射箭的部件。

铕(銪) yǒu 金属元素，符号 Eu。一种稀土金属。用来做激光材料。

铋(鐽) dá 金属元素。符号 Ds。有放射性，由人工核反应获得。

铖(鋮) chéng 人名用字。阮大铖，明末人。

铗(鋏) jiá 〈书〉❶ 冶铸时夹取东西的金属工具：铁～。❷ 剑把。也指剑：长～。

铘(鋣) yé 见“镆”(522 页)。

铙(鐃) náo ❶ 古代军中的一种乐器，像铃铛。❷ 铜制的打击乐器。像钹(bó)，形体比钹大而中间隆起部分比较小。❸ 姓。

铚(銍) zhì 〈书〉❶ 短镰。❷ 割谷物。

铛(鐺) ㊀ chēng 烙饼或做菜用的平底浅锅：饼～。

㊁ dāng 见“锒”(436 页)。

铝(鋁) lǚ 金属元素，符号 Al。银色有光泽，质轻而硬，是现代工业的重要材料和原料。

铜(銅) tóng ❶ 金属元素，符号 Cu。淡紫红色，用途广泛。❷ 比喻坚固：～墙铁壁。

铞(銱) diào 见“钌(liào)”(146 页)。

铟(銦) yīn 金属元素，符号 In。银白色结晶，熔点低。

铠(鎧) kǎi 古代军人作战时用来护身的战衣，一般用金属片连缀而成：～甲|～马|铁～|头～。

铡(鍘) zhá ❶ 切草或切庄稼秸秆的工具，由底槽和一端固定在底槽末端上的刀构成。旧时也曾用作刑具：～刀|虎头～。❷ 用铡刀切：～草|～青饲料。

铢(銖) zhū ❶ 古代重量单位，一两的二十四分之一。❷ 〈书〉比喻微小的重量或数量：～积寸累｜锱～以求。❸〈书〉钝；不锋利：～钝｜～刀。❹泰国货币单位 Baht 的译名。

铣(銑) ㊀ xǐ ❶一种金属精加工方法。旋转的刀具对移动的工件表面进行切削：～刀｜～床｜～工｜～键槽。❷指铣床：龙门～。

㊁ xiǎn 铣铁，即铸铁。

铥(銩) diū 金属元素，符号 Tm。一种稀土元素，可用作 X 射线源。

铤(鋌) ㊀ dìng 〈书〉未经过冶铸的铜铁矿石。

㊁ tǐng 〈书〉急走的样子：～而走险。

铧(鏵) huá 用来翻土的铁器，近似三角形，前端有刃，安在犁的下部。也叫"犁铧"：单～犁。

铨(銓) quán 〈书〉❶秤。❷衡量轻重：～衡。❸量才选拔任用：～选｜～录｜～叙。

铩(鎩) shā ❶古代一种似长矛的兵器。❷〈书〉伤残；伤害(羽翅)：～羽而归。

铪(鉿) hā 金属元素，符号 Hf。银白色，熔点极高。

【备考】铪，形声字，从金，合声。本读 jiā，指钻硬物而发出的声音。近代借用来表元素名。

铫(銚) ㊀ diào 有柄有嘴的炊具，形似壶而略高：～子｜沙～｜药～。

㊁ yáo ❶〈书〉古代的一种大锄。❷姓。

铭(銘) míng ❶在铜、铁器物或碑碣上镂(lòu)刻、浇铸记事或纪念的文字：～

功|~勒金石。❷ 在器物、碑碣上刻铸的文字：碑~。❸ 古代一种文体，由铭文发展而来，用以记事、表达志向、申明警戒等：墓志~|《陋室~》。❹ 警戒、激励性的短小文字：座右~。❺ 比喻感受、记忆深切：~感|刻骨~心|~刻在心里。

铬(鉻) gè 金属元素，符号 Cr。银灰色，质地硬而脆，耐腐蚀，可涂在其他金属上防锈。

铮(錚) zhēng 【铮铮】1. 拟声词。形容金属撞击发出的清亮悦耳的声音。2. 比喻刚强或有力：~铁汉|~数语。

铯(銫) sè 金属元素，符号 Cs。银白色，用于制光电管、光电池和电子管的阴极。

铰(鉸) jiǎo ❶ (用剪刀)剪：~断|~鞋样子。❷ 同“绞❸”。❸ 指铰链，把两个活动部分连接起来的零件或装置：~接。❹ 一种金属精加工方法。用专用的刀具在工件上的孔内旋转，对孔的内表面进行加工：~孔|~刀。

铱(銥) yī 金属元素，符号 Ir。银白色，质硬而脆，熔点高。合金可制笔尖：~金笔。

铲(鏟)〔剷〕 chǎn ❶ 一种用来撮取或清除东西的工具：~子|铁~|锅~。❷ 用铲子撮取或清除：~煤|~雪|~车。

【**备考**】1955 年 12 月发布的《第一批异体字整理表》中“鏟”(“铲”的繁体字)有异体字“剗”。1964 年 5

月发表的《简化字总表》和1986年10月重新发表的《简化字总表》均收入“劐”的类推简化字“划”，1988年发布的《现代汉语通用字表》收入“划”字，用于“一划”。

铳(銃) chòng 一种旧式火器。装上火药和铁砂等，击发火药发射：火～|鸟～。

铴(鐋) tāng 铴锣，一种小铜锣，京剧伴奏乐器。

铵(銨) ǎn 氨衍生而得的带正电荷的一种离子，其盐类是重要的化肥：～盐|碳～|硝酸～。

银(銀) yín ❶ 金属元素，符号Ag。白色有光泽，是一种贵重金属，曾作为货币使用：～杯|～两|～本位制。❷ 与货币有关的，也泛指货币：～行|～根。❸ 像银子颜色的：～发(fà)|～耳|～河|～灰色。❹ 姓。

铷(鈉) rú 金属元素，符号Rb。银白色，质软，熔点很低，用于制造光电池和电子管。

【备考】 铷，形声字，从金，如声。《篇海类编》有铷字，义不详。此铷字与化学元素字铷为同形字。

矫(矯) ㊀ jiǎo ❶ 纠正：～正|～枉过正。❷ 强壮勇武：～捷|～健。❸ 假托：～命|～诏。❹ 姓。

㊁ jiáo 【矫情】(—·qing)〈方〉强词夺理：这个人太～。

鸹(鴰) guā 老鸹,乌鸦的俗称:天下老～一般黑。

秸〔稭〕 jiē 农作物收割、脱粒后剩下的茎:麦～|豆～。

梨〔棃〕 lí ❶梨树,落叶乔木或灌木,叶子卵形,花一般白色。❷这种植物的果实。

犁〔犂〕 lí ❶耕地用的工具:～铧|步～|一张～。❷用犁耕地:～地。

秽(穢) huì ❶肮脏:～土|污～。❷丑恶:～行|自惭形～。

移〔迻〕 yí ❶挪动:～动|～交|推～|愚公～山。❷改变;变动:～风易俗|潜～默化|坚定不～。

秾(穠) nóng 〈书〉花草树木繁盛:～艳|夭桃～李。

笺(箋)〔牋〕〔椾〕 jiān ❶古书注释的一种:～注|《毛诗～》。❷小幅的纸:便～|信～。❸书信:手～|短～。❹古代文体名:～奏|《答东阿王～》。

笼(籠) ㊀ lóng ❶用竹、木条或金属丝制成的养虫或鸟的器具:～子|鸡～|蝈蝈～|关进～里。❷旧时指囚禁犯人的刑具:囚～。❸用竹、木等制成的有盖的蒸东西的器具:～屉|蒸～|一～包子。❹把手放在袖筒里:～着手。

㊁ lǒng ❶遮盖;罩住:～罩|烟～寒水月～沙。❷〈方〉大箱子:箱～。

笾(籩) biān 古代祭祀或宴会时盛果品、干肉等的高脚竹器。

偾(僨) fèn 〈书〉败坏;破坏:～事|～军之将。

鸺(鵂) xiū 【鸺鹠】(—liú)鸟名,形似鸱鸺(chī xiū),但头部没有角状羽毛,以鼠、兔等为食。又名枭(xiāo)。

偿(償) cháng ❶ 归还;补还:～还|赔～|报～|清～|得不～失。❷ 满足:如愿以～。❸ 代价;报酬:无～援助。

【备考】繁体償,形声字,从人,賞声。简化字偿,从人,尝(嘗的简化字)声,是现代群众创造的新形声字。

偷[1]〔媮〕tōu 将就;苟且:～生|～安。

偷[2] tōu ❶ 用隐蔽手段将别人的钱物据为己有:～盗|～窃|～鸡摸狗。❷ 偷东西的人:小～儿|惯～。❸ 背着人(干);趁人不备地(做):～懒|～情|～渡|～听|～袭。❹ 抽出(时间):忙里～闲|～空儿去趟医院。

【辨析】① 偷 — 窃　二字在偷盗和暗地里两个意义上同义,其区别是:1. "偷"口语色彩浓,如小偷;而"窃"书面语色彩浓,如窃贼。2. 在现代汉语中,"偷"可独立成词,"窃"只用作语素。3. 在"偷盗"义上,"窃"多用作比喻义,如窃国、窃政、窃名、窃位等,"偷"一般无此用法。② 偷 — 盗　1. 在偷盗的意义上,"盗"与"偷""窃"同义。古代多用"盗",今多用"偷"

“窃”。2. “盗”除指“偷”即私下里拿走别人的财物外，还指用暴力抢夺别人的财物，如盗掠、盗劫、强盗、江洋大盗。这个意义是“偷”“窃”所不具备的。③ 异体字媮，仅在苟且义上同“偷”。此外，“媮”又音 yú，同“愉”，安乐。

【备考】 偷，形声字，从人，俞声。本指苟且怠惰，偷盗义后起。偷盗义最初说“盗”或“窃”。

傯〔傯〕 zǒng【倥傯】(kǒng —)〈书〉1. 匆忙急迫：戎马～。2. 贫困。

偻(僂) ㊀ lǚ〈书〉❶ 腰背弯曲：伛(yǔ)～。引申指使弯曲：～指而数。❷ 立刻；迅速。

㊁ lóu ❶【佝偻】(gōu —)脊背向前弯曲。❷【偻㑩】(— · luo)同“喽啰”，今以“喽啰”为规范形式。

躯(軀) qū 身体：～体|～干|身～。

皑(皚) ái〈书〉洁白(常常叠用)：～～白雪。

兜〔兠〕 dōu ❶ (～儿) 口袋一类的东西：网～儿|裤～儿|手里提着一个～儿。❷ 用毛巾、衣襟等片状物把东西拢住并提起：用头巾～着几个鸡蛋|吃不了～着走。❸ 绕：～捕|到街上～了一圈。❹ 四处招揽：～售|～销|～生意。❺ 全部承担：生意的赔赚有老板～着|出了问题我可～不起。❻ 把底细全揭露出来：～底|他家的事让邻居全～出来了。❼ 正对着；冲着：一桶脏水～头倒了下来。

假[1]〔叚〕 jiǎ 借：～借|～道|久～不归。

假[2] ㊀ jiǎ ❶ 不真实的；不是本来的：～像|～发|～小子|虚情～意|这酒是～的。❷ 姑且认定；设想或推断：～设|～说|～定。❸ 伪托；冒充：～冒。❹ 虚假的或质量差的东西：打～|搀～。❺ 连词。如果：～如|～使。

㊁ jià 按规定或经批准暂不学习、工作的时间：暑～|婚～|病～|放～。

【备考】1955 年 12 月发布的《第一批异体字整理表》中"假"有异体字"叚"。2013 年发布的《通用规范汉字表》确认"叚"读 xiá 时为规范字，用于姓氏人名；读 jiǎ 时仍为"假"的异体字。

衅(釁) xìn 嫌隙；争端：挑～|寻～。

鸻(鴴) héng 鸟名，体小嘴短，多群居海滨。

衔[1](銜)〔啣〕〔衘〕 xián ❶ 用嘴含；用嘴叼：燕子～泥。❷ 心里怀着：～怨|～恨|～冤。❸ 接受：～命。❹ 相连接：～接|首尾相～。

衔[2](銜)〔衘〕 xián ❶ 马嚼子。❷ 职务或学术水平的等级或称号：授～|军～|大使～|学～。

舻(艫) lú【舳舻】(zhú —)〈书〉首尾衔接的船只(舳，船尾；舻，船头)：～～千里。

盘(盤) pán ❶ 盛放物品的扁而浅的用具：茶~|托~|拼~儿。❷ 形状或功用像盘子的东西：磨~|算~|沙~|脸~。❸ 环绕：~旋|~山道|~杠子|~根错节|把腿~起来。❹ 垒；砌：~炕|~灶。❺ 仔细查问或清点：~问|~查|~账|~算。❻ 指商品行情：开~|收~。❼ 把工商企业全部转让：招~|把铺子~出去。❽ 量词：一~磨|一~机器|一~电线|三~两胜。❾ 姓。

【备考】 盘，初文作“凡”，金文作[illegible]，象承物之盘形。繁体作盤，从皿，般声。简化字是繁体的省减。

船〔舩〕 chuán 水上的主要运输工具：~只|~员|帆~|轮~|坐~。

鵃(鵃) zhōu 见“鹘(gǔ)”(502 页)。

龛(龕) kān 供奉神佛像的石室或小阁子：佛~|神~。

鸽(鴿) gē 鸽子，鸟名，善飞，常用作和平的象征，有的经过训练还能传递书信。

敛(斂)〔歛〕 liǎn ❶ 收拢；聚集：~口|~钱|把割倒的庄稼~在一起。❷〈书〉收起；隐藏：~足|~影|~手待毙。❸ 控制；约束：~心|收~。❹ 征收；索取：~财|聚~|横征暴~。

【备考】 敛，形声字，从攵(攴)，佥(qiān)声。敛(斂)与异体歛本来音义各异。歛，本音 hān，《广雅·释诂一》释为“欲也”。旧时有把敛误写为歛的。

欲[1] yù ❶ 想要;希望:~擒故纵|畅所~言|~速则不达|~加之罪,何患无辞? ❷ 将要;快要:东方~晓|山雨~来风满楼。❸〈书〉需要:胆~大而心~小。

欲[2]〔慾〕yù 想得到某种东西或想实现某一目标的愿望:~望|私~|禁~|求知~。

【辨析】异体"慾"仅用于名词义。

彩[1] cǎi ❶ 颜色;有多种颜色的:五~|~照|~云|~旗。❷ 表示称赞的叫好声:~声|喝~。❸ 精彩的成分:丰富多~。❹ 赌博或竞赛、抽奖中赢得的财物:~票|得~|中~。❺ 负伤流的血:~号|挂~。

彩[2]〔綵〕cǎi 彩色的丝绸:~带|剪~|张灯结~。

貙(貙) chū 古书上指一种虎类猛兽,花纹像狸,比狸大。

领(領) lǐng ❶ 脖子:~巾|引~而望。❷ 衣领,衣服上围绕脖子的部分:~口|圆~儿|翻~儿。❸ 事物的纲要、要点:要~|纲~。❹ 引导:~唱|率~|把来宾~到会议室去。❺ 拥有;管辖:~有|~土|~域。❻ 接受;领取:~奖|~情|~工资。❼ 了解;明白:~悟|~会。❽ 量词。主要用于衣服或席子:一~青衫|一~席。

脚〔腳〕㊀ jiǎo ❶ 人或动物下肢最下端接触地面的部分,用以行走:双~|光着~|~印。❷ 物体最下面的部分;最基础的:山~|墙~|下~料|~注|~本(表演戏剧等所依据的本子)。❸ 旧

时指与体力搬运有关的：～夫|～行(háng)。❹ 液体的沉淀物，残渣：下～|泔～|酒～。❺ 密集细小的痕迹：针～|线～。

㊁ jué 通“角(jué)”。丑角，也写作“丑脚儿”；角色，也写作“脚色”。

脖〔頠〕 bó ❶ 头和躯干连接的部分：～子|围～儿。❷ 借指身体上其他两部分相连的地方：脚～子。❸ 器物上像脖子的部分：长～儿瓶子|烟筒拐～儿。

脶(腡) luó 手指纹：～纹。

脸(臉) liǎn ❶ 原指两颊；后指整个面部，即头的前部从额到下巴的部分：～盘儿|～盆|洗～|～涨得通红。❷ 面子；体面：丢～|赏～|不要～|没～见人。❸ 脸上的表情：笑～|变～|翻～。❹ 某些物体的前部：门～儿|鞋～儿。

鮆(鮆) jǐ 鱼的一个属。生活在海底岩石间。

够〔夠〕 gòu ❶ 满足或达到需要的数量或标准：～数|～用|足～|不～条件|人数还不～。❷ 由于过多而使人厌烦：这种话听～了。❸ 达到某种程度：～宽|～结实|～幸福的。❹ 伸直胳膊或用长形的工具向不易达到的地方去探取或接触：～不着|把树上的风筝～下来。

猪〔豬〕 zhū 一种家畜。头大，鼻子和口吻都长，脚短体肥。肉供食用。

猎(獵) liè ❶ 捕捉禽兽：～虎｜打～｜狩～｜渔～。❷ 打猎的：～人｜～户｜～狗｜～枪。❸ 追求；寻求：～奇｜～艳。

【备考】繁体獵，形声字，从犬，巤(liè)声。猎与獵本为不同的两个字，"猎"原有两个意思，一个意思是古代传说中一种像熊的兽，读 xī；另一个意思是良犬名，读 què。这两个意思后来都不常用，因此人们参照"腊""蜡"的简化方法，借用"猎"作为"獵"的简化字。

猫〔貓〕 ㊀ māo ❶ 哺乳动物，面部略圆，牙齿尖锐，听觉和视觉极敏锐。能捕鼠。❷〈方〉躲藏：整天～在家里。

㊁ máo〈方〉弯曲：～腰｜～着身子前进。

猡(玀) luó【猪猡】〈方〉猪。

猕(獼) mí【猕猴】猴的一种，尾巴短。群居山林，以野果、野菜等为食。

馃(餜) guǒ 馃子，也作果子。❶ 一种油炸的面食。❷〈方〉旧式糕点。

馄(餛) hún【馄饨】(—·tún)一种面食，用梯形薄面片包馅儿，通常煮熟后带汤吃。

馅(餡) xiàn ❶ 包在面食、点心里面的肉、菜、糖等东西：～儿饼｜肉～儿｜韭菜～儿饺子。❷ 比喻事情的底细，隐秘：说多了怕露～儿。

馆(館)〔舘〕 guǎn ❶ 接待宾客或旅客的房屋：宾～｜旅～。❷ 某些服务性机构的名称：茶～｜饭～｜殡仪～｜照相～。

❸ 储藏、陈列文物或进行文体活动的场所：博物～|图书～|文化～|展览～。❹ 外交使节办公的处所：大使～|领事～。❺ 私塾：学～|坐～。

［、］

凑〔湊〕còu ❶ 聚合：～数|～份子|好不容易才～足路费。❷ 碰上；赶：～巧|～热闹。❸ 接近；靠拢：～近|往前～～，看得仔细。

减〔減〕jiǎn ❶ 从总体或某数量中去掉一部分：～少|～产|～员|偷工～料|十～八等于二。❷ 降低；衰退：～弱|～色|威风不～当年。

鸾(鸞) luán 传说为凤凰一类的鸟。

【备考】繁体鸞，形声字，从鳥，䜌(luán)声。类推简化为鸾。

庶〔庻〕shù 〈书〉❶ 众多：～务|富～。❷ 平民：～民。❸ 旧指家庭的旁支，非正妻所生的子女：～子|～出。❹ 表示希望或可能：～免于难。

麻[1]〔蔴〕má ❶ 麻类植物的总名：大～|亚～|苎～|荨～。❷ 麻类植物的纤维，是纺织业主要原料之一：～布|～袋|～绳|一缕～。❸ 芝麻：～酱|～糖|～油。

麻[2] ㊀ má ❶ 面部痘斑：面～|～子。❷ 物体表面不平滑：乒乓球台有点～。❸ 带小斑点的：～雀|～蝇|～疹。❹ 感觉不灵或丧失知觉：～痹|～

木|～醉|发～。❺ 姓。

㊁ mā〈方〉❶【麻麻黑】天快黑或刚黑。❷【麻麻亮】天刚有些亮。

庵〔菴〕 ān ❶ 圆形小草屋：茅～。❷ 寺庙(多指尼姑居住的)：～堂|尼姑～。

庼(廎) qǐng〈书〉小厅堂。

痒(癢) yǎng ❶ 皮肤或黏(nián)膜因病变或受到轻微刺激引发想挠的感觉：～处|刺～|无关痛～|隔靴搔～。❷ (心中欲望)萌动；跃跃欲试：技～|心～难忍。

鸡(鵁) jiāo【鸡鹊】(—jīng)古书上说的一种水鸟，即池鹭。

旋[1] ㊀ xuán ❶ 绕着中心转动：～转(zhuǎn)|盘～|螺～桨。❷ 返回：凯～。❸ 头发呈螺旋状的地方：头上有一个～儿。❹〈书〉很快地；不久：～即。❺ 姓。

㊁ xuàn ❶ 螺旋状转动的：～风。❷ 副词。临时：～做～卖。

旋[2](鏇) xuàn ❶ 用物体旋转或刀具旋转的方法削去物体表层：～去梨皮|用车床～工件。❷ 旋子，一种温酒的金属器具：酒～。❸ 温酒：～一壶酒。

望〔朢〕 wàng ❶ 向高处、远处看：一～无际|登高～远。❷ 期待：渴～|希～|大失所～。❸ 查看病人的气色：～、闻、问、切(qiè)。❹ 拜

访;问候：拜～|看～。❺ 好名声：名～|声～|德高～重。❻ 店铺的招帘：酒～。❼ 农历每月十五日：～日|～月。❽ 怨恨;责怪：怨～。❾ 对着;向着：～东走|～上看。❿ 接近：我已是～五的人了。⓫ 姓。

阇(闍) ㊀ dū 〈书〉城门上的台。

㊁ shé【阇梨】梵语音译,高僧,也泛指僧人。

阈(閾) yù 〈书〉门槛儿,泛指界限或范围：视～|听～|痛～。

阉(閹) yān 〈书〉❶ 阉割,去掉睾(gāo)丸或卵巢使丧失生殖能力：～鸡|～猪。❷ 被阉割的男子,古代用以充任侍奉皇帝的宦官：～党|～人。

阊(閶) chāng【阊阖】(—hé)〈书〉神话传说中的天门,宫门。后也单称"阊"。

阋(鬩) xì 〈书〉不和;争斗：兄弟～于墙。

【辨析】注意"兒"不能类推简化。

【备考】繁体鬩,形声字,从鬥,兒(ní)声。简化字改为从门,兒声。

阌(閿) wén 阌乡,旧县名,在河南。

阍(閽) hūn 〈书〉❶ 看门：～者。❷ 宫门：叩～。

阎(閻) yán ❶〈书〉里巷的门。❷ 姓。

【辨析】中间是“臽”,不是“舀”。不能简化为“闫”。

阏(閼) ㊀ è〈书〉阻塞(sè)。

㊁ yān【阏氏】(—zhī)汉代匈奴称君主的正妻。

阐(闡) chǎn 讲明白:~发|~明|~释|~述。

羟(羥) qiǎng 羟基,是由氢和氧两种原子组成的一价原子团。

盖(蓋) ㊀ gài ❶ 器物上部有遮蔽作用的东西;也指人体作用如盖的骨骼:锅~|茶壶~儿|膝~|头~骨。❷ 动物背部的甲壳:螃蟹~儿|乌龟~儿。❸ 用盖儿扣住;遮掩;蒙上:~锅|~被子|遮~|掩~。❹ 把印章印上去:~章|~上钢印。❺ 超过;压倒:~世无双|气~山河|锣敲得特别响,把别的声音都~过去了。❻ 建造:翻~|宿舍~好了。❼ 耢(lào)。❽〈书〉表示推测性判断:善始者实繁,克终者~寡。❾ 姓。

㊁ gě 姓。

【辨析】作姓氏的“盖”原读 gě,现多读 gài,但仍有读 gě 的。

【备考】覆盖义本用“盍”(盇)字,盇,从血,上象盖。“盖”的繁体蓋,从艸(卝),盍声,指白茅等编的覆盖物。后“盍”用作虚词,覆盖义即由“蓋”字承担,简化字盖来源于古隶,定形的盖字在汉碑中普遍使用。

卷[1]〔睠〕 juàn 怀念;依恋:~念|~恋|~注|~顾。

卷[2] juàn 亲属;亲戚:~属|亲~|家~|女~|携~赴任。

粝(糲) lì〈书〉粗米;糙米。引申为粗糙:粗~。

粗〔觕〕〔麤〕 cū ❶ 毛糙;不精细;质地低劣:~浅|~布|~茶淡饭|活儿干得太~。❷ 疏忽;不周密:~疏|~心|~枝大叶。❸ 鲁莽;粗野:~话|~人|~鲁|~暴。❹ 大致;略微:~略|~知一二|~具规模。❺ 物体径围大;长条物两长边的距离大;体积大:~沙|~大|~壮|~线条|胳膊真~。❻ 声音大而低:嗓音~|~声~气。

【辨析】粗的本义指糙米,此义不可用异体字觕、麤;古汉语中"觕"又有牛直角貌的意义,"麤"又有行超远的意义,这两种情况不能写作"粗"。

断(斷) duàn ❶ 把长条形的东西截开;分成几段:~木|剪~|砍~|割~|藕~丝连|绳子~了。❷ 隔绝;不再连贯:~水|~交|~了联系|中~|~~续续。❸ 判定;决定:~案|~语|~定|独~专行。❹ 戒除(烟酒):~烟|~酒。❺ 拦截:~后。❻〈书〉副词。绝对;一定(多用于否定式):~无此理|这个人的话~~信不得。

兽(獸) shòu ❶ 一般指有四条腿,全身长毛的哺乳动物:野~|困~犹斗|洪水猛~。❷ 比喻残忍、野蛮;非人类的:~行|~性大发。

【备考】繁体獸,甲骨、金文作[古文字],从单(一种兵器),

从犬，本义指打猎，这个意义后来写作狩。禽兽之“兽”为引申义。獸与嘼（chù）古代通用，简化字以嘼代獸，又吸收行草笔法，将上方的“吅”简化作“丷”。

焊〔釬〕〔銲〕 hàn　用熔化的金属（或某些非金属）粘合或修补金属（或某些非金属）工件及器物：～接｜～条｜电～。

焖（燜） mèn 一种烹调方法。紧盖锅盖，用微火把食物煮熟或炖熟：～米饭｜油～笋｜黄～鸡。

渍（漬） zì ❶ 浸；泡：～麻｜淹～｜浸～。❷ 积水：放洪排～。❸ 沾染；积存脏物：衬衣被汗～了。❹ 积垢：茶～｜油～｜汗～｜血～。

鸿（鴻） hóng ❶ 大雁：～毛｜～雁传书。❷ 比喻书信：飞～。❸ 大：～儒｜～篇巨制。❹【鸿蒙】古指宇宙形成前的混沌状态：～初辟。❺ 姓。

淋[1] ㊀ lín ❶ 水或其他液体落到物体上；浇：～浴｜雨～透了衣服｜给花～点水。❷【淋漓】1. 形容湿淋淋往下滴：大汗～｜墨迹～。2. 形容畅达：～尽致｜痛快～。

㊁ lìn 过滤：～盐｜～硝｜过～。

淋[2]**〔痳〕** lìn　一种性病名。

渎（瀆） dú ❶〈书〉沟渠：沟～。❷ 轻慢；对人不敬：～职｜亵～。

【备考】简化字渎，依賣的简化方式类推。

渐(漸) ㊀ jiàn ❶ 慢慢地;逐步(发展):～～|～变|～入佳境|循序～进。❷ 指逐渐发展的过程:防微杜～。

㊁ jiān〈书〉❶ 流入:东～于海。❷ 浸渍;润泽:～染|皇恩所～。

挲〔抄〕 ㊀ sā【摩挲】(mā·sa)用手按着反复移动,以使平顺:把头发～光溜|把这块布～平。

㊁ shā【挓挲】(zhā—)〈方〉伸开;张开:～着手不知所措|他觉得头发都～起来了。

㊂ suō【摩挲】(mó—)反复抚摸:老人～着手里的紫砂壶。

涸(漍) guó 地名用字:北～(在江苏)。

渑(澠) ㊀ miǎn 地名用字:～池(在河南)。
㊁ shéng 渑水,古水名。在今山东。

淆〔殽〕 xiáo 混杂;混乱:～乱|混～。

渊(淵) yuān ❶ 深潭;深池:～海|深～|天～之别。❷ 深:～深|～泉|～博。❸ 姓。

淫[1]〔滛〕 yín ❶ 过度;滥:～刑|～辞|～威。❷ 放纵;奢侈:骄奢～逸|乐而不～。

淫[2]〔婬〕〔滛〕 yín 在男女关系方面行为不正当:～荡|～妇|～恶|～乱|奸～。

渔(漁) yú ❶ 捕鱼：～樵|竭泽而～|～夫|～业|～舟|～火。❷ 谋取(不应得的东西)：～利|～色(猎取女色)|侵～。

淳〔湻〕 chún 质朴；敦厚：～厚|～朴|～善。

【辨析】淳—醇—纯 “醇”的本义指酒味浓厚，旧又作“淳”。今淳、醇用法有别，如“淳厚”指诚实朴素；“醇厚”多指气味、滋味纯正、浓厚。“纯”指纯净不杂，与“淳”意义有交叉，故“淳朴”与“纯朴”，“淳美”与“纯美”意义相近。

淀[1] diàn 浅水湖泊，今多用于地名：茶～(在天津)|白洋～(在河北)。

淀[2](澱) diàn 渣滓；液体里沉积的未溶解的物质：～粉|沉～。

【备考】繁体澱，形声字，从水，殿声；简化字淀，形声字，从水，定声。淀、澱本为两个字，在古籍中，两字有时相通。《简化字总表》规定以淀作为澱的简化字。

深〔湥〕 shēn ❶ 从水面到水底的距离大；泛指从上到下、从内到外的距离大(与“浅”相对)：～渊|～谷|～山|～坑|～林|庭院～～|酒香不怕巷子～。❷ 深入；深刻；精微：～钻|～奥|学问～|～思熟虑|由浅入～。❸ 颜色浓：～红|～蓝。❹ 感情厚：～交|情～谊长|一往情～。❺ 时间久，距某段时间的起点长：～夜|～秋。❻ 表示程度，相当于“很”“非常”“十分”：～知|～信|～怕。

盪(盪) dàng〈书〉黄金;又指有光泽的金属。

梁[1]〔樑〕 liáng ❶ 桥:桥～|津～。❷ 指柁或檩;也泛指水平方向的长条形承重构件:栋～|正～|门～|横～。❸ 身体或物体上居中拱起或成弧形的部分:鼻～|脊～|山～|茶壶～|篮子～。

梁[2] liáng ❶ 战国七雄之一,即魏,迁都大梁(今河南开封)后,改称梁。❷ 南朝之一,公元 502—557 年,萧衍所建。❸ 五代之一,公元 907—923 年,朱温所建。❹ 姓。

渗(滲) shèn 液体慢慢透入或沁出:～水|～血|汗水～透了衣服|水～下去了。

惬(愜)〔悏〕 qiè〈书〉❶ 快意;满足:～意|～怀|～心|～情。❷ 恰当;合适:～当。

惭(慚)〔慙〕 cán 羞愧:～愧|羞～|面有～色|大言不～。

惧(懼) jù 恐惧;害怕:～怕|～内|恐～|畏～|面无～色。

【备考】繁体懼,形声字,从心,瞿声;简化字惧,从心,具声,见于清代龙启瑞《字学举隅》。

惊(驚) jīng ❶ 马受惊而失常:马～了。❷ 因突然刺激而精神紧张:～异|～喜|吃～|～慌失措。❸ 惊动;使受震动:～扰|震～|～天动地|～世骇俗|～涛骇浪|打草～蛇。

【备考】繁体驚,形声字,从馬,敬声,本义为马惊,引申为人受惊。今以人的受惊为常用义,故简化字惊从心(不从马),京声。见1935年《手头字第一期字汇》。

惇〔惽〕 dūn 〈书〉宽厚;诚实:～厚。

悴〔顇〕 cuì 见“憔”(530页)。

惮(憚) dàn 〈书〉怕;畏惧:不～劳苦|肆无忌～。

惨(慘) cǎn ❶ 凶恶;狠毒:～无人道|手段～毒。❷ 处境、遭遇的极其不幸,使人怜悯、不忍与悲伤:～案|～叫|～状|～死|悲～|～绝人寰。❸ 程度严重,厉害:～重|～败|输得～极了。

惯(慣) guàn ❶ 经常如此而适应;习以为常:～例|～性|～偷|习～|司空见～。❷ 纵容;放任:娇～|～孩子|娇生～养。

寇〔冦〕〔寇〕 kòu ❶ 强盗:流～|海～|外～|。❷ 姓。

宿〔宿〕 ㊀ sù ❶ 住宿;过夜:～舍|～营|留～|露～。❷ 同“夙”❷。❸ 年老的;长期从事某种工作的:～将|～儒。

㊁ xiǔ 量词。用于计算夜晚:住了一～|三天两～。

㊂ xiù 中国古代指天上某些星的集合体:星～|二十八～。

窑〔窰〕〔窯〕 yáo ❶ 烧制砖、瓦、陶器等物的建筑物:砖～。❷ 为采煤而凿的洞：煤～。❸ 在山坡上挖成的供人居住的洞：～洞。❹ 旧指妓院：～子｜～姐儿。

谋(謀) móu ❶ 考虑；策划：～划｜～算｜～臣｜～事在人，成事在天。❷ 主意；计策：～略｜智～｜出～划策。❸ 商量：不～而合｜各不相～。❹ 设法寻求：～生｜～幸福｜以权～私。❺ 会合；接触：素未～面。

谌(諶) chén ❶〈书〉相信。❷〈书〉诚然；确实。❸ 姓。

谍(諜) dié ❶ 秘密刺探对方或别国情报：～报。❷ 秘密刺探对方或别国情报的人：间(jiàn)～。

谎(謊) huǎng ❶ 假话：撒～｜说～｜弥天大～。❷ 说假话：～报｜～称。❸ 假的；不真实的：～话｜～价。

諲(諲) yīn〈书〉恭敬。

谏(諫) jiàn〈书〉对君主、尊长或朋友进行规劝，使改正错误：进～｜劝～｜直言敢～。

【辨析】右旁不能仿照拣、练等字进行简化。

諴(諴) xián〈书〉融洽；和谐。

皲(皸) jūn【皲裂】皮肤因寒冷干燥而开裂。

谐(諧) xié ❶ 配合得当；协调：～音｜～调｜和～。❷〈书〉(事情)办妥：事～之后，

即可动身。❸ 说笑话;逗趣:~谑|诙~|亦庄亦~。

谑(謔) xuè 〈书〉开玩笑;嘲弄:戏~|~而不虐。

裆(襠) dāng ❶ 两条裤腿相连的部分:裤~|横~|开~裤。❷ 两条腿的中间:腿~。

裈(褌) kūn 古代指有裆的裤子(区别于无裆的套裤)。

祷(禱) dǎo ❶ 向天神祝告祈求赐福:~告|~祝|祈~。❷ 请求;期望(旧时书信中常用):至~|是~|盼~。

祸(禍)〔旤〕 huò ❶ 灾难;对人危害很大的事(与"福"相对):灾~|~心|闯~|~不单行|罪魁~首。❷ 使得祸;危害:~国殃民|~害老百姓。

禔(諟) shì 〈书〉订正。

谒(謁) yè 〈书〉拜见;进见:~见|拜~|~黄帝陵。

谓(謂) wèi 〈书〉❶ 告诉;说:明~左右|所~|可~优秀|勿~言之不预。❷ 叫做;称呼:称~|何~宏观世界? ❸ 意义;意思:无~的争论。

谔(諤) è【谔谔】〈书〉形容说话正直。

【辨析】新字形咢,下部是"亏",不是"丂"。

谡(謏) xiǎo 〈书〉小:~才|~闻(小有名声;也指见闻少)。

谕(諭) yù ❶ 告知;吩咐(用于上级对下级或长辈对晚辈):～知|教～。❷ 旧指上对下口头或书面的指示;特指皇帝的诏令:口～|手～|上～(旧时称皇帝的命令)。

谖(諼) xuān 〈书〉❶ 欺诈;欺骗。❷ 忘记。

谗(讒) chán 说别人的坏话:～言|进～|～害忠良。

【辨析】谗—馋 "谗"从言,意思是说别人的坏话;"馋"从饣(食),意思是贪嘴。

谙(諳) ān 〈书〉熟悉;详知:～熟|～练|不～世事|风景旧曾～。

谚(諺) yàn 谚语,在民间流传的固定语句,说明某种事理:古～|农～。

谛(諦) dì ❶ 仔细(听或看):～听|～视。❷ 佛教指真实而正确的道理;后泛指道理:妙～|真～。

谜(謎) mí ❶ 谜语,用一句或几句话组成的隐语,暗指一种事物或文字,供人猜测:～底|猜～|灯～。❷ 喻指还没有弄明白或难以理解的:～团|飞碟之～。

谝(諞) piǎn ❶〈书〉花言巧语。❷〈方〉夸耀;显示:～能|～阔。

谞(諝) xū 〈书〉❶ 才智。❷ 计谋。

[乛]

弹(彈) ㊀ dàn ❶ 古代指弹弓：乘肥挟～。❷ 可用弹弓弹(tán)射的小球状物：～丸|～子|泥～|石～|铁～。❸ 有杀伤、破坏作用的金属爆炸物：炮～|枪～|炸～|燃烧～|原子～。

㊁ tán ❶ 用弹(dàn)弓发射;泛指利用弹(tán)性作用发射：～射|～跳力|绷床把人～了起来。❷ 手指用弹(tán)力敲击：～冠相庆|把衣服上的灰～掉。❸ 用弓弦把棉花等弄松软：～棉花|～羊毛。❹ 用手拨动或敲打乐器：～琵琶|～钢琴。❺ 抨击：～劾|讥～。

堕(墮) duò 掉下来;坠落：～马|～地|～胎|～落(喻指思想行为往坏的方向发展;或指沦落,流落)。

【辨析】堕—坠 见“坠”字辨析(171 页)。

随(隨) suí ❶ 跟从;跟着：～从|～后|伴～|～父母迁往外地。❷ 顺着;顺从：～大溜|入乡～俗|～风转舵|不论怎么干,我都～你。❸ 任凭：～便|～意|～你怎么说我也不信。❹ 顺便：～口|～手。❺ 姓。

【备考】繁体隨,形声字,从辵(辶),隋声。简化字随,省右上的“工”,见于东晋王羲之《佛遗教经》。

隤(隤) tuí 〈书〉❶ 坠下;崩塌。❷ 败坏。

粜(糶) tiào 卖出(粮食)：～了一担米。

【备考】繁体糶，会意兼形声字，从出，从糴（dí，谷名），糴兼表音。简化字粜省“翟”，见于唐代《干禄字书》。

隐（隱） yǐn ❶ 藏着；不显露：～瞒｜～居｜～蔽｜～没（mò）｜～姓埋名。❷ 内里的；藏在深处的：～痛｜～情｜～患。❸ 秘密的事：难言之～。

【备考】繁体隱，形声字，从阜（阝），㥯（yǐn）声。简化字隐，在睡虎地秦墓竹简上已出现。

嫿（嫿） huà【姽嫿】（guǐ—）〈书〉形容女子娴静美好。

婵（嬋） chán ❶【婵娟】（—juān）〈书〉1. 姿态美好；也指美女。2. 指月亮：但愿人长久，千里共～。❷【婵媛】（—yuán）〈书〉1. 婵娟。2. 牵连；相连：垂条～。

婶（嬸） shěn ❶ 叔叔的妻子：～～｜～子｜二～。❷ 尊称与母亲同辈而年龄较小的已婚妇女：大～｜张二～。

颇（頗） pō ❶〈书〉偏；不正；不全：偏～。❷ 很；相当地：～见功力｜～有建树｜～为不易。

颈（頸） ㊀ jǐng ❶ 颈项；脖子：～椎｜长～鹿。❷ 器物上像颈的部位：瓶～｜曲～瓶。

㊁ gěng【脖颈子】【脖颈儿】脖子的后部。也作脖梗子。

【备考】繁体頸，形声字，从頁，巠（jīng）声。类推简化为颈。

慂〔慂〕〔慂〕 yǒng 见“怂”(211 页)。

綪(綪) qiàn〈书〉❶ 赤色的缯(zēng),以茜(qiàn)草染成。❷ 青赤色。

绩[1](績) jì 把麻续起来搓捻成线或绳:~麻|纺~。

绩[2](績)〔勣〕 jì 功业;成果:功~|成~|劳~。

【辨析】统读 jì,不读 jī。

【备考】1955 年 12 月发布的《第一批异体字整理表》中繁体“績”有异体字“勣”。2013 年发布的《通用规范汉字表》确认“勣”的类推简化字“勣”为规范字,仅用于姓氏人名;表示“功业、成绩”的意义时,繁体“勣”仍为“绩”的异体字。

绪(緒) xù ❶ 丝的头。❷ 比喻开端:端~|就~|千头万~。❸ 连绵不断的情思;心情:意~|心~|情~|愁~。❹〈书〉事业:未竟之~。❺〈书〉残余的:~余|~风。❻ 姓。

绫(綾) líng 一种丝织品,一面光,像缎子,但比缎子薄:~罗绸缎。

骐(騏) qí 古书上指青黑色的马:~骥。

綝(綝) ㊀ lín【綝缡】(—lí)〈书〉盛装的样子。㊁ chēn〈书〉❶ 终止。❷ 善良。

续(續) xù ❶ 接上;连接起来:断长~短|再~一截绳子。❷ 连接下去:~假(jià)|~

聘|继～|延～。❸ 在原有的上面添加：火不旺，～点煤|水有点儿凉了，再～点儿热的。❹ 姓。

【备考】繁体續，小篆作續，形声字，从糸，賣(yù)声。賣和賣(mài，买卖的卖)都隶变为"賣"，今都简化作卖，简化字续依賣的简化方式类推。

骑(騎) qí(❸ 旧读 jì) ❶ 两腿跨坐：～马|～自行车|～虎难下。❷ 兼跨两边：～缝。❸ 骑的马；泛指人乘坐的动物：坐～。❹ 骑兵；也泛指骑马的人：车～|铁～|轻～|单～。

绮(綺) qǐ ❶ 有花纹图案的丝织品：罗～|纨～。❷ 美丽；美好：～丽|～思。

騑(騑) fēi ❶ 古代驾车时，在车辕两旁的马叫"騑"，也叫"骖"，中间驾辕的马叫"服"。❷〈书〉三岁的马。

绯(緋) fēi 红色：～红|～闻(桃色新闻，与不正当男女关系有关的新闻)。

绰(綽) ㊀ chāo 快速抓取：～起一根棍子|～起铁锨就干起来。

㊁ chuò ❶ 宽；舒缓：宽～|～～有余。❷ (体态)柔美：～约|～丽。

绱(緔) shàng 把鞋帮和鞋底缝合在一起。

骒(騍) kè 雌性的骡、马：～马。

绲(緄) gǔn ❶〈书〉绳：麻～。❷〈书〉编织的带子：～带。❸ 把带子、布条等沿着衣物的边缘缝上：～边儿。

绳(繩) shéng ❶(～儿)绳子，用两股以上的麻、棕毛、草等拧成的柔软的条状物：麻～|草～|～捆索绑。❷〈书〉特指木工用来取直的墨线，引申为标准：～墨|准～|木直中(zhòng)～。❸用一定的标准纠正；约束；制裁：～之以法。

骓(騅) zhuī 古书指毛色青白相杂的马：乌～马。

维(維) wéi ❶〈书〉系物的大绳子：天柱折，地～绝。❷系；连接：～系。❸使继续原来的状态：～持|～护。❹通"惟"。思想：思～。❺几何学及空间理论的基本概念，如直线是一维的，平面是二维的，普通空间是三维的。❻姓。

绵(綿)〔緜〕 mián ❶丝绵，片状的或成团的蚕丝。❷(像丝绵一样)延续不断：～延|～长|连～|秋雨～～。❸(像丝绵一样)薄弱；软弱：～薄|～力|～软|软～～。

绶(綬) shòu 用来系印和玉的丝带。后来也有斜挂在肩上表示某种身份的：～带|紫～|印～。

绷(綳)〔繃〕 ㊀ bēng ❶缠束：～带。❷拉紧；张紧：把绳子～紧|汗衫太小，紧～在身上。❸猛然弹起、弹出：～石子儿|弹簧～飞了。❹粗粗地缝上或用针别上：～被头|横幅上～着五个字。

㊁ běng ❶板着：～着脸不说话。❷强力支

撑：～住劲别松手。

㊂ bèng ❶ 绽开；裂开：石榴～开了嘴儿。❷ 副词。强调程度深：～直|～脆|～硬。

绸(綢)〔紬〕 chóu ❶ 绸子，一种薄而软的丝织品：～缎|纺～。❷ 类似绸子的化纤织品：尼龙～。❸【绸缪】(—móu)〈书〉1. 缠绕：未雨～(比喻事先做好准备)。2. 缠绵：情意～。

【辨析】绸—紬 在丝织品的意义上，"紬"与"绸"同，故《第一批异体字整理表》将"紬"作为"绸"的异体字处理，但䌷字另有 chōu 音，表示抽引、编辑等义，故1964年5月发表的《简化字总表》和1986年10月重新发表的《简化字总表》均收入"紬"的类推简化字"䌷"，1988年发布的《现代汉语通用字表》收入"䌷"字。经重新审查，2013年发布的《通用规范汉字表》仍将"紬"作为"绸"的异体字。

騊(騊) táo 【騊駼】(—tú)古代骏马名。

绹(綯) táo ❶〈书〉绳索。❷〈方〉用绳子捆。

绺(綹) liǔ (～儿)细束，用作量词(指丝、线、头发、胡须等)：一～儿棉线|两～儿头发。

综(綜) liáng 〈书〉帽子上的丝带。

綧(綧) zhǔn 〈书〉布帛的宽度。

绻(綣) quǎn 见“缱(qiǎn)”(543 页)。

综(綜) ㊀ zōng 总合;总聚:~合|~括|~计|~述|错~复杂。

㊁ zèng 织布机上的一种装置,使经线上下交错以受纬线。

绽(綻) zhàn ❶ 衣缝裂开;裂开:~裂|破~|鞋开~了|皮开肉~。❷ 饱满;凸出:饱~|青筋~出。

绾(綰) wǎn 系;盘结:~个扣儿|把头发~起来|腰带上~着个玉坠儿。

骕(驌) sù 【骕骦】(—shuāng)古代骏马名。

琭(騄) lù 【琭耳】(—ěr)古代骏马名。

绿[1](綠)〔菉〕 lǜ 蓝和黄混合而成的颜色,像草和树叶茂盛时的颜色:~茶|草~|~色植物|红花~叶|青山~水。

绿[2](綠) lù 义同“绿(lǜ)”。用于“绿林”“绿营”“鸭绿江”等词语。

【备考】1955 年 12 月发布的《第一批异体字整理表》中繁体“綠”有异体字“菉”。2010 年发布的《规范汉字表》确认“菉”读 lù 时为规范字,仅用于姓氏人名、地名;用于“绿豆”时仍为“绿”的异体字。

骖(驂) cān 古代指驾在车两旁的马。

缀(綴) zhuì ❶ 缝连：～扣子|在袖口上～两针。❷ 连接；连合：～合|～辑|～字成文。❸ 装点：点～。

缁(緇) zī 黑色：～衣|涅(niè)而不～(用黑颜色染也染不黑，形容品行高洁)。

十二画

[一]

琴〔琹〕 qín ❶古琴(七弦琴)。❷某些乐器的统称：风～|钢～|口～|小提～。❸姓。

靓(靚) ㊀ jìng 〈书〉妆饰：～妆。
㊁ liàng 〈书〉漂亮：～女|～仔(zǎi)。

琼(瓊) qióng ❶〈书〉美玉；喻指美好的事物：～楼玉宇|～浆玉液。❷指琼崖(海南)或琼州(旧府名,在海南)。

【备考】繁体瓊,形声字,从玉,夐(xiòng)声。简化字琼,是近代群众造的新形声字,从玉,京声,见于1932年《国音常用字汇》。

辇(輦) niǎn 古代用人拉的车,后来多指皇帝后妃坐的车：～道|御～。

鼋(黿) yuán 大鳖：～鱼。

款〔欵〕 kuǎn ❶诚恳;恳切：～待|～留|～～之心。❷缓慢：～步|～～而来。❸规格;样式：～式|行(háng)～|新～。❹法规条文里按顺序列举的项目(一般在条下再细分为款)：

条～|第一条第四～。❺ 钱财;经费:～项|公～|巨～|存～。❻ 器物上刻铸的文字:钟鼎～识(zhì)。❼ 字画、信件头尾上的题名:落～|上～|下～。❽〈书〉招待:～客|设宴相～。❾〈书〉敲;叩:～门|～关。❿ 量词。用于样式:几～时装|两～西式点心。

塔[1]〔墖〕tǎ ❶ 佛教的一种多层尖顶建筑物:～林|～院|宝～。❷ 塔形的东西:～吊|水～|灯～。❸ 姓。

塔[2] ·da 【圪塔】(gē—)1. 同"疙瘩"。2. 小土丘,多用于地名:刘家～。

堙〔陻〕yīn 〈书〉❶ 堵塞(sè)。❷ 埋没:～没(mò)|～灭。

趁〔趂〕chèn ❶〈方〉赶;赴:～墟(赶集)。❷ (及时)利用机会,不放过:～机|～火打劫|～着天还亮,再走一段路。❸ (趁便)搭乘:～车|～船。❹〈方〉富有:～钱。

趋(趨) qū ❶〈书〉快步走:～避|疾～而过。❷ 奔向:～光性|～之若鹜。❸ 向着某一方面发展、变化:～势|～向|日～平静|大势所～。❹ 迎合;归附:～附|～求|～炎附势。

揽(攬) lǎn ❶〈书〉把;持:～辔|～镜自照。❷ 掌握;把持:总～|包～|独～大权。❸ 把散开的东西收拢:把柴火～到一起|拿绳子把行李～一下,免得路上松了。❹ 拉到自己这边:～活|～生意|你怎么把过错都～到自己身上? ❺ 拉向自己并

抱住：妈妈把她～到怀里。

堤〔隄〕 dī　沿江河湖海修筑的防水建筑物，多用土、石筑成：～岸｜～坝｜河～。

博[1]〔愽〕 bó　❶大；宽广：～大｜宽衣～带。❷丰富；众多：～学｜渊～｜地大物～。❸通晓：～古通今。

博[2] bó　❶取得：～取｜～得同情｜聊～一笑。❷古代的一种棋戏，后来泛指赌博：～弈（yì）｜～徒。

颉（頡） ㊀ jié　人名用字。仓颉，传说是古代创造汉字的人。

㊁ xié　❶【颉颃】（—háng）〈书〉鸟上下飞。比喻不相上下。❷姓。

揿（撳）〔搇〕 qìn　〈方〉用手指按：～门铃。

插〔揷〕 chā　❶刺进；穿进；（将片状物、条状物）放进：～秧｜拿签子～一串草莓｜把鲜花～到花瓶里去。❷中途或中间加入：～手｜～曲｜～话｜安～。

揪〔揫〕 jiū　紧紧抓住，拉住：～耳朵｜～着我的衣服，别走丢了。

搜[1] sōu　仔细检查，查找（罪犯或违禁物）：～捕｜～身｜～查。

搜[2]〔蒐〕 sōu　寻求：～寻｜～集｜～罗。

【备考】1955 年 12 月发布的《第一批异体字整理表》

中“搜”有异体字“蒐”。2013年发布的《通用规范汉字表》确认“蒐”为规范字，表示草名和“春天打猎”的意义；表示“搜集”的意义时仍为“搜”的异体字。

煮〔煑〕 zhǔ　把食物或其他东西放在有水的容器中加热：～米饭｜～面条｜～了几个鸡蛋｜把用过的茶杯～一～。

搀（攙） chān　❶ 托着或扶着别人的胳膊，使对方能借助自己的力量：～扶｜～着点儿老太太。❷ 同“掺（chān）”。现在一般写作“掺”。

【辨析】“毚”的简化限于搀、谗、馋三字，其他从毚的字不能类推简化。

【备考】繁体攙，形声字，从手，毚（chán）声。简化字搀，右侧省作“兔”，见于元抄本《京本通俗小说》。

蛰（蟄） zhé　❶ 动物冬眠：～虫｜惊～。❷ 像动物冬眠一样长期隐居，不抛头露面：～居｜～如冬蛇｜久～乡间。

絷（縶） zhí　〈书〉❶ 用绳拴住马足。❷ 拴马足用的绳：执～。❸ 束缚；拘禁：～系。

塆（壪） wān　山间的小块平地。也用于村镇地名。

搁（擱） ㊀ gē　❶ 放在某个地方：这束花～在茶几上｜地方太小，～不下了。❷ 放进：汤里再～点盐会更鲜｜咖啡里～几块糖。❸ 放下；暂停进行：～笔｜你的事～一～，先跟我去一趟。

㊁ gé　禁受：我可～不住这么折腾。

搂(摟) ㊀ lōu ❶ 用手或工具把分散的东西收到一起：～柴火｜～树叶。❷ 比喻搜刮(财物)：～钱。❸ 提起或挽起(衣服)：～起袖子｜～着点裙子，别蹭脏了。❹〈方〉扳：～扳机。

㊁ lǒu ❶ 双臂合抱：～抱｜妈妈～着孩子。❷ 量词。一搂相当于两臂合抱的量：这树足有两～粗。

塿(塿) lóu 〈书〉❶ 疏松的土壤。❷ 小丘。

搅(攪) jiǎo ❶ 扰乱；打扰：～乱｜～扰｜胡～蛮缠｜计划都让你～了。❷ 拌，使混合均匀：～拌｜～动｜咖啡里放了糖，～一～再喝。

期[1] qī ❶ 约会；约定时间：不～而遇。❷ 预定的时间或一段时间：～限｜定～｜周～｜假～｜预产～｜青春～。❸ 盼望；希望：～望｜～待｜预～。❹ 量词。用于按一定时间出现的事物：《文史知识》第一～｜培训班办了三～。

期[2]**〔朞〕** jī 〈书〉整(年或月)：～年｜～月。

联(聯) lián ❶ 结合；联结：～防｜～合｜～盟｜关～。❷ 对联，用来张贴悬挂的对偶语句：春～｜挽～｜上～。

【辨析】联—连　两字读音相同，都有相接的意思，但侧重点有所不同。“连”侧重于不间断，强调连续性；“联”侧重于接上关系或使两者结合成一个整体。所以连年不作联年，联合不作连合。

【备考】繁体聯，甲骨文作；小篆作，从耳，从絲，絲隶变作丝。有人认为，器物多有耳，如要串联，需用絲类的绳，故聯字从耳，从絲。简化字联来源于草书，楷化的联见于清代刊行的《岭南逸史》。

散〔散〕 ㊀ sǎn ❶ 没有约束；不紧密：～漫｜～文｜懒～｜一盘～沙。❷ 零碎的；不集中的：～装｜～居｜～工｜零零～～。❸ 松开；解体：～架｜心～了｜学习小组～了。❹ 中药中粉末状的药物：避瘟～｜麻沸～｜丸～膏丹。

㊁ sàn ❶ 由聚集而分离：～伙｜集～｜解～｜会刚～。❷ 分布；撒：～发｜～播｜扩～｜～传单。❸ 消失：烟消云～。❹ 抒发（情怀）：～怀｜～闷｜出来～～心。

【辨析】散（sǎn）—散（sàn） ① 形容词义音 sǎn，不读 sàn。② 用作动词义，音 sǎn，侧重指整体的各个部分失去维系；读 sàn 为他动，侧重指使整体的各部分向四处散开，程度比 sǎn 重。如“队伍 sǎn 了”指队伍中人与人距离拉大，队形不完整；“队伍 sàn 了”则指人都离开了队伍，队伍已不复存在。

蒇（蕆） chǎn 〈书〉完成；解决：～事（事情已经办完，办好）。

葬〔塟〕〔莾〕 zàng 掩埋或用其他方法处理死者遗体：～送｜埋～｜火～｜海～｜天～。

蒉（蕢） ㊀ kuài 〈书〉赤苋（xiàn），即红茎的苋菜。

㊁ kuì 〈书〉草编的筐子，用来盛土或谷物。

萼〔蕚〕 è 花萼，由若干枚叶片组成，环列在花朵的外部，在花芽期有保护作用：～片。

葱〔蔥〕 cōng ❶ 葱类植物。作蔬菜、调味品和药用。❷ 青绿色：～翠｜～茏(lóng)｜～绿｜～～。

蒋(蔣) jiǎng 姓。

蒂〔蔕〕 dì ❶ 花或瓜果跟枝茎相连的部分：并～莲｜瓜熟～落｜归根结～。❷ 引申为末尾：烟～。

蒌(蔞) lóu ❶【蒌蒿】(—hāo) 多年生草本植物。叶子可作艾的代用品。❷ 蒌叶，常绿藤本植物。果实有辣味，可以用来制酱。也叫蒟(jǔ)酱叶。

萱〔萲〕〔蕿〕〔藼〕〔薰〕 xuān ❶ 萱草，多年生草本植物。花橘红色，供食用，即黄花菜，根可入药。❷〈书〉指萱堂，母亲或母亲住处的代称。

韩(韓) hán ❶ 周代国名，在今河南中部和山西东南部。❷ 姓。

棱[1]〔稜〕 léng (～儿)❶ 物体的两个面相连接的部分：～角｜桌子～儿。❷ 物体表面一条条凸起来的部分：冰～｜瓦～｜搓板～。

棱[2] ㊀ líng 用于地名：穆～(在黑龙江)。
㊁ lēng ❶【不棱登】形容词后缀。单音节形

容词＋不棱登是形容词生动形式之一，含贬义：红～|花～|傻～。❷【扑棱】1. 拟声词，形容翅膀抖动的声音。2. 抖动或张开翅膀：小鸟的翅膀～了一下，就飞走了。

棋〔棊〕〔碁〕qí ❶ 文娱体育用品：象～|围～|军～|跳～。❷ 指棋子：举～不定。❸ 指下棋：～迷|～友|～逢对手。

椟(櫝) dú 〈书〉匣子；柜子：买～还珠。

【备考】繁体櫝，形声字，小篆作[篆]，从木，賣(yù)声。从賣类推简化。

棹〔櫂〕zhào 〈方〉❶ 船桨：橹～。❷ 划(船)。

椤(欏) luó 【桫椤】(suō—)蕨类植物，木本，茎高而直，叶片大。茎含淀粉，可供食用。

棰[1] chuí 〈书〉❶ 敲打：～杀。❷ 短木棍：一尺之～，日取其半，万世不竭。

棰[2]〔箠〕chuí 〈书〉鞭子；马鞭。

椭(櫍) zhì 〈书〉❶ 柱子下的垫木。❷ 同“锧”。砧(zhēn)板。

鹉(鵡) wú 一种大小、形状似麻雀的鸟。

赍(賫)〔賷〕〔齎〕jī 〈书〉❶ 拿东西送给人：～赏。

❷ 怀着；抱着：～恨|～志而殁(mò)。

椁〔槨〕 guǒ 古代套在棺材外面的大棺材：棺～。

棕〔椶〕 zōng ❶【棕榈】(—lǘ)常绿乔木，叶子可做扇子，棕毛可做蓑衣、绳子、刷子等。❷ 棕毛，棕榈树叶鞘的纤维：～绳|～刷|～毯。❸ 像棕毛一样的颜色：～色。

椭(橢) tuǒ 长圆形：～圆。

鹁(鵓) bó 【鹁鸪】(—gū)鸟名，常在雨前或雨后天刚晴时发出咕咕的叫声。又名水鸪鸪。

鵏(鵏) bǔ 【地鵏】鸨。

逼〔偪〕 bī ❶ 接近；迫近：～近|～真|直～城下。❷ 强迫：～供|～迫|威～|硬～着他认错。❸〈书〉狭窄：～仄。

酦(醱) ㊀ pō 〈书〉酒重酿；酿(酒)：～醅。㊁ fā 酦酵，同"发酵"，今规范为"发酵"。

鹂(鸝) lí 【黄鹂】鸟名，羽毛黄色，叫声悦耳。又名黄莺。

觌(覿) dí 〈书〉相见：～面。

【备考】觌，形声字，小篆作䚀，从见，𧶠(yù)声。隶书𧶠与卖(賣)相混。现从賣类推简化。

厨〔厨〕〔廚〕 chú ❶做饭做菜的地方：～房|下～。❷以烹调为职业的人：名～|川～。

厦〔廈〕 ㊀ shà ❶（高大的）房子：高楼大～|广～千万间。❷房子后面突出的部分：前廊后～。

㊁ xià 地名用字：～门（在福建）。

确[1] què 〈书〉通"埆"。土地不肥沃。

确[2]（確） què ❶坚固；坚定：～立|～信|～守。❷符合实际，真实的：～实|～凿|～切|准～|千真万～。

雁〔鴈〕 yàn 鸟类的一属，形状略像鹅，善于游泳和飞翔：～行（háng）|～阵。

詟（讋） zhé 〈书〉❶恐惧。❷使恐惧；震慑。

【备考】1955年12月发布的《第一批异体字整理表》繁体"讋（zhé）"处理为"慴（zhé，又读 shè）"的异体字。1964年5月发表的《简化字总表》和1986年10月重新发表的《简化字总表》均收入"讋"的类推简化字"詟"。1985年《普通话异读词审音表》规定"慑（'懾'的简化字）"统读 shè，"詟""慑"二字的读音不同，故不宜视为异体关系。1988年发布的《现代汉语通用字表》收入"詟"字。

殚（殫） dān 〈书〉尽；竭尽：～力|～心|～精竭虑（用尽精力，费尽心思）。

颊(頰) jiá 脸的两侧,从眼到下颌(hé)的部分:双～|面～。

雳(靂) lì 【霹雳】(pī—)响声很大的雷。

辊(輥) gǔn 能滚动的圆柱形机件的统称:～轴|轧(zhá)～。

辋(輞) wǎng 车轮周围的框子。

輗(輗) ní 古时大车辕前端与横木衔接处的销钉。

椠(槧) qiàn ❶ 古代记事用的木板。❷〈书〉书的刻本;刻成的书籍:宋～|元～|新～。

暂(暫)〔蹔〕 zàn ❶ 短时间:短～。❷ 姑且;临时:～且|～时|～住|～告一段落。

辌(輬) liáng 见"辒"(467页)。

辍(輟) chuò 中止;停止:～耕|～学|日夜不～。

辎(輜) zī ❶ 古代的一种车。❷ 指车上携载的物资或军用品:～重。

翘(翹) ㊀ qiáo ❶〈书〉举起;抬起:～首|～望|～足而待。❷〈书〉高出;特出:～楚(高出杂树的荆树,比喻杰出的人才)。❸【翘棱】(—·leng)〈方〉竹木一类的东西因由湿变干而弯曲不

平：板子～了。

㊁ qiào　一头昂起：～尾巴|板凳～起来了。

[丨]

辈(輩) bèi　❶ 某一类别、某一等级的人：我～|无能之～。❷ 尊卑长幼的行次；辈分：前～|晚～|长～|老一～。❸（～儿）一生：后半～儿。

龂(齗) ㊀ yín　〈书〉❶ 同"龈"。❷【龂龂】争辩的样子。

㊁ xiè　〈书〉上下牙齿相磨切。

凿(鑿) záo　❶ 凿子，挖槽或穿孔的工具：扁～|圆～。❷ 穿空；打孔；挖：～冰|～井|～石头|～了一个窟窿。❸〈书〉器物上容纳榫(sǔn)头的卯眼：方枘(ruì，榫头)圆～(比喻不相合，格格不入)。❹ 明确；真实：确～|言之～～。

【辨析】 凿❹旧读 zuò，今统读 záo。

【备考】 繁体鑿，形声字，从金，声旁为糳(zuò)的省写。清代刊行的《岭南逸史》中，鑿简作凿，1936 年陈光尧《常用简字表》中的凿与今简化字相同。

辉(輝)〔煇〕 huī　❶ 闪耀的光彩：光～|晚霞的余～。❷ 照耀：～映|星月交～。

【备考】 1955 年 12 月发布的《第一批异体字整理字表》中繁体"輝"有异体字"暉"。1965 年发布的《印刷通用汉字字形表》和 1988 年发布的《现代汉语通用字表》均收入“暉”的类推简化字“晖”，用于“朝晖”“余晖”等词。

赏(賞) shǎng ❶ 赐予；奖给：～赐｜奖～｜～罚分明。❷ 赐予或奖给的东西：领～｜受～｜悬～。❸ 领略美好事物的意味：～花｜～月｜欣～｜雅俗共～。❹ 称赞：赞～。❺ 姓。

睐(睞) lài ❶〈书〉瞳仁不正。❷ 旁视；斜视：青～(青指黑眼珠，用黑眼珠看，即正视，表示喜欢或重视)｜明眸善～。

最〔冣〕〔㝡〕 zuì ❶ 副词。表示程度超过所有的同类：～多｜～初｜～关键｜～前方。❷ 居于首位的：世界之～。

晰〔皙〕 xī 明白；清楚：清～｜明～。

【备考】1955 年 12 月发布的《第一批异体字整理表》中“晰”有异体字“皙”。2013 年发布的《通用规范汉字表》确认“皙”为规范字，表示人的皮肤白；“晰”不再表示上述意义。

睑(瞼) jiǎn 眼皮：眼～。

喷(噴) ㊀ pēn （液体、气体、粉末等）受到压力急剧涌射而出：～发｜～灌｜～壶｜井～。

㊁ pèn ❶ 气味浓郁：～香。❷（～儿）〈方〉果品、蔬菜、鱼虾等大量上市的时期：西瓜正在～儿上。❸ 量词。开花结实的次数；成熟收割的次数：头～

棉花。

喋[1] ㊀ dié 【喋喋】说话多,语言烦琐:~不休。
㊁ zhá 【唼喋】(shà—)〈书〉形容成群的鱼、水鸟等吃食的声音。

喋[2]〔啑〕dié 【喋血】〈书〉血流满地。

畴(疇) chóu ❶ 已耕作的土地;田地:田~|平~千里。❷〈书〉不同农作物的分区、田界:均田画~。❸ 种类;类:范~|物各有~。

践(踐) jiàn ❶ 踩:~履|~踏。❷ 履行;实行:~约|~言|实~。

跖〔蹠〕 zhí ❶ 脚底;脚掌:~骨。❷〈书〉踩;踏。

跞(躒) ㊀ lì 〈书〉跳越:骐骥一~,不能千里。
㊁ luò 【卓跞】〈书〉特出;超拔:~冠群。

遗(遺) ㊀ yí ❶ 丢失;失去:~失|~忘。❷ 因疏忽而漏掉:~漏。❸ 留下:~留|~风|~患。❹ 特指死去的人留下的:~产|~容|~嘱|~墨|~教。❺ 排泄大小便或精液(多指不自觉的):~尿|~精。
㊁ wèi 〈书〉送;赠送。

蛙〔鼃〕 wā 一种两栖动物,善于跳跃和泅水。

蛱(蛺) jiá 【蛱蝶】(—dié)古代对蝶类的总称。

蛲(蟯) náo　蛲虫，一种寄生虫，寄生在人的肠里，患者常有消瘦、食欲不振的症状。

蛳(螄) sī　【螺蛳】(luó—)田螺科若干小型种类的通称，一般较小，生活在淡水中。

蛔〔蚘〕〔痐〕〔蛕〕〔蛔〕 huí　蛔虫，人或家畜肠内的一种寄生虫。

蛴(蠐) qí　❶【蛴螬】(—cáo)金龟子的幼虫，白色，圆柱形，生活在土里。❷【蝤蛴】(qiú—)古书上指天牛的幼虫，白色。

鹃(鵑) juān　【杜鹃】1. 鸟名，身体黑灰色，腹部有横纹。又名杜宇、子规、布谷。2. 植物名，常绿或落叶灌木，椭圆形叶，红花供观赏。又名映山红。

喂[1]〔餧〕〔餵〕 wèi　❶给动物东西吃；饲养：～鸡｜～牲口。❷把饮食或药送到别人嘴里：～奶｜～饭｜～药。

喂[2] wèi　叹词。用于招呼：～，您去哪儿？

喑〔瘖〕 yīn　❶嗓子哑，不能出声：～哑。❷沉默不语；不作声：万马齐～。

啼〔嗁〕 tí　❶出声地哭：悲～｜哀～｜～笑皆非。❷鸣叫：鸡～｜月落乌～｜虎啸猿～。

喽(嘍) ㊀ lóu　【喽啰】(—·luo)旧时称强盗头目的部下，现多喻指坏人的帮凶、爪牙。

㊁ ·lou　语气词。相当于"了"。❶表示动态，

用于预期或假设的动作：他知道～，肯定会同意。❷ 表示提醒注意：水开～！

喧〔諠〕 xuān 声音大而杂乱：～哗|～嚣|～闹|锣鼓～天。

嵽（嵽） dié 【嵽嵲】（—niè）〈书〉山高峻的样子。

嵘（嶸） róng 【峥嵘】（zhēng—）1. 形容山势高峻；后泛指高峻：怪石～|殿宇～。2. 卓越；不平凡：～岁月|头角～。3. 兴盛；兴旺；茂盛：草木～。

帽〔帽〕 mào ❶ 帽子，戴在头上保暖、防雨、遮日光等或做装饰的用品：草～|呢～|礼～|安全～。❷ 形状或用途像帽子的东西：笔～|螺丝～|笼屉～。

嵚（嶔） qīn 【嵚崟】（—yín）〈书〉山势高峻。

翙（翽） huì 【翙翙】〈书〉鸟飞声：～其羽。

嵝（嶁） lǒu 【岣嵝】（gǒu—）山名，即衡山，在湖南。

觊（顗） yǐ 〈书〉❶ 恭谨庄重的样子。❷ 安静。

赋（賦） fù ❶ 旧指田地税：～税|田～。❷ 给予：～予|天～人权。❸ 天生的资质：天～|禀～。❹ 古代文体的一种，讲究铺陈辞藻：汉～|诗词歌～。❺ 作诗词：即兴～诗。

赌(賭) dǔ ❶ 拿财物作注比输赢：～注|～具|～徒|聚～。❷ 泛指比输赢：打～。

赎(贖) shú ❶ 用财物换回抵押品：～当(dàng)|～身|～金。❷ 抵消；弥补(罪过)：～罪。

赐(賜) cì ❶ 赏给：赏～|恩～|天～良机。❷ 敬辞。用于对方向自己施行的行为：不吝～教|幸蒙～见。

赑(贔) bì 【赑屃】(—xì)1. 勇猛有力的样子。2. 传说中一种像龟的动物，力气大，好(hào)负重，旧时石碑底座多雕成赑屃的形状。

赒(賙) zhōu 〈书〉周济；救济。

赔(賠) péi ❶ 因使别人受到损失而给予补偿：～偿|～款|包～|损坏东西要～。❷ 向因自己行动而受损害或伤害的人道歉、认错：～礼|～话|～不是|～笑脸。❸ 做买卖亏本(与"赚"相对)：～本|不～不赚|～了夫人又折兵。

【辨析】 赔❷旧又作"陪"，现通常写作赔。

赕(賧) ㊀ dǎn 傣语指奉献：～佛。㊁ tàn 古代东方、南方少数民族以财赎罪。也指这些民族用以赎罪的财货。

[丿]

铸(鑄) zhù ❶ 把金属熔化后倒入模子或砂型等容器中，冷却后成为器物的铸件

(也用于制非金属器物)：～铁|～铝|～石|～成毛坯。❷比喻造成(错误)：～成大错。❸〈书〉比喻造就(人才)：～人。

镂(鏤) mài　放射性金属元素,符号 Mt。由人工核反应获得。

铹(鐒) láo　金属元素,符号 Lr。由人工核反应获得的元素,有放射性。

【备考】古代有表示一种铜器的铹字,与近代化学元素字铹为同形字,两字都是从金、劳声的形声字。

钳(鉗) dù　放射性金属元素,符号 Db。由人工核反应获得。

铼(銶) qiú　古代指凿子一类的工具。

铺[1](鋪) pū　❶把东西展开或摊平：～床|～轨|～设|～被褥。❷〈方〉量词。用于炕：一～炕。

铺[2](鋪)〔舖〕 pù　❶用板子搭成的床,泛指床：床～|通～|加～|上～。❷(～儿)商店：小～儿|杂货～儿|～面房。❸古代的驿站,现在多作为地名：十里～|三十里～。

锫(錇) wú　见"锟"(473页)。

铼(錸) lái　金属元素,符号 Re。银白色,质硬,有良好的机械性能。

铽(鋱) tè　金属元素,符号 Tb。银灰色,一种稀土元素。

链(鏈) liàn ❶ 用金属环或似环的东西连接而成的长条,环之间可以活动:～球|～条|项～|锁～。❷ 形状像链子的:～烃(tīng)|～霉素|～式反应。❸ 计量海洋上短距离的单位,一海里的十分之一,合 185.2 米。

铿(鏗) kēng ❶〈书〉撞击。❷ 拟声词。形容响亮的声音:～～作响|铃声～然。

销(銷) xiāo ❶ 熔化金属:～金|～铄|回炉～毁。❷ 消灭;使消失:～蚀|～声匿迹。❸ 除去;把登记在册的抹掉:～账|～案|报～|勾～。❹ 消费:开～|花～。❺ 卖出(商品):～售|～路|产～|供～。❻ 一种圆柱形或圆锥形金属零件,插在两个部件对应的孔中,使连接或固定:～子|～钉|～孔。❼ 插上销子:～上门。

锁(鎖)〔鎻〕 suǒ ❶ 用铁环连接起来,用以拘系人犯或拴系物品的器具:～链|枷～|～子甲。❷ 用锁链拘系人犯:把犯人～起来。❸ 一种缝纫方法。用交叉或相钩连的线把布料的边沿缝住,使不开散:～边儿|～扣眼。❹ 安在门、窗、抽屉、柜子开合处或活动部位起封闭作用的装置:～钥(yuè)|铁～|电子～|一把钥匙开一把～。❺ 在开合处或活动部位加上锁:～上门|～上车锁。❻ 形状或功能似锁的:石～|长命～。❼ 束缚;封闭:封～|眉头紧～|闭关～国。❽ 姓。

锃(鋥) zèng 经擦拭或打磨后,器物表面光洁闪亮:～亮|～光。

锄(鋤)〔鉏〕〔耡〕 chú ❶一种农具，铁头，有木柄。用来松土、除草等：～头|大～|薅(hāo)～。❷用锄松土、除草等：～草|～地|高粱已经～过了。❸铲除：～奸|～强扶弱。

锂(鋰) lǐ　金属元素，符号 Li。银白色，质软，是金属元素中最轻的。

【备考】锂，形声字，从金，里声。《龙龛手鉴》有鋰字，义不详。此锂字与化学元素字锂为同形字。

铞(鋗) xuān 〈书〉❶一种盆形有环的温器。❷鸣玉声。

锅(鍋) guō ❶烹饪用具，圆形凹下，多用金属制成：铁～|高压～|一口～|等米下～。❷(～儿)形状像锅的：烟袋～儿。❸像锅一样可以装液体用以加热的：～炉|火～|～驼机。

锆(鋯) gào　金属元素，符号 Zr。银灰色，质硬，耐腐蚀，熔点高。用于制合金、闪光粉、除气剂等。

锇(鋨) é　金属元素，符号 Os。灰蓝色，质硬而脆，比重大(金属中最大的)。

【备考】锇，古同"铁"。近代借为化学专用字。形声字，从金，我声。

锈(銹)〔鏽〕 xiù　❶铜、铁等金属表面受潮被氧化或被酸性物质腐蚀而生成的物质：生～|铜～|～迹斑斑。❷(金属表面)生锈：～蚀|～坏了|铁锁～住了。❸植物因真菌寄生

茎、叶变成锈黄色的病害：～病|～菌|灭～抗病。

锉(銼)〔剉〕 cuò ❶ 用来对金属、木头、皮革等表面进行细加工的手工工具。长条形，上有很多横刃或刺状刃：～刀|木～|圆～|三角～|一把～。❷ 用锉加工：～掉毛刺|把断面～一～。

【备考】1955 年 12 月发布的《第一批异体字整理表》"銼('锉'的繁体字)"有异体字"挫"。1956 年发布的《修正〈第一批异体字整理表〉内"阪、挫"二字的通知》中，确认"挫"不再作为"锉"的异体字。1988 年发布的《现代汉语通用字表》收入"挫"字。2013 年发布的《通用规范汉字表》确认"挫"为规范字。

锊(鋝) lüè 古代重量单位。三锊为二十两，一锊合六两多。

锋(鋒) fēng ❶ 刀、剑等兵器的尖端或刃口的锐利处：～镝|～芒|刀～|针～相对。❷ 事物的尖端或指向：笔～|词～。❸ 队伍的前端，打头的：前～|先～。❹ 指锋面，大气中冷暖气团之间的交界面：冷～|暖～。

锌(鋅) xīn 金属元素，符号 Zn。浅蓝白色，用于制合金、白口铁、干电池等。

锍(鋶) liǔ 化学元素字。有机四价硫阳离子。

锎(鐦) kāi 金属元素，符号 Cf。一种放射性元素，用人工方法获得。

【辨析】繁体作鐦，因"開"简化作"开"属个别简化，故“鐗”不能类推简化作钘，而要依“門”的简化方式，类推简化作锏。

【备考】鐗，形声字，从金，開声。《龙龛手鉴》有鐗字，义不详。此鐗字与化学元素字鐗为同形字。

锏(鐧)　㊀ jiǎn　〈书〉古代一种鞭类的兵器，无刃口，有四棱：四棱～｜杀手～。

㊁ jiàn　〈书〉镶在车轴上减少轴与轮毂(gǔ)摩擦的铁。

锐(鋭)　ruì　❶ 锋利：～利｜锋～｜精～。❷ 指勇往直前的气势：～意进取｜养精蓄～。❸ 尖，末端细小：～角。❹ 灵敏：敏～。❺ 迅速；急剧：～减｜～进。

锑(銻)　tī　金属元素，符号 Sb。有两种同素异形体。普通锑银灰色，质硬而脆，有冷胀性；无定形锑灰色。用于工业和医药业。

【备考】锑字见《说文》，本为一种珠宝名。化学元素字锑与其为同形字，都是形声字，从金，弟声。

铉(鋐)　hóng　〈书〉(声音)洪大。

锒(鋃)　láng　【锒铛】1. 锁囚犯的铁链：～入狱。2. 形容金属击撞的声音：铁索～。

锓(鋟)　qǐn　〈书〉雕刻。特指雕刻书版：～版｜～梓。

锔(鋦)　㊀ jū　用金属做的扁平两头有尖脚的扒钉(锔子)把陶器、瓷器上的破裂处扒合住：～锅｜～碗。

㊁ jú 金属元素，符号 Cm。银白色，有放射性，是人工由核反应获得的元素。用作卫星和宇航器上的热电源。

【辨析】锔(jū)和锔(jú)是同形字，二者来源和音义均不同。

锕(錒) ā 金属元素，符号 Ac。有放射性。

【备考】锕，古本读 ē，罕用。化学元素字锕与其为同形字，都是形声字，从金，阿声。

犊(犢) dú 小牛：牛～|老牛舐(shì，舔)～|卖刀买～。

鹄(鵠) ㊀ gǔ 〈书〉射箭的目标；箭靶子：～的(dì)|中(zhòng)～。

㊁ hú 水鸟名，似鹅而大，生活在海滨、湖边，善飞。又名天鹅。

鹅(鵝)〔鵞〕〔鵞〕 é 家禽，长颈扁嘴，头部有突起的黄色或褐色肉质，能游泳。

颋(頲) tǐng 〈书〉头挺直的样子。引申为正直。

剩〔賸〕 shèng ❶ 去掉一部分后余下、留下：～下一碗饭|忙了一天，还～三件事没办。❷ 余下、留下的：～饭|～货|～余价值。

筑[1] ㊀ zhù 古代弦乐器，形状似筝，用竹尺击弦发音：高渐离击～，荆轲(kē)和而歌。

㊁ zhù (旧读 zhú)贵州贵阳的别称。

筑²(築) zhù 建造;修盖:～路|～堤|建～|修～。

【备考】繁体築,形声字,从木,筑声。筑,会意兼形声字,从竹,从巩(gǒng,抱,用手拿。隶变为巩),竹亦声。两字在先秦时期就有通用的例子,《简化字总表》将两字合并为筑。

策〔筞〕〔筴〕 cè ❶古代赶马用的鞭子,一端有刺。❷用策赶马:～马|鞭～。❸〈书〉拐杖:扶～而行。❹通“册”。古代指编连好的竹简:简～。❺古代考试的一种文体:～问|对～。❻计谋;办法:～略|献～|束手无～。❼谋划;筹划:～划|～反|～应|～源地。❽古代的一种计算工具,比算筹小一些。❾姓。

【辨析】“策”字下面是“朿”(cì),不是“束”(shù)。

筚(篳) bì 〈书〉用荆条、竹子等编成的篱笆或其他遮挡物:蓬～生辉|蓬门～户。

筛(篩) shāi ❶筛子,用竹篾(miè)、铁丝等编成的一种有孔的器具,可把粗细颗粒分开:过～。❷用筛子或箩过东西:～煤|～面|～沙子。❸喻指经挑选后淘汰:～选|他被～下来了。❹斟酒:～了一碗酒。❺把酒盛在容器中加热:酒凉了,～一下再喝。❻〈方〉敲(锣):～了两遍锣。

筜(簹) dāng 见“筼”(477页)。

筒〔筩〕 tǒng ❶粗大的竹管:竹～。❷较粗的管状器物:烟～|邮～|笔～。❸衣

服等的筒状部分：袖～儿|袜～儿|长～靴。

筏〔栰〕 fá 用竹、木等平摆着编扎成的水上交通工具(也有用牛羊皮、橡胶制作的)：～子|竹～|木～。

牍(牘) dú ❶ 古代写字用的木片：简～|连篇累～。❷ 公文；书信：文～|案～|尺～。

【备考】繁体牘，小篆作牘，形声字，从片，賣(yù)声。賣和賣(mài，买卖的卖)都隶变作賣，今都简化作卖。简化字牍，依賣的简化方式类推。

傥(儻) tǎng ❶ 同"倘"(tǎng)。❷【倜傥】(tì—)〈书〉洒脱；不拘束：风流～。

傧(儐) bīn 古时称接引宾客，也指接引宾客或赞礼的人。今不单用，用双音词"傧相(xiàng)"，指举行婚礼时陪伴新郎的男子或陪伴新娘的女子。

【辨析】今读 bīn，旧读 bìn。

储(儲) chǔ ❶ 收藏；保存：～藏|～存|～备。❷ 已经确定的继承王位等最高统治权的人：～君|皇～|立～。❸ 姓。

皓〔暠〕〔皜〕 hào 洁白；明亮：～齿|～首|～月当空。

傩(儺) nuó 旧时迎神赛会，驱逐疫鬼。后发展为一种舞蹈形式。

遁(遯) dùn 〈书〉❶ 逃：～逃|远～他乡。❷ 隐蔽：～迹|隐～。

惩(懲) chéng ❶ 鉴戒；警戒：～前毖后。❷ 处罚：～罚｜～处｜～治｜～恶扬善｜严～不贷。

【备考】 繁体懲，形声字，从心，徵(zhēng)声；简化字惩，从心，征声，见于太平天国文书，1932年《国音常用字汇》收入惩字。

御[1] yù ❶ 赶车：～者｜～手｜驾～。❷ 喻指支配：～众｜～下。❸ 封建社会指与皇帝有关的：～笔｜～用｜～医。

御[2]**(禦)** yù 抵挡：～寒｜～敌｜防～｜抵～。

【辨析】 ① 御—驭 二字在甲骨文中均已出现，"驭"为"御"的异体字。在"御[1]"的意义上二字通用。现驭字一般只用于驾御车马这类具体意义，且只出现在"驭手"等少量词语中。② 抵御义是驾御义的引申，最早写作"御"，后来写作"禦"（"禦"本是祭祀名），汉字简化时又将"禦"并入"御"。

嬃(嬃) xū ❶ 古时楚人称呼姐姐。❷ 古代用于女子名。

逾[1]**〔踰〕** yú 越过；超过：～越｜～期不归｜年～半百。

逾[2] yú 〈书〉更加：～甚。

颌(頜) hé 构成口腔上部和下部的骨头、肌肉等组织。上部的叫上颌，下部的叫下颌。

頫(頫) fǔ　同"俯"。多用于人名：赵孟～(元代书画家)。

【备考】1955 年 12 月发布的《第一批异体字整理表》繁体"頫"处理为"俯"的异体字。2013 年发布的《通用规范汉字表》确认"頫"的类推简化字"頫"为规范字，仅用于姓氏人名，如赵孟頫；表示"低头、向下"等意义时，繁体"頫"仍为"俯"的异体字。

释(釋) shì　❶ 解说：解～|注～|～义准确。❷ 排解；消除：～怀|～疑|涣然冰～。❸ 把拘禁的人放出去：～放|保～|无罪开～。❹ 放下：如～重负|手不～卷。❺ 释迦牟尼(佛教创始人)的简称，泛指有关佛教的：～教|～典|～子。

【备考】繁体釋，从釆(biàn，分别)，睪(yì)声。类推简化作释。

鹆(鵒) yù　见"鸲"(344 页)。

腊[1](臘)〔臈〕 là　❶ 古代在农历十二月合祭众神称作腊，故农历十二月称作腊月：～八粥。❷ 在腊月或冬天腌制后风干或熏干的肉类：～肉|～味|～肠。

腊[2] xī　〈书〉❶ 干肉。❷ 做成干肉。

【备考】繁体臘，形声字，从肉，巤(liè)声。腊(xī)，形声字，从肉，昔声。因腊(xī)字罕用，故被借用为臘的简化字，见 1932 年《国音常用字汇》。

腌[1]〔醃〕yān 用盐、糖、酱等调味品浸渍肉、蔬菜、蛋、果品等：～肉|～咸菜|～鸡蛋。

腌[2] ā 【腌臜】(一·zā)❶ 肮脏：衣服穿得真～。❷ 不痛快；窝火：这事儿办得真让人～。❸ 使人难堪：别再～他了。

腘(膕) guó 膝部的后面：～窝(腿弯曲时腘部形成的一个窝)。

颌(頠) wěi 〈书〉❶ 头俯仰自如。❷ 娴静。

鱿(魷) yóu 鱿鱼，枪乌贼的通称，似乌贼而稍长。

鲀(魨) tún 鱼的一个目。生活在海中，少数进入内河。常见的是河豚。血液、内脏含剧毒。

鲁(魯) lǔ ❶ 迟钝；笨拙：～钝|愚～。❷ 粗野；莽撞：～莽|粗～。❸ 春秋时诸侯国名，在今山东曲阜一带。❹ 地名。山东的别称：晋冀～豫。❺ 姓。

鲂(魴) fáng 鱼名，鲤科的一种。淡水经济鱼类之一。

鲃(鲃) bā 鱼名。鲤科的一种，生活在淡水中。

颍(潁) yǐng 颍河，水名。发源于河南。

鵟(鵟) kuáng 鸟名，形似鹰，食鼠类。

猬〔蝟〕 wèi 【刺猬】哺乳动物，身上有短而密的硬刺。

飓（颶）〔颶〕 jù 【飓风】❶ 发生在大西洋西部和西印度群岛一带热带海洋上的风暴。❷ 旧指气象学上的12级风。

觞（觴） shāng 古代饮酒用的一种酒器：举～。

【备考】繁体觴，形声字，从角，昜（yáng）声。类推简化为觞。

惫（憊） bèi 疲乏；困顿：～倦｜疲～。

颎（熲） jiǒng 古同"炯"。光；明亮。

飧〔飱〕 sūn 〈书〉晚饭。

馇（餷） ㊀ chā 〈方〉❶ 边煮边搅：～猪食。❷ 熬；煮：～粥。

㊁ ·zha 见"饹"（285页）。

馈（饋）〔餽〕 kuì 赠送：～赠｜～以鲜果。

馉（餶） gǔ 【馉饳】（—duò）古代的一种面食。

馊（餿） sōu ❶ 饭菜变质而发出酸臭味：～味｜饭～了。❷ 比喻不高明：～主意。

馋（饞） chán ❶ 想吃好的；爱吃好的：～嘴｜解～｜～得直流口水。❷ 羡慕；贪羡：

眼～。

【备考】繁体饞,形声字,从食,毚(chán)声。在元刊本《朝野新声太平乐府》上有"馋"字,《简化字总表》又类推简化为馋。

［丶］

亵(褻) xiè ❶〈书〉内衣;便衣:～衣。❷轻慢;不庄重:～玩|～辱|狎～。❸淫秽;污秽:～语|猥～|淫～。

【备考】繁体褻,形声字,从衣,埶(yì,古艺字)声。简化字的中部简作执,来源于草书。楷化后的亵在清初刊行的《目连记弹词》上已出现。

装(裝) zhuāng ❶行囊:行～|轻～|整～待发。❷衣服:新～|服～|军～|西～。❸打扮;装饰:～扮|～点。❹假装:～傻|伪～|不懂～懂。❺演员演出时穿戴涂抹的东西:上～|卸～。❻把东西放进器物内:～箱|～车|～载|东西太多,～不下。❼装订,装饰字画书册:～裱|～帧|精～。❽安装,把零部件配成整体:～电话|～玻璃|机器～好了。

【辨析】装—妆　两字都有修饰打扮的意思,但"化妆"指修饰打扮使容貌美丽,"化装"则指修饰打扮使容貌改变以符合所扮演的人物形象。

蛮(蠻) mán ❶古代指我国南方民族。❷粗野;不通情理:～横|野～|胡搅～缠。❸愣;强悍:～干|～劲。❹〈方〉很;挺:～好|～不错的。

【备考】繁体蠻,形声字,从虫,䜌(luán)声。类推简化为蛮。

脔(臠) luán 〈书〉❶ 把肉切成块状:～割|～分|～杀。❷ 切成小块的肉:尝鼎一～。

【备考】繁体臠,从肉,䜌(luàn)声。据《说文》,一说本义为瘦。类推简化为脔。

敦〔敦〕 ㊀ duì 古代一种盛黍稷的器具,器身为球形,上有盖,旁有两耳,下有圈底。

㊁ dūn ❶ 督促:～促。❷ 厚道;诚恳:～厚|～请。

廞(廞) xīn 〈书〉陈设。

痨(癆) láo 痨病,中医指结核病:肺～|肠～。

痫(癇) xián 癫(diān)痫,一种时犯时愈的暂时性大脑机能紊乱的疾病。俗称羊痫风、羊角风。

赓(賡) gēng ❶〈书〉继续;连续:～续。❷ 姓。

颏(頦) ㊀ kē 脸的最下部分,在两腮、嘴之下。又称下巴、下巴颏儿。

㊁ ké ❶【红点颏】鸟,歌鸲(qú)的一种。羽毛褐色,雄的喉部鲜红色,叫声动听。❷【蓝点颏】与红点颏同类的一种鸟,但雄鸟喉部为天蓝色。

【辨析】当下巴讲的"颏"读 kē,不读 ké。

鹇(鷴) xián 【白鹇】鸟名,长尾,雄的背白色,有黑纹,雌的全身棕绿色。

【辨析】注意繁体鷴,声旁是"閒",不是"閑"。

闉(闉) yīn ❶〈书〉城门外的瓮城。❷【闉阇】(—dū)〈书〉瓮城的重门。❸古通"堙"。

阑(闌) lán 〈书〉❶栅栏:木～|花～。今作"栏"。❷阻拦。今作"拦"。❸将尽:～珊|夜～人静。

【辨析】注意"门"中的"柬"不能类推简化为"东"。

阒(闃) qù 〈书〉寂静:～寂|～然。

阔(闊)〔濶〕 kuò ❶宽广:辽～|广～|壮～|开～。❷时间久:～别。❸阔气;有钱:～人|摆～。❹空泛;不切实际:迂～|高谈～论。

阕(闋) què 〈书〉❶终了:乐～。❷量词。1. 歌曲或词一首叫一阕:弹琴一～|填词一～。2. 一首词前后两段中的一段:上～|下～。

粪(糞) fèn ❶〈书〉扫除:～除。❷屎,大便:～便|马～|拾～。❸使肥沃;施肥:～地|～田。

【备考】粪,甲骨文作,像双手持扫帚和簸箕清除粪便和秽物。本为动词,指扫除,弃除。后转指弃除的对象——粪便。小篆字形变作,隶变作"糞"。简化字粪省"田",见敦煌汉简。

焰〔燄〕 yàn ❶火苗：～心｜火～｜烈～。❷比喻气势、威风：凶～｜势～｜气～嚣张。

燀(燀) chǎn 〈书〉❶烧火煮。❷燃烧。

鹈(鵜) tí 【鹈鹕】(—hú)水鸟，体大嘴长，羽毛白色，善游泳、捕鱼。

濆(濆) fén 〈书〉水边；水边高地。

滞(滯) zhì ❶停止；积留；不流通：～塞(sè)｜～留｜～销｜停～｜气～。❷拘泥；呆板：～涩｜板～｜呆～。

潆(瀠) yíng ❶〈书〉水回旋的样子。❷用于地名：～溪(在四川)。

渺[1]〔淼〕〔渺〕 miǎo ❶大水漫无边际；深远：～远｜～无涯际｜烟波浩～。❷因遥远而模糊不清；难以预期：音信～然｜～无人迹｜～～无期｜前途～茫。

渺[2]〔渺〕 miǎo 微小：～小｜～视。

【备考】1955年12月发布的《第一批异体字整理表》中“渺”有异体字“淼”。2013年发布的《通用规范汉字表》确认“淼”为规范字，仅用于姓氏人名、地名；表示“浩渺”的意义时仍为“渺[1]”的异体字。

湿(濕)〔溼〕 shī 沾水的；含水分多的(与“干”相对)：～润｜潮～｜～漉

漉|泪水～透了衣裳。

【备考】繁体濕，形声字，从水，㬎(xiǎn)声，本义为古水名，音 tà(后写作“漯”)。潮湿义的本字为“溼”，通作繁体“濕”。今以“濕”作为潮湿义的选用字，以“溼”为异体；在元刊本《古今杂剧三十种》和《全相三国志平话》中，濕简作湿，《简化字总表》又简化作“湿”。

溃(潰) ㊀ kuì ❶ 水冲破堤防：～决|崩～|千里之堤，～于蚁穴。❷(被击垮而)散乱；逃散：～散|～逃|～败|～不成军。❸ 肌肉破口、腐烂：～烂|～疡。

㊁ huì (疮)溃(kuì)烂：～脓。

溅(濺) ㊀ jiàn 液体向四面迸射：水花四～|～了一身泥。

㊁ jiān 【溅溅】〈书〉同“浅浅”(jiān jiān)。

湾(灣) wān ❶ 水流弯曲处：河～。❷ 海洋深入陆地的地方：海～|港～|澎湖～。❸〈方〉停泊：～在港里|把船～住。

游[1] yóu ❶ 在水中浮行或潜水：～泳|～水|鱼儿在水里～。❷ 河流的一段：上～|中～|下～。❸ 流动；不固定：～击|～骑|～移|散兵～勇。❹ 姓。

游[2]〔遊〕yóu ❶ 从容地行走；闲逛：～园|～春|～览|～山玩水。❷ 嬉戏：～玩|～戏|～艺。❸ 外出求学做官；泛指离家在外：～宦|～学|～说(shuì)|～子。❹ 闲散；无固定职业：～民|～丐|～手好闲。❺ 交际：交～。

溇(漊) lóu 溇水,水名。源于湖北。

愤(憤) fèn ❶ 郁结于心,憋闷:发～图强|不～不启(不到实在想不通的时候,不去启发他)。❷ 因不满意而感情激动;发怒:～怒|～慨|气～|～世嫉俗。

愦(憒) kuì 〈书〉昏乱;神志不清:～乱|昏～。

愧〔媿〕 kuì 羞惭;因不足或有过失而不安:～色|～疚|～怍|惭～|～对祖先|问心无～。

慨〔嘅〕 kǎi ❶ 愤激:愤～|慷～激昂。❷ 感叹:感～|～叹不已|～然长叹。❸ 大方;不吝惜:～允|～然相赠。

喾(嚳) kù 传说中的古帝王名。

斅(斆) xiào 〈书〉❶ 教导。❷ 效法。

寓〔庽〕 yù ❶ 居住:～居|～所|寄～。❷ 住的地方:客～|公～。❸ 寄托:～意|～言。

窜(竄) cuàn ❶〈书〉隐藏。❷ 逃跑;逃亡:～逃|流～|抱头鼠～。❸ 改动;修改:～改|点～。

【备考】繁体竄,从鼠在穴中,会藏匿之意。简化字窜,形声字,从穴,串声,现代群众创造。

窝(窩) wō ❶ 鸟兽昆虫住的地方：鸡～|狗～|马蜂～。❷ 某种人居住或藏匿的地方：贼～|土匪～|安乐～。❸〈方〉人或物体所占的位置：挪个～。❹（～儿）凹陷的地方：心～|酒～儿。❺ 藏匿：～藏|～赃。❻ 呆着不动：～在家里。❼ 郁积而得不到发作或发挥：～火|～工。❽ 使弯曲：～腰|把铁丝～个圈儿。❾ 量词。用于一胎所生的或一次孵出的动物：一～小猪|一～小鸡。

窗〔窓〕〔窻〕〔牎〕〔牕〕〔窰〕 chuāng 窗户,房屋或车船等通气透光的装置：～纱|～口|～明几净。

谟(謨)〔謩〕 mó 〈书〉计策;谋略：宏～。

遍〔徧〕 biàn ❶ 全面;到处：普～|周～|～地开花|朋友～天下。❷ 次;回：写了三～|再演一～。

雇〔僱〕 gù ❶ 出钱让人给自己做事：～佣|～临时工。❷ 受雇的：～工|～员|～农。❸ 租赁车船等交通工具：～车|～船。

裢(褳) lián 【褡裢】(dā—)1. 一种口袋,中间开口,两头装东西。2. 摔跤运动员所穿的一种用多层布制成的上衣。

裣(襝) liǎn 古同“敛”,用于裣藏、裣迹、裣衽(rèn)等词。

裤(褲)〔袴〕 kù 裤子,穿在腰部以下的衣服:~腰|棉~|毛~。

裥(襇) jiǎn 〈方〉衣服上的褶子。

裙〔帬〕〔裠〕 qún ❶ 裙子,一种围在腰部以下的服装:布~|短~|衬~|连衣~。❷ 像裙子的东西:围~|墙~。

谠(讜) dǎng 〈书〉正直的(言论):~辞|~论|~言。

禅(禪) ㊀ chán ❶ 佛教的修行方法,指排除杂念静思:~理|~学|~定|参~|坐~。❷ 泛指与佛教有关的事物:~师|~杖|~房|~寺。

㊁ shàn 帝王让位于人:~让|~位|受~。

幂〔冪〕 mì ❶〈书〉覆盖东西的巾。❷〈书〉覆盖:~盖。❸ 一个数的自乘。

谡(謖) sù 〈书〉起;起来。

谢(謝) xiè ❶ 婉言拒绝:~绝|闭门~客。❷ 辞别;离开:~世。❸(花或叶子)凋落:凋~|萎~|桃花~了。❹ 表示感激:道~|~幕|~词|酬~。❺ 道歉;认错:~罪|~过。❻ 姓。

谣(謠) yáo ❶ 口头流传的韵语:民~|童~。❷ 捏造的流言:~言|~传|造~。

谤(謗) bàng 恶意地诬陷人:~书|诽~|毁~。

谥(謚)〔諡〕 shì 古代帝王、贵族、大臣等死后，依据其一生的事迹给予的评价性称号。

谦(謙) qiān 虚心：～虚|～卑|～和|自～。

谧(謐) mì 〈书〉安宁；安静：安～|静～|恬～。

[乛]

属(屬) ㊀ shǔ ❶ 类别；种类：金～|非金～。❷ 现代生物学分类范畴之一，属以上是科，属以下是种。❸ 有血统关系的人：家～|眷～|亲～。❹ 受管辖；有领导关系的：附～|隶～|直～。❺ 归……所有：胜利～于我们。❻ 是；符合：情况～实。❼ 用十二生肖记生年：～牛|～马|～兔。

㊁ zhǔ 〈书〉❶ 连接；连续：～文|前后相～。❷ 专注；集中在一点上：～望|～意。❸ 通"嘱"：雅～。

【备考】 繁体屬，形声字，从尾，蜀声。有人认为，"属"有连续之义，如尾在身体之上，故从"尾"。简化字属，从尸，禹声。见于东汉《桐柏庙碑》，又南朝字书《玉篇》收入属字。

屡(屢) lǚ 多次；一次又一次：～见不鲜|～教不改|～战～胜。

强〔強〕〔彊〕 ㊀ qiáng ❶ 健壮；力量大：～壮|～大|富～|工作能力

～。❷ 使强大或强壮：富国～兵｜～身之道。❸ 粗暴；蛮横；硬拼：～暴｜～占｜～渡｜～攻｜～索财物。❹ 优越；好：要～｜今年收成比去年～。❺ 程度高：～烈｜记忆力～｜责任心～。❻ 有余；略多：三分之二～。❼ 姓。

㊁ qiǎng 硬要；迫使：～迫｜～求｜勉～｜～词夺理｜～人所难。

㊂ jiàng 固执；强硬：倔～｜～嘴。

疏〔踈〕 shū ❶ 使畅通：～导｜～通。❷ 事物之间距离远、空隙大(与“密”相对)：～落｜～松｜稀～。❸ 关系远；不亲近或不熟悉：～远｜生～｜亲～。❹ 粗略；不细密：～漏｜～忽｜～于防范。❺ 空虚；浅薄：空～｜志大才～。❻ 分散；使密变稀：～散｜仗义～财。❼ 封建时代臣子向君主分条陈述事情的文字：上～｜奏～。❽ 指为古书旧注所作的阐释或进一步发挥的文字：注～。❾ 姓。

骘(騭) zhì 〈书〉❶ 安定：阴～(原指默默地使安定，后转指阴德)。❷ 评定；评论：评～。

婿〔壻〕 xù ❶ 丈夫：夫～｜妹～。❷ 女儿的丈夫：女～｜翁～。

巯(巰) qiú 巯基，有机化合物中由氢和硫各一个原子组成的一价原子团(－SH)，也叫氢硫基。

【备考】 巯为合音会意字，其读音为“氢”的声母和“硫”的韵母相拼，字形各取“氢”与“硫”的一部分结合而成。

毵(毿) sān 【毵毵】〈书〉形容毛发、枝条等细长的东西披散的样子。也形容散乱的样子：柳丝～|乱～。

翚(翬) huī 古书中指一种有五彩羽毛的野鸡。

骛(騖) wù ❶ 奔跑：驰～。❷ 追求：旁～|好高～远。

【辨析】骛—鹜 二字同音,形体近似。注意"好高骛远"的"骛"不作"鹜","趋之若鹜"的"鹜"不作"骛"。

騞(騞) huō 〈书〉拟声词。刀割东西或东西破裂的声音：奏刀～然。

缂(緙) kè 缂丝(也作"刻丝"),我国特有的一种丝织工艺,可以织出图画文字来。也指用这种方法织出的特种工艺品。

缃(緗) xiāng 〈书〉浅黄色：～素|～黄。

缄(緘)〔椷〕 jiān ❶〈书〉捆箱箧(qiè)的绳。❷〈书〉捆扎。❸ 封;闭合：～封|～口|～默|张～("缄"写在信封上寄信人姓名后面)。

缅(緬) miǎn 遥远、久远：～怀|～想。

缆(纜) lǎn ❶ 系船的绳索：解～(开船)。❷ 像缆的东西：～绳|电～|钢～。❸ 用绳索系船：～舟。

骒(騠) tí　见"駃"(176 页)。

缇(緹) tí　橘红色。

缈(緲) miǎo　见"缥"(514 页)。

缉(緝) ㊀ jī　❶ 把麻搓捻成线：～麻。❷ 搜捕；捉拿：～拿｜～毒｜～获｜～私｜通～。

㊁ qī　一种针脚细密的缝纫方法：～鞋口。

缊(緼) ㊀ yùn　〈书〉❶ 旧絮；乱麻。❷ 乱。❸ 藏。

㊁ yūn　见"絪"(304 页)。

缌(緦) sī　细麻布，旧时用来做丧服：服～(穿丧服)。

缎(緞) duàn　❶ 缎子，一种丝织品，质地厚密，一面平滑有光：软～｜绸～。❷ 类似缎子的化纤织品：尼龙～。

缐(線) xiàn　姓。

【备考】1955 年 12 月发布的《第一批异体字整理表》繁体"線"处理为"綫"的异体字。2013 年发布的《通用规范汉字表》确认"缐"为规范字，仅用于姓氏人名；表示"棉(丝、麻、毛)线、路线、防线、直线"等意义时，繁体"線"仍为"线"的异体字。

缑(緱) gōu　❶〈书〉缠在剑柄上的绳子。❷ 姓。

缒(縋) zhuì 用绳子拴住人或东西从高处往下送：～城而出｜把水桶从井口～下去。

缓(緩) huǎn ❶ 宽；松；不紧：～冲｜～解｜舒～｜松～。❷ 慢(与“急”相对)：～急｜～慢｜～～走来。❸ 推迟：～办｜～刑｜～几天再来。❹ 从危急紧张中恢复过来：昏迷了好一阵子，这才～过来｜先休息一下，～～劲儿。

缔(締) dì ❶ 结合；订立：～交｜～约｜～结。❷ 构成；建造：～怨｜～造。❸ 关闭：取～。

【辨析】统读 dì，不读 tì。

缕(縷) lǚ ❶ 线；泛指线状物：麻～丝絮｜千丝万～｜不绝如～。❷ 一条一条，详细地：～陈｜条分～析。❸ 量词。用于细长像线的东西：一～头发｜一～炊烟。

骗(騙) piàn ❶ 侧身抬起一条腿：～腿儿｜～马。❷ 用谎言或诡计使人上当：～钱｜～人｜欺～｜受～。

编(編) biān ❶〈书〉穿联竹简的绳子：韦～三绝。❷ 一部书或书的一部分：遗～｜续～｜第三～｜人手一～。❸ (把长条的东西)交叉组织起来：～织｜～席｜～筐子｜～草帽。❹ 依照一定的条理组织排列：～排｜～组｜～号｜～班。❺ 对现有的材料或作品进行整理加工：～写｜～辑｜～刊物｜～参考书。❻ 创作：～戏｜～故事｜～话剧。❼ 虚造：～谎

话|胡～乱造。❽ 人员的组成定额：～制|在～|超～|～外人员。

缗(緡) mín 〈书〉❶ 穿铜钱用的绳子：～钱(钱贯,串钱)。❷ 量词。用于成串的铜钱,一千文为一缗：钱十万～。

骙(騤) kuí 【骙骙】〈书〉形容马走路雄壮的样子。

骚(騷) sāo ❶ 扰乱;不安定：～乱|～扰。❷ 指屈原的《离骚》：～体。❸〈书〉泛指诗文：～人。❹ 指举止轻浮,作风下流：～货|风～。❺〈方〉雄性的(某些家畜)：～马|～驴。❻ 同"臊(sāo)"。

缘(緣) yuán ❶ 边：边～。❷〈书〉顺着;遵循：～溪而前|～法而治。❸〈书〉凭借：～耳而知声,～目而知形。❹〈书〉因为：～何到此? ❺ 原因：～由|无～无故。❻ 缘分;机缘：一面之～|有～千里来相会。

飨(饗) xiǎng 〈书〉用酒食款待宾客。泛指请人享受：～客|以～读者。

十三画

[一]

耢(耮) lào ❶用于平整土地的一种长方形农具。❷用耢平整土地：～地。

鹉(鵡) wǔ 见“鹦”(536页)。

鹡(鶺) jī 见“鸰”(395页)。

瑰[1]〔瓌〕 guī 〈书〉❶一种像玉的石头。❷珍奇；奇异：～宝｜～丽。

瑰[2] guī 【玫瑰】(méi·guī) 落叶灌木，枝上有刺，花多为紫红色，也有白色的，可以制香料。

骜(驁) ào ❶古书指骏马名。❷通“傲”。傲慢；狂妄：桀～不驯。

韫(韞) yùn 〈书〉包含；蕴藏。

魂〔䰟〕 hún ❶迷信指附着于人体的精神：灵～｜鬼～｜～不守舍。❷一切事物的精神；特指崇高的精神：花～｜国～｜民族～。❸指人的思想情绪：神～颠倒｜梦牵～绕。

摄(攝) shè ❶吸取：～食|～取。❷指摄影：～制|拍～。❸〈书〉保养：～生|～养。❹〈书〉代管，代理：～政|～理。

摅(攄) shū 〈书〉抒发；表达：～意。

鼓〔皷〕 gǔ ❶打击乐器，中间空，一面或两面蒙着皮革：板～|堂～|敲锣打～|～敲得咚咚响。❷性状像鼓的：～膜|石～|蛙～(群蛙如擂鼓般的叫声)。❸弹奏；敲击：～琴|～瑟|～掌。❹凸起；涨大：～胀|～着嘴不说话。❺用风箱等扇：～风|～铸。❻发动；激起：～动|～励|～舞。

【辨析】右边从支，不从攴。

摆[1](擺) bǎi ❶安放；排列：～设|～放|新买的书还没～上架。❷列举；说出：～事实，讲道理|大家把各自遇到的问题～一～。❸显示；炫耀：～阔|显～|～架子。❹摇动：～动|摇～|～～手。❺钟表、精密仪器上用来控制摆动频率的机械装置：钟～|停～。

摆[2](襬) bǎi 上衣、裙子等下端的部分：下～|裙～|前～。

【备考】繁体擺，形声字，从手，罷声；繁体襬，从衣(衤)，罷声，是擺的分化字。《简化字总表》将擺、襬合并，又类推简化为摆。

赪(赬) chēng 〈书〉浅红色。

携〔擕〕〔攜〕〔攜〕〔攜〕 xié ❶ 随身带着;领着:～带|～眷|扶老～幼。❷ 手拉着:～手。

摈(擯) bìn 〈书〉排斥;舍弃:～除|～弃|～斥。

毂(轂) gǔ 〈古〉车轮中心有圆孔能插轴的部分。

摊(攤) tān ❶ 铺开;展开;摆开:～开桌布|书～在桌上|把卡片～开,慢慢整理。❷ 分担;分派:～派|分～|～份子|吃饭的钱咱们俩均～。❸ 遇到(不如意的事);(不好的事)落在:～上这样不负责任的老师,算我们倒霉|这种事怎么就～到我头上了呢? ❹ 在路边、空场上的简易售货点:～贩(摆摊的人)|地～儿|旧书～儿。❺ 烹饪方法,把糊状的原料铺成片煎烤熟:～鸡蛋|～煎饼。❻ 量词。用于流淌开的液体,或糊状的东西:一～血|一～烂泥。❼ 量词。用于待办的事情:节前有一大～事要办|每天都有一～杂务等着你,忙不过来。

勤[1] qín ❶ 做事努力,不怕辛劳(跟"懒"相对):～劳|～快|～奋|～学苦练|人～地不懒。❷ 次数频繁,经常:～洗手|夏天雨水～|衣服要～洗～换|一天一趟,跑得真～。❸ 按规定时间到岗的工作:出～|缺～|全～|考～|值～。❹ 劳苦的杂务;也泛指一般的工作:内～|外～|～务员|～杂人员。❺ 姓。

勤[2]**〔懃〕** qín 热情周到:殷～。

靴〔鞾〕 xuē 高筒的鞋：马～|隔～搔痒。

鹊(鵲) què 喜鹊，鸣禽类鸟。嘴尖，尾长，羽毛大多为黑色，叫声响亮。民间传说喜鹊叫时就有喜事来临，所以叫喜鹊。

蓝(藍) lán ❶ 蓼(liǎo)蓝，一年生草本植物。叶干后可加工成靛(diàn)青，作染料；也可供药用：青出于～。❷ 深青色，晴天无云时的颜色：～天|蔚～。❸ 姓。

【辨析】蓝—兰—篮 “蓝”指蓝草，“兰”指兰花，是两种植物。蓝颜色是从蓝草中提取出来的，故不可写作“兰”。竹篮、篮球的“篮”从竹，不从艸。

幕〔幙〕 mù ❶ 悬空平遮在上面的大块布、绸、毡子等：帐～。❷ 垂挂着的大块布、绸等：～布|～后|银～|开～。❸ 古代将帅或地方军政长官办公的地方：～府|～僚|～宾|～友。❹ 指戏剧中按照剧情发展划分的段落：独～剧|第二～第二场。

蓦(驀) mò 突然：～地|～然。

鹋(鶓) miáo 见“鸸”(374 页)。

蓟(薊) jì ❶ 大蓟，多年生草本植物。全草可入药。❷ 古地名，周代燕国国都，约在今北京城西南。

蓑[1]〔簑〕 suō 蓑衣，披在身上的雨具，用草或棕毛编制成。

蓑[2] suō 草名，即龙须草。

蓠(蘺) lí 【江蓠】1. 红藻的一种。生在海湾浅水中，可用来制造琼脂。2. 古书上说的一种香草。

蒙[1] ㊀ méng ❶ 古代指菟(tù)丝。❷ 覆盖；遮盖：～住双眼|山上～了一层雾。❸ 隐瞒；欺骗：～哄|～蔽|～混。❹ 愚昧无知：～昧|～童|启～。❺ 受到；遭受：～受|～难(nàn)|承～|～你关照。❻ 姓。

㊁ mēng 昏迷：～头转向|一棍子把他打～了。

㊂ měng 蒙古族。1. 我国少数民族。2. 蒙古国人数最多的民族。

蒙[2]**(濛)** méng 形容细雨：～～细雨。

蒙[3]**(懞)** méng 〈书〉忠厚的样子。

蒙[4]**(矇)** méng ❶ 睁眼瞎子：～瞍(sǒu)。❷【蒙胧】两眼半睁半闭，看东西模糊的样子：睡眼～。

蒙[5]**(矇)** mēng ❶ 欺骗：～骗|～事|～人。❷ 胡乱猜测：瞎～|这道题～对了。

【辨析】"蒙(méng)"和"蒙(mēng)"都有"欺骗"的意义，其不同在于："蒙(mēng)"可单独使用，"蒙(méng)"只用于合成词中；"蒙(mēng)"用于口语，"蒙(méng)"用于书面语。

【备考】蒙,形声字,从艸,冡(méng)声。繁体濛、矇、懞同源,是蒙字“覆盖”义的分化字。《简化字总表》将上述三字并入“蒙”。

蓥(鎣) ㊀ yīng 〈书〉同“莹”。
㊁ yíng 地名用字:华～(地名,在四川。又山名,在四川)。

颐(頤) yí ❶ 脸的两侧;腮:支～(以手托腮)|解～(面现笑容)。❷ 保养:～养天年。

献(獻) xiàn ❶ 进奉;恭敬地送上:～花|～旗|贡～。❷ 表现;显露:～媚|～技|～殷勤。❸ 指有价值的图书、文物等:文～。

【备考】繁体獻,形声字,从犬,鬳(yàn)声,本义是古代做祭品的犬。简化字献,从犬,南声,见于宋刊本《古列女传》,金代字书《改并四声篇海》收入了献字。

蓣(蕷) yù 【薯蓣】(shǔ—)即山药。多年生缠绕藤本植物。块茎圆柱形,供食用和入药。

楠〔枏〕〔柟〕 nán 楠木,常绿乔木,木材纹理细密,质地坚硬,是贵重的建筑材料。也可用来造船。

榄(欖) lǎn 【橄榄】(gǎn—)1. 常绿乔木,花白色,果实长椭圆形,绿色,可吃,也可入药。2. 这种植物的果实,又称青果。

楫〔檝〕 jí 船桨:舟～。

榇(櫬) chèn 〈书〉棺材。

榈(櫚) lǘ 见“棕”(423页)。

楼(樓) lóu ❶ 两层或两层以上的房屋：～房|大～|教学～|高～大厦。❷ 楼房的一层：一～|他住五～。❸ 房屋或其他建筑物上加盖的一层房子：城～|箭～|钟～。❹ 用于某些场所的名称：茶～|酒～|青～。❺ 姓。

榉(櫸) jǔ 【山毛榉】落叶乔木，木材可供建筑用，叶子和树皮可入药。

楦〔楥〕 xuàn ❶ 楦子，做鞋、帽用的模型，多为木制：帽～|鞋～。❷ 用楦子填紧或撑大鞋、帽的中空部分：～鞋|新绱的鞋要～一～。❸〈方〉泛指用东西填紧或撑大物体的中空部分：～饱肚子|把装玻璃瓶的盒子～好。

概〔槩〕 gài ❶ 气度；神情：气～。❷〈书〉景象；状况：胜～(优美的景色)。❸ 大略：～况|～述|大～|梗～。❹ 副词。相当于“一律”：一～|～不负责。

赖(賴)〔頼〕 lài ❶ 仗恃；倚靠：依～|仰～|有～于诸位。❷ 硬不承认事实、错误；推脱责任：～账|～婚|抵～|～是～不掉的。❸ 蛮不讲理，撒泼取闹：无～|耍～|～皮|二～子。❹ 强留某处，不肯离开：～着不走|～在家里，就是不去学校。❺ 硬说别人有过失；怪罪；责备：自己

错了，不能～别人。❻ 归咎于，怪罪：这次足球输了，全～教练指挥不当。❼ 不好；次；差：庄稼长得真不～｜好～给我物色个帮手｜好的～的我都能吃饱。❽ 姓。

酬〔酧〕〔詶〕〔醻〕 chóu 〈书〉❶ 客人用酒回敬主人后，主人再次向客人敬酒；劝酒：～酢（参见“酢”）。❷ 报答：～报｜～谢｜～劳。❸ 回报用的钱或物：～金｜稿～｜同工同～｜按劳取～。❹ 应对；交往：～对｜应～｜唱～。❺ 实现（志愿）：壮志未～。

【备考】异体詶又读 zhòu，诅咒。

醲（醲） nóng 〈书〉❶ 醇酒。❷ 浓厚。

碛（磧） qì 〈书〉❶ 浅水中的沙石滩。❷ 沙漠；不生草木的沙石地：沙～。

碍（礙） ài 阻挡；妨害：～眼｜～事｜妨～｜～手～脚｜有～观瞻。

【备考】繁体礙，形声字，从石，疑声。碍为礙的俗字，从石，㝵（ài，同礙）声；唐诗中使用，又见于明代字书《正字通》。今为礙的简化字。

碰〔掽〕〔踫〕 pèng ❶ 物体或人体相撞，相触：～杯｜～撞｜～钉子（比喻遇上难题，遭到拒绝或遇到阻力）｜～倒了自行车。❷ 遇到；相见：～见｜～头。❸ 偶然相遇；试探通过接触进行：～巧｜～机会｜～运气。

磾（磾） dī 〈书〉一种黑色染料石。用于人名，如汉代有金日（mì）磾。

碇〔矴〕〔椗〕 dìng　船停泊时沉入水中用以稳定船身的石块，类似后来的锚：（船）下～｜启～。

碗〔瓫〕〔盌〕〔椀〕 wǎn　❶一种口大底小的饮食器皿，一般为圆形，有圈足：饭～｜茶～｜瓷～｜锅～瓢盆｜一～饭，两～馄饨。❷形状像碗的东西：轴～儿。

【备考】1955 年 12 月发布的《第一批异体字整理表》中“碗”有异体字“椀”。2013 年发布的《通用规范汉字表》确认“椀”为规范字，仅用于科学技术术语，如“橡椀”；表示“盛饮食的器具”的意义时仍为“碗”的异体字。

碌[1] lù　❶平凡，无所作为：～～无为｜庸庸～～。❷忙，事物繁杂：忙～｜劳～｜忙忙～～。

碌[2]〔磟〕 liù　【碌碡】（—·zhóu）石制农具名，用来碾轧谷物或轧平场地等。也叫石磙。

碜（磣） chěn　❶食物中杂有沙子：牙～（食物中杂有沙子，嚼起来硌〔gè〕牙）。❷难看，不体面：寒～（丑；丢脸或使丢脸）｜砢（kē）～（方言，同“寒碜”）。

【辨析】碜，在合成词中都读轻声。

鹌（鵪） ān　【鹌鹑】（—·chún）鸟名，头小尾短，羽毛赤褐色，不善飞。

尴（尷） gān　【尴尬】（—gà）1. 处境困难或事情不好处理：～的局面｜～人难免～事。2.（神态）不自然：表情～。

雾(霧) wù ❶气温下降时,空气中的水蒸气凝结成悬浮的微小水滴:～霭|～气|满天大～|如堕五里～中。❷像雾的许多小水滴:喷～器。

辏(輳) còu 〈书〉车轮上的辐集中到毂上:～集|辐～。

辐(輻) fú 车轮中连接车毂和轮辋的一根根直条:～条。

辑(輯) jí ❶收集材料,作系统的整理、编选:～录|编～。❷以某项内容为中心而编辑的一期刊物、一组文章或单册书:特～|专～。❸整套书的一部分:丛书第一～。

【辨析】辑在"逻辑"中读轻声 ji。

【备考】辑,形声字,从车,咠(qì)声,本义是车箱。

辒(轀) wēn 【辒辌】(—liáng)古代可以在里边躺着休息的车,也用做丧车。

输(輸) shū ❶运送:～出|～送|运～|～油管道。❷捐献:捐～|～财助战。❸负;败:不服～|～了两场比赛。

輶(輶) yóu 古代一种轻便的车。

辋(輮) róu ❶古代指车轮的外框。❷古通"揉",使木条弯曲。❸古通"蹂",践踏。

[丨]

频(頻) pín 屡次;连续数次:～传|～繁|～次|～～点头。

龃(齟) jǔ 【龃龉】(—yǔ)〈书〉上下牙齿对不齐。比喻意见不合，互相抵触：双方发生～。

龄(齡) líng ❶岁数：年～|学～|适～|高～。❷年限；年数：党～|教～|工～|炉～|树～。❸某些生物体发育过程中不同的阶段：～期|一～虫|七叶～。

【辨析】龄不能简化作"令"。

龅(齙) bāo 牙齿突露在嘴唇外：～齿|～牙。

龆(齠) tiáo 〈书〉儿童换牙：～年(童年)。

鉴(鑒)〔鍳〕〔鑑〕 jiàn ❶古代的一种铜制容器，似盆，用来盛水等。❷〈书〉(铜制的)镜子：宝～|以史为～。❸〈书〉照(镜子)：其光可～。❹〈书〉可作为警戒或引以为教训的事：借～|前车之覆，后车之～。❺仔细观看；审察：～定|～别|～赏。❻旧式书信的套语，用在开头的称呼后，意思是请对方看信：台～|钧～。

【备考】繁体鑒，形声字，本从金，監声，后監形变为"臨"。本义是盛水容器，因盛水可以照影，故引申为镜子。简化字鉴，依"臨"的简化方式类推。

睹〔覩〕 dǔ 看见：～物思人|耳闻目～|熟视无～|有目共～|惨不忍～。

韪(韙) wěi 是；对：冒天下之大不～。

睬〔倸〕 cǎi 理会;答理;过问：理～|别～他|不理不～。

鹍(鵾) kūn 鹍鸡,古书上指一种形状像鹤的大鸟。多用于人名。

嗫(囁) niè 【嗫嚅】(—rú)〈书〉形容想说话又不敢说出来的样子：口将言而～。

噁(噁) è 【二噁英】一类含氯有机化合物。有很强的致畸致癌作用。

【备考】用于科学技术术语“二噁英”。其繁体字与“恶心”的“恶”的繁体字为同形字。

暖〔煖〕〔煗〕〔煖〕 nuǎn ❶不冷也不太热：～风|～融融|春～花开|天气一天天变～了。❷使物体变热或使身体变暖：～酒|～～身子|句句话～人心。

暗[1]〔晻〕〔闇〕 àn ❶光线微弱：昏～|～室|屋里太～|天色～下来了。❷糊涂;不明白：～弱|兼听则明,偏听则～。

暗[2] àn ❶隐藏的;秘密的：～斗|～堡|～语|明人不做～事。❷私下里;偷偷地：～喜|～想|明来～往。

照〔炤〕 zhào ❶光线射到：～耀|日～|太阳～在河岸上|点根蜡～～亮ル。❷日光：夕～|残～|连山晚～红。❸反射影像：～镜子|映～|池水～出了岸边的杨柳。❹拍摄：～相|这张片子～坏了。❺相片：小～|玉～|结婚～。❻凭据;证明：执～|立此为～。❼对比;察看：对～|比～|查

～。❽ 看顾：～顾|～料|～应|关～。❾ 通知：～会|知～。❿ 知晓；明白：心～不宣。⓫ 依；按：按～|～章办事|～着样子做。⓬（～着）向；朝；对（表示方向）：～他的头打来|～着远处的小桥走去。

跶（躂） ·da 【蹦跶】（bèng—）跳；挣扎：别在地板上～！|那只鸡～了几下就断气了。

跷（蹺）〔蹻〕 qiāo ❶ 抬起（腿）；竖起（指头）：把腿～起来|～起大拇指。❷ 抬起脚后跟，只用脚尖着地：～着脚走路|～起脚往人群里张望。❸ 高跷，踩着有踏脚装置的木棍边走边表演的一种艺术形式，也指这种木棍：踩着～扭秧歌。❹【蹊跷】（qī—）奇怪：问得～|这事儿真～。

【辨析】“跷”与“翘”（qiào）不同，“跷”专指手、脚、腿的动作，“翘”指物体的一头高起。

跸（蹕） bì 〈书〉❶ 帝王出行时开路清道，禁止他人通行：警～。❷ 帝王的车驾：驻～。

跹（躚） xiān 【蹁跹】（pián—）形容跳舞时旋转舞动的样子：～起舞。

跺〔跥〕 duò 脚用力顿地：～了一脚|急得～脚。

跻（躋） jī 〈书〉升；登：～身|～于先进行列。

蜗（蝸） wō 蜗牛，一种软体动物，有螺旋状的外壳。

蜂〔逢〕〔蠭〕 fēng ❶ 昆虫名，能飞，一般都有毒刺，群居，种类很多。❷ 特指蜜蜂：～蜜｜～房。❸ 成群地；众多地：～聚｜～起｜～拥而上。

嗥〔嘷〕〔獋〕 háo （豺狼等）吼叫：～叫。

嗳（噯） ㊀ āi 同“哎”。叹词。表示应答、提醒或惊讶。

㊁ ǎi 叹词。表示不同意或否定：～，事情可不能那么做。

㊂ ài 叹词。表示悔恨或烦恼：～，早知如此，何必当初！

置[1]〔寘〕 zhì ❶ 搁；安放；放下：安～｜放～｜搁～｜～之度外｜～之不理｜～若罔闻。

置[2] zhì ❶ 设立；建立：～都｜配～｜布～｜机构设～。❷ 购买；置办：～地｜购～｜～房子｜～产业｜～衣服。

罪〔辠〕 zuì ❶ 作恶犯法的行为：～恶｜～行｜～大恶极｜～不容诛。❷ 刑罚：判～｜待～｜死～｜畏～。❸ 过错；过失：～过｜归～于人。❹〈书〉归罪；责备：～己诏（古代最高统治者在国家遇有天灾人祸时，常颁发“罪己诏”，引咎自责，以安抚民心）。❺ 苦难；痛苦：受～。

赗（賵） fèng 古代办丧事时送给丧家用于办丧事的财物。

[丿]

锖(錆) qiāng 【锖色】一些矿物的表面因氧化形成的氧化物薄膜呈现出的色彩。

锗(鍺) zhě 金属元素,符号 Ge。灰白色,是半导体和电子工业的重要材料。

【备考】古有锗字读 dǔ,编钟或磬的单位。近代借来表示化学元素名,与锗(dǔ)成为同形字。两字均为形声字,从金,者声。

锜(錤) jī 见“镃”(504 页)。

错(錯) cuò ❶ 在器物的凹处镶上或涂上金、银等,形成文字、花纹图案:~饰|~金刀|~彩镂金。❷〈书〉打磨玉石的石头:他山之石,可以为~。❸〈书〉打磨玉石:攻~。❹ 两个物体相对摩擦:上下牙~得格格响。❺ 参差地分布:~落|~杂|交~。❻ 相对行动而不碰上:~车|~过了机会。❼ 安排使不冲突:~开会期|把两个会谈~开。❽ 不正确:~误|写~了|~别字。❾(~儿)错的言行:出~儿|有什么~? ❿ 坏;差(用于否定式):这东西真不~|今年收入~不了。

锘(鍩) nuò 金属元素,符号 No。有放射性,由人工核反应获得。

【备考】锘,形声字,从金,若声。古有锘字,读 tiǎn,罕用,近代借作化学元素字。

锚(錨) máo ❶ 船停泊时用来固定的器具：～链|铁～|抛～。❷ 船抛锚停泊：～地|～位。

锳(鍈) yīng 〈书〉铃声。

锛(錛) bēn ❶ 锛子，木匠工具。❷ 用锛子加工木头：～得差不多了，再刨光。❸〈方〉刀具的刃造成缺损：这刀一剁骨头就～|～了几个口子。

锜(錡) ㊀ qí ❶ 古代的一种锅，有三足。❷ 古代一种凿子一类的木工工具。

㊁ yǐ ❶ 古代悬挂弩的架子。❷ 姓。

锝(鍀) dé 金属元素，符号 Tc。有放射性，是第一种由人工经核反应获得的化学元素。

锞(錁) kè 用金、银铸成的小锭，用作货币流通：金～子。

锟(錕) kūn 【锟铻】(—wú) 也作“昆吾”。古书中的山名。传说锟铻山的铁铸成的刀剑可以切玉，后来就用“锟铻”代指良铁、宝剑。

锡(錫) xī ❶ 金属元素，符号 Sn。常见的为白锡，银白色，可用来焊接金属：～匠|焊～。❷〈书〉指僧人用的锡杖：卓～|驻～。❸〈书〉赐与：～予|～黄金百两。❹ 指江苏无锡一带：～剧。

锢(錮) gù ❶ 熔化金属，堵塞器物的洞或空隙。❷ 禁止；封闭：禁～。

锣(鑼) luó 打击乐器。铜制，似盘而薄，周围起边，用槌子击打：铜～|大～|敲～打鼓。

锤[1](錘) chuí 古代重量单位，相当于八铢。

锤[2](錘)〔鎚〕 chuí ❶古代兵器。有柄，柄前端有金属制的圆球：铜～|八大～。❷用来敲打的手工工具。有木柄，柄前端有金属锤头：～子|铁～|大～|油～。❸似锤子的：锣～|鼓～。❹用锤子敲打：千～百炼|紧～慢打。❺秤砣(tuó)：秤～。

锥(錐) zhuī ❶锥子，钻眼儿的工具：～处囊中|头悬梁，～刺股。❷形状像锥子的：～体|冰～|圆～|改～。❸(用锥子等)钻；扎：～探|先～出眼儿。

锦(錦) jǐn ❶有彩色花纹的丝织品：～缎|～绣|～标|蜀～。❷比喻鲜艳华美、色彩华丽：～鸡|～笺|～衣玉食。

锧(鑕) zhì 〈书〉❶砧(zhēn)板。❷古代刑具，斩人时用的垫板：斧～之罪。

锨(鍁) xiān 挖掘和铲撮的工具。有长柄，柄前端有挖或铲的头，用钢铁或木头制成：木～|铁～。

锪(鍃) huō 金属加工方法之一。用专用的刀具对已有的孔加工：～孔|～钻。

錞(錞) chún 【錞于】(—yú)古代一种铜制的乐器。

锫(鍇) péi 金属元素,符号 Bk。有放射性,由人工核反应获得。

【备考】古有锫字,读 pōu,罕用,近代借用表示化学元素名。

锩(鋑) juǎn 刀、剑等刃具的刃锋卷曲:~刃|王麻子菜刀,不锈不~。

锬(錟) tán 〈书〉长矛。

铍(鈹) bō 放射性金属元素,符号 Bh。由人工核反应获得。

锭(錠) dìng ❶ 铸成块状作货币用的金、银:金~|银~。❷ 制成块状的金属或药物:钢~|铝~|~剂|万应~|紫金~。❸ 量词。用于锭状的东西:两~墨|一~银子。❹ 纺纱机械上用来把纤维捻成纱并绕在筒状支架上的部件:纱~|环~。❺ 指梭子的芯。

键(鍵) jiàn ❶〈书〉闩门的金属棍。❷ 使轴和车轮、齿轮、皮带轮等连接固定的金属器件:~槽|花~|滑~。❸ 打字机、乐器、电脑等器械上用手击打或按动以控制器械工作的小块:~位|~盘|琴~|功能~。❹ 化学结构式中表示分子里原子相互结合作用的短横:化学~。

锯(鋸) jù ❶ 割开木、石、金属等的工具,上有尖利的齿:木~|带~|拉~|一把~。❷ 用锯把木、石、金属等切割开:~木头|把铁管~开。❸ 古代的一种刑具。

锰(錳) měng 金属元素,符号 Mn。银白色,质硬而脆。主要用来制造特种钢。

锱(錙) zī ❶ 古代重量单位,六铢(zhū)为一锱。❷〈书〉比喻数量少:～铢必较|～铢以求。

辞(辭)〔辤〕 cí ❶ 文词;言词:～令|～藻|修～。❷ 我国古代的一种文体:～赋|楚～|《归去来兮～》。❸ 告别:～行|告～|不～而别。❹ 不接受;请求解除职务:～呈|～职|～去厂长职务。❺ 推托;躲避:～让|推～|不～辛苦|虽死不～。❻ 解雇:～退(某人)|他被公司～了。

【备考】繁体辭,会意字,金文、石鼓文作[古字],均从𤔔(同"亂",治理),从司;小篆作[篆字],从𤔔,从辛。简化字从舌,从辛会意。魏晋碑刻中有"辞"字,与辞形体接近;宋刊本《古列女传》《大唐三藏取经诗话》中有辞字。

稚〔穉〕〔稺〕 zhì 幼小:～嫩|～子|～气|幼～。

稗〔粺〕 bài ❶ 稗子,稻田里的一种有害杂草。❷〈书〉比喻微小的、琐碎的:～史|～官野史。

颓(頹)〔穨〕 tuí ❶ 崩塌;倒塌:断井～垣(yuán)。❷ 衰败:～势|～败。❸ 精神不振:～丧|～废。

穇(穇) cǎn 穇子,稻田杂草,稗的变种。

筹(籌) chóu ❶ 用于计数、行酒令或用作领取物品凭证的小棍儿或小片儿，用竹、木或象牙制成：～码|竹～|算～|酒～。❷ 谋划：～划|～备|～款|～集资金。❸ 计策；办法：一～莫展|运～帷幄。

筻(篢) lǒng ❶〈方〉箱笼。❷ 地名用字：花～(在广西)|织～(在广东)。

筲〔箾〕 shāo ❶ 古代盛饭食的竹器。❷【筲箕】(—jī)，淘米洗菜用的竹器。❸ 水桶，多用竹子或木头制成：水～|一～水|担起～来。

筼(篔) yún 【筼筜】(—dāng)〈书〉一种生长在水边的竹子，皮薄，节长竿高。

签[1](簽) qiān ❶ 在文件或单据上署名或画上记号，以示负责：～字|～发|～押|请你～个名。❷ 用简单的文字提出要点或意见：～呈|～注意见。

签[2](簽)(籤) qiān ❶ 刻着文字符号用于占卜或赌博、比赛的细长竹片或小细棍：求～问卜|抽～儿。❷ (～儿)作为标志的片状物：标～儿|书～儿|行李～儿。❸ (～儿)用竹、木削成的有尖儿的小细棍：竹～儿|牙～儿。❹ 古代官府拘捕、惩罚犯人的凭证，用竹片制成，上有文字等标记。❺ 粗粗地缝合：把边儿～上。

【备考】 籤与簽原为两个不同的字，籤，形声字，从竹，韱(xiān)声；簽，形声字，从竹，僉(qiān)声。两字在古代有时通用，《简化字总表》将两字合并，又类推简化为签。

简(簡) jiǎn ❶ 古代用来写字的狭长竹片：～册|竹～|居延汉～。❷ 指书信：书～。❸ 简单；简略：～便|～称|～历|删繁就～。❹ 使简单：～化|精兵～政。❺ 怠慢：～慢。❻〈书〉选择(人才)：～拔。❼ 姓。

毁[1] huǐ 破坏；损害：～坏|～约|～容。

毁[2]〔燬〕huǐ 烧掉：焚～。

毁[3]〔譭〕huǐ 诽谤；说坏话：～谤|诋～。

鹎(鵯) bēi 鸟名。腿细而短，羽毛黑褐色，以植物果实及昆虫为实。

愆〔諐〕qiān 〈书〉❶ 超过；错过：～期。❷ 过失；罪过：～尤。

觎(覦) yú 〈书〉企求；希图：觊～(希望得到不应得到的东西)。

愈[1]〔瘉〕〔癒〕yù 病好了：病～|伤口～合|久病不～。

愈[2] yù ❶〈书〉好于；胜过：甲～于乙。❷ 越；更加：～益|～发|～加|～演～烈。

颔(頷) hàn 〈书〉❶ 下巴：～下生白须。❷ 点头：微笑～首。

腻(膩) nì ❶ 肥，食物中脂肪过多(使人不想吃)：油～|这个菜太～。❷ 因过多而

觉得厌烦：看～了|玩～了。❸ 细致而有光泽：柔～|手感细～。❹ 污垢：尘～|锅台上满是油～。

腮〔顋〕 sāi 面颊的下半部：～帮子|抓耳挠～|两手托～。

腭〔齶〕 è 口腔的上壁。

鹏(鵬) péng 传说中最大的鸟：～程万里。

塍〔堘〕 chéng 田间的土埂：田～。

腾(騰) téng ❶ 奔跑；跳跃：奔～|～跃|欢～|龙～虎跃。❷ 上升：～飞|升～。❸ 挪移，使空(kòng)出来：～地方|～一点时间去看老人。❹ 用在某些动词后，表示动作反复(读轻声)：倒(dǎo)～|翻～|闹～|折(zhē)～。❺ 姓。

膢(膢) lóu 又读 lǘ 古代祭祀名。

腿[1]〔骽〕 tuǐ ❶ 人和动物用以支撑身体和行走的部分。❷ 火腿，腌制的猪腿：云～(云南火腿)|金～(浙江金华火腿)。

腿[2] tuǐ 器物下部起支撑作用的部分：桌子～儿|椅子～儿|眼镜～儿。

鲅(鮁) bà 一种海鱼。体长，呈纺锤形，鳞细小。也叫马鲛鱼、蓝点鲅。

鲆(鮃) píng 比目鱼的一类。形体片状，侧扁，不对称。两眼长在左侧。生活在海洋里，种类很多。

鲇(鮎) nián 一种淡水鱼。体表多黏液，无鳞，头扁口宽。上下颌各有四根须。

鲈(鱸) lú 鱼名。侧扁，体长，口大，性凶猛，以鱼、虾为食。

鲉(鮋) yóu 鱼名，体长，侧扁，头大，常有棱和棘状突起。身上有细鳞。生活在近海岩石间，种类很多。

鲊(鮓) ㊀ zhǎ ❶ 经腌制而便于保存的鱼类食品：鱼～。❷ 切碎后加面粉、米粉，用盐及其他作料拌成的菜，易于保存：茄～|豆角～。

㊁ zhà 古指海蜇。

稣(穌) sū 通"苏(蘇)"。

【辨析】旧"苏醒"、"樵苏"(砍柴割草)等意义也可写作"稣"。今只用于"耶稣"一词。

鲋(鮒) fù 〈书〉鲫鱼：涸辙之～。

鲌(鮊) ㊀ bó 鲤科鱼类的一属。体长，侧扁，口大并向上翘。

㊁ bà 同"鲅"。

鲄(鮣) yìn 鱼名。体长，近圆筒形。头顶有吸盘，常吸附在大鱼或船底，随着移动。

鮈(鮈) jū 淡水鱼，体小，侧扁或近圆筒形，广泛分布于我国的河流湖泊中。

鲍(鮑) bào ❶软体动物，贝壳扁而宽，耳状，坚厚，表面粗糙。也称鳆鱼。❷〈书〉盐腌的鱼：如入～鱼之肆，久而不闻其臭。❸姓。

鮀(鮀) tuó ❶〈书〉鲇鱼。❷吹沙小鱼。❸即扬子鳄。

鲏(鮍) pí 见“鳑”(557页)。

鲐(鮐) tái ❶鱼名，鲭科。体纺锤形，背青色，腹白或黄白色，两侧有深蓝色条状斑纹。也叫鲭、油筒鱼、青花鱼。生活在海中。❷〈书〉代指老人。因老人背上有鲐鱼样斑纹：～叟|～稚。

猿〔猨〕〔蝯〕 yuán 灵长(zhǎng)类哺乳动物，种类很多。跟猴相似，但比猴大，没有颊囊和尾巴。

颖(穎)〔頴〕 yǐng ❶稻麦一类植物子实的带芒的外壳。❷细长东西的尖端：短～羊毫(一种毛笔)。❸聪明：～慧|聪～。

【辨析】颖—颍 见“颍”字辨析(442页)。

鸽(鴿) qiān 尖嘴的鸟或家禽啄食：许多鸟在～麦穗。

飔(颸) sī 〈书〉❶凉风：轻扇动凉～。❷疾风：乘～举帆幢。

飕(颼) sōu ❶拟声词。形容刮风、下雨的声音或物体迅速通过的声音：子弹～的一声从耳边飞过。❷〈方〉风吹(使变干或变冷)：洗的衣服被风～干了。

触(觸) chù ❶〈书〉用角顶撞。❷ 碰在一起;相撞:～动|～摸|～礁|～电。

【备考】繁体觸,形声字,从角,蜀声。简化字触,右边省作虫,见于清朝刊行的《金瓶梅》和《岭南逸史》。

雏(雛) chú 幼小的:～鸡|～鹰|～燕|～儿。

馌(饁) yè 〈书〉往田里送饭。

馍(饃)〔饝〕 mó 〈方〉饼类食品。一些地方特指馒头。也叫馍馍:蒸～|白面～～|羊肉泡～。

馏(餾) ㊀ liú 用加热等方法使液体中的不同物质分离或分解:蒸～|分～。

㊁ liù 把凉的熟食再加热:～馒头。

馐(饈) xiū 〈书〉美味的食物:珍～。

［、］

酱(醬) jiàng ❶ 豆、麦发酵后制成的一种糊状调味品:黄～|豆瓣～|甜面～。❷ 用酱或酱油腌制(菜);用酱油煮(肉):～瓜儿|把肉～了。❸ 用上述方法制作的:～萝卜|～肘子。❹ 像酱的糊状食品:果～|虾～。

鹑(鶉) chún 见“鹌”(466页)。

禀〔稟〕 bǐng ❶ 向上级或长辈报告：～报｜～告｜回～。❷ 承受：～承。

痱〔疿〕 fèi 痱子，一种皮肤病，由暑天出汗多、皮肤毛孔被汗垢堵塞引起。

痹〔痺〕 bì 中医指由风、寒、湿等引起的肢体疼痛或麻木的病：风～｜寒～｜湿～。

痴〔癡〕 chī ❶ 傻：～呆｜～笑｜～人说梦。❷ 极度迷恋：～迷｜～情｜～心妄想。

瘅（癉） ㊀ dān 中医指热症或湿热症：～疟｜火～。

㊁ dàn 〈书〉❶ 因过度劳苦而得病。❷ 憎恨：彰善～恶。

瘆（瘮） shèn 害怕；使人害怕：让人感到～得慌｜～人。

廉〔亷〕〔㢘〕 lián ❶ 不贪；不损公肥私：～洁｜～政｜～耻｜～正｜清～。❷ 便宜；价钱低：～价｜低～｜价～物美。❸ 姓。

鹒（鶊） gēng 见“鸧”(281页)。

韵〔韻〕 yùn ❶ 和谐的声音：琴～｜松～｜风篁成～。❷ 韵母：～文｜～脚｜押～｜叠～。❸ 情趣；风度：～味｜气～｜神～｜风～。❹ 姓。

【备考】旧多用“韻”，形声字，从音，员声。今以“韵”为选用字，从音，匀声。

雍〔雝〕 yōng ❶ 〈书〉和谐：～和｜～熙。❷ 姓。

阖(闔) hé ❶关门：～户。❷全；总共：～家|～城|～府。

阗(闐) tián 〈书〉充满：喧～。

阘(闒) tà ❶【阘懦】(—nuò)〈书〉地位低下，软弱无能。❷【阘茸】(—róng)〈书〉卑贱；低劣。

阒(闑) niè 〈书〉门橛，竖立在大门中间的短木。

阙(闕) ㊀ quē ❶〈书〉过错：～失。❷〈书〉欠缺：～疑。❸姓。

㊁ què 宫门前两边的楼台：宫～|城～。

誊(謄) téng 抄写：～录|～清|把这一页重～一遍。

粳〔秔〕〔杭〕〔粇〕 jīng 稻的一种，茎秆较矮，米粒短粗：～米|～稻。

【备考】异体杭又同"糠"。

粮(糧) liáng ❶干粮；军粮：～草|～饷|吃～当兵。❷可吃的谷类和豆类：～食|～仓|口～|买～。❸田赋，今指作为农业税的粮食：税～|公～|钱～|完～。

【备考】繁体糧，形声字，从米，量声；简化字粮，形声字，从米，良声，在先秦古籍中已使用。

数(數) ㊀ shǔ ❶逐个计算；查点：～不清|从一～到十|～米而炊|屈指可～|～风

流人物，还看今朝(zhāo)。❷ 算起来在同类中最突出：～得上｜～不着｜～一～二｜全班～他功课好。❸ 列举(罪状或过错)；责备：～落｜历～敌人罪行。

㊁ shù ❶ (～儿)数目：人～｜凑～｜心中无～｜教孩子数(shǔ)～儿。❷ 几；几个：～日｜～十种｜～小时。❸〈口〉用在某些数词或量词后表示概数：花了百～块钱｜离村子里～来地。❹ 天命；命运：天～｜气～｜在～难逃。❺ 数学上表示事物的量的基本概念：整～｜正～｜有理～。❻ 一种语法范畴，表示名词或代词所指事物的数量：单～｜复～。

㊂ shuò 〈书〉屡次：频～｜～见不鲜(xiān)。

滟(灧) yàn ❶ 见"潋"(512 页)。❷【滟滪(yù)堆】长江瞿(qú)塘峡口的巨石，现已炸平。

滠(灄) shè 水名。在湖北。

满(滿) mǎn ❶ 充盈；容量已无余地：充～｜人～为患｜春色～园｜颗粒饱～。❷ 使充满：～上一杯酒。❸ 感觉足够：～足｜～意｜自～｜～招损，谦受益。❹ 达到某种期限、限度：期～｜假～｜～勤｜月～必亏。❺ 整个；全：～打～算｜～天乌云｜～地打滚｜～口答应。❻ 副词。表示程度，相当于"很""十分"：～好｜～对｜～行(xíng)｜～漂亮。❼ 我国少数民族名。❽ 姓。

【备考】繁体滿，形声字，从水，㒼(mán)声。简化字满，据简化字"两"类推。

滢(瀅) yíng 【汀滢】(tīng—)〈书〉1. 很小的水流。2. 水清澈。

滤(濾) lǜ 使液体通过纱布、木炭、沙子等,除去杂质(有时也用于气体、光、色等):过~|~器|~纸|~波|~色镜。

滥(濫) làn ❶江、河、湖中的水溢出:泛~。❷过度;没有节制:~饮|~用职权|~杀无辜|宁缺毋~。❸虚妄不实的:~言|~调|~竽充数。

【辨析】滥—谰 "滥"音 làn。"滥调"指浮泛不实的言论,如陈词滥调。"谰"音 lán,抵赖,诬陷。"谰言"指诬赖、没有根据的话,如"侵略者的无耻谰言"。

滗(潷) bì 挡住容器中的渣滓或浸泡的东西把液体倒出:~米汤|把汤~出去。

溪〔谿〕 xī 山间的流水;小河沟:山~|~水|小~。

【备考】1955 年 12 月发布的《第一批异体字整理表》中"溪"有异体字"谿"。2013 年发布的《通用规范汉字表》确认"谿"为规范字,用于姓氏人名,又用于"勃谿"(家庭中的争吵)一词;表示"溪水"的意义时仍为"溪"的异体字。

滦(灤) luán ❶滦河,水名。在河北。❷用于地名:~县(在河北)。

漓[1] lí 【淋漓】(lín—)1. 形容湿淋淋往下滴:大汗~|墨迹~。2. 形容畅达:~尽致|痛快~。

漓[2](灕) lí 漓水,水名。今名漓江,在广西壮族自治区。

【辨析】在水名的意义上,古代漓、灕二字常通用,今以"漓"为"灕"的简化字。但淋漓的"漓"不作"灕"。

溯〔泝〕〔遡〕 sù ❶〈书〉逆流而上:~江而上。❷往上(前)推求;回想:追~|回~|上~|推本~源。

滨(濱) bīn ❶水边,近水的地方:河~|海~|湖~。❷靠近;临近(水边):~海|~江。

滩(灘) tān ❶江河中水浅流急处的沙石堆:急流险~。❷江河湖海边水涨时淹没、水退时显露的淤积平地;又泛指水边比岸低的平地:~地|河~|海~|沙~|荒~|盐~。❸量词。用于平面上成滩的东西:地上有一~血|纸上滴了一大~墨。

滪(澦) yù 见"滟"(485页)。

慑(懾)〔慴〕 shè ❶恐惧:~服(因恐惧而屈服)|~于法律的威力。❷使恐惧:威~|震~。

【备考】1955年12月发布的《第一批异体字整理表》中繁体"慴(zhé,又读 shè)"有异体字"讋(zhé)"。1964年5月发表的《简化字总表》收入"讋"的类推简化字"詟"。1985年《普通话异读词审音表》规定"慑"统读 shè,"詟""慑"二字的读音不同,故不宜视为异体关系。1988年发布的《现代汉语通用字表》收入"詟"字。

慎[1]〔昚〕shèn　小心：～重｜～言｜谨～｜不～｜谨小～微。

慎[2] shèn　姓。

【备考】慎，形声字，从心，真声。异体昚，古代常用于人名。

誉（譽）yù　❶ 称赞；赞美：毁～｜赞～｜～不绝口｜交口称～。❷ 名声；特指好的名声：名～｜荣～｜信～｜沽名钓～。

【备考】繁体譽，形声字，从言，與声。简化字誉，来源于草书，楷化的誉见于 1935 年《简体字表》。

鲎（鱟）hòu　❶ 节肢动物名。鲎科，头部甲壳半月形，腹部甲壳呈六角形，尾部剑状。❷〈方〉吴方言称虹为鲎：东～晴，西～雨。

骞（騫）qiān　〈书〉高举。

窥（窺）〔闚〕kuī　❶ 从缝隙、小孔中偷看：管中～豹。❷ 暗中察看：～探｜～测｜～见真相。

窦（竇）dòu　❶ 孔穴：狗～｜疑～。❷ 人体某些器官或组织的内部凹入的部分：鼻～。❸ 姓。

【备考】繁体竇，小篆作竇，形声字，从穴，賣(yù)声。賣隶变作賣，新字形作賣，与从出、从買的賣(mài)字的隶变字形賣同形，今賣(yù，mài)又简作卖。

寝(寢)〔寑〕 qǐn ❶ 睡觉：～室｜废～忘食。❷ 卧室：入～｜就～｜寿终正～。❸〈书〉停止，平息。❹ 帝王的坟墓：陵～。

谨(謹) jǐn ❶ 慎重；小心：～防｜～慎｜～小慎微。❷ 恭敬。用作敬辞，用于动词前：～启｜～致谢意｜～向各位代表表示热烈的欢迎。

禨(襀) jī 〈书〉【襞禨】(bì—)衣褶；裙褶。

裸〔躶〕〔臝〕 luǒ 光着身子，也指物体外面没有东西包着：～体｜～露｜～麦｜～线｜～子植物。

谩(謾) ㊀ mán 〈书〉欺骗。
㊁ màn 轻视；无礼：～骂。

谪(謫)〔讁〕 zhé 〈书〉❶ 责备；谴责：众人交～。❷ 古代官吏被降职或流放：贬～｜～降｜～居。

谫(譾) jiǎn 〈书〉浅薄：学识～陋。

谬(謬) miù 差错：～误｜～论｜荒～。

[乛]

鹔(鷫) sù 【鹔鹴】(—shuāng) 1. 雁的一种。2. 传说中的西方神鸟。

颙(顒) yūn 〈书〉头大的样子。

群〔羣〕 qún ❶ 聚在一起的许多人或物：人～|羊～|建筑～|三五成～。❷ 成群的：～岛|～峰|～居。❸ 指众多的人：～情振奋|～策～力|技艺超～。❹ 量词。用于成群的人或东西：一～孩子|一～～鸭子|一～岛屿。

辟[1] ㊀ pì 〈书〉法律；刑法：大～（古代指死刑）。
㊁ bì ❶ 君主：复～。❷〈书〉征召；举荐：征～。❸〈书〉排除：～邪。

辟[2]（闢） pì ❶ 开发；开拓：另～蹊径|这一带将～为新的旅游区。❷ 透彻：精～|透～。❸ 驳斥或排除（不正当的言论）：～谣|～邪说。

【备考】繁体闢，形声字，从門（门），辟声。辟，会意字，从卩（jié），从辛，从口。卩甲骨文作𠨍，象跪着的人。从辛，从口，表示依法治罪。闢、辟二字在古代就有通用的例子，《简化字总表》确定以辟代闢。

嫒（嬡） ài 【令嫒】敬辞，称对方的女儿。也作“令爱”。

嫔（嬪） pín 〈书〉帝王的妾，也指皇宫中的女官：妃～。

叠〔曡〕〔疊〕〔疉〕 dié ❶ 一层加一层；累积：重～|～罗汉|～石为山|～床架屋。❷ 重复：～加指责|双声～韵|层见～出。❸ 折叠；把物体的一部分翻转和另一部分紧挨在一起：～信纸|～衣服|～被子|把折叠床～起来。

【辨析】叠—迭　“叠”曾简化作“迭”，1986 年修订的

《简化字总表》规定“叠”为规范字,不再作为“迭”的繁体字;以上意义都不能写作“迭”。

缙(縉) jìn ❶〈书〉浅红色的帛。❷【缙绅】缙通“搢”,插的意思;“绅”指腰间大带。缙绅原为古代高级官吏的一种装束,后指做官或做过官的人。

缜(縝) zhěn 细致:~密。

缚(縛) fù 捆绑:束~|拴~|作茧自~。

缛(縟) rù ❶〈书〉繁密的彩饰。❷繁多;繁琐:~礼|繁~|繁文~节。

骢(騵) yuán 〈书〉赤毛白腹的马。

辔(轡) pèi 驾驭牲口用的嚼子和缰绳:~头|鞍~|按~徐行。

【备考】辔,象形字,甲骨文作[古文字],金文作[古文字],象车上系辔形,小篆讹作[篆字],从絲从軎(wèi,车轴头),軎兼表音。楷书作轡,类推简化作辔。

骙(騱) xí 〈书〉前足全白的马。

缝(縫) ㊀ féng 用针穿上线连合:~合|~缀|~衣服|伤口还没~上。

㊁ fèng (~儿)❶缝合的地方:天衣无~。❷窄的空隙:~隙|门~儿|一道~儿|见~插针。

骝(騮) liú 古书指红身黑鬣尾的良马。

缞(縗) cuī 〈书〉用粗麻布做的丧服。也作“衰”。

缟(縞) gǎo 古代一种没有染色的白绢：～素(古时或指丧服)。

缠(纏) chán ❶用线、绳、布等围绕：～绕|用绳子多～几道|臂上～着一块白布。❷搅扰(常指一时不易摆脱)：纠～|家务～身|胡搅蛮～|这件事很～手。

缡(縭) lí 〈书〉女子系在身前的大佩巾：结～(指女子出嫁，古时女子出嫁时用大红头巾盖头)。

缢(縊) yì 上吊；用绳子勒死：～死|自～。

缣(縑) jiān 一种双丝织成的细绢：～帛。

缤(繽) bīn 【缤纷】繁多而凌乱：落英～|五彩～。

骟(騸) shàn 割掉牲畜的睾丸或卵巢：～马|～猪。

剿〔勦勦〕 ㊀ jiǎo 讨伐；消灭：～匪|～除|～灭|围～。
㊁ chāo 抄取；抄袭：～说。

十四画

[一]

璊(璊) mén 〈书〉赤色的玉。

【备考】繁体璊，形声字，从玉，㒼声。简化字璊，据简化字"两"类推。

瑷(璦) ài ❶〈书〉美玉。❷【瑷珲】(—huī)，地名，在黑龙江。今作爱辉。

璃〔琍〕〔瓈〕 lí ❶【玻璃】(bō·—)1. 用细砂、石灰石、碳酸钠等混合加高温熔解，冷却后制成的物质，质地脆硬，透明。2. 指某些像玻璃的塑料：～丝｜有机～。❷见"琉"(368页)。

赘(贅) zhuì ❶ 多余的；无用的：～疣｜累～｜毋庸～述。❷ 男子到女家结婚并成为女方家庭成员：入～｜招～。

觏(覯) gòu 〈书〉遇见：罕～。

韬(韜) tāo 〈书〉❶ 弓或剑的套子。❷ 包藏；隐藏：～光养晦。❸ 用兵的谋略：～略｜六～。

叆(靉) ài 【叆叇】(—dài)〈书〉云彩厚而密的样子。

墙(墻)〔牆〕 qiáng 用土筑成或用砖、石等砌成的屏障,用来承架房顶或分隔内外的建筑:~角|~壁|围~|城~。

【备考】1955年12月发布的《第一批异体字整理表》以“墻”为“牆”的异体字,1964年5月发表的《简化字总表》以“墻”为“墙”的繁体字,2013年发布的《通用规范汉字表》确认“墻”为正字,“牆”为异体字。

撄(攖) yīng 〈书〉❶ 接触;迫近;触犯:~鳞(喻指触犯帝王)|~其锋|虎负嵎,莫之敢~。❷ 扰乱;纠缠:不以人物利害相~。

蔷(薔) qiáng 【蔷薇】(—wēi) 落叶灌木。茎细长,有小刺,初夏开花,有红、白、黄等多种颜色,供观赏。

蔑[1] miè ❶ 微小:~视|轻~。❷〈书〉无,没有:~以复加。

蔑[2](衊) miè 血口喷人;用不实之词败坏人的声誉:污~|诬~。

【辨析】“蔑[2]”的繁体“衊”,本义为血污,引申为用言语诋毁。故转为繁体时,诬蔑、污蔑的“蔑”可写作“衊”,而蔑视、轻蔑的“蔑”不能写作“衊”。

【备考】蔑,甲骨文作,象以戈击人目。本义为眼睛受伤失明,引申为无视。《说文》小篆作,有人认为是形声字,从苜(mò,目不正),伐声。

蔹(蘞) liǎn 多年生蔓生草本植物。因果实成熟时有不同颜色，所以有白蔹、赤蔹、乌蔹莓等名称。

蔺(藺) lìn ❶ 灯芯草。多年生草本植物。茎髓俗称灯草，可作油灯的灯芯，也可入药。❷ 姓。

蔼(藹) ǎi ❶〈书〉果实繁盛的样子，引申为树木茂密：(林木)～～。❷ 和气；和善：～然|和～。

熙〔熈〕〔凞〕 xī 〈书〉❶ 光明：～天曜(yào)日。❷ 和乐：～和|～穆。❸ 兴盛：～朝(cháo，盛明的朝代)。

鹕(鶘) hú 见“鹈”(447 页)。

槚(檟) jiǎ 古书上指楸树或茶树。

槛(檻) ㊀ jiàn ❶ 关禽兽的木笼：兽～。❷ 囚笼：～车(古代运送囚犯的车)。❸ 栏杆：折～。

㊁ kǎn 门限：门～。

榄(欓) dǎng 【簕(lè)榄】常绿灌木或乔木。高可达 12 米，干和枝有刺，果实紫红色，种子黑色，可以制芳香油。

槁〔槀〕 gǎo 干枯：～木|枯～。

榜〔牓〕 bǎng ❶匾额：～额|题～。❷张贴出来的名单或文告：发～|光荣～|选民～|张～招贤。

槟(檳) ㊀ bīn 【槟子】(—·zi)❶槟子树，苹果树的一种，果实比苹果小，红色，熟后转紫红，味酸甜带涩。❷这种植物的果实。

㊁ bīng 【槟榔】(—·lang)❶常绿乔木，树干很高，果实长椭圆形，橙红色，可以吃，也可入药。❷这种植物的果实。

榨[1] zhà 压出物体里汁液的器具：酒～|油～。

榨[2]〔搾〕 zhà 压出物体里的汁液：～油|压～|～汁机。

槠(櫧) zhū 常绿乔木，木材坚硬，可制器具。

榷[1]〔榷〕 què 〈书〉专营；专卖：～茶|～税|～盐。

榷[2]〔搉〕〔榷〕 què 商讨：商～。

鹝(鷊) yǎn 〈书〉凤的别名。

歌〔謌〕 gē ❶按一定的乐曲、节拍咏唱：～唱|～咏|载～载舞|引吭高～。❷歌曲，能唱的文词：～谣|民～|山～|一支～儿。❸颂扬：～颂|可～可泣|～功颂德。

酽(釅) yàn 汁浓;味厚:～茶|～醋。

酾(釃) shī 又读 shāi ❶〈书〉滤酒。❷〈方〉斟酒。

酿(釀) niàng ❶ 利用发酵作用制造酒、醋、酱油等:～酒|～造|～制。❷ 酒:佳～|陈～。❸ 逐渐形成:酝～|～成一场灾难。❹ 蜜蜂做蜜:～蜜。❺ 一种烹调方法,把肉馅填入掏空的冬瓜、柿子椒等,然后煎或蒸:～冬瓜。

【备考】繁体釀,形声字,从酉,襄声。简化字酿,形声字,从酉,良声。现代群众创造。

厮〔廝〕 sī 〈书〉❶ 男仆:小～。❷ 对人轻蔑的称呼:这～。❸ 相互:～守|～混|～杀。

碴[1] chā 用于"胡子拉碴"。形容胡子丛生,不加修饰的样子。

碴[2]〔鑔〕 chá ❶ 硬脆器物的碎屑:冰～儿|玻璃～儿|碗～儿。❷ 器物上的破口:杯子有个破～儿|碗～儿划破了手|断骨头接上了～儿。❸ 事端;感情的裂痕:找～儿打架|他们过去有～儿,这才闹翻了脸。❹ 指刚提到的事情,刚说完的话题:答～儿|接话～儿。❺ 碎片划破、扎破皮肉:手让玻璃～破了|小心别～了手。

碱〔堿〕〔鹻〕〔鹼〕 jiǎn ❶ 电解时能生成氢氧根离子的化合物的统称。❷ 纯碱(碳酸钠)的通称:馒头揣

(chuāi)～。❸ 被盐碱腐蚀：墙根都～了|盐滩的小树～死了。

【备考】《简化字总表》原有"硷(鹼)"。《通用规范汉字表》未收入"硷"，将繁体"鹼"和"鹼"的异体字"鹻"均作为"碱"的异体字。

礳(礷) lán 地名用字：干(gān)～(在浙江)。

愿[1](願) yuàn ❶ 愿望；希望：心～|夙～|天从人～。❷ 乐意；愿意：自～|志～军|心甘情～。❸ 愿心，迷信者求神拜佛时许下的酬谢：发～|还～。

愿[2] yuàn 〈书〉老实谨慎：谨～|乡～。

【备考】愿 — 願 愿、願原为二字。"愿"本义为谨，从心，原声；"願"本义为大头，从頁，原声。二字意义、用法各不相混。但群众中常有以愿代願的写法，太平天国文书中就有此用例，《简化字总表》据同音替代原则将"願"并入"愿"。

殡(殯) bìn 停放灵柩：～车|～葬|出～|～仪馆。

霁(霽) jì 〈书〉❶ 雨雪停止天气转晴：雨～|雪～|光风～月。❷ 比喻怒气消散：～颜|色～。

辕(轅) yuán ❶ 车前驾牲畜的两根直木：驾～|车～子。❷ 古代指军营的门；也指衙署：～门|行～。

辖(轄) xiá ❶大车轴头上穿着的小铁棍,用以管住轮子,使不脱落。❷管理:～区|管～|统～|直～。

辗(輾) ㊀ niǎn 同“碾”。
㊁ zhǎn 【辗转】(—zhuǎn)1.(身体)翻来覆去:～反侧。2.间接地;曲折地:～流传。

［丨］

龇(齜) zī 露出(牙齿):～着牙|～牙咧嘴。

龈(齦) yín 牙龈,包住牙根的黏膜组织。也称牙床:牙～|齿～。

鲝(鮆) cǐ 鱼名。银白色,体长,侧扁,生活在温、热带近海中。

睿〔叡〕 ruì 〈书〉明达,有远见:～智|～哲|～达。

䴗(鶪) jú 鸟名,即伯劳。

颗(顆) kē ❶小而圆的东西:～粒。❷量词。用于颗粒状的东西,相当于“粒”、“枚”:一～牙齿|一～子弹|一～珍珠。

瞅〔田〕〔矁〕 chǒu 〈方〉瞧;看:～见|～准了|～了我一眼。

䁖(瞜) lōu 〈口〉看:这是什么新鲜玩意儿?让我～～。

嗽〔嗽〕 sòu 咳嗽;呼吸器官受到刺激时产生的一种反射作用,把吸入的气急促呼出,声带振动发声:干～。

嘎〔嘎〕 ㊀ gā 拟声词。形容短促而响亮的声音:～的一声,汽车停在了他的面前。

㊁ gá ❶【嘎调】(—diào)京剧唱腔中用特别拔高的音唱某个字,唱出的音称嘎调。❷【嘎嘎】(—·ga)同“尜尜”。一种儿童玩具。两头尖,中间大。

㊂ gǎ 〈方〉❶ 脾气坏;乖僻:～古|～小子。❷ 调皮:～子。

暧(曖) ài ❶〈书〉昏暗:昏～。❷ 隐约不明:～昧。

鹖(鶡) hé 鸟名,似雉而大。

踌(躊) chóu 【踌躇】(—chú)1. 犹豫;徘徊:颇费～|～不前。2. 从容自得的样子:～满志。

踊(踴) yǒng 〈书〉往上跳(不单用):～跃。

蜡[1](蠟) là ❶ 动物、植物或矿物所产生的某种油质,能燃烧、熔化,不溶于水,具有可塑性:～丸|～像|石～|白～。❷ 蜡烛,用蜡或其他油脂制成的供照明用的东西,多为圆柱形:～台|～花|点上一支～。

蜡[2] zhà 古代一种祭祀,年终大祭万物为蜡。

【备考】蠟,形声字,从虫,巤(liè)声。蜡,形声字,从虫,昔声。现代群众借用蜡(zhà)的形体作为蠟的简化字,这样,蜡(là)、蜡(zhà)就成了音义不同的同形字。

蝈(蟈) guō 【蝈蝈儿】(—·guor)一种昆虫,身体绿色或褐色,善于跳跃,吃植物的嫩叶和花,雄的能振翅发声。有些地方称叫哥哥。

蝇(蠅) yíng 一般指苍蝇,是传染疾病的害虫,种类很多:~拍|~头小利。

蝉(蟬) chán 昆虫,幼虫生活在土里,成虫生活在树上,雄的腹部有发音器,能连续发出尖锐的声音。又名知了(zhī liǎo)。

螂〔蜋〕 láng 1.【蚂螂】(mā—)见“蚂(266页)”。2.【螳螂】(táng—)一种昆虫,全身绿色或土黄色,前脚发达强壮,似镰刀:~捕蝉,黄雀在后。3.【蟑螂】(zhāng—)一种昆虫,黑褐色,常偷吃食物、咬坏衣物,并能传播伤寒、霍乱等疾病。又名蜚(fěi)蠊。

鹗(鶚) è 鸟名,性凶猛,常在水面上飞翔,捕食鱼类。俗称鱼鹰。

嘤(嚶) yīng 【嘤嘤】拟声词。1.形容鸟叫声:鸟鸣~。2.形容低泣声:小女孩~地哭着。

罴(羆) pí 棕熊。又称人熊或马熊:熊~。

赙(賻) fù 〈书〉送财物帮人家办丧事:~仪|~赠。

罂[1]（罌）〔甖〕yīng 〈书〉古代一种小口儿大肚的瓶子，多为陶制。

罂[2]（罌）yīng 【罂粟】二年生草本植物。果实未成熟时里面有白浆，是制鸦片的原料。

赚（賺）㊀ zhuàn ❶ 做买卖获利：～钱｜～了一笔。❷（～儿）利润：这笔买卖没什么～儿。❸〈方〉挣（钱）：上一天班才～十来块钱。

㊁ zuàn 〈方〉诓骗：～人｜让人～了｜～他白跑一趟。

鹘（鶻）㊀ gǔ 【鹘鸼】（—zhōu）古书上说的一种鸟。

㊁ hú 隼（sǔn）属动物部分种类的旧称：土～｜～鸠。

［丿］

锲（鍥）qiè 〈书〉刻：～而不舍。

镕（鎝）dā ❶ 一种翻土工具：铁～。❷〈方〉（～儿）门上的铁环：门～儿。

锴（鍇）kǎi 〈书〉好铁。多用于人名。

锶（鍶）sī 金属元素，符号 Sr。银白色，质软，燃烧时火焰呈红色。用于制合金、烟花和光电管等。

【备考】古有锶字，读 sōng，义为铁器，近代借作化学元素字，与“锶(sī)”成为同形字。两字均为形声字，从金，思声。

锷(鍔) è 〈书〉刀剑的刃：锋～｜刺破青天～未残。

锸(鍤) chā ❶古代缝衣服的一种长针。❷古代指锹一类的挖土工具。

锹(鍬)〔鍫〕 qiāo 挖掘或撮取土、沙等的工具，似锨：铁～｜板～。

锺(鍾) zhōng 姓。

【备考】《通用规范汉字表》确认“鍾”用于姓氏人名时可简化作“锺”。

锻(鍛) duàn ❶反复锤打使处于可塑状态下的金属工件成形，同时改善金属材料的机械性能：～打｜～造｜～炼｜～工。❷〈书〉锻打铁器的砧(zhēn)子。

锼(鎪) sōu 〈书〉镂刻。

锽(鍠) huáng ❶〈书〉钟声。也指钟：钟鼓～～。❷古代的一种兵器，又用作仪仗。

锻(鍭) hóu 古代一种用于田猎、射礼的箭。

锾(鍰) huán 〈书〉古代重量单位。一锾等于六两。

锵(鏘) qiāng 拟声词。形容金玉相击或金属撞击的声音：～～的锣声。

锿(鎄) āi 金属元素,符号 Es。有放射性,由人工核反应获得。

镀(鍍) dù 本指把光泽较强的金属涂在另一种金属或物体的表面,现多指用电解或其他化学方法使一种金属附着(zhuó)在其他金属或塑料物体的表面,形成薄层:~金|电~。

镁(鎂) měi 金属元素,符号 Mg。银白色,质轻,燃烧时发出炫目的白光,可用来制闪光粉、烟花等。

镂(鏤) lòu 雕刻:~刻|~空|~花|锲而不舍,金石可~。

镃(鎡) zī 【镃锖】(—jī)〈书〉古代一种大锄。也作镃基、镃其、兹基等:虽有~,不如待时。

镄(鐨) fèi 金属元素,符号 Fm。有放射性,由人工核反应获得。

镅(鎇) méi 金属元素,符号 Am。有放射性,由人工核反应获得。

稳(穩) wěn ❶ 固定不动;不摇晃:~当|~定|~固|安~|站~了。❷ 踏实;不轻浮:~重|沉~|~步。❸ 稳妥;可靠:~扎~打|十拿九~|~操胜券。

【备考】繁体穩,《说文》释为从禾,隱省。本义为蹂践谷粒,使谷壳和米分开。简化字稳来源于草书,楷化的稳见于元抄本《京本通俗小说》。

鹙(鶖) qiū 古书上说的一种水鸟,头颈无毛,喜欢吃蛇。

熏[1]〔燻〕xūn ❶ 烟、气等接触物体,使变颜色或沾染气味;烟、气侵袭:烟～火燎|煤烟把房顶都～黑了|臭气～天|暖风～得游人醉。❷ 用木柴、木屑等的烟火熏制食品:～鸡|～干儿。❸ 受某种思想作风和风气的影响:～陶|利欲～心。

熏[2] ㊀ xūn 〈书〉和暖:～风。
㊁ xùn 〈方〉(煤气)使人窒息中毒:生炉子要小心,别让煤气～着。

【备考】1955 年 12 月发布的《第一批异体字整理字表》中"熏"有异体字"薰"。1965 年发布的《印刷通用汉字字形表》和 1988 年发布的《现代汉语通用字表》均收入"薰"字,表示"香草"和"花草香气"的意义。

箦(簀) zé 〈书〉用竹子或木条编成的床垫;又指粗篾(miè)席或芦席:～床|寝～。

箧(篋) qiè 〈书〉小箱子:书～|行～。

箸〔筯〕zhù 〈方〉筷子。

箨(籜) tuò 竹笋的皮。

箬〔篛〕ruò ❶ 箬竹,竹子的一种。❷ 箬竹的叶子。

箩(籮) luó 用竹子编的方底圆口的筐,可盛粮食或淘米:～筐|米～|淘～。

箪(簞) dān　古代盛饭用的有盖的圆形竹器：～食壶浆(形容慰劳军队)|一～食，一瓢饮(形容穷困的生活)。

管〔筦〕 guǎn　❶ 一种古乐器，细长，中空，有六孔，像笛。❷ 管乐器，如笛、箫、黑管等。❸ 管状物的通称：～道|钢～儿|水～儿|输油～儿|电子～儿。❹ 量词。用于细长圆筒形的东西：两～钢笔|一～牙膏。❺〈书〉钥匙：～钥|北门之～。❻ 统辖：～辖|省～着市、县。❼ 管理；负责：～账|～仓库。❽ 干预；过问：～闲事|这事儿不用你～。❾ 管教，约束：看～|～学生|～孩子。❿ 保证：～保|坏了～换。⓫ 介词。把(专用于管……叫……)：北京人～红薯叫白薯|大家～他叫孩子王。⓬〈方〉介词。作用跟"向"接近：～我借书|～他要证明。⓭ 姓。

【备考】《第一批异体字整理表》有异体字"筦"。2013年发布的《通用规范汉字表》确认"筦"为规范字，仅用于姓氏人名，在其他意义上仍为"管"的异体字。

箫(簫) xiāo　❶ 古代的一种竹管乐器，用一组长短不等的细竹管按音律编排而成。也称排箫。❷ 直吹单管乐器。相传出于西羌(qiāng)，初名长笛，也称洞箫。

箓(籙) lù　❶ 图箓，古代帝王自称受命于天的秘密文书。❷ 符箓，道士画的驱使鬼神的符号。❸ 簿子；册子。

舆(輿) yú　❶〈书〉车厢，车上用来载人载物的部分。❷〈书〉车：虽有舟～，无所乘之。

❸〈书〉轿子：肩～|彩～。❹〈书〉抬；搬：～轿。❺〈书〉大地；疆域：～地|～图。❻众人的：～论|～情。

膀[1]〔髈〕bǎng　❶胳膊与肩相连的部分：肩～|臂～|～大腰圆。❷鸟类等的飞行器官：翅～。

膀[2]　㊀ bàng　【吊膀子】〈方〉调情。

㊁ pāng　〈口〉浮肿：得肾病的人脸发～。

㊂ páng　【膀胱】人或高等动物体内暂存尿液的囊状器官，位于盆腔内。俗称“尿脬”（suī pāo）。

膑（臏）bìn　同“髌”。

【辨析】在髌骨和刑罚的意义上，今一般用“髌”字，但战国时军事家孙膑的名字用“膑”，不用“髌”。

鲑（鮭）㊀ guī　❶古指鲀（tún）一类的鱼。❷鱼类的一科。体呈流线型，似纺锤。种类很多，常见的有大马哈鱼、哲罗鱼等。

㊁ xié　古书上对鱼类菜肴的统称。

鲒（鮚）jié　古书上说的一种蚌。

鲔（鮪）wěi　❶古代指鲟鱼。❷鱼名，金枪鱼科的一种。身体呈纺锤形，吻尖，生活在热带海洋中。

鲕（鮞）ér　〈书〉鱼苗。

鲺（鰤）shī　鲺鱼，体呈纺锤形，属洄游性鱼类。

鲖(鮦) tóng 鲖鱼,即鳢(lǐ)鱼。

鲗(鰂) zéi 乌鲗,即乌贼,墨鱼。

鲘(鮜) hòu ❶ 鱼名,即“鲎”。❷ 地名用字:~门(在广东)。

鲙(鱠) kuài 鲙鱼,鳓(lè)的通称。俗作“快鱼”。

【备考】1955 年 12 月发布的《第一批异体字整理表》繁体“鱠”处理为“膾”的异体字。1964 年 5 月发表的《简化字总表》及 1986 年 10 月重新发表的《简化字总表》均收入“鱠”的类推简化字“鲙”。1988 年发布的《现代汉语通用字表》收入“鲙”字,用于鱼名。

鲱(鮡) zhào 生活在山间溪流中的小型鱼类,无鳞,胸部扁平,前方常有一吸着器。

鲵(鮠) wéi 鱼名。头部有四对须。身体前部扁平,后部侧扁,浅灰色,无鳞。种类较多。

鲚(鱭) jì 鱼名,鳀(tí)科。体侧扁,尾长,银白色,头小而尖。生活在海洋中。我国海洋中有刀鲚(俗称刨鱼)、凤鲚(俗称凤尾鱼)等。

鲛(鮫) jiāo ❶ 古代称鲨鱼。❷ 通“蛟”。传说中的龙。

鲜[1](鮮)〔鱻〕 xiān ❶ 鱼虾等水产品:鱼~|海~。❷ 新的;刚生产或收获的食物:时~|尝~。❸ 新;新鲜:~肉|~菜|~

花|～啤酒。❹ 味道美：～美|清蒸的鱼比炖的～。❺ 明亮；显眼：～明|～亮|这种颜色真～。

鲜[2]（鮮）xiān　姓。

【辨析】鲜卑、鲜于（复姓）均读 xiān，朝鲜旧读 xiān，今读 xiǎn。

鲜[3]〔尟〕〔尠〕xiǎn　少：～见|～为人知|寡廉～耻。

鮟（鮟）ān　【鮟鱇】（—kāng）鱼名。身体前半部扁平，圆盘形，柔软无鳞。

鲟（鱘）xún　鱼的一科。体长可达三米多，近圆筒形。口小，尖而突出。

獐〔麞〕zhāng　獐子，哺乳动物，形状像鹿而较小，没有角。性机警，行动敏捷，善跳跃，能游泳。雄的犬牙长出唇外，所以又叫“牙獐”。

飗（飀）liú　【飗飗】〈书〉微风吹动的样子。

鹫（鷟）yuè　【鹫鹫】（—zhuó）1. 古书上说的一种水鸟。2. 古书上说的凤一类的鸟。

馑（饉）jǐn　本指蔬菜没有收成，后泛指荒年：饥～。

馒（饅）mán　【馒头】（—·tou）1. 一种用发面蒸成的食物，一般上圆下平，没有馅儿。2.〈方〉包子，用发面作皮、里面裹馅蒸熟的食物。

［丶］

銮（鑾） luán ❶古代装在车上的铃铛。❷皇帝的车上有銮铃，故借指皇帝的车驾：～舆|迎～护驾。

瘩〔瘩〕 ㊀ dá 【瘩背】中医称生在背部的一种毒疮，也叫"搭手"。

㊁ ·da 【疙瘩】(gē—)1. 皮肉上突起的小硬块。2. 小球形或块状的东西：土～|面～。3. 指想不通或不易解决的问题：思想上的～|解开他们两人中间的～。

瘗（瘞） yì 〈书〉埋葬；掩藏：～玉埋香。

瘘（瘻） lòu 瘘管，人或动物体内发生脓肿时生成的管道：痔～|肛～。

辣〔辢〕 là ❶姜、蒜、辣椒等那种带刺激性的味道：～菜|～酱。❷辣味刺激（口、鼻或眼）：～眼睛|～舌头。❸狠毒：毒～|心狠手～。

【辨析】右旁是"束"，不是"朿"。

旗[1]〔旂〕 qí 旗子，用纺织品或纸张等做成的标志，多为长方形、方形或三角形：～帜|国～|军～|彩～。

旗[2] qí ❶清代满族的军队组织和户口编制，以旗为号，分为八旗。后又增建蒙古八旗和汉军八旗。❷属于八旗的；常指属于满族的：～人|～袍。❸八旗兵驻屯的地方，沿用为地名：蓝～营|西三～

（都在北京市海淀区）。❹ 内蒙古自治区的行政区划单位，相当于县：准格尔～。

阚（闞）㊀ hǎn 〈书〉虎叫声。
㊁ kàn 姓。

鲞（鯗）㊀ xiǎng 剖开晾干或腊制的鱼；也泛指片状的腌腊食品：鳗～|白～|笋～|茄～。

㊁ zhǎ ❶〈书〉同“鲊（zhǎ）”，腌鱼。❷ 地名用字：～草滩（在四川）。

粽〔糉〕zòng 粽子，用苇叶或箬（ruò）竹叶把糯米或黏黍包住，扎成多角形，煮熟后剥叶食用。我国民间端午节有吃粽子的习俗：角～|肉～。

糁（糝）㊀ sǎn ❶ 指米与羹掺和，或米与其他食品掺和制成的食品：芋～羹。❷〈方〉饭粒：米～|饭～。

㊁ shēn （～儿）谷类磨成的碎粒：玉米～儿。

鹚（鷀）〔鶿〕cí 见“鸬”（322 页）。

弊〔獘〕bì ❶ 害处；毛病：～病|～端|利～|时～。❷ 欺骗、作假的行为：作～|舞～。

潆（瀠）yíng 〈书〉水回旋的样子：～洄|～绕。

潇（瀟）xiāo ❶〈书〉水又清又深的样子。❷【潇潇】风雨急骤：～夜雨|风雨～。❸【潇洒】洒脱不俗，落落大方：仪态～|风度～。

❹ 水名。湘江支流。

漱〔潄〕 shù　含水荡洗口腔：～口｜洗～｜～盂。

潋（瀲） liàn　【潋滟】水波流动的样子：波光～。

潍（濰） wéi　潍河，水名。在山东。

寨〔砦〕 zhài　❶ 防守用的栅栏：山～｜木～。❷ 军营：营～。❸ 村子：村～。

【备考】寨，形声字，从木，声旁为塞的省写。

赛（賽） sài　❶ 比赛：～跑｜～马｜竞～｜决～。❷ 胜过：成绩一个～一个。

窭（窶） jù　〈书〉贫穷：贫～。

察〔詧〕 chá　仔细看；调查：～觉｜观～｜视～｜～言观色。

【辨析】察—查　两个字都有细心地看的意思，但"察"是为了解情况而仔细地看，"查"除这一意义（如调查、勘查）外，多数情况是表示为了发现问题或解决疑虑而仔细看。检察—检查、考察—考查、审察—审查、侦察—侦查，前者主要为了弄清情况，后者主要为了发现问题或确定正误高下。

谌（諶） huì　〈书〉辨察；分辨清楚。

谭（譚） tán　❶〈书〉通"谈"。❷ 姓。

谮(譖) zèn 〈书〉诬陷;中伤:～言|～毁。

褓〔緥〕 bǎo 〈书〉包婴儿的被子:襁～。

褛(褸) lǚ 见“褴”(530页)。

谯(譙) ㊀ qiáo ❶【谯楼】1. 旧时城门上的望楼。2. 鼓楼。❷ 姓。

㊁ qiào 〈书〉同“诮”。

谰(讕) lán 〈书〉抵赖;诬妄:无耻～言。

【辨析】谰—滥 见“滥”字辨析(486页)。

谱(譜) pǔ ❶ 按事物的类别或系统编成的表册、书本等:家～|年～|英雄～。❷ 作示范的图形、样本:画～|棋～。❸ 用符号记录下来的音乐曲调:歌～|乐～|五线～。❹ 为歌词配曲:～曲。❺ (～儿)大致的准则:心里有～|做事没～。❻ (～儿)显示出的派头、排场等:摆～。

谲(譎) jué 〈书〉❶ 欺诈;狡诈:～诈|正而不～。❷ 奇特;怪异:诡～|奇～。

[乛]

鹛(鶥) méi 鸟的一种,尾巴长,叫声悦耳动听。

嫱(嬙) qiáng 古代宫廷里的女官,地位次于妃。

嫩〔嫰〕 nèn ❶ 新生而柔弱：～芽|～叶|娇～。❷ 幼稚；不老练：跟我斗，你还～了点。❸ 颜色浅：～黄|～绿。❹ 某些食物烹调时间短，容易嚼：肉片炒得很～|鸡蛋煮得太～了。

凳〔櫈〕 dèng （～儿）有腿没有靠背的坐具：板～|方～|圆～。

鹜（鶩） wù 〈书〉鸭子：趋之若～。

【辨析】鹜—骛 见“骛”字辨析（454 页）。

骠（驃） ㊀ biāo 黄色有白斑或黄身白鬃尾的马。

㊁ piào 〈书〉❶ 形容马快跑：～骑。❷ 勇猛：～勇。

缥（縹） ㊀ piāo 【缥缈】（—miǎo）形容隐隐约约若有若无的样子：云烟～。

㊁ piǎo 〈书〉青白色的丝织品；也指淡青色：～帙（zhì，书的套子）。

缦（縵） màn 〈书〉没有花纹的丝织品：～帛。

骡（騾）〔驘〕 luó 哺乳动物，驴和马交配所生。比驴大，寿命长，体力强，一般不能生殖。

缧（縲） léi 古代捆绑犯人的大绳子：～绁（xiè，绳索。缧绁指拘禁，囚禁）。

缨（纓） yīng ❶ 古时系在下巴下面的帽带：冠～。❷ 古代驾车时套在马颈上的带

子。引申指拘系人的绳索：请～(请求杀敌)|长～。❸(～儿)缨子，一种穗状的装饰品：帽～子|红～枪。❹(～儿)像缨子一样的东西：苞米～|萝卜～儿。

骢(驄) cōng 〈书〉毛色青白相间的马。又叫菊花青马：青～马。

缤(縯) yǎn 〈书〉❶延长。❷敷演。

缩(縮) ㊀ suō ❶蜷(quán)；不伸展开：蜷～|收～|～头～脑。❷(由原来的状态)变小、变短：～小|～短|～了半寸|热胀冷～。❸向后移动：退～|畏～。

㊁ sù 【缩砂密】植物名，入药叫砂仁。

缪(繆) ㊀ miào 姓。

㊁ miù 通“谬(miù)”：纰(pī)～。

㊂ móu 见“绸”(412页)。

缫(繅) sāo 把蚕茧浸在热水里抽出蚕丝：～丝。

十五画

[一]

耧(耬) lóu 一种用于播种的农具。

璎(瓔) yīng 〈书〉像玉的石头。

麴(麯) qū 同“曲(麯)”。多用于人名。

【备考】1955年12月发布的《第一批异体字整理表》中繁体“麯”有异体字“麴”。《通用规范汉字表》确认“麴”的类推简化字“麴”为规范字,可用于姓氏人名;表示“曲酒、酒曲”的意义时,繁体“麴”仍为“曲(麯)”的异体字。

璇〔璿〕 xuán 〈书〉美玉。

叇(靆) dài 见“叆”(494页)。

撵(攆) niǎn ❶驱赶:把他～走|天黑了,把鸡～进窝。❷〈口〉追赶:他刚走十分钟,肯定能～上|走快一点的话,咱们还能～上火车。

髯(髥) rán 两腮上的胡须;也泛指胡子:美～|虬(qiú)～|白发苍～。

擷(擷) xié 〈书〉采摘;择取:采～|～其纲要。

撑〔撐〕 chēng ❶ 支着;抵着:支～|用木棍把门～住|～杆跳高。❷ 用篙抵住河岸或河底,推动船行进:～船|长篙一～,小船顺水而下。❸ 支持住;维持:～门面|不行的话就别硬～|书店经营状况不好,～不了多久了。❹ 张开:～开伞|把口袋～开。❺ 吃得过饱;装得过多:别吃～着|袋子～得收不了口了。

撸(擼) lū 〈口〉❶ 捋(luō):～榆钱儿|～胳膊挽袖子。❷ 撤去(职务):他被开除党籍,职务也被～了。❸ 训斥:被团长～了一顿,他这才老实了。

墩〔墪〕 dūn ❶ 土堆:土～|沙～。❷ 比较粗厚的木头、石头或用砖、石、水泥砌成的基础:树～|门～|石～|桥～。❸ 指像墩子的坐具:锦～。❹ 用拖把擦(地):～布|～地。❺ 量词。用于丛生或几棵合在一起的植物:一～荆条|三万～稻秧。

撺(攛) cuān ❶ 扔;抛掷:把尸体～进江里。❷〈口〉怂恿:～掇|～弄|你别干那种～人上房再撤梯子的事儿。❸〈方〉发脾气:还没听完我的话,他倒先～儿了。

撰〔譔〕 zhuàn 写作;著述:～文|～稿|编～|杜～(没有根据地编造)。

聩(聵) kuì 〈书〉❶ 耳聋:振聋发～。❷ 糊涂;不明事理:昏～。

聪(聰) cōng ❶〈书〉听力;听觉:失～。❷听觉灵敏:耳～目明。❸智力发达,心思敏捷:～明|～慧|～悟过人。

【备考】繁体聰,形声字,从耳,悤(cōng)声。简化字聪,来源于草书,楷化的聪见于清代刊行的《岭南逸史》。

觐(覲) jìn 〈书〉朝见(君主);朝拜(圣地):～见|朝～。

鞋〔鞵〕 xié 穿在脚上、用来走路的东西:皮～|棉～|高跟～|～匠。

靼(韃) dá 【鞑靼】1. 古代汉族对北方各游牧民族的统称。明代指东蒙古人,住在今内蒙古和蒙古人民共和国的东部。也简称"鞑"。2. 俄罗斯联邦的民族之一。

鞒(鞽) qiáo 马鞍上拱起的部分:鞍～。

鞍〔鞌〕 ān 放在牲口背上驮东西或供人乘坐的器具:～桥|马～子|～前马后。

蕲(蘄) qí ❶〈书〉求:～求。❷用于地名:～春(在湖北)。❸姓。

蕊〔蘂〕〔橤〕〔蕋〕 ruǐ 种子植物的繁殖器官,有雄蕊、雌蕊之分。

赜(賾) zé 〈书〉深奥;玄妙:探～索隐。

蕴(藴) yùn ❶积聚;包含;包藏:～蓄|～含|～藏(cáng)。❷事理深奥的地方:底

～|精～。

【备考】蕴为蕰(yùn)的俗字,后多用蕴,类推简化为"蕴"。

樯(檣)〔艢〕 qiáng 〈书〉桅杆:帆～如林。

樱(櫻) yīng ❶【樱桃】1. 落叶乔木,果实球形,红色,味甜,可以吃。木材坚硬致密,可做器具。2. 这种植物的果实。❷【樱花】1. 落叶乔木,花白色或粉红色,可供观赏。2. 这种植物的花。

鹝(鷊) yì 同"鹢"。

飘(飄)〔飃〕 piāo ❶ 浮在空中:天空～着白云。❷ 随风摆动或飞扬:～动|～扬|雪花～舞。❸ 形容两腿发软、走路不稳:感冒发烧,走路发～。❹ 轻浮;不踏实:小伙子工作有点儿～。

醇〔醕〕 chún ❶ 酒质浓厚:～酒。❷ 通"纯"。纯一不杂:～化|～和。❸ 有机化合物的一类:乙～(酒精)。

靥(靨) yè 〈书〉酒窝儿:笑～。

魇(魘) yǎn ❶ 梦中惊骇或觉得被压住不能动弹而惊叫。❷〈方〉说梦话。

餍(饜) yàn 〈书〉❶ 吃饱。❷ 满足。

憖(憖) yìn 〈书〉❶ 愿意;宁愿。❷【憖憖】小心谨慎的样子。

霉(黴) méi ❶ 霉菌,真菌的一种,有的可引发人或动植物的病害。❷ 东西因霉菌的作用而变质:～烂|发～|～气。

【备考】繁体黴,形声字,从黑,声旁为微的省写。简化字霉,形声字,从雨,每声。霉,本为宋代产生的俗字,《简化字总表》定为黴的简化字。

辘(轆) lù ❶【辘轳】(—·lú)利用轮轴原理制成的一种汲取井水的起重装置;也指机械上的绞盘。❷【辘辘】拟声词,形容车轮滚动的声音等:牛车发出笨重的～声。❸ 见“轱”(258 页)。

[丨]

龉(齬) yǔ 见“龃”(468 页)。

龊(齪) chuò 见“龌”(545 页)。

觑(覷) ㊀ qū 眯起眼睛;眯起眼睛看:～起眼睛|～了他一眼。

㊁ qù 〈书〉偷看;看:～伺|小～|面面相～。

瞒(瞞) mán 不让人知道真实的情况:～哄|隐～|～天过海|～上欺下|不～你说。

题(題) tí ❶ 诗文或讲演的标题:无～诗|文不对～。❷ 练习或考试时要求解答的问题:试～|练习～。❸ 写上;签署:～写|～字|～

诗。❹ 姓。

嘻〔譆〕 xī ❶〈书〉叹词。表示赞美、叹息、惊异、遗憾、愤怒等。❷ 拟声词。形容笑的声音：～～地笑。❸ 笑，脸上露出笑容：～笑。

颙（顒） yóng 〈书〉❶ 大。❷ 景仰：～望。

踬（躓） zhì 〈书〉❶ 被绊倒：颠～。❷ 遭到挫折：屡试屡～，终不气馁。

踩〔跴〕 cǎi 踏，用脚底接触地面或其他物体：～在桌子上|～了两脚泥。

踯（躑） zhí 【踯躅】(—zhú)〈书〉徘徊不进。

踪〔蹤〕 zōng 脚印；行动留下的痕迹：～迹|跟～|无影无～。

蝶〔蜨〕 dié 蝴蝶：～泳。

蝃（蝃） dì 【蝃蝀】(—dōng)古称虹为蝃蝀。

蝾（蠑） róng 【蝾螈】(—yuán)一种两栖动物，形如蜥蜴，生活在水中，以小动物为食。

蝎〔蠍〕 xiē 【蝎子】(—·zi)一种节肢动物，口部两侧有一对螯(áo)，后腹狭长，末端有毒钩。

蝼（螻） lóu ❶【蝼蛄】(—gū)一种昆虫，前足发达，能掘土。生活在泥土中，吃农作物的根。又名蝲蝲蛄(làlàgǔ)、土狗子。❷【蛞蝼】

(kuò—)〈书〉蝼蛄。

颚(顎) è ❶ 某些昆虫等摄取食物的器官：上～|下～。❷ 通“腭(è)”。

噜(嚕) lū ❶【噜苏】(—·su)〈方〉啰唆。❷ 用于“嘟噜、咕噜、呼噜、叽里咕噜”等词语。

嘱(囑) zhǔ ❶ 吩咐;告诉对方该做什么或不该做什么：～咐|～告|医～|叮～。❷ 托付;告诉对方为自己做什么事：～托|遗～。

颛(顓) zhuān 〈书〉❶ 愚昧无知：～愚。❷ 通“专”。❸【颛顼】(—xū)传说中的上古帝王名。

［丿］

镊(鑷) niè ❶ 镊子,拔出毛、刺或夹取细小物品的工具,一般用金属或竹子制成。❷ 用镊子夹住或拔出：～取|白发无心～。

镆(鏌) mò 【镆铘】(—yé) 古代宝剑名,也作莫邪(yé)。

镇(鎮) zhèn ❶ 压;抑制：～尺|～痛|一句话就把他给～住了。❷ 安定：～定|～静。❸ 在重要的地方驻兵保卫或维持安定：～守|～压。❹ 驻兵守卫的地方：军事重～。❺ 行政区划单位,今属县管辖。❻ 大的集市或村子：集～|村～。❼ 把食物、饮品放在凉水或冰块里使凉：冰～|把啤酒～一～。❽〈书〉整个(一段时间)：～日。

镈(鎛) bó ❶ 古代锄草的农具，似锄。❷ 古代乐器，铜铸，像钟，口平。

镉(鎘) gé 金属元素，符号 Cd。银白色，可用来制合金等，也用于电镀。

【备考】古同“鬲”，鼎类炊具，音 lì。近代用作化学元素字，读为 gé。二者为同形字，都是从金、鬲声的形声字。

锐(钂) tǎng ❶ 古代兵器。似叉，三股。中间一股似矛的尖，有锋有刃。侧面两股呈弧状。❷ 古代兵器。有长柄，前端有半月状金属头，有刃。

【备考】繁体钂，形声字，从金，黨声；锐，形声字，从金，党声。古代钂、鋭二字义同并用，今依《简化字总表》，以“钂”为“锐”的繁体。

镌(鐫) juān 〈书〉雕刻：～刻|～印。

镍(鎳) niè 金属元素，符号 Ni。银白色，质坚硬，用来制造特种钢和其他合金，也用于电镀等。

镎(鎿) ná 金属元素，符号 Np。银白色，有放射性。

鎓(鎓) wēng ❶〈书〉锹。❷【鎓盐】从水溶液中离解出有机正离子的含氧、氮或硫的盐类。

镏(鎦) ㊀ liú 【镏金】一种工艺。把溶有金子的水银刷在器物表面，水银挥发后，器物上即留下金子涂层。

㊁ liù 【镏子】北方人称戒指：金～。

镐(鎬) ㊀ gǎo 刨挖土石的工具：～头｜电～｜风～｜十字～。

㊁ hào 周朝初期的国都，在今陕西西安西南。

镑(鎊) bàng ［英 pound］外国货币单位的译名。使用镑作本位货币的有英国、埃及等。

【备考】镑，古音 pāng，义为削，罕用，近代用为译音字。从金，旁声。

镒(鎰) yì 古代重量单位。一说合二十两，一说合二十四两。

镓(鎵) jiā 金属元素，符号 Ga。银白色，沸点极高。可用来制合金、光化玻璃、半导体材料，也可制高温温度计。

镔(鑌) bīn 精炼的铁：～铁。

镕(鎔) róng ❶〈书〉铸器的模型。❷同“熔”。

【备考】1955 年 12 月发布的《第一批异体字整理字表》繁体“鎔”处理为“熔”的异体字。1993 年国家语委《关于“镕”字使用问题的批复》确认“鎔”不再作“熔”的异体字，类推简化作“镕”。2013 年发布的《通用规范汉字表》确认“镕”为规范字，用于人名。

稿〔稾〕 gǎo ❶ 谷类植物的茎：～荐(稻草编的垫子)。❷ 文章、图画的草底或还没

有发表的作品：～纸|～本|手～|草～。❸文章；著作：投～|～费|文～。

蒉(蕢) kuì 〈书〉盛土的筐子：功亏一～。

篓(簍) lǒu 篓子，用竹篾(miè)、苇篾、柳条等编成的盛东西的器具，一般为圆筒形，较深：竹～|背(bēi)～|纸～儿。

僵[1]〔殭〕 jiāng ❶倒下：～仆|百足之虫，死而不～。❷(肢体)直挺而不灵活：～尸|～蚕|手冻～了。

僵[2] jiāng 事情难以继续进行或意见不同无法调和：～局|关系弄～了|大家意见不统一，会议～在那里。

德〔悳〕 dé ❶品质；品行：～育|公～|～才兼备|～高望重。❷心意；信念：同心同～|离心离～。❸恩惠：恩～|以怨报～|感恩戴～。❹指德国：～语。

鹈(鵜) tī 见"䴘"(558页)。

鹞(鷂) yào 鹞子，一种凶猛的鸟。样子像鹰而小。经驯养能帮助打猎。也叫雀鹰：～鹰|纸～。

鹟(鶲) wēng 鸟的一种，体小腿短，嘴扁平，以飞虫为食。

膝〔厀〕 xī 膝盖，大腿和小腿之间关节的前部：护～|～关节。

膘〔臕〕 biāo　牲畜身上(有时也指人)的肥肉：肥～|～肥体壮。

鲠(鯁)〔骾〕 gěng　❶〈书〉鱼骨头：如～在喉。❷鱼骨卡在喉中。❸〈书〉正直：～言|～直(今规范为“耿直”)。

鲡(鱺) lí　鳗鲡，即鳗(mán)鱼。

鲢(鰱) lián　鱼名，鲤科。体侧扁，口大。银灰色，腹部发白。又称白鲢、鲢子。

鲣(鰹) jiān　鱼名，金枪鱼科。体呈纺锤形，头大，吻尖。生活在热带和亚热带海洋中。

鲥(鰣) shí　鱼名，鲱科。体侧扁，体长可达70厘米。生活在东亚沿海，春夏之交溯江产卵。入江时体内脂肪肥厚，肉极鲜嫩。

鲤(鯉) lǐ　鱼类中的一科。体长，稍侧扁。口边有一对须子。生活、栖息在淡水底部。

【辨析】鲤和鳢(lǐ)是两种不同的鱼。

鮸(鮸) miǎn　即鳘(mǐn)鱼。

鲦(鰷) tiáo　鲦鱼，也称鳌(cān)鲦，生活在淡水里，体小，细长，白色，俗称白鲦。

鲧(鯀) gǔn　古人名，相传为大禹的父亲。

鲩(鯇) huàn　即草鱼。

鲪(鮶) jūn 鱼名,鲉(yóu)科。体长,侧扁,灰褐色,有不规则黑色斑纹。生活在近海礁石间。

鲫(鯽) jì 鱼名,鲤科。体侧扁而宽,背高,头尖。生活在淡水中。观赏鱼金鱼是鲫鱼的变种。

鲬(鯒) yǒng 鱼名。体扁平,窄而长,头部有刺和棱,口大。体内无鳔。生活在海底。

觯(觶) zhì 古代喝酒用的一种酒器,形状很多,多为圆腹广口。

鹠(鶹) liú 见"鸺"(387页)。

馓(饊) sǎn 馓子,一种油炸食品,用糯米粉和面扭成相连的环形。

馔(饌)〔籑〕 zhuàn 饭食;食物:酒～|盛～|肴～。

［丶］

褒〔襃〕 bāo ❶〈书〉衣服肥大:～衣博带。❷ 夸奖;赞扬(跟"贬"相对):～奖|～贬|～义词。

瘪(癟)〔癟〕 ㊀ biě 物体表面凹陷,不饱满:～谷|干～|车带子～了。

㊁ biē 【瘪三】上海人称城市中靠乞讨或偷窃为生的无业游民。

瘤〔瘤〕 liú 人或动物身体生出的肿块：～子｜肿～｜肉～。

瘫（癱） tān ❶ 瘫痪，因神经机能障碍致使肢体不能活动：偏～｜风～｜他～了好几年了。❷ 肢体疲软无力，难以动弹：～软｜～在沙发上。

齑（齏） jī 〈书〉❶ 细；碎：～粉。❷ 调味用的姜、蒜或韭菜末儿。

鹡（鶺） jí 【鹡鸰】（—líng）鸟类的一属，品种很多，以昆虫、小鱼为食。

颜（顏） yán ❶ 脸色；脸上的表情：容～｜欢～｜喜笑～开。❷ 面子：无～见人。❸ 颜色；色彩：～料｜五～六色。❹ 姓。

糊[1]〔粘〕 hú 用黏性物把东西粘合在一起：裱（biǎo）～｜～窗户｜～信封。

糊[2]〔餬〕 hú ❶ 稠粥。今多指用各种面熬成的粥，一般叠用：米～｜稀～～（hú · hu）｜面～～。❷ 用粥充饥。比喻勉强维持生活：～口。

糊[3] ㊀ hú 通"煳"。食品、衣物等经火变得黑黄发焦：饭烧～了｜衣服烤～了。

㊁ hù ❶ 像稠粥一样的浓汁液：面～｜糨～（jiàng · hu）｜辣椒～。❷【糊弄】〈方〉蒙混。

㊂ hū ❶ 用较浓的糊状物涂抹：～墙缝｜～了一层泥｜伤口～上了药膏。❷【眵目糊】（chī · mu—）〈方〉眼眵，眼睑分泌出来的黄色糊状物。

糇〔餱〕 hóu 〈书〉干粮：～粮。

糍〔餈〕 cí 【糍粑】(—bā),一种把糯米蒸熟捣碎后做成的食品。

鹢(鷁) yì ❶ 水鸟名,形如鹭而大,羽毛苍白,善高飞。❷ 古代多在船头画鹢,后以鹢指代船。

鹣(鶼) jiān 〈书〉古代传说中的比翼鸟。又称鹣鹣。

潜〔潛〕 qián ❶ 隐于水下活动:～泳|～艇|～水员。❷ 隐藏;不显露:～伏|～居|～移默化。❸ 暗中;秘密地:～逃|～入敌人内部。❹ 深入专一:～思|～心攻读。❺ 姓。

鲨(鯊) shā ❶ 古指一种能吹沙的小鱼,也作"魦"、"鲨"。❷ 海洋中的一种鱼类,种类很多。游动迅速,性凶猛,肉食性。通称鲨鱼,古称鲛。

澛(瀂) lǔ 地名用字:～港(在安徽)。

澜(瀾) lán 大的波浪:波～|力挽狂～。

澄[1]〔澂〕chéng ❶ 水很清:～明|～碧|～澈。❷ 使明净:～清。

澄[2] dèng ❶ 使液体中的异物杂质沉淀分离:～清|把混水～一下。❷ 滗(bì),挡住容器中的东西,把液体倒出:把米汤～出去。

【辨析】① "澄(chéng)清"和"澄(dèng)清"不同。前者指使混浊变清明,常比喻肃清混乱局面或弄清楚认识、问题等;后者指使杂质沉淀,液体变清。②“澄”放在形容词后叠用时读 dēng,如黄澄澄。③ 1955年12月发布的《第一批异体字整理表》“澄”有异体字“澂”,2013 年发布的《通用规范汉字表》确认异体字“澂”在用于姓氏人名时为规范字,表示水清等意义时仍为“澄”的异体字。

憔〔癄〕〔顦〕 qiáo 【憔悴】(—cuì)1. (人)脸色枯黄:面容~|他~了许多。2. (动植物)枯萎,凋零:花儿~|鸟儿羽毛~。

骞(騫) xiān 〈书〉振翅高飞的样子。

额(額)〔頟〕 é ❶额头,发际以下、眉毛以上的部分:~角|前~。❷ 牌匾:匾~|横~。❸ 规定的数目:~数|~外|名~|限~。

谳(讞) yàn 〈书〉审判定罪:定~。

褴(襤) lán 【褴褛】(—lǚ)衣服破烂:衣衫~。

谴(譴) qiǎn ❶ 责备:~责|自~。❷ 旧时官吏获罪降职:~谪。

谖(諼) xuān 〈书〉❶ 智慧。❷【谖谖】多言。

鹤(鶴) hè 鸟的一种,全身白色或灰色,颈、腿细长,嘴长而直,翼大善飞,叫声响亮清脆:~发童颜|~立鸡群。

谵(譫) zhān 〈书〉说胡话：～妄｜～语。

[一]

屦(屨) jù 古代用麻、葛等制成的鞋。

戮〔剹〕 lù 杀：杀～｜屠～。

【备考】1955 年 12 月发布的《第一批异体字整理表》中“戮”有异体字“勠”。2013 年发布的《通用规范汉字表》确认“勠”为规范字，表示“合力、齐力”的意义(如“勠力”)；“戮”不再表示上述意义。

缬(纈) xié 古代一种有花纹的丝织品。

缭(繚) liáo ❶ 缠绕；围绕：～乱｜～绕。❷ 一种缝纫方法，用针斜着缝：～几针｜把边儿～上。

缮(繕) shàn ❶ 修补：～治｜修～。❷ (工整地)抄写：～写。

骣(驎) lín 〈书〉身上有鳞状斑纹的马。

缯(繒) ㊀ zēng 古代对丝织品的总称：～帛。㊁ zèng 〈方〉捆；扎：～头发｜锹把儿劈了，把它～上。

骣(驏) chǎn 骑马不加鞍辔：～骑。

十六画

[一]

操[1] cāo ❶拿着;握着:~刀|同室~戈。❷控制;掌握:~纵|稳~胜券|手~生杀大权。❸做(事);从事:~作|~劳|~持|重~旧业。❹训练演习规定的动作或队列形式:~练|~演。❺由一系列动作编排而成的体育活动或体育比赛项目:体~|球~|健美~。❻用某种语言或方言说话:~英语|~粤语|~一口山东话。❼用;耗费:~心。❽品行;气节:~行|情~|节~。❾姓。

操[2]〔捺〕〔摻〕 cāo 琴曲或鼓曲的名目:《箕子~》|《渔阳~》。

擞(擻) ㊀ sǒu 【抖擞】振作(精神)。
㊁ sòu 〈方〉把通条插到煤炉里晃动,使炉灰落下去:~火|把炉子~一~,一会儿火就会旺起来。

颞(顳) niè 【颞颥】(—rú)头部两侧靠近两耳上前方的部分。省称颞。

燕[1]〔鷰〕 yàn 鸟类的一科。体型小,翅膀尖而长,尾巴分开呈剪刀状。捕食昆虫,属候鸟。

燕[2] ㊀ yān ❶ 古国名,在河北北部和辽宁南部。❷ 指河北北部:～赵。❸ 姓。

㊁ yàn 〈书〉通"宴"。❶ 宴饮。❷ 安乐;安闲:～安|～乐|～居|～尔。

颟(顢) mān 【颟顸】(—·hān)糊涂;马虎:～无能|他过于～,什么都干不好。

蘋(蘋) pín 蕨类植物,生长在浅水中。也叫田字草。

【备考】1964 年 5 月发表的《简化字总表》中"蘋"为"苹"的繁体字。《通用规范汉字表》确认用于表示蕨类植物名时简化作"蘋",不简化作"苹"。

薯〔藷〕 shǔ ❶【薯蓣】(—yù) 即山药。多年生缠绕藤本植物。块茎圆柱形,供食用和入药。❷【薯莨】(—liáng) 多年生草本植物。地下块茎内含胶质,可用来染棉、麻织品。❸ 薯类作物的统称:甘～|马铃～。

薮(藪) sǒu 〈书〉❶ 湖泽;特指水浅多草的沼泽地带:大泽大～。❷ 人或物聚集的地方:渊～。

颠(顛) diān ❶ 头顶:华～(头顶上黑发白发相杂)。❷ 高而直立物体的顶部:～峰|山～|塔～。❸ 倒;跌倒:～倒|～扑不破。❹ 颠簸;上下震荡:这车开得有点儿～。❺〈方〉(～儿)跳起来跑;跑:连跑带～。

橱〔櫥〕 chú 放置衣服、物品的家具:衣～|碗～|书～。

橛〔橜〕 jué (～儿)橛子,短木桩:木～儿。

橹[1](櫓)〔樐〕 lǔ 〈书〉大盾牌:甲～。

橹[2](櫓)〔艣〕〔艪〕〔艫〕 lǔ 使船前进的工具,比桨大,安在船尾或船旁,用人摇:架～|摇～。

樽〔罇〕 zūn ❶ 古代的盛酒器具。❷ 量词:一～酒。

橼(櫞) yuán 【枸橼】(jǔ—)❶ 常绿小乔木或大灌木,有短刺,果实长圆形,黄色,果皮粗厚,很香,可入药。也叫香橼。❷ 这种植物的果实。

融〔螎〕 róng ❶ 冰雪等受热化开:～化|～解|春雪易～。❷ 融和;调和:～会|～洽|水乳交～。❸ 流通:金～。

赝(贋)〔贗〕 yàn 〈书〉假的;伪造的:～品。

飙(飆) biāo ❶ 暴风;狂风:～风|狂～。❷ 飞快;急速:～升。

豮(豶) fén ❶〈书〉阉割过的猪。❷〈方〉雄性牲畜。

霓〔蜺〕 ní 大气中的一种光现象。由阳光射入水珠经两次折射和两次反映在空中形成的彩色或白色的圆弧。有时与虹同时出现,也叫副虹。

錾(鏨) zàn ❶ 錾子,在金属、石头上雕凿的手工工具。❷ 用錾子雕凿:～花。

辙(轍) zhé ❶ 车轮压出的痕迹:车～|覆～|如出一～。❷ 行车规定的路线方向:改～|上下～|南辕北～。❸ 杂曲、戏曲、歌词所押的韵:合～|十三～。❹〈方〉办法;主意:没～|想～。

【辨析】旧读 chè,今统读 zhé。

辚(轔) lín 〈书〉❶ 拟声词。形容车行走时发出的声音:车～～,马萧萧。❷ 车轮。

䡵(䡵) suì 〈书〉车饰。

[丨]

齮(齮) yǐ 〈书〉咬:～龁。

齯(齯) ní 〈书〉长寿的人;老年人。

鹾(鹺) cuó 〈书〉❶ 盐。❷ 味道咸。

瞰[1] kàn 俯视;从高处往下看:鸟～(从高处往下看,综观;又指对事物概况的介绍与描述,如"世界形势鸟瞰")。

瞰[2]〔矙〕kàn 〈书〉窥伺;窥视:～暇伺隙。

蹄〔蹏〕tí 牛、马、羊、猪等生在趾端的坚硬的角质物,也指有这种角质物的脚:猪～

子|马不停～。

螨(蟎) mǎn 节肢动物的一类，体形微小，有的寄居在人或动物体上，吸取血液，能传播疾病。

蟆〔蟇〕 má 【蛤蟆】(há—)青蛙与蟾蜍(chán chú)的统称。

噪[1] zào ❶ 虫或鸟喧叫：蝉～|鸦～|鹊～。❷ 名声广为传扬：名～一时|名声大～。

噪[2]〔譟〕 zào 喧哗；吵闹：聒(guō)～|呼～。

巘(巘) yǎn ❶〈书〉山峰；山顶。❷【巘巘】〈书〉险峻。

鹦(鸚) yīng 【鹦鹉】(—wǔ)鸟名，羽毛美丽，嘴弯呈钩状，经训练能模仿人说话的声音。又名鹦哥。

赠(贈) zèng 把东西无代价地送给别人：～礼|～言|～答|捐～。

［丿］

𬭚(鐬) huì 〈书〉鼎的一种。

镯(鐯) zhuō 〈方〉用镐刨地或刨茬儿。

锽(鐄) huáng 〈书〉❶ 大钟。❷ 钟声。

镖(鏢) biāo ❶ 旧时一种手掷的武器，似矛头：飞～|袖～|金钱～。❷ 靠武功给

人做保卫或押运的工作：～局|～客|保～。

【备考】镖，形声字，从金，票声。据《说文》，“镖”本指刀鞘末端的铜制饰物。刀锋也称“镖”。

镗(鏜) ㊀ tāng ❶ 拟声词。形容钟鼓声、锣声等。❷ 乐器名，即铴锣，俗称“镗儿”。

㊁ táng ❶ 金属切削方法之一。旋转的刀具对工件的孔内面进行加工：～孔|～床|～刀。❷ 指镗床：落地～。

镘(鏝) màn ❶ 用来泥(nì)墙抹灰的工具，俗称抹子。❷（～儿）指钱币上没有字的一面儿。俗作“漫儿”。

镚(鏰) bèng （～儿）镚子，原来指清末发行的不带孔的铜钱，后指金属的硬币：钢～儿。

镛(鏞) yōng 大钟，古代乐器。奏乐时用来表示乐曲的节拍。

镜(鏡) jìng ❶ 镜子，有光滑的平面、用来映照形象的器具：穿衣～。❷ 用光学原理制成的具有光学成像特征的仪器、设备。上面处理光的镜头、镜片一般用玻璃制成：～头|眼～|望远～|凸透～。❸ 指电影、电视片的镜头：试～|慢～|封～。

镝(鏑) ㊀ dī 金属元素，符号 Dy，稀土元素之一，主要用于原子能工业和激光材料。

㊁ dí 箭头，也指箭：鸣～。

镞(鏃) zú 箭头：箭～。

锹(鐴) piě ❶〈书〉锹刃。❷〈方〉烧盐用的敞口锅,多用于地名(表示为烧盐的地方):潘家～(在江苏)。

镠(鏐) liú 〈书〉纯净而质优的金子。

氇(氌) ·lu 【氆氇】(pǔ—)一种羊毛织物,产于我国西藏,可以做毯子、衣服等。

赞[1](贊)〔賛〕 zàn 辅助:～助|～礼|～成|参～。

赞[2](贊)〔賛〕〔讚〕 zàn ❶称赞:～扬|～美|～歌|～不绝口。❷古代一种文体,用于赞颂人物:三国名臣序～|英雄～。

憩〔憇〕 qì 〈书〉歇息;休息:～息|休～|小～。

穑(穡) sè 〈书〉收割庄稼:稼～。

篮(籃) lán ❶有提梁的盛物器,用竹、藤、柳条等编成:～子|竹～|花～儿。❷装置在篮球架子上为投球用的铁圈和网子:投～儿。

篡〔簒〕 cuàn ❶旧指臣下夺取君位;今多指用非法手段夺取权力和地位:～夺|～国|谋权～位。❷以私意歪曲:～改|～易。

【辨析】下部是"厶",从"么"的字形已作为异体字淘汰。

篯(籛) jiān ❶〈方〉马具。❷姓。

篱[1]（**籬**） lí 篱笆，用竹、苇、树枝等编成的起遮拦作用的东西：～栅｜樊～｜竹～茅舍。

篱[2] lí 【笊篱】（zhào—）用竹篾（miè）、柳条、金属丝等编成的一种可漏水的用具，有长柄，可在汤水里捞东西。

翱〔**翺**〕 áo 〈书〉展翅飞：～翔（展开翅膀盘旋着飞）。

魉（**魎**） liǎng 【魍魉】（wǎng—）传说中的怪物：魑魅～。也作蛧蜽。

膳〔**饍**〕 shàn 饭食；特指较好的饭食：～食｜午～｜～费｜用～。

雕[1]〔**鵰**〕 diāo 猛禽。嘴呈钩状，视力很强。也叫鹫：老～｜一箭双～。

雕[2]〔**彫**〕〔**琱**〕 diāo ❶ 在竹木、玉石、金属等上面刻画：～刻｜～版｜～塑｜～像。❷ 指雕刻艺术或雕刻作品：浮～｜石～｜玉～｜贝～。❸ 用彩画装饰：～梁画栋。

【备考】1955 年 12 月发布的《第一批异体字整理表》中“雕”有异体字“凋”。1965 年发布的《印刷通用汉字字形表》和 1988 年发布的《现代汉语通用字表》均收入“凋”字，表示“凋零、衰败”的意义；“雕”不再表示上述意义。

鲭（**鯖**） ㊀ qīng 鱼类的一科。体呈梭形，侧扁，鳞细小而圆，头尖口大。

㊁ zhēng 〈书〉鱼和肉合在一起做成的菜。

鲮（**鯪**） líng 鱼名，鲤科。体长，侧扁，口小，有一对短须。生活在我国南方、西南的淡水中。也叫土鲮鱼。

鲯(鯕) qí 鲯鳅,鱼类的一科。体长而侧扁,尾鳍分叉深,似剪刀。生活在海水上层。

鲰(鯫) zōu 〈书〉❶ 小鱼,小杂鱼。❷ 比喻人渺小愚陋:~生。

鲱(鯡) fēi 鱼类的一科,也叫青鱼或鲢(liàn)。体长,侧扁而窄。生活在海水上层。

鲲(鯤) kūn 〈书〉❶ 传说中的大鱼,可化为大鸟:~鹏。❷〈书〉鱼苗。

鲳(鯧) chāng 鱼类的一科。体短而侧扁,骨小肉厚,口小,头圆。生活在海洋中。也称银鲳、镜鱼,俗称平鱼。

鲴(鯝) gù ❶ 鱼名,鲤科。体长而侧扁,口小,生活在我国淡水水域,刮食水底藻类。❷ 鱼肠。南方也称鱼胃为鲴。

鲵(鯢) ní 〈书〉❶ 一种两栖类动物。四足,长尾。有大小两种。大鲵因叫声像婴儿啼哭,俗称娃娃鱼。❷ 指雌性的鲸。❸ 指小鱼。

【辨析】右边“兒”不能类推简化作“儿”。

鲷(鯛) diāo ❶ 鱼类的一科。体侧扁,头大,口小,背部微凸起。腹侧有侧线。❷ 泛称某些体形似鲷的鱼,如石鲷、天竺鲷等。

鲸(鯨) jīng 生活在海洋中的哺乳动物,鲸目。外形似鱼,种类很多,体长有的可达 30 米。俗称鲸鱼。

鳀(鰣) shī 节肢动物的一科。体扁，椭圆形，有甲壳。头部有吸盘、吸吻、口刺。寄生在鱼类身体表面，吸血为食，并分泌毒汁，引起鱼病。

鲹(鰺) shēn 鱼类的一科。体侧扁而宽，或体长呈纺锤形，鳞细小。生活在海洋中。

鲻(鯔) zī 鱼类的一科。体长，稍侧扁，生活在沿海和咸、淡水交汇的河口处。

獭(獺) tǎ 水獭、旱獭、海獭的统称，通常指水獭。水獭，哺乳动物，头部宽而扁，尾巴长，四肢短粗，趾间有蹼，善于游泳和潜水。穴居在河边。

饘(饘) zhān 〈书〉稠粥。

［丶］

亸(嚲) duǒ 〈书〉下垂。

鹧(鷓) zhè 【鹧鸪】(—gū)鸟名，头顶棕色，腹、背黑白相杂，脚黄色，以昆虫、蚯蚓、谷粒等为食。

赟(贇) yūn 〈书〉美好。多用于人名。

【备考】 赟，形声兼会意字。从贝，斌声，斌兼表义(斌，文质兼备)。作人名时又读 bīn。

瘿(癭) yǐng ❶ 生在脖子上的一种囊状的瘤子。❷ 树木外部隆起的瘤状物。

瘾(癮) yǐn　特别深的嗜好或浓厚的兴趣：～头|酒～|烟～|他看武打小说看上～了。

斓(斕) lán　【斑斓】灿烂多彩：色彩～。

辩(辯) biàn　为弄清是非真假而争论：～论|～解|答～|能言善～。

鹙(鶖) zhuó　见“鸑”(509页)。

糖[1]〔餹〕táng　❶ 食糖的统称。食糖是从甘蔗、甜菜、米、麦等植物中提炼出来的一种有甜味的物质：白～|红～|冰～。❷ 糖制食品：奶～|酥～|花生～|水果～。

糖[2] táng　有机化合物的一类，是人体内产生热能的主要物质，如葡萄糖、蔗糖、乳糖、淀粉等。

【备考】糖，形声字，从米，唐声。因糖可从米、麦等粮食中提取，故字从米。

糕〔餻〕gāo　用面粉、米粉等制成的食品：～点|蛋～|年～|发～。

濑(瀨) lài　沙石上急速流过的水：旋～。

濒(瀕) bīn　❶ 紧靠水边：～海|～河。❷ 迫近；临近：～临|～危动物|～于破产。

懒(懶)〔嬾〕lǎn　❶ 怠惰；不勤快：～惰|～汉|～洋洋|好吃～做。❷ 疲惫；没力气：浑身发～|跑得两腿又酸又～。

黉(黌) hóng 古代的学校：～门(学校)。

[一]

鹨(鷚) liù 鸟的一种，体小尾长，嘴细长。

颡(顙) sǎng 〈书〉额头。

缰(韁)〔繮〕 jiāng 牵牲口的绳子：～绳|信马由～。

缱(繾) qiǎn 【缱绻】(—quǎn)〈书〉缠结；难以离散(常形容情意深厚)。

缲(繰) ㊀ qiāo 一种缝纫方法，做衣物的边儿或带子时把布边儿折叠进去，然后藏着针脚缝：～边儿。

㊁ sāo 同"缫"。

缳(繯) huán 〈书〉❶ 绳套子；绳圈：投～(上吊)。❷ 用绳套勒死：～首。

缴(繳) ㊀ jiǎo ❶(依照某种义务、规定或被迫)交出：～纳|～税|上～|～枪不杀。❷ 收取；迫使对方交出：～械|～获|～了敌人五门炮。

㊁ zhuó 古时系在箭上的生丝绳(这种箭用来射鸟，射出后可靠"缴"收回)：弓～。

缢(繶) yì 古代鞋上面做装饰用的丝带。

十七画

[一]

瓛(瓛) huán 〈书〉一种圭,也叫桓圭。

藓(蘚) xiǎn 苔藓植物的一纲。茎叶少,无根,生在阴湿的地方。

檐〔簷〕 yán ❶屋顶边沿伸出来的部分:屋～|廊～。❷某些器物上形状像房檐的部分:帽～。

翳[1] yì 遮蔽:～日|～蔽|荫～。

翳[2]**〔瞖〕** yì 眼睛角膜上生出的遮蔽视线的白斑:生～|云～。

磷〔粦〕〔燐〕 lín 非金属元素,符号 P。常见的有白磷(黄磷)和红磷(赤磷)。白磷为淡黄色结晶,有剧毒,易在空气中氧化,燃烧时产生浓烟,可制烟幕弹和燃烧弹。红磷为暗红色粉末,无毒,可制安全火柴。

鹩(鷯) liáo 见“鹪”(548 页)。

[丨]

龋(齲) qǔ　牙齿因腐蚀而残缺：～齿。

龌(齷) wò　【龌龊】(—chuò) 1. 不干净；肮脏：空气～。2. 比喻人的品质恶劣：卑鄙～。

瞩(矚) zhǔ　注视：～目｜～望｜高瞻远～。

蹑(躡) niè　❶〈书〉踩：～足。❷〈书〉追随：～踪｜～其后。❸（走路时）放轻脚步：～手～脚。

蹒(蹣) pán　【蹒跚】(—shān) ❶ 走路缓慢，摇摇晃晃的样子：步履～。❷ 舞步翩跹的样子：婆娑～。

蟏(蠨) xiāo　【蟏蛸】(—shāo)一种长脚蜘蛛，多在室内墙壁间结网，民间以为是喜庆的预兆，称喜蛛。

㘎(嚂) hǎn　〈书〉虎怒吼。

羁(羈)〔覊〕 jī　❶〈书〉马络头：～辔(pèi)。❷ 束缚；拘束：～绊｜放荡不～｜狂放不～。❸ 寄居他乡；寄居他乡的：～留｜～旅｜～客。

赡(贍) shàn　❶ 丰富；充足：丰～｜～足。❷ 供给(gōng jǐ)生活所需；今多指供给父母等长辈生活所需：～养。

[丿]

镥(鐥) xǐ 放射性金属元素，符号 Sg。由人工核反应获得。

镡(鐔) ㊀ xín ❶ 古指剑柄与剑身连接处的突出部分，用以护手。也称作剑鼻、剑口、剑环等。❷ 古代兵器，似剑而小。

㊁ chán 姓。

㊂ tán 姓。

镢(鐝) jué 〈方〉刨挖土石的农具，形似锄，功用似镐。

镣(鐐) liào 刑具，锁在脚上的锁链：～铐｜脚～。

【辨析】镣，不能简化作“钌”。

镤(鏷) pú ❶ 未经冶炼的铜铁。❷ 金属元素，符号 Pa。银白色，有放射性。

镙(鏍) hēi ❶ 化学元素“锰”的旧译。❷ 放射性金属元素，符号 Hs。由人工核反应获得。

镨(鐇) fán 〈书〉❶ 铲子。❷ 铲除。

镥(鑥) lǔ 金属元素，符号 Lu。一种稀土元素，可用于原子能工业。

镦(鐓) dūn 金属加工方法，对坯料端面加压，使成为需要的形状：冷～｜热～。

镧(鑭) lán 金属元素,符号 La。银白色,质软,在空气中易氧化,是稀土元素中最活泼的金属。

【备考】古读 làn,指金属光泽,罕用。近代借作化学元素字。两字均为形声字,从金,阑声。

镨(鐠) pǔ 金属元素,符号 Pr。一种稀土元素,可作催化剂,也可制作有色玻璃、陶瓷、搪瓷等。

鏻(鏻) lín 一类具有 R_4Px 通式的含磷有机化合物的总称。

镈(鐏) zūn 〈书〉戈柄下的金属套。

镦(鐩) suì 〈书〉古代取火的器具。

镩(鑹) cuān ❶ 一种凿冰工具,似钎子,头部尖,有倒钩:～子|冰～。❷ 用镩子把冰凿开:～冰|在冰面上～一个洞。

【备考】镩,古读 cuàn,指短矛,一种兵器,冰镩、镩冰的音义后起。

镪(鏹) ㊀ qiǎng 〈书〉❶ 钱串,引申指成串的钱:藏～巨万。❷ 作为货币的银子:白～。

㊁ qiāng 【镪水】对强酸的俗称。

镫(鐙) ㊀ dèng 从鞍子两侧垂下用来蹬脚的东西,多用铁制成:马～|脚～。

㊁ dēng ❶ 古代一种盛熟食的器皿。形状像豆。

❷ 照明的器具,因形状像豆而得名。今作"灯(燈)"。

镢(鐍) jué 〈书〉❶ 有舌的环。❷ 锁钥。

簖(籪) duàn 插在水里拦捕鱼蟹的栅栏,多用竹或苇子编成:鱼～|蟹～。

繁[1]〔緐〕fán 多;盛:～盛|～杂|纷～|～花似锦|～简失当(dàng)。

繁[2] pó 姓。

【辨析】繁—烦 见"烦"字辨析(351 页)。

鵁(鵁) jiāo 【鵁鶄】(—liáo)鸟名,体小尾短,羽毛呈赤褐色。

徽〔微〕huī ❶ 标志;符号:～章|国～|校～。❷ 美好的:～号。❸ 指徽州,旧府名,府治在今安徽歙(shè)县:～墨|～剧。

鷭(鷭) fán 鸟名。即骨顶鸟,身体黑灰色或黑褐色,头顶白色或红色,善游水。

膻[1]〔羴〕〔羶〕shān 像羊身上的气味:～味|羊肉太～。

膻[2] dàn 【膻中】中医指人体胸腹间的膈。

䲠(鰆) chūn 海鱼名。即马鲛鱼,体侧扁,长可达 1 米,蓝灰色,有暗色条纹或斑点。

鲼(鱝) fèn 鱼类的一科。体扁平,呈菱形,尾细长,常有尾刺。生活在热带、亚热带海洋中。

鲽(鰈) dié 鱼类的一科,比目鱼的一类。体侧扁不对称,两眼都在右侧。生活在浅海中,左侧向下卧在沙底上。

鳓(鰳) lè 鱼名。体长而侧扁,银灰色,带黑色纵带条纹。生活在热带和亚热带近海中,我国南部海域出产。

鳊(鯿) bī 鱼类的一科。体侧扁,成鱼体长约10厘米。口小,可伸缩,伸出时呈管状。生活在近海。

鲢(鰊) liàn 鲱。

鲿(鱨) cháng 〈书〉❶ 黄颡鱼。❷ 毛鲿鱼。

鳀(鯷) tí ❶ 鱼类的一科。体长,侧扁,成鱼体长13厘米左右。生活在海水中上层,群聚。幼鱼干叫做"鳀蜓"。❷〈书〉大鲇鱼。

鳁(鰛) wēn ❶ 即沙丁鱼。❷ 鳁鲸,鲸的一种。

鳂(鰃) wēi 鱼类的一科。体侧扁,多为红色,体侧有银色纵带。也叫金鳞鱼。生活在热带海洋中。

鳃(鰓) sāi 某些水生动物的呼吸器官。外形多为羽状、丝状或板状,水从中流过时,吸取水中的氧气。

鳄(鱷)〔鰐〕 è 爬行纲动物的一个目。体长,头扁平,吻长,牙尖利。四肢短，尾长，体表有革质硬皮。善于爬行和游水，性情凶猛，肉食。俗称鳄鱼。

鳅(鰍)〔鰌〕 qiū 鱼类的一科。体细长，尾侧扁，口小，常见的有泥鳅、花鳅等。

【备考】1955年12月发布的《第一批异体字整理表》中繁体"鰍"有异体字"鰌"。1964年5月发表的《简化字总表》收入"鰌"的类推简化字"䲡"，1988年发布的《现代汉语通用字表》收入"䲡"字。经重新审查，《通用规范汉字表》仍将"鰌"作为"鳅"的异体字。

鳇(鰉) huáng 鲟科鱼类的一种。体长可达5米，近圆筒形。生活在海洋中，初夏溯流至江河中产卵。

鳈(鰁) quán 鲤科鱼类的一属。体稍侧扁，深棕色，有斑纹，口小。生活在淡水区域的水底。

鳉(鱂) jiāng 鱼类的一科。体长，侧扁，银灰色。头宽而扁，口小，腹部突出，鳞片较大。是淡水小型鱼类。俗称青鳉。

鳊(鯿) biān 鱼名，鲤科。体形宽而扁，头尖而小，有银灰色细鳞。生活在淡水水域的中下层。

〔丶〕

燮〔爕〕 xiè 谐和；调和：～理（协调治理）｜调～。

鹫(鷲) jiù 一种大型猛禽，嘴呈钩状，视力很强。又名雕。

辫(辮) biàn ❶(～儿)辫子，分成股编起来的头发：发～|小～儿。❷(～儿)像辫子一样的条状物：蒜～|草帽～儿。❸〈方〉编成辫子：～辫子。

赢(贏) yíng ❶胜：高二(1)班同学～了这场球|他不在乎输～。❷经营获利：～利|～余(同"盈余")。

糟[1] zāo ❶带渣滓的酒。后转指滤去清酒剩下的酒渣：～丘(酒糟堆积的小丘)|～糠|～粕(pò)。❷用酒或酒糟腌制食品：～鱼|～肉|～鸭。❸腐烂；腐朽：木头～了|衣服穿～了。❹事情或情况坏：事情搞～了|文章写得很～|身体越来越～。

糟[2]〔蹧〕 zāo 损坏；破坏：～蹋|～害|～践。

糠〔粇〕〔穅〕 kāng ❶稻、麦等作物的子实上脱下的皮或壳：米～|谷～|吃～咽菜。❷(萝卜等)因失掉水分而内部发空，质地变松：萝卜～了|～心儿萝卜。

【备考】异体字"粇"又同"粳"。

懑(懣) mèn 〈书〉❶烦闷。❷愤慨：愤～。

襕(襴) lán 古时一种上下衣相连的服装。

襁〔繈〕 qiǎng 〈书〉背小孩儿的背带或布兜：～褓。

[一]

鳖(鱀) jì 【白鳖豚】即白鳍豚。哺乳动物,鲸的一种。

臀〔臋〕 tún 屁股:～部|前～尖。

鹬(鷸) yù 鸟名,嘴、腿细长,常在浅水边或田野中捕食贝类及小鱼、小虫:～蚌相争,渔翁得利。

骤(驟) zhòu ❶ 马奔驰:驰～。❷ 急速:暴风～雨。❸ 副词。突然:～然|狂风～起|脸色～变。

繻(繻) xū 又读 rú 〈书〉❶ 彩色的缯(zēng)帛;细密的丝织品。❷ 帛制通行证,帛上写字,分成两半,过关时验合,以为凭信。

纁(纁) xūn 〈书〉❶ 浅赤色。❷ 通"曛"。日光暗淡,多指黄昏时的天色。

十八画

[一]

鳌(鰲)〔鼇〕 áo 传说海里能负山的大龟或大鳖。旧时宫殿石阶上镌(juān)刻巨鳌浮雕,所以又用以指称与宫禁特别是翰林院有关的事物:~宫|~头(原指状元,因状元站在殿前石阶上迎榜而得名。现指位居第一)。

鬶(鬹) guī 古代陶制炊器,有柄,口像鸟嘴,有三个空心足。

鬃〔騌〕〔鬉〕〔騣〕 zōng 马、猪等颈上的长毛或硬毛。

鞯(韉) jiān 马鞍下的垫子:鞍~。

虉(虉) yì 虉草,多年生草本植物。叶子扁平,秆粗壮。嫩时可做饲料,秆可用来编织器物或造纸。

藜[1] lí 即灰菜。一年生草本植物。茎直立,古人常以老茎作拐杖。嫩叶可吃:~藿(huò,豆叶。指粗劣的饭菜)。

藜[2]〔蔾〕 lí 【蒺藜】(jí—)一年生草本植物,果实也叫蒺藜,有刺,可入药。

藤〔籐〕 téng ❶ 蔓生植物名，有紫藤、白藤等多种。❷ 泛指植物的匍匐(púfú)茎或攀缘茎：瓜～|葡萄～。

鹲(鸏) méng 鸟名，体大尾长，嘴大而直，羽毛灰色或白色。生活在热带海洋上。

黡(黶) yǎn ❶ 黑痣。❷ 黑；黑痕。

［丨］

颢(顥) hào 形容白而亮的样子。

蹚〔蹚〕 tāng ❶ 从浅水或草地里走过去；踩：～水过河|～出一条路。❷ 用犁等翻地除草，并给苗培土：～地。

【备考】1955 年 12 月发布的《第一批异体字整理表》处理为“趟”的异体字。2013 年发布的《通用规范汉字表》确认“蹚”为规范字，用于“蹚水、蹚地”等，不再作为“趟”的异体字。“趟”取消 tāng 音，不再表示上述意义。

鹭(鷺) lù 水鸟名，翼大尾短，腿、颈细长。常见的有白鹭、苍鹭、绿鹭等。白鹭又称鹭鸶(sī)。

嚣(囂) xiāo 大声喧闹：～杂|叫～|喧～。

鹮(䴉) huán 一种水鸟，体大腿长，嘴细而弯曲。

髅(髏) lóu ❶【骷髅】(kū—)没有皮肉毛发的尸体骨架,也指死人的头骨。❷【髑髅】(dú—)〈书〉死人的头骨。

［丿］

镬(鑊) huò ❶古代煮食物的大锅(有足为鼎,无足为镬):鼎～。❷〈方〉锅:～子。

镭(鐳) léi 金属元素,符号 Ra。有放射性。可用来进行放射治疗,也可作中子源。

镮(鐶) huán 〈书〉泛指圆圈形的东西。

镯(鐲) zhuó ❶古代军中乐器。❷套在腕上的饰品,环状:手～|脚～|玉～。

【辨析】右边"蜀"字,不可依"独""浊"等类推简化成"虫"。

镰(鐮)〔鎌〕〔鐮〕 lián 割庄稼、割草的农具。刀片条状,内侧有刃,一端有柄:～刀|钐～|开～。

镱(鐿) yì 金属元素,符号 Yb。一种稀土元素,可用来制特种合金,也可制激光材料。

【辨析】右边"意"不可依"亿""忆"等字类推简化成"乙"。

酂(酇) ㈠ cuó 古县名。在今河南永城西。
㈡ zàn ❶〈书〉周代地方组织,百家为鄫。❷ 古地名。在今湖北。

簪〔簮〕 zān ❶ 簪子,古人用来绾(wǎn)住头发或把帽子别在头发上的用具,后专指妇女插髻(jì)用的首饰。❷ 插戴在头上:~花。

雠(讎)〔讐〕 chóu 校(jiào)对文字:校~。

【备考】1955 年 12 月发布的《第一批异体字整理字表》繁体"讎"处理为"仇"的异体字。1964 年 5 月发表的《简化字总表》及 1986 年 10 月重新发表的《简化字总表》均收入"讎"的类推简化字"雠"。1988 年发布的《现代汉语通用字表》收入"雠"字,2013 年发布的《通用规范汉字表》确认"雠"为规范字,用于"校雠""雠定""仇雠"等;表示"仇恨、仇敌"的意义时,繁体"讎"仍为"仇"的异体字。

翻[1]〔飜〕 fān ❶〈书〉鸟飞:翩~。❷ 倒(dào)过来;反转;倒下:~船|~车|~跟头|~个儿|倒海~江|~了一下身子。❸ 变动位置(找东西):~箱子|~出一本旧书|~得乱七八糟。❹ 改变(原来的):~悔|~供|~案。❺(数量)成倍地增加:~了两番。❻ 越过:~越|~过一座山。

翻[2]〔繙〕 fān 翻译,把一种语言文字译成另一种语言文字:把这篇文章~成中文。

鰧(鰧) téng 鱼名。也叫瞻星鱼。体黄褐色,下颌突出,有两个背鳍。常栖息浅海底层泥沙中,捕食小鱼。

鳍(鰭) qí 鱼类和其他水生脊椎动物的运动器官。鱼类的鳍由硬骨、软骨和覆在上面的皮肤构成。水生哺乳动物的鳍由四肢等退化而成。

鳎(鰨) tǎ 鱼类的一科，通称鳎目鱼。常见的有条鳎、卵鳎。

鳏(鰥) guān 无妻或丧妻的男人，多指老而没有妻子的人：～夫|～寡孤独。

鳐(鰩) yáo ❶ 鱼名，体扁平，呈方形、斜方形或菱形，尾长。表面光滑，有的有小刺，口小，生活在海底。❷ 一种飞鱼。胸鳍发达似翼，能跃出水面在空中滑翔，生活在热带、温带海洋中。通称燕鳐鱼。

鳑(鰟) páng 【鳑鲏】(—pí)鱼名，鲤科。形体似鲫鱼而小，是淡水水域中常见的鱼种。

鳒(鰜) ㊀ jiān 比目鱼的一类。
㊁ qiàn 鱼名，即大青鱼。

鹱(鸌) hù 海鸟名，体大嘴尖，能潜水、游泳。

[丶]

鹯(鸇) zhān 古书上说的一种猛禽。

鹰(鷹) yīng 鸟名。上嘴弯钩形，爪锐利，性凶猛，食肉。种类很多，如苍鹰、雀鹰、老鹰等。

癞(癩) lài ❶ 麻风，一种慢性传染病。❷ 因生癣、疥等皮肤病而毛发脱落。❸ 像生了癞的：～瓜|～蛤蟆。

冁(囅) chǎn 〈书〉笑的样子：～然而笑。

[乛]

䴙(鸊) pì 【䴙䴘】(—tī)水鸟名，似鸭略小，不善飞，在水中捕食小鱼、昆虫。

纆(纆) mò 〈书〉绳索。

十九画

[一]

攒(攢) ㊀ zǎn 积存;储蓄:～钱|积～。㊁ cuán 聚集;拼凑:～聚|～集|人头～动|～一辆自行车。

孽〔孼〕 niè ❶〈书〉不忠或不孝:～臣|～子。❷ 坏事;罪过:造～|罪～|～根。❸ 妖;灾害:妖～。

霭(靄) ǎi 〈书〉云雾气:暮～|烟～。

[丨]

蹰〔躕〕 chú 【踟蹰】(chí—)〈书〉徘徊;犹豫:～不前。也作"踟躇"。

蹴〔蹵〕 cù ❶〈书〉踢:～鞠(鞠是古时的一种球,音 jū)。❷ 踏:一～而就。

蹿(躥) cuān ❶ 猛然跳起:用力一～就上了墙。❷〈方〉喷;射出:～火|鼻子～血。

巅(巔) diān 〈书〉山顶:高山之～。

髋(髖) kuān 髋骨，组成骨盆的大骨。通称胯骨。

髌(髕) bìn ❶ 髌骨，膝盖骨。❷ 古代剔去膝盖骨的酷刑。

[丿]

镲(鑔) chǎ 钹(bó)一类的打击乐器。

籁(籟) lài ❶ 古代一种类似笙的三孔乐器。❷ 从孔穴中发出的声音，也指一般的声响：天～(自然界的声音)|万～俱寂。

鳘(鰵) mǐn ❶ 鮸(miǎn)鱼的通称。体长，侧扁，棕褐色。生活在海洋中。❷ 鳕(xuě)鱼也称鳘鱼。

鳓(鰳) lè 鱼名，鲱(fēi)科。体侧扁，银白色，头小，细鳞。生活在海洋中。北方称鲙(kuài)鱼、白鳞鱼，南方叫曹白鱼、鲞(xiǎng)鱼。

鳔(鰾) biào ❶ 多数鱼类体内调节身体浮沉的器官。由薄膜构成囊状，里面充满气体时，鱼体上浮，放出里面气体时，鱼体下沉。❷ 用鱼鳔熬制成的胶，也泛指用猪皮等熬制的胶：～胶。❸〈方〉用鳔胶粘合木器。

鳕(鱈) xuě 鱼类的一科。体长，侧稍扁，口大，有一对触须。生活在海洋中，肝含油量高。也称鳘(mǐn)，俗称大头鱼。

鳗(鰻) mán 鳗鲡(lí),鱼名。身体细长,前部圆筒形,后部侧扁,体表多黏液。生活在淡水中,成熟后秋季入深海产卵。简称鳗,也称鳗鱼、白鳝。

鲚(鱭) jì 鱼名,体侧扁,长椭圆形,口小无牙,生活在浅海中。

鱇(鱇) kāng 见“鮟”(509 页)。

鳙(鱅) yōng 鱼名,鲤科。体侧扁,长可达一米多。背部暗黑色,有不规则小黑斑点。又叫胖头鱼、花鲢。生活在淡水水域的中上层。

鳚(鳚) wèi 鱼类的一科,种类繁多,生活在热带、温带、北极一带近海。

鳛(鰼) xí 鳛鱼,即泥鳅。

蟹〔蠏〕 xiè 螃蟹:~粉|~黄|~青|梭子~。

〔丶〕

颤(顫) ㊀ chàn 振动;发抖:~动|~悠|~巍巍。

㊁ zhàn 发抖。

癣(癬) xuǎn 霉菌感染而致的皮肤病的统称:股~|脚~|白~。

鳖(鱉)〔鼈〕 biē ❶ 爬行动物的一科。形似龟,但背上无硬质甲壳,

只有一层软皮，周围有厚实的裙边。生活在淡水中。也叫鼋(yuán)、元鱼、甲鱼、团鱼等，俗称王八。❷ 外形似鳖的东西：土～|水～子。

谶(讖) chèn 迷信的人认为将来能应验的预言、预兆：～语|～纬。

【辨析】注意右旁不能仿照忏、歼等字简化。

[乛]

彟(彠) yuē ❶ 尺度。❷ 用秤称。

骥(驥) jì 〈书〉千里马；好马：按图索～|老～伏枥，志在千里。

缵(纘) zuǎn 〈书〉继续；继承：～禹之功。

二十画

[一]

瓒(瓚) zàn 古代祭祀时用的玉勺子。

鬓(鬢) bìn 耳朵前边的头发：～发|～角|两～|雪～。

颥(顬) rú 见“颞(niè)”(532页)。

[丨]

耀〔燿〕 yào ❶照射：～眼|闪～|照～。❷光芒；光辉：光～。❸显示；显扬：夸～|显～|炫～|～武扬威。❹光荣：荣～。

【辨析】耀不能简化为烑。

蠕〔蝡〕 rú （旧读 ruǎn） 像蚯蚓慢慢爬行的样子：～动|～形动物。

鼍(鼉) tuó 爬形动物，体长，尾部有角质鳞甲。也叫鼍龙或扬子鳄，俗称猪婆龙。

黩(黷) dú 〈书〉❶玷污；污辱：～职。❷轻率；滥用：穷兵～武。

黪(黲) cǎn 〈书〉浅青黑色。

[丿]

镳(鑣) biāo ❶〈书〉马嚼子露在马嘴两侧的部分：分道扬～(分道而行)。❷通“镖”。

镴(鑞) là 锡和铅的合金。通称锡镴、白镴或焊锡，可用来焊接铜铁器具，也用来铸造灯台、蜡扦等：银样～枪头(比喻中看不中用)。

纂〔篹〕 zuǎn ❶收集材料编书：～修|编～。❷〈方〉(～儿)妇女梳在头后边的发髻(jì)：梳了个～儿。

臜(臢) zā 【腌臜】(ā—)。❶肮脏：衣服穿得真～。❷不痛快；窝火：这事儿办得真让人～。❸使人难堪：别再～他了。

鳍(鰭) xǐ 鳍鱼，又叫沙钻鱼，口小，吻尖，体近圆筒形，银灰色，生活在近海沙底。

鳜(鱖) guì 一种淡水鱼。体侧扁，背部隆起，长可达60厘米。性凶猛，食鱼虾。又称花鲫鱼。也作桂鱼。

鳝(鱔)〔鱓〕 shàn 鱼名，合鳃科。体细长而圆，似蛇，无鳞。全身黄褐色，有黑色斑点。生活在河、湖、水田里，栖息在泥洞或石缝中。也叫黄鳝。

鳞(鱗) lín ❶鱼类身体表面起保护作用的片状组织。通称鱼鳞。❷爬行动物、某

些哺乳动物体表和鸟类身体局部覆盖的似鱼鳞的角质组织：～甲。❸〈书〉泛指有鳞甲的动物：～虫|～族。❹ 形状像鳞片的：～茎|～屑|遍体～伤。

鳟(鱒) zūn 鱼名。有赤眼鳟和虹鳟。赤眼鳟,鲤科,体长,前圆后侧扁。生活在淡水中。虹鳟,鲑(guī)科,体长,侧扁。色鲜艳,体侧有一红色纵带。生活在水温较高的淡水中。

獾〔貛〕〔獾〕 huān 鼬科哺乳动物。毛多为灰色,趾端有长而锐利的爪,善于掘土。在土丘或大树下筑穴,昼伏夜出。有冬眠习惯。

［丶］

糯〔稬〕〔穤〕 nuò 黏(nián)性稻;也指其他黏性谷物：～稻|～米|～高粱。

［乛］

骦(驦) shuāng 见“骕”(413 页)。

骧(驤) xiāng 〈书〉❶ 马奔跑。❷ (头)仰起;高举：龙～虎步。

纕(纕) ㊀ ráng 〈书〉捋(luō)起衣袖露出手臂。

㊁ xiāng 〈书〉❶ 马腹带。❷ 佩带。

二十一画

[一]

蠢[1] chǔn 〈书〉虫子爬行的样子。后比喻坏人进行活动：～动|～～欲动。

蠢[2]〔惷〕chǔn ❶ 头脑迟钝，不聪明：～材|这个人真～。❷ 笨拙，不灵便：～笨|(这辆车)样子太～。

【备考】蠢，形声字，从䖵(kūn，同昆，昆虫)，春声。

霸〔覇〕bà ❶ 古代诸侯联盟的首领：～主|春秋五～。❷ 依仗权势或实力横行一方的人：恶～|称王称～。❸ 依仗权势占为己有：～占|独～|欺行(háng)～市。❹ 姓。

[丨]

颦(顰) pín 〈书〉皱眉：一～一笑。

龋(齲) chǔ 〈书〉❶ 牙齿因遇酸而不敢咬食物(即倒牙)。❷ 胆怯。

躏(躪) lìn 践踏：蹂～。

［丿］

鳠(鱯) hù ❶淡水鱼类，体细长，无鳞，口有须四对，我国南方出产。❷〈书〉鱼名，与鲇鱼类似。

鳡(鱤) gǎn 鱼名，鲤科。体长，近圆筒形，长可达1米。性凶猛，捕食其他鱼类。生活在淡水中。又叫黄钻(zuàn)、竿鱼。

鳢(鱧) lǐ 鱼类的一科。体长，近圆筒形。牙尖利，身上有黑色斑块和黑色纹带。栖息在淡水底部，性凶猛，以鱼虾等为食。常见的有乌鳢，俗称黑鱼。

鳣(鱣) ㊀ zhān 鲟鳇鱼的古称。
㊁ shàn 同"鳝"，黄鳝。

［丶］

癫(癲) diān 精神错乱、失常：～狂｜疯疯～～。

赣(贛)〔贑〕〔灨〕 gàn ❶赣江，水名，在江西。❷江西省的别称。

灏(灝) hào 〈书〉水势浩大的样子。

二十二画

鹳(鸛) guàn 水鸟名,形似鹤,以鱼、虾等为食。

鹴(鸘) shuāng 见“鹔”(489页)。

镵(鑱) chán ❶中医针灸用的一种针,头大末端尖。❷古代一种掘土工具,铁制。❸〈书〉刺;扎。

【辨析】右边“毚”不能依“搀”“馋”等字类推简化成“⿱⺈㲋”。

镶(鑲) xiāng 把一物固定在另一物的空缺处,或把一物围在另一物外围:~嵌|~牙|~边|~红旗。

鳤(鰡) guǎn 鱼名,鲤科。体长,圆筒形,可达60厘米,鳞小。头小而尖。银白色。生长于长江流域及以南淡水水域。

二十三画

趱(趲) zǎn ❶赶(路),快走(多见于古白话小说、旧戏曲):～路|～行|紧～了一程。❷催促:～马前进|～向前去。

颧(顴) quán 颧骨,眼睛下边两腮上面突出的部分。

躜(躦) zuān 向上或向前冲:上下～动。

罐〔鑵〕 guàn ❶盛东西或打水用的陶器。泛指各种圆筒形的盛物器:瓦～|铁～|一～糖|～头。❷煤矿装煤用的斗车。

鼹〔鼴〕 yǎn 鼹鼠,哺乳动物。毛黑褐色,后肢细小,前肢发达,有利爪,善掘土,吃植物的根。也叫田老鼠、地爬子。

鳢(鱲) liè 鱼名,淡水小型鱼类,体侧扁,色泽鲜艳。又名桃花鱼。

麟〔麐〕 lín 【麒麟】(qí—)古代传说中的一种动物,形状像鹿,有角,全身有鳞甲。古人用它象征祥瑞,简称麟。

二十五画

馕(饢) ㊀ náng 一种烤制的面饼，维吾尔、哈萨克等民族当做主食。
㊁ nǎng 往嘴里拼命塞食物。

戆(戇) ㊀ zhuàng 〈书〉迂愚而刚直：～直。
㊁ gàng 〈方〉傻；鲁莽；冒失：～头～脑。

附录一

汉语拼音方案

（1957 年 11 月 1 日国务院全体会议第 60 次会议通过）

（1958 年 2 月 11 日第一届全国人民代表大会第五次会议批准）

一、字 母 表

字母	Aa	Bb	Cc	Dd	Ee	Ff	Gg
名称	ㄚ	ㄅㄝ	ㄘㄝ	ㄉㄝ	ㄜ	ㄝㄈ	ㄍㄝ
	Hh	Ii	Jj	Kk	Ll	Mm	Nn
	ㄏㄚ	ㄧ	ㄐㄧㄝ	ㄎㄝ	ㄝㄌ	ㄝㄇ	ㄋㄝ
	Oo	Pp	Qq	Rr	Ss	Tt	
	ㄛ	ㄆㄝ	ㄑㄧㄡ	ㄚㄦ	ㄝㄙ	ㄊㄝ	
	Uu	Vv	Ww	Xx	Yy	Zz	
	ㄨ	ㄪㄝ	ㄨㄚ	ㄒㄧ	ㄧㄚ	ㄗㄝ	

v 只用来拼写外来语、少数民族语言和方言。

字母的手写体依照拉丁字母的一般书写习惯。

二、声 母 表

b	p	m	f	d	t	n	l
ㄅ玻	ㄆ坡	ㄇ摸	ㄈ佛	ㄉ得	ㄊ特	ㄋ讷	ㄌ勒

g	k	h		j	q	x
ㄍ哥	ㄎ科	ㄏ喝		ㄐ基	ㄑ欺	ㄒ希

zh	ch	sh	r	z	c	s
ㄓ知	ㄔ蚩	ㄕ诗	ㄖ日	ㄗ资	ㄘ雌	ㄙ思

在给汉字注音的时候,为了使拼式简短,zh ch sh 可以省作 ẑ ĉ ŝ。

三、韵 母 表

	i ㄧ 衣	u ㄨ 乌	ü ㄩ 迂
a ㄚ 啊	ia ㄧㄚ 呀	ua ㄨㄚ 蛙	
o ㄛ 喔		uo ㄨㄛ 窝	

续表

e ㄜ 鹅	ie ㄧㄝ 耶		üe ㄩㄝ 约
ai ㄞ 哀		uai ㄨㄞ 歪	
ei ㄟ 欸		uei ㄨㄟ 威	
ao ㄠ 熬	iao ㄧㄠ 腰		
ou ㄡ 欧	iou ㄧㄡ 忧		
an ㄢ 安	ian ㄧㄢ 烟	uan ㄨㄢ 弯	üan ㄩㄢ 冤
en ㄣ 恩	in ㄧㄣ 因	uen ㄨㄣ 温	ün ㄩㄣ 晕
ang ㄤ 昂	iang ㄧㄤ 央	uang ㄨㄤ 汪	
eng ㄥ 亨的韵母	ing ㄧㄥ 英	ueng ㄨㄥ 翁	
ong （ㄨㄥ） 轰的韵母	iong ㄩㄥ 雍		

(1) “知、蚩、诗、日、资、雌、思”等七个音节的韵母用 i，即：知、蚩、诗、日、资、雌、思等字拼作 zhi，chi，shi，ri，zi，ci，si。

(2) 韵母儿写成 er，用作韵尾的时候写成 r。例如：“儿童”拼作 ertong，“花儿”拼作 huar。

(3) 韵母ㄝ单用的时候写成 ê。

(4) i 行的韵母，前面没有声母的时候，写成 yi（衣），ya（呀），ye（耶），yao（腰），you（忧），yan（烟），yin（因），yang（央），ying（英），yong（雍）。

u 行的韵母，前面没有声母的时候，写成 wu（乌），wa（蛙），wo（窝），wai（歪），wei（威），wan（弯），wen（温），wang（汪），weng（翁）。

ü 行的韵母，前面没有声母的时候，写成 yu（迂），yue（约），yuan（冤），yun（晕）；ü 上两点省略。

ü 行的韵母跟声母 j，q，x 拼的时候，写成 ju（居），qu（区），xu（虚），ü 上两点也省略；但是跟声母 n，l 拼的时候，仍然写成 nü（女），lü（吕）。

(5) iou，uei，uen 前面加声母的时候，写成 iu，ui，un，例如 niu（牛），gui（归），lun（论）。

(6) 在给汉字注音的时候，为了使拼式简短，ng 可以省作 ŋ。

四、声 调 符 号

阴平	阳平	上声	去声
ˉ	ˊ	ˇ	ˋ

声调符号标在音节的主要母音上，轻声不标。例如：

妈 mā	麻 má	马 mǎ	骂 mà	吗 ma
（阴平）	（阳平）	（上声）	（去声）	（轻声）

五、隔 音 符 号

a,o,e 开头的音节连接在其他音节后面的时候，如果音节的界限发生混淆，用隔音符号（’）隔开，例如：pi’ao（皮袄）。

附录二

新旧字形对照表

（按新字形的笔画数排列，字形后圆圈内的数字表示字形的笔画数）

旧字形	新字形	新字形举例
儿②撇、竖弯钩。	八②撇、点。	甚俊
刀②横折钩、撇。	⺈②撇、横撇。	负陷
八②撇、点。	⺌②点、撇。	平滕
八②撇、捺(笔端有小折)。	⺌②点、撇。	益酋
冫②点、提。	⺀②点、点。	冬寒
工③横、竖、横。	⼯②横折、横。	侯敢
丂②横、竖折折。	了②横钩、竖钩。	亟函
亐③折笔的笔端与上横相接。	亏③折笔的笔端与下横相接。	污垮
艹④两个“十”。	艹③横、竖、竖。	芳草愤
廾④横、撇、横、竖。	廾③横、撇、竖。	莽奔
㐄④横、竖、横、竖。	㐄③横、竖折、竖。	桀舜降
小③竖、撇、点。	⺌③竖、点、撇。	尚肖
冂④框内为横、竖。	冂③框内为横折。	骨咼(繁)
夊④撇、横、撇、捺。	夂③撇、横撇、捺。	修條務(繁)

旧字形	新字形	新字形举例
及④撇、横折，下为“又”。	及③撇、横折折撇、捺。	极级
辶④上为两点。	辶③上为一点。	过进
彐③中横右侧出头。	彐③中横右侧不出头。	彗侵
刅③第三笔为捺，与“刀”相交。	刃③第三笔为点，与“刀”相离。	仞纫
幺③两折笔断为四笔（总画数按三画计）。	幺③折笔不断开。	幼幽
丰④起笔为撇。	丰④起笔为横。	沣害
幵⑥撇、横、撇、横、横、竖。	开④横、横、撇、竖。	研妍
天④起笔为撇。	天④起笔为横。	吞蚕添
巨⑤横、竖、横折、横、横。	巨④横、横折、横、竖折。	炬柜
屯④起笔为撇。	屯④起笔为横。	吨钝
瓦⑤横、竖、横折弯钩、点、提。 瓦⑤横、竖、横折弯钩、点、点。	瓦④横、竖提、横折弯钩、点。	瓶瓮
內④与冂相交的是入。	内④与冂相交的是人。	钠芮
内⑤冂竖、折笔笔端相交，与冂相交的是厶（三画）。	内④冂竖、折笔笔端相接，与冂相交的是厶（二画）。	离禽
反④起笔为横。	反④起笔为撇。	板叛
爫④二至四笔为撇、点、点。	爫④二至四笔为点、点、撇。	舀采
殳④上为几，第二笔有钩。	殳④上为几，第二笔无钩。	投设

旧　字　形	新　字　形	新字形举例
戶④起笔为撇。	户④起笔为点。	房扁
示⑤横、横、竖、撇、竖。	礻④点、横撇、竖、点。	福祥
朮⑤三、四笔为撇、竖弯钩，与中竖相离。	术⑤三、四笔为撇、捺，笔端与中竖相接。	怵述
犮⑤三、四笔为乂。	友⑤三、四笔为又。	拔跋
冉⑤上横左、右都出头。	冉⑤上横左、右不出头。	再篝
令⑤三至五笔为横、横折钩、竖。	令⑤三至五笔为点、横撇、点。	玲铃
氐⑤末笔为短横。	氏⑤末笔为点。	低抵
印⑥左为撇、竖、横、横。	印⑤左为撇、竖提、横。	茚
耒⑥起笔为撇。	耒⑥起笔为横。	耕耙
呂⑦两口中间有一短撇。	吕⑥两口中间无短撇。	宫铝
爭⑧上为爫。	争⑥上为⺈。	挣静
次⑦左为氵(三点水)。	次⑥左为冫(两点水)。	盗羡
产⑥三、四笔为乂。	产⑥三、四笔为ソ。	彦産
并⑦丷中的竖与下边的撇断开。	并⑥中间撇笔由上贯下。	差养
幷⑧撇、横、提、撇，撇、横、横、竖。	并⑥点、撇、横、横、撇、竖。	屏饼
㫐⑦右下为撇、捺。	艮⑥右下为点(无撇笔)。	郎朗
羽⑥两折笔下为两撇。	羽⑥两折笔下为点、提。	扇翔
糸⑥(繁)两折笔断为四画，下为小(总画数按六画计)。	纟⑥(繁)两折笔不断开，下为三点。	紅細(繁)

旧字形	新字形	新字形举例
吴⑦下部第一画为竖折折。	吴⑦下部为天。	娱误
奂⑨⺆中有八,下部大的撇笔笔端与⺆相离。	奂⑦⺆中无八,下部大的撇笔笔端与⺆相接。	涣焕
㡀⑧上为⺌,下为㒳。	㡀⑦竖笔上下贯通,上为点、撇。	敝蔽
靑⑧下部円中为竖、横。	青⑧下部月中为两横。	清晴
者⑨日上有一点。	者⑧日上无一点。	都煮
直⑧中为目,左下为竖折。	直⑧下为且(中间三横)。	值置
疌⑨上下断开,上为⺊,中为彐。	疌⑧中竖由上贯下,上横与竖笔相交。	捷睫
非⑧中为撇、竖。	非⑧中为两竖。	排匪
垂⑨中部为两个十。	垂⑧中部为卄。	睡陲
卑⑨由中的竖与下面的撇分开。	卑⑧中部撇笔由上贯下。	脾牌
飠⑨(繁)𠆢下为短横,下为皀。	饣⑧(繁)𠆢下为点,下为艮。	飯餃(繁)
彔⑧上为彑。	录⑧上为⺕。	绿碌
昷⑩上为囚(中为人)。	昷⑨上为日。	温瘟
鬼⑩由中的竖与下边的撇断开。	鬼⑨中间的长撇由上贯下。	魂魁
兪⑨上为入,下右为巜。	俞⑨上为人,下右为刂。	愉输
旣⑪左为皀,右无二、三笔断开。	既⑨左为艮,右旡第二笔为竖折。	慨概
旣⑫左为皀,右同上。		

旧字形	新字形	新字形举例
蚤⑩叉左侧有点。	蚤⑨叉左侧无点。	搔骚
敖⑪左为䓁(上士下方)。	敖⑩左为麦。	傲熬
華⑫(繁)上、中均为两个十。	華⑩上、中均为龷。	嘩樺(繁)
晉⑩两横中间为两个厶。	晋⑩上为亚。	搢缙

附录三

汉字结构分类表

类别		例字
独体字		乙 人 口 为 年 面
合体字	上下结构	务 字 芹 昌 思 热
	上中下结构	衷 曼 享 器 牵 赢
	左右结构	保 村 很 课 铁 明
	左中右结构	班 弼 微 狱 衡 瓣
	左上包结构	右 房 厌 展 底 病
	右上包结构	习 司 句 包 可 氢
	左三包结构	匹 匠 匡 医 匣 匪
	左下包结构	处 追 旭 建 延 翅
	上三包结构	网 同 向 凤 凰 闻
	下三包结构	凶 函 凼(dàng)
	全包围结构	回 团 圆 围 国 圈
	镶嵌结构	巫 坐 乖 乘 爽 噩

附录四

汉字笔顺规则表

规则	例字	笔顺
先上后下	三	一 二 三
	亏	一 二 亏
	合	丿 人 亼 今 合 合
	高	丶 亠 亠 亩 亩 亩 高 高 高 高
先左后右	川	丿 川 川
	仁	丿 亻 仁 仁
	洲	丶 丶 氵 氵 汌 汌 洲 洲 洲
	街	丿 彳 彳 彳 彳 往 往 往 徍 街 街 街
先横后竖	十	一 十
	干	一 二 干
	丰	一 二 三 丰
	支	一 十 支 支

续表

规则	例字	笔顺
先撇后捺	八	ノ 八
	人	丿 人
	入	ノ 入
	全	ノ 𠆢 亼 亼 仐 全
先外后里	凡	丿 几 凡
	月	丿 冂 月 月
	句	ノ 勹 勺 句 句
	同	丨 冂 冂 同 同 同
先外后里再封口	日	丨 冂 日 日
	目	丨 冂 日 目 目
	田	丨 冂 日 田 田
	国	丨 冂 冂 冂 囯 国 国 国
先中间后两边	小	亅 小 小
	水	亅 水 水 水
	办	㇇ 力 办 办
	承	乛 了 子 手 手 承 承 承

附录五

部分疑难汉字(繁体)笔顺表

序号	汉字	笔画数	笔顺
1	馬	10	一 厂 FF 戸 戸 馬 馬 馬 馬 馬
2	鳥	11	′ 𠂆 白 白 白 鳥 鳥 鳥 鳥 鳥 鳥
3	門	8	丨 冂 户 户 門 門 門 門
4	鬥	10	丨 𠃌 𠂆 厂 厂 鬥 鬥 鬥 鬥 鬥
5	龜	17	′ ′ ⺈ ⺈ 宀 亇 龜 龜 龜 龜 龜 龜 龜 龜 龜 龜 龜
6	黽	13	丨 冖 冖 冖 冂 黽 黽 黽 黽 黽 黽 黽 黽
7	斲	14	乚 ㄱ ㄱ 己 己 己 弜 弜 弜 弜 弜 斲 斲 斲
8	亞	12	ㄱ ㄱ ㄱ 𠃓 𠃓 𠃓 𠃓 𠃓 𠃓 𠃓 𠃓 亞
9	熙	14	一 丅 丅 丙 丙 丙 臣 臣 臣 巸 熙 熙 熙 熙

续 表

序号	汉字	笔画数	笔 顺
10	氷	5	亅 丬 氵 氺 氷
11	淵	12	丶 丷 氵 氵丿 氵丿丨 氵丿丨 氵丿丨 淵 淵 淵 淵 淵
12	丱	5	乚 丩 丬 丱 丱
13	飛	9	乁 ⺄ 飞 飞 飞 飛 飛 飛 飛
14	柟	9	一 十 才 木 木 杆 杆 柟 柟

附录六

汉字简化方式一览表

简化方式		例字
一、简化或省去字的某一部分		鱼(魚)单(單)变(變)劳(勞)动(動) 亩(畝)条(條)涩(澀)粪(糞)烛(燭)
二、保留原字特征部分,省去大部分		习(習)医(醫)声(聲)凿(鑿)飞(飛) 乡(鄉)广(廣)产(產)开(開)电(電)
三、保留原字轮廓		卢(盧)盖(蓋)呙(咼)龟(龜)肃(肅) 伤(傷)伞(傘)压(壓)盐(鹽)渊(淵)
四、用简单的符号代替字的某一部分(所列符号为举例性质,非穷尽性)	又	欢(歡)对(對)难(難)仅(僅)鸡(鷄) 凤(鳳)树(樹)戏(戲)双(雙)聂(聶)
	丶	枣(棗)谗(讒)搀(攙)馋(饞)
	⺍	举(舉)兴(興)学(學)誉(譽)
	不	坏(壞)怀(懷)还(還)环(環)
	㐅	风(風)赵(趙)
	文	刘(劉)这(這)
	云	会(會)层(層)坛(壇)
	八	办(辦)协(協)

续表

简化方式		例字
五、草书楷化		买(買)为(爲)乐(樂)东(東)专(專) 尽(盡)长(長)龙(龍)当(當)农(農)
六、采用古代字形		云(雲)从(從)气(氣)启(啓)尔(爾) 礼(禮)无(無)灵(靈)虫(蟲)圣(聖)
七、另造形声或会意字	改换声旁	迟(遲)础(礎)担(擔)递(遞)矾(礬) 沟(溝)剧(劇)辽(遼)拥(擁)园(園)
	改换声旁与形旁	护(護)惊(驚)
	改为形简的会意字	灭(滅)灶(竈)体(體)宝(寶)笔(筆) 尘(塵)辞(辭)帘(簾)队(隊)
八、同音代替		卜(蔔)丑(醜)出(齣)谷(穀)后(後) 困(睏)面(麵)千(韆)药(藥)余(餘)
九、其　　他		杂(雜)击(擊)旧(舊)卫(衛)备(備) 岁(歲)义(義)处(處)丛(叢)听(聽)

附录七

干 支 表

甲子	乙丑	丙寅	丁卯	戊辰	己巳	庚午	辛未	壬申	癸酉
甲戌	乙亥	丙子	丁丑	戊寅	己卯	庚辰	辛巳	壬午	癸未
甲申	乙酉	丙戌	丁亥	戊子	己丑	庚寅	辛卯	壬辰	癸巳
甲午	乙未	丙申	丁酉	戊戌	己亥	庚子	辛丑	壬寅	癸卯
甲辰	乙巳	丙午	丁未	戊申	己酉	庚戌	辛亥	壬子	癸丑
甲寅	乙卯	丙辰	丁巳	戊午	己未	庚申	辛酉	壬戌	癸亥

附录八

节 气 表

(按公元月日计算)

春季	立春 2月3—5日交节	雨水 2月18—20日交节	惊蛰 3月5—7日交节
春季	春分 3月20—22日交节	清明 4月4—6日交节	谷雨 4月19—21日交节
夏季	立夏 5月5—7日交节	小满 5月20—22日交节	芒种 6月5—7日交节
夏季	夏至 6月21—22日交节	小暑 7月6—8日交节	大暑 7月22—24日交节
秋季	立秋 8月7—9日交节	处暑 8月22—24日交节	白露 9月7—9日交节
秋季	秋分 9月22—24日交节	寒露 10月8—9日交节	霜降 10月23—24日交节
冬季	立冬 11月7—8日交节	小雪 11月22—23日交节	大雪 12月6—8日交节
冬季	冬至 12月21—23日交节	小寒 1月5—7日交节	大寒 1月20—21日交节

二十四节气歌

春雨惊春清谷天，夏满芒夏暑相连，
秋处露秋寒霜降，冬雪雪冬小大寒。
每月两节不变更，最多相差一两天，
上半年来六、廿一，下半年是八、廿三。

附录九

我国历史朝代公元对照简表

朝代		公元
夏		约前 2070—约前 1600
商		约前 1600—前 1046
周	西周	前 1046—前 771
	东周	前 770—前 256
	春秋时代	前 770—前 476
	战国时代①	前 476—前 221
秦		前 221—前 206
汉	西汉②	前 206—公元 25
	东汉	25—220
三国	魏	220—265
	蜀	221—263
	吴	222—280
西晋		265—317

续 表

东晋十六国	东晋		317—420
	十六国[3]		304—439
南北朝	南朝	宋	420—479
		齐	479—502
		梁	502—557
		陈	557—589
	北朝	北魏	386—534
		东魏 北齐	534—550 550—577
		西魏 北周	535—556 557—581
隋			581—618
唐			618—907
五代十国	后梁		907—923
	后唐		923—936
	后晋		936—947
	后汉		947—950
	后周		951—960
	十国[4]		902—979

续 表

朝代		公元
宋	北宋	960—1127
	南宋	1127—1279
辽		907—1125
西夏		1038—1227
金		1115—1234
元		1206—1368
明		1368—1644
清		1616—1911
中华民国		1912—1949

附注：① 这时期，主要有秦、魏、韩、赵、楚、燕、齐等国，史称战国七雄。

② 包括王莽建立的“新”王朝(公元 9—23 年)。王莽时期，爆发大规模的农民起义，建立了农民政权。公元 23 年，新莽王朝灭亡。公元 25 年，东汉王朝建立。

③ 十六国包括：汉(前赵)、成(成汉)、前凉、后赵(魏)、前燕、前秦、后燕、后秦、西秦、后凉、南凉、北凉、南燕、西凉、北燕、夏等国。

④ 十国包括：吴、前蜀、吴越、楚、闽、南汉、荆南(南平)、后蜀、南唐、北汉等国。

附录十

常用计量单位表

量的名称	法定计量单位		非法定计量单位		换算
	单位名称	国际符号	单位名称	国际符号	
长度	米	m	公尺 市尺 英尺 码	M ft yd	1 公尺＝1 米 1 市尺＝0.333 3 米 1 英尺＝0.304 8 米 1 码＝0.914 4 米
	厘米	cm			1 厘米＝0.01 米
	毫米	mm			1 毫米＝0.001 米
	千米(公里)	km	市里		1 千米＝1 000 米,1 市里＝500 米
			英里	mile	1 英里＝1.609 3 千米

续 表

量的名称	法定计量单位		非法定计量单位		换算
	单位名称	国际符号	单位名称	国际符号	
面积 地积	平方米	m^2	平方市尺 平方英尺 公顷 公亩 市亩	 ft^2 ha a 	1 平方市尺=0.111 1 平方米 1 平方英尺=0.092 9 平方米 1 公顷=10^4 平方米 1 公亩=100 平方米 1 市亩=666.666 7 平方米
	平方厘米	cm^2			1 平方厘米=0.000 1 平方米
	平方千米 (平方公里)	km^2	平方市里 平方英里	 $mile^2$	1 平方市里=0.25 平方千米 1 平方英里=2.59 平方千米
体积 容积	立方米	m^3	立方市尺 立方英尺	 ft^3	1 立方市尺=0.037 0 立方米 1 立方英尺=0.028 3 立方米
	立方厘米	cm^3			1 立方厘米=10^{-6}立方米
	升	L(l)	公升,立升 市升 美加仑 英加仑	 USgal UKgal	1 公升=1 立升=1 升 1 市升=1 升 1 美加仑=3.785 升 1 英加仑=4.546 升
	毫升	ml	西西	C.C.,CC	1 西西=1 毫升=0.001 升

续 表

量的名称	法定计量单位		非法定计量单位		换算
	单位名称	国际符号	单位名称	国际符号	
质量 重量	千克(公斤)	kg	市斤 磅	 lb	1 市斤＝0.5 千克 1 磅＝0.453 6 千克
	克	g	公分 盎司(常衡) 盎司(金衡)	gm oz	1 公分＝1 克＝0.001 千克 1 盎司(常衡)＝28.349 5 克 1 盎司(金衡)＝31.103 5 克
	毫克	mg			1 毫克＝0.001 克＝10^{-6} 千克
	吨	t	公吨 公担	T q	1 公吨＝1 吨＝1 000 千克 1 公担＝0.1 吨＝100 千克
时间	秒 分 〔小〕时 天〔日〕	s min h d			1 分＝60 秒 1 时＝60 分＝3 600 秒 1 天＝24 时＝86 400 秒
频率	赫〔兹〕 千赫 兆赫	Hz KHz MHz	周 千周 兆周	C KC,kc MC	1 周＝1 赫 1 千周＝1 千赫＝1 000 赫 1 兆周＝1 兆赫＝10^6 赫

续 表

量的名称	法定计量单位		非法定计量单位		换　　算
	单位名称	国际符号	单位名称	国际符号	
温度	开〔尔文〕	K	开氏度	°K	1 开氏度＝1 开
			绝对度	°K	1 绝对度＝1 开
			华氏度	°F	1 华氏度＝0.555 556 开
	摄氏度	℃	度	deg	
力 重力	牛(顿)	N	千克力，公斤力	kgf	1 千克力＝9.806 65 牛
			达因	dyn	1 达因＝10^{-5} 牛
压力 压强 应力	帕〔斯卡〕	Pa	巴	bar, b	1 巴＝10^{5} 帕
			毫巴	mbar	1 毫巴＝100 帕
			托	Torr	1 托＝133.322 帕
			标准大气压	atm	1 标准大气压＝101.325 千帕
			工程大气压	at	1 工程大气压＝98.066 5 千帕
			毫米汞柱	mmHg	1 毫米汞柱＝133.322 帕
功能热	焦〔耳〕	J	尔格	erg	1 尔格＝10^{-7} 焦
功率	瓦〔特〕	W	伏安	VA	1 伏安＝1 瓦

续 表

量的名称	法定计量单位		非法定计量单位		换　　算
	单位名称	国际符号	单位名称	国际符号	
			乏	var	1 乏=1 瓦
电流	安〔培〕	A			
电压	伏〔特〕	V			
电阻	欧〔姆〕	Ω			
电量	库〔仑〕	C			
电容	法〔拉〕	F			
物质的量	摩〔尔〕	mol	克原子，克分子克当量，克式量		
发光强度	坎〔德拉〕	cd	烛光，支光，支		

汉语拼音索引

一、本索引收录本书正文的全部单字，包括繁体字(用“(　)”表示)和异体字(用“〔　〕”表示)。

二、单字按汉语拼音字母、声调的顺序排列，同音字按笔画、笔顺排列。

A

ā

锕 437
腌 442
(錒) 437

āi

嗳 471
锿 504
(噯) 471
(鎄) 504

ái

皑 388
(皚) 388

ǎi

蔼 495
(藹) 495
霭 559
(靄) 559

ài

爱 340
碍 465
(愛) 340
嫒 490
瑷 493
叆 494
暧 500
(嬡) 490
(璦) 493
(曖) 500
(礙) 465
(靉) 494

ān

厂 1
广 10
〔菴〕 395
庵 395
谙 406
鹌 466
鮟 509
鞍 518
〔鞌〕 518
(諳) 406
(鮟) 509
(鵪) 466

ǎn

铵 385
（銨） 385

àn

〔岍〕 199
岸 199
〔晻〕 469
暗 469
〔闇〕 469

āng

肮 214
（骯） 214

áo

翱 539
鳌 553
〔翶〕 539
（鰲） 553
〔鼇〕 553

ǎo

袄 299
（襖） 299

ào

〔坳〕 185
〔抝〕 185
坳 185
拗 185
骜 458
（驁） 458

B

bā

鲃 442
（鲃） 442

bǎ

钯 275
（鈀） 275

bà

坝 120
（壩） 120
罢 327
鲅 479
（罷） 327
（鮁） 479
〔覇〕 566
霸 566
（壩） 120

bǎi

柏 254
〔栢〕 254
摆 459
（擺） 459
（襬） 459

bài

呗 141
败 201
（唄） 141
（敗） 201
稗 476
〔粺〕 476

bān

颁 341
（頒） 341

bǎn

〔阪〕 121
坂 121
〔岅〕 121
板 187
钣 273
（鈑） 273
（闆） 187

bàn

办 33
绊 239
（絆） 239
（辦） 33

bāng

帮 242
〔幇〕 242
〔幫〕 242
（幫） 242

bǎng

绑 303
（綁） 303
榜 496
〔牓〕 496
膀 507
〔髈〕 507

bàng

谤 451
膀 507
镑 524
（謗） 451
（鎊） 524

bāo

龅 468
褒 527
〔襃〕 527
（齙） 468

bǎo

饱 216
宝 227
鸨 283
（飽） 216
褓 513
（鴇） 283
〔緥〕 513
〔寳〕 227
（寶） 227

bào

报 124
刨 152
（報） 124

〔鉋〕 152
鲍 481
(鮑) 481
〔鑤〕 152

bēi

杯 186
〔盃〕 186
背 261
〔桮〕 186
〔揹〕 261
鹎 478
(鵯) 478

bèi

贝 21
(貝) 21
狈 151
浿 161
备 216
背 260
钡 273
〔俻〕 216
(狽) 151
(浿) 161
悖 356
辈 426
(備) 216
惫 443
〔誖〕 356
(輩) 426
(鋇) 273
(憊) 443

bēn

奔 192
贲 245
〔奔〕 192
(賁) 245
〔犇〕 192
锛 473
(錛) 473

bèn

奔 192
〔奔〕 192
〔逩〕 192

bēng

绷 411
(綳) 411
〔繃〕 411

bèng

镚 537
(鏰) 537

bī

〔偪〕 423
逼 423
鲾 549
(鰏) 549

bǐ

秕 277
笔 336
〔粃〕 277
(筆) 336

bì

币 26
毕 75
闭 99
诐 168
荜 248
哔 266
毙 321
(畢) 75
铋 333
(閉) 99
赑 431
筚 438
(詖) 168
(蓽) 248
跸 470
(嗶) 266
(鉍) 333
痹 483
〔痺〕 483
滗 486
弊 511
〔獘〕 511
(幣) 26
〔斃〕 321
(潷) 486
(篳) 438
(蹕) 470
(斃) 321
(贔) 431

biān

边 58
笾 387
编 456
(編) 456
鳊 550
(邊) 58
(鯿) 550
(籩) 387

biǎn

贬 201
(貶) 201

biàn

变 217
〔徧〕 450
遍 450
辩 542
辫 551
(辮) 551
(辯) 542
(變) 217

biāo

标 253
飑 284
骉 307
(颮) 284
骠 514

(標) 253
膘 526
飙 534
镖 536
(鏢) 536
〔臕〕 526
镳 564
(驃) 514
(飆) 534
(鑣) 564
(驫) 307

biǎo

表 179
(錶) 179

biào

鳔 560
(鰾) 560

biē

鳖 561
(鱉) 561
〔鼈〕 561

bié

别 143

biě

瘪 527
(癟) 527
〔癟〕 527

biè

別 144
(彆) 144

bīn

宾 358
傧 439
滨 487
缤 492
槟 496
(賓) 358
镔 524
(儐) 439
濒 542
(濱) 487
(檳) 496
(瀕) 542
(繽) 492
(鑌) 524

bìn

摈 460
殡 498
膑 507
(擯) 460
(殯) 498
(臏) 507
髌 560
鬓 563
(髕) 560
(鬢) 563

bīng

〔氷〕 96
冰 96
并 99

bǐng

饼 285
禀 483
〔稟〕 483
(餅) 285

bìng

并 99
〔併〕 99
〔並〕 99
〔竝〕 99

bō

拨 184
〔盋〕 330
钵 330
饽 345
〔缽〕 330
鈸 475
(鉢) 330
(撥) 184
(餑) 345
(鈸) 475

bó

驳 174
柏 254
钹 331
铂 332
袯 360
脖 392
博 417
鹁 423
(鈸) 331
(鉑) 332
鲌 480
〔愽〕 417
(駁)
174,175
镈 523
〔駮〕 174
〔頱〕 392
(鮊) 480
(襏) 360
(鵓) 423
(鎛) 523

bo

卜 1
(蔔) 1

bǔ

卜 1
补 166
鹔 423
(補) 166
(鵏) 423

bù

布 38

〔佈〕 39
钚 272
（鈈） 272

C

cái

才 7
财 145
（財） 145
（纔） 7

cǎi

采 211
〔倸〕 469
〔採〕 211
彩 391
睬 469
〔跴〕 521
〔綵〕 391
踩 521

cài

采 212
〔寀〕 212

cān

参 235
〔叅〕 235
（參） 235
骖 413
（驂） 413

cán

残 258
蚕 309
惭 402
（殘） 258
（慚） 402
〔慙〕 402
（蠶） 309

cǎn

惨 403
䅟 476
（慘） 403
（穇） 476
黪 564
（黲） 564

càn

灿 159
掺 369
（摻） 369
（燦） 159

cāng

仓 28
伧 87
苍 127
沧 161
鸧 281
舱 340
（倉） 28
（傖） 87
（蒼） 127
（滄） 161
（艙） 340
（鶬） 281

cāo

〔捺〕 532
〔撡〕 532
操 532

cǎo

〔艸〕 248
草 248

cè

〔冊〕 48
册 48
厕 191
侧 207
测 295
恻 297
（厠） 191
（側） 207
策 438
〔廁〕 191
（測） 295
（惻） 297
〔筴〕 438
〔筞〕 438

céng

层 168
（層） 168

chā

插 417
〔挿〕 417
馇 443
碴 497
锸 503
（鍤） 503
（餷） 443

chá

查 253
〔查〕 253
〔詧〕 512
碴 497
察 512
〔镲〕 497

chǎ

镲 560
（鑔） 560

chà

诧 232
（詫） 232

chāi

钗 204
（釵） 204

chái

侪 208
（儕） 208

chài

虿 260

(蕫) 260

chān

觇 261
搀 418
(覘) 261
(攙) 418

chán

谗 406
婵 408
馋 443
禅 451
缠 492
蝉 501
(嬋) 408
(禪) 451
(蟬) 501
(纏) 492
镵 568
(讒) 406
(鑱) 568
(饞) 443

chǎn

产 98
浐 296
谄 362
啴 379
铲 384
(產) 98
阐 397
蒇 420
烨 447
〔剷〕 384
(滻) 296
(蕆) 420
(嘽) 379
(諂) 362
骣 531
(燀) 447
〔謟〕 362
冁 558
(鏟) 384
(闡) 397
(驏) 531
(囅) 558

chàn

忏 102
刬 117
(剗) 117
颤 561
(懺) 102
(顫) 561

chāng

伥 86
(倀) 86
阊 396
(閶) 396
鲳 540
(鯧) 540

cháng

长 25
场 66
苌 126
肠 150
(長) 25
尝 263
(萇) 126
偿 387
(場) 66
〔甞〕 263
(腸) 150
〔塲〕 66
(嘗) 263
〔膓〕 150
〔嚐〕 263
(償) 387
鲿 549
(鱨) 549

chǎng

厂 1
氅 273
(廠) 1
(鋹) 273

chàng

玚 116
怅 163
畅 198
(悵) 163
(瑒) 116
(暢) 198

chāo

钞 272
绰 410
(鈔) 272
(綽) 410

chē

车 20
(車) 20
砗 257
(硨) 257

chě

扯 120
〔撦〕 120

chè

彻 148
(徹) 148

chén

尘 76
陈 171
(陳) 171
谌 404
(塵) 76
(諶) 404

chěn

碜 466
(磣) 466

chèn

衬 230
龀 322
称 335
趁 416
〔趂〕 416
榇 464
（稱） 335
（齔） 322
谶 562
（櫬） 464
（襯） 230
（讖） 562

chēng

柽 255
蛏 379
铛 382
赪 459
〔撐〕 517
撑 517
（赬） 459
（檉） 255
（蟶） 379
（鐺） 382

chéng

枨 187
诚 230
〔乗〕 334
乘 334
铖 381
〔塖〕 479
（棖） 187
惩 440
〔椉〕 334
塍 479
（誠） 230
（鋮） 381
〔澂〕 529
澄 529
（懲） 440

chěng

骋 365
（騁） 365

chī

吃 80
鸱 344
絺 365
〔喫〕 80
痴 483
（絺） 365
（鴟） 344
〔癡〕 483

chí

驰 114
迟 169
（馳） 114
（遲） 169

chǐ

齿 195
耻 313
〔恥〕 313
（齒） 195

chì

饬 152
〔勅〕 373
炽 292
〔勑〕 373
翅 319
〔翄〕 319
敕 373
（飭） 152
（熾） 292

chōng

冲 95
涌 356
（衝） 95

chóng

虫 77
种 277
（蟲） 77

chǒng

宠 228
（寵） 228

chòng

铳 385
（銃） 385

chóu

仇 26
俦 278
帱 327
绸 412
〔紬〕 412
畴 428
酬 465
〔酧〕 465
筹 477
〔詶〕 465
踌 500
（綢） 412
（儔） 278
（幬） 327
雠 556
（疇） 428
（籌） 477
〔醻〕 465
（躊） 500
〔讐〕 26,556
〔讎〕 26
（讎） 556

chǒu

丑 33
〔丒〕 499
瞅 499
（醜） 33
〔矁〕 499

chū

出 57
䝙 391
(貙) 391
(齣) 57

chú

刍 50
(芻) 50
厨 424
锄 434
〔耡〕 434
〔鉏〕 434
雏 482
〔厨〕 424
(鋤) 434
〔廚〕 424
橱 533
(雛) 482
〔櫥〕 533
蹰 559
〔躕〕 559

chǔ

处 48
础 319
(處) 48
储 439
(儲) 439
(礎) 319
齼 566
(齼) 566

chù

绌 239
(絀) 239
触 482
(觸) 482

chuán

传 85
〔舩〕 390
船 390
(傳) 85

chuàn

钏 203
(釧) 203

chuāng

创 93
疮 287
〔窓〕 450
(創) 93
〔䆫〕 450
窗 450
〔牕〕 450
〔牎〕 450
(瘡) 287
〔窻〕 450

chuáng

床 155
〔牀〕 155

chuǎng

闯 99
(闖) 99

chuàng

创 93
怆 164
〔剏〕 93
〔剙〕 93
(創) 93
(愴) 164

chuí

捶 368
〔搥〕 368
棰 422
锤 474
〔箠〕 422
(錘) 474
〔鎚〕 474

chūn

〔旾〕 242
春 242
䲠 548
(鰆) 548

chún

纯 173
莼 316
唇 319
(純) 173
淳 401
〔湻〕 401
(蒓) 316
〔脣〕 319
𬭚 474
鹑 482
〔蓴〕 316
醇 519
〔醕〕 519
(錞) 474
(鶉) 482

chǔn

〔惷〕 566
蠢 566

chuò

辍 425
(輟) 425
龊 520
(齪) 520

cí

词 167
(詞) 167
〔䛐〕 167
辞 476
鹚 511
〔辤〕 476
〔餈〕 529
糍 529

(辭) 476
(鷀) 511
〔鶿〕 511

cǐ

鮆 499
(鮆) 499

cì

赐 431
(賜) 431

cōng

匆 47
苁 127
枞 188
〔怱〕 47
〔悤〕 47
葱 421
〔蔥〕 421
(蓯) 127
骢 515
聪 518
(樅) 188
(聰) 518
(驄) 515

cóng

从 27
丛 47
(從) 27
(叢) 47

còu

凑 394
〔湊〕 394
辏 467
(輳) 467

cū

〔觕〕 398
粗 398
〔麤〕 398

cù

卒 219
〔卒〕 219
蹴 559
〔蹵〕 559

cuān

撺 517
镩 547
蹿 559
(攛) 517
(躥) 559
(鑹) 547

cuàn

窜 449
篡 538
〔簒〕 538
(竄) 449

cuī

缞 492
(縗) 492

cuì

脆 342
〔脃〕 342
悴 403
〔顇〕 403

cūn

〔邨〕 130
村 130

cuó

鹾 535
酇 555
(鹺) 535
(酇) 555

cuò

〔剉〕 435
锉 435
错 472
(銼) 435
(錯) 472

D

dā

垯 244
哒 265
锗 502
(墶) 244
(噠) 265
(鎝) 502

dá

达 72
荙 247
跶 374
钛 381
(達) 72
瘩 510
(薘) 247
鞑 518
(跶) 374
〔瘩〕 510
(鐽) 381
(韃) 518

da

塔 416
跶 470
(躂) 470

dāi

呆 139
〔獃〕 139

dài

轪 136
骀 241
绐 241
玳 243
带 248

贷 279
(軑) 136
(帶) 248
(紿) 241
(貸) 279
〔瑇〕 243
逮 516
(駘) 241
(靆) 516

dān

担 181
单 221
耽 313
郸 351
〔躭〕 313
殚 424
(單) 221
瘅 483
(鄲) 351
箪 506
(擔) 181
(殫) 424
(癉) 483
(簞) 506

dǎn

统 176
胆 282
(紞) 176
掸 368
赕 431
(撣) 368
(賧) 431
(膽) 282

dàn

诞 231
僤 338
〔啗〕 380
啖 380
惮 403
弹 407
(誕) 231
〔噉〕 380
(僤) 338
(憚) 403
(彈) 407
膻 548

dāng

当 76
珰 308
裆 405
筜 438
(當) 76
(噹) 76
(璫) 308
(襠) 405
(簹) 438

dǎng

挡 245
党 323
谠 451
榄 495
(擋) 245
(黨) 323
〔攩〕 245
(欓) 495
(讜) 451

dàng

砀 191
垱 245
挡 245
荡 250
档 317
璗 402
(碭) 191
(蕩) 250
(壋) 245
(擋) 245
(檔) 317
(璗) 402
〔盪〕 250

dāo

釖 344
(釖) 344

dǎo

导 107
岛 151
捣 312
(島) 151
祷 405
(搗) 312
〔㠀〕 151
(導) 107
〔擣〕 312
〔擣〕 312
(禱) 405

dào

焘 367
(燾) 367

dé

〔悳〕 525
锝 473
德 525
(鍀) 473

dēng

灯 101
(燈) 101

dèng

邓 34
凳 514
(鄧) 34
澄 529
镫 547
〔櫈〕 514
(鐙) 547

dī

〔隄〕 417

堤 417
碲 465
镝 537
(磾) 465
(鏑) 537

dí

籴 212
敌 335
涤 354
𫖮 377
觌 423
(滌) 354
(頔) 377
(敵) 335
(覿) 423
(糴) 212

dǐ

诋 167
抵 183
〔牴〕 183
〔觝〕 183
(詆) 167

dì

递 353
谛 406
蒂 421
缔 456
(遞) 353
〔蔕〕 421
螮 521
(締) 456
(諦) 406
(螮) 521

diān

颠 533
(顛) 533
巅 559
癫 567
(巔) 559
(癲) 567

diǎn

点 261
(點) 261

diàn

电 43
垫 246
钿 332
淀 401
(電) 43
(鈿) 332
(墊) 246
(澱) 401

diāo

〔彫〕 539
〔琱〕 539
雕 539
鲷 540
〔鵰〕 539
(鯛) 540

diào

〔弔〕 79
吊 79
钓 203
窎 359
调 361
铞 382
铫 383
(釣) 203
(銱) 382
(銚) 383
(調) 361
(窵) 359

dié

绖 304
〔啑〕 428
谍 404
喋 428
嵽 430
(絰) 304
叠 490
〔蜨〕 521
(嵽) 430
蝶 521
(諜) 404
鲽 549
〔曡〕 490
〔疊〕 490
(鰈) 549
〔疉〕 490

dīng

钉 145
(釘) 145

dǐng

顶 182
(頂) 182

dìng

订 32
〔矴〕 466
(訂) 32
铤 383
〔椗〕 466
碇 466
锭 475
(鋌) 383
(錠) 475

diū

铥 383
(銩) 383

dōng

东 40
冬 49
(東) 40
岽 200
鸫 321
𬟽 378
(崬) 200
(蝀) 378

(鼕) 49
(鶇) 321

dòng

动 63
冻 154
栋 253
峒 271
〔峝〕 271
胨 281
(凍) 154
(動) 63
(棟) 253
(腖) 281
〔働〕 63

dōu

兜 388
〔兠〕 388

dǒu

斗 30
钭 275
(鈄) 275

dòu

斗 31
豆 131
〔荳〕 131
(鬥) 31
窦 488
〔閗〕 31
〔鬪〕 31
(竇) 488
〔鬭〕 31

dū

阇 396
(闍) 396

dú

独 283
读 359
渎 399
椟 422
犊 437
牍 439
(獨) 283
(瀆) 399
(櫝) 422
(犢) 437
(牘) 439
黩 563
(讀) 359
(黷) 563

dǔ

笃 278
赌 431
睹 468
〔覩〕 468
(賭) 431
(篤) 278

dù

妒 172
〔妬〕 172
钍 432
镀 504
(釷) 432
(鍍) 504

duàn

断 398
缎 455
锻 503
(緞) 455
簖 548
(鍛) 503
(斷) 398
(籪) 548

duì

队 33
对 60
怼 303
(隊) 33
敦 445
〔敦〕 445
(對) 60
(懟) 303

dūn

吨 140
惇 403
〔惪〕 403
墩 517
〔墪〕 517
(噸) 140
镦 546
(鐓) 546

dǔn

趸 321
(躉) 321

dùn

钝 272
顿 321
遁 439
(鈍) 272
(頓) 321
(遯) 439

duó

夺 72
铎 334
(奪) 72
(鐸) 334

duǒ

朵 93
〔朶〕 93
垛 246
〔垜〕 246
亸 541
(嚲) 541

duò

饳 217
堕 407

duò

跺 470
〔跥〕 470
（飿） 217
（墮） 407

E

ē

〔娿〕 364
婀 364

é

讹 104
峨 328
〔峩〕 328
（訛） 104
锇 434
鹅 437
（鋨） 434
〔額〕 530
额 530
（鵝） 437
〔鵞〕 437
〔鵞〕 437
（額） 530
〔譌〕 104

ě

恶 315
（噁） 315

è

厄 20
〔戹〕 20
〔阨〕 20
扼 119
轭 194
垩 250
恶 315
饿 346
（堊） 250
（軛） 194
阏 397
谔 405
（惡） 315
萼 421
〔搤〕 119
噁 469
腭 479
鹗 501
锷 503
〔蕚〕 421
（噁） 469
颚 522
（餓） 346
（閼） 397
（諤） 405
（鍔） 503
鳄 549
（顎） 522
（鶚） 501
（鰐） 549
〔齶〕 479
〔鱷〕 549

ēn

〔恩〕 327
恩 327

ér

儿 2
（兒） 2
鸸 374
鲕 507
（鴯） 374
（鮞） 507

ěr

〔尒〕 47
尔 47
迩 215
饵 284
铒 381
（爾） 47
（鉺） 381
（餌） 284
（邇） 215

èr

贰 242
（貳） 242

F

fā

发 58
（發） 58

fá

罚 270
阀 288
〔栰〕 439
筏 439
（閥） 288
（罰） 270
〔罸〕 270

fǎ

法 223
〔灋〕 223
〔灋〕 223

fà

发 59
珐 242
〔琺〕 242
（髮） 59

fān

〔帆〕 81
帆 81
翻 556
〔繙〕 556
〔颿〕 81
〔飜〕 556

fán

〔凢〕 10
凡 10

矾 191
钒 203
烦 351
（釩） 203
（煩） 351
〔緐〕 548
膰 546
繁 548
鷭 548
（礬） 191
（鐇） 546
（鷭） 548

fàn

〔氾〕 161
〔汎〕 161
饭 152
泛 161
范 186
贩 201
（販） 201
（飯） 152
（範） 186

fāng

钫 275
（鈁） 275

fáng

鲂 442
（魴） 442

fǎng

仿 88
访 106
纺 176
〔倣〕 88
（紡） 176
（訪） 106
〔髣〕 88

fēi

飞 13
（飛） 13
骓 410
绯 410
（緋） 410
鲱 540
（騑） 410
（鯡） 540

fěi

诽 360
（誹） 360

fèi

废 219
费 301
〔疿〕 483
（費） 301
痱 483
镄 504
（廢） 219
〔癈〕 219
（鐨） 504

fēn

纷 175
氛 204
（紛） 175
〔雰〕 204

fén

坟 122
濆 447
（墳） 122
（濆） 447
豮 534
（豶） 534

fèn

奋 192
偾 387
粪 446
愤 449
（僨） 387
（憤） 449
（奮） 192
鲼 548
（糞） 446
（鱝） 548

fēng

丰 15
风 28
沣 160
沨 161
枫 189
砜 257
（風） 28
疯 287
峰 328
〔峯〕 328
锋 435
（渢） 161
（楓） 189
蜂 471
（碸） 257
（瘋） 287
（鋒） 435
〔逢〕 471
（豐） 15
（灃） 160
〔蠭〕 471

féng

冯 50
（馮） 50
缝 491
（縫） 491

fěng

讽 105
（諷） 105

fèng

凤 29
赗 471
（鳳） 29
（賵） 471

fó

佛 148

fū

肤 213
䟫 272
麸 367
（鈇） 272
〔粰〕 367
（麩） 367
（膚） 213
〔麬〕 367

fú

凫 94
佛 148
〔彿〕 148
绂 237
绋 239
韨 243
（鳧） 94
（紱） 237
（紼） 239
辐 467
（韍） 243
〔髴〕 148
（輻） 467

fǔ

抚 117
呒 138
〔俛〕 338
俯 338
辅 375
頫 441
（輔） 375
（撫） 117
（嘸） 138
（頫） 441
〔頫〕 338

fù

讣 32
负 94
妇 110
附 171
〔坿〕 171
驸 238
复 278
（負） 94
（訃） 32
（婦） 110
赋 430
（復） 278
〔媍〕 110
鲋 480
缚 491
赙 501
（複） 278
（駙） 238
（賦） 430
（鮒） 480
（縛） 491
（賻） 501

G

gā

胳 342
嘎 500
〔嘠〕 500

gá

钆 83
（釓） 83

gāi

该 231
赅 329
（賅） 329
（該） 231

gài

丐 18
〔匃〕 18
〔匄〕 18
隑 234
钙 272
盖 397
（鈣） 272
（隑） 234
（蓋） 397
概 464
〔槩〕 464

gān

干 5
杆 129
〔乹〕 5
（乾） 5
〔乾〕 5
尴 466
（尷） 466

gǎn

杆 129
秆 205
赶 310
〔桿〕 129
〔稈〕 205
（趕） 310
鳡 567
（鱤） 567

gàn

干 6
绀 236
（紺） 236
（幹） 6
〔榦〕 6
〔贑〕 567
赣 567
（贛） 567
〔灨〕 567

gāng

冈 22
扛 64
刚 82

杠 130
肛 150
纲 174
㭎 187
(岡) 22
〔疘〕 150
钢 273
(剛) 82
(棡) 187
〔掆〕 64
(綱) 174
(鋼) 273

gǎng

岗 144
(崗) 144

gàng

杠 130
〔槓〕 130

gāo

皋 339
〔皐〕 339
〔臯〕 339
糕 542
〔餻〕 542

gǎo

缟 492
槁 495
〔槀〕 495
镐 524
稿 524
〔稾〕 524
(縞) 492
(鎬) 524

gào

诰 300
锆 434
(誥) 300
(鋯) 434

gē

〔肐〕 342
饹 285
胳 342
鸽 390
搁 418
歌 496
(餎) 285
(擱) 418
(鴿) 390
〔謌〕 496

gé

阁 289
〔閤〕 289
(閣) 289
镉 523
(鎘) 523

gě

个 9
(個) 9

gè

个 8
(個) 8
铬 384
〔箇〕 8
(鉻) 384

gěi

给 305
(給) 305

gèn

亘 70
〔亙〕 70

gēng

〔畊〕 308
耕 308
赓 445
鹒 483
(賡) 445
(鶊) 483

gěng

绠 364
(綆) 364
鲠 526
〔骾〕 526
(鯁) 526

gōng

躬 339
龚 374
〔躳〕 339
(龔) 374

gǒng

巩 65
(鞏) 65

gòng

贡 120
(貢) 120

gōu

沟 161
钩 274
(鈎) 274
缑 455
〔鉤〕 274
(溝) 161
(緱) 455

gòu

构 189
购 202
诟 231
够 392
〔夠〕 392
〔搆〕 189
(詬) 231

觏 493
（構） 189
（覯） 493
（購） 202

gū

轱 258
鸪 316
（軲） 258
（鴣） 316

gǔ

谷 149
诂 165
贾 318
钴 330
蛊 378
鹄 437
馉 443
（詁） 165
鼓 459
毂 460
（賈） 318
（鈷） 330
〔皷〕 459
鹘 502
（穀） 149
（轂） 460
（餶） 443
（鵠） 437
（鶻） 502
（蠱） 378

gù

顾 320
雇 450
锢 473
〔僱〕 450
（錮） 473
鲴 540
（鯝） 540
（顧） 320

guā

刮 204
括 246
鸹 386
（颳） 205
（鴰） 386

guǎ

剐 267
（剮） 267

guà

诖 229
挂 243
〔罣〕 243
〔掛〕 243
（詿） 229

guāi

掴 368
（摑） 368

guǎi

拐 181
〔柺〕 181

guài

怪 226
〔恠〕 226

guān

关 100
观 111
鳏 557
（關） 100
（鰥） 557
（觀） 111

guǎn

馆 393
〔筦〕 506
管 506
〔舘〕 393
（館） 393
鳤 568
（鱤） 568

guàn

贯 241
掼 369
惯 403
（貫） 241
（摜） 369
（慣） 403
鹳 568
罐 569
〔鑵〕 569
（鸛） 568

guāng

桄 320
（桄） 320

guǎng

广 10
犷 94
（廣） 10
（獷） 94

guī

归 42
龟 150
妫 172
规 179
闺 288
（規） 179
瑰 458
（閨） 288
鲑 507
〔槼〕 179
（嬀） 172
（龜） 150
（鮭） 507
鬶 553
（歸） 42
〔瓌〕 458
（鬹） 553

guǐ

轨 73
匦 180
诡 231
(軌) 73
(匭) 180
(詭) 231

guì

柜 187
刿 200
刽 211
贵 266
桧 317
(貴) 266
(劌) 200
(劊) 211
(檜) 317
(櫃) 187
鳜 564
(鱖) 564

gǔn

绲 410
辊 425
(緄) 410
(輥) 425
鲧 526
(鯀) 526

guō

呙 142
(咼) 142
埚 311
涡 354
(堝) 311
(渦) 354
锅 434
蝈 501
(鍋) 434
(蟈) 501

guó

国 197
(國) 197
帼 380
涸 400
腘 442
(幗) 380
(漍) 400
(膕) 442

guǒ

果 197
〔菓〕 197
馃 393
椁 423
〔槨〕 423
(餜) 393

guò

过 69
(過) 69

H

hā

铪 383
(鉿) 383

hāi

咳 269

hái

还 133
(還) 133

hài

骇 306
(駭) 306

hān

顸 243
(頇) 243

hán

函 234
〔凾〕 234
韩 421
(韓) 421

hǎn

阚 511
喊 545
(闞) 511
(噉) 545

hàn

汉 53
〔扞〕 310
捍 310
〔猂〕 357
悍 357
〔釬〕 399
焊 399
颔 478
(漢) 53
〔銲〕 399
(頷) 478

háng

绗 305
颃 349
(絎) 305
(頏) 349

háo

蚝 326
嗥 471
〔嘷〕 471
〔獋〕 471
〔蠔〕 326

hào

号 43
皓 439
(號) 43
〔暠〕 439
〔皜〕 439
颢 554
(顥) 554

灏 567
(灝) 567

hē

诃 165
(訶) 165

hé

合 92
纥 113
〔咊〕 205
和 205
〔盇〕 313
饸 285
阂 289
(紇) 113
盍 313
核 318
龁 376
颌 440
阖 484
(閤) 92
(閡) 289
鹖 500
(餄) 285
(頜) 440
(齕) 376
(闔) 484
〔覈〕 318
(鶡) 500
〔龢〕 205

hè

吓 77
贺 302
(賀) 302
鹤 530
(嚇) 77
(鶴) 530

hēi

𬭶 546
(𨭆) 546

hěn

𬣳 232
(詪) 232

héng

恒 297
〔恆〕 297
鸻 389
(鴴) 389

hōng

轰 193
哄 264
(轟) 193

hóng

红 112
闳 158
纮 173
荭 252
(紅) 112
(紘) 173
𫓧 381
鸿 399
(葒) 252
(閎) 158
𬭎 436
(鉷) 381
(鋐) 436
黉 543
(鴻) 399
(黌) 543

hǒng

唝 324
(嗊) 324

hòng

讧 54
哄 264
(訌) 54
〔閧〕 264
〔鬨〕 264

hóu

𬭤 503
糇 528
(鍭) 503
〔餱〕 528

hòu

后 90
(後) 90
鲎 488
鲘 508
(鮜) 508
(鱟) 488

hū

呼 199
轷 259
〔虖〕 198
(軤) 259
〔嘑〕 198
〔謼〕 198

hú

胡 251
壶 313
〔粘〕 528
(壺) 313
鹕 495
〔衚〕 251
糊 528
〔餬〕 528
(鬍) 251
(鶘) 495

hǔ

浒 296
(滸) 296

hù

护 123
沪 162
(滬) 162
鳠 557

(護) 123
鳠 567
(韄) 557
(鱯) 567

huā

花 126
〔苍〕 126
哗 268
(嘩) 268
〔蘤〕 126

huá

划 74
华 87
哗 268
骅 305
(華) 87
铧 383
(嘩) 268
(劃) 74
〔譁〕 268
(鏵) 383
(驊) 305

huà

画 189
话 231
桦 317
婳 408
(畫) 189
(話) 231
(樺) 317
〔諙〕 231
(嫿) 408

huái

怀 162
(懷) 162

huài

坏 118
(壞) 118

huān

欢 111
獾 565
〔懽〕 111
(歡) 111
〔貛〕 565
〔貛〕 565
〔讙〕 111
〔驩〕 111

huán

环 178
绾 366
(綄) 366
锾 503
缳 543
瓛 544
(環) 178
(鍰) 503
鹮 554
镮 555
(繯) 543
(鐶) 555
(瓛) 544
(鹮) 554

huǎn

缓 456
(緩) 456

huàn

浣 355
鲩 526
〔澣〕 355
(鯇) 526

huáng

锽 503
锁 536
(鍠) 503
鳇 550
(鐄) 536
(鰉) 550

huǎng

〔怳〕 297
恍 297
晃 325
谎 404
(謊) 404

huàng

晃 325
〔榥〕 325

huī

撝 123
诙 229
挥 247
袆 299
珲 309
晖 325
(揮) 247
辉 426
翚 454
(琿) 309
(暉) 325
(詼) 229
〔煇〕 426
〔徽〕 548
(褘) 299
(撝) 123
(輝) 426
(翬) 454
徽 548

huí

回 81
〔廻〕 82
(迴) 82
〔蚘〕 429
〔逥〕 82
〔痐〕 429
〔蛕〕 429
蛔 429
〔蜖〕 429

huǐ

毁 478
〔燬〕 478
〔譭〕 478

huì

汇 51
会 90
讳 103
荟 249
哕 267
浍 295
诲 300
绘 305
贿 329
烩 352
秽 386
翙 430
(匯) 51
(賄) 329
(會) 90
〔滙〕 51
(彙) 51
(誨) 300
谌 512
(薈) 249
(噦) 267
锖 536
(諱) 103
(澮) 295
(燴) 352
(穢) 386
(翽) 430
(錆) 536
(諶) 512
(繪) 305

hūn

昏 215
荤 250
〔昬〕 215
阍 396
(葷) 250
(閽) 396

hún

浑 296
馄 393
(渾) 296
〔霐〕 458
魂 458
(餛) 393

hùn

诨 232
(諢) 232

huō

騞 454
锪 474
(鍃) 474
(騞) 454

huǒ

伙 88
钬 275
(鈥) 275
(夥) 88

huò

货 208
获 314
(貨) 208
祸 405
〔旤〕 405
(禍) 405
(獲) 314
镬 555
(穫) 314
(鑊) 555

J

jī

几 2
讥 32
击 36
叽 45
饥 50
玑 63
机 68
矶 134
鸡 173
跻 234
积 335
(飢) 50
鉎 381
〔朞〕 419
期 419
赍 422
缉 455
跻 470
锜 472
禨 489
(鉎) 381
(賫) 422
(嘰) 45
齑 528
(緝) 455
(璣) 63
(機) 68
(積) 335
(錤) 472
(禨) 489
(躋) 234
〔賷〕 422
(擊) 36
(磯) 134
羁 545
〔雞〕 173
(譏) 32
(饑) 50
(躋) 470
(鷄) 173
〔齎〕 422
(齏) 528
(羈) 545
〔羇〕 545

jí

级 113

极 130
(級) 113
(極) 130
楫 463
辑 467
鹡 528
〔檝〕 463
(輯) 467
(鶺) 528

jǐ

几 2
虮 198
挤 247
鱾 392
(幾) 2
(魢) 392
(擠) 247
(蟣) 198

jì

计 31
记 56
纪 114
际 170
剂 219
荠 249
(計) 31
迹 287
济 296
(紀) 114
勣 308
觊 329
(記) 56
继 366
绩 409
〔勣〕 409
(勣) 308
蓟 461
〔跡〕 287
(際) 170
霁 498
鲚 508
鲫 527
(薊) 461
(劑) 219
(薺) 249
(覬) 329
(濟) 296
暨 552
(績) 409
〔蹟〕 287
(鯽) 527
鰶 561
骥 562
(鱀) 552
(繼) 366
(霽) 498
(鰶) 561
(鱭) 508
(驥) 562

jiā

夹 73
(夾) 73
浃 294
𬂩 316
(浹) 294
家 357
(梜) 316
(傢) 358
镓 524
(鎵) 524

jiá

夹 73
(夾) 73
郏 193
荚 247
(郟) 193
(莢) 247
戛 374
铗 381
〔袷〕 73
〔戞〕 374
颊 425
蛱 428
〔裌〕 73
(蛺) 428
(鋏) 381
(頰) 425

jiǎ

〔叚〕 389
钾 332
假 389
(鉀) 332
槚 495
(檟) 495

jià

价 86
驾 235
(價) 86
(駕) 235

jiān

戋 36
奸 110
歼 134
坚 137
间 158
(戔) 36
艰 236
〔姦〕 110
监 323
(堅) 137
笺 386
(間) 158
〔牋〕 386
缄 454
〔椷〕 454
〔椾〕 386
缣 492
(監) 323
(箋) 386
鲣 526
鹣 529
(緘) 454
鞯 538

(缣) 492
(艱) 236
鞯 553
鳒 557
(殲) 134
(鰜) 557
(鶼) 529
(籛) 538
(鰹) 526
(韀) 553

jiǎn

拣 180
枧 187
茧 249
俭 280
捡 312
笕 336
(梘) 187
检 372
减 394
(揀) 180
〔堿〕 497
睑 427
锏 436
〔減〕 394
裥 451
(筧) 336
简 478
谫 489
碱 497
(儉) 280
(撿) 312
(檢) 372
(襉) 451
(繭) 249
(瞼) 427
(簡) 478
(譾) 489
〔蠒〕 249
(鐧) 436
〔鹻〕 497
〔鹼〕 497

jiàn

见 22
(見) 22
𫍣 164
饯 216
荐 247
贱 271
剑 281
舰 339
涧 355
渐 400
谏 404
践 428
溅 448
鉴 468
键 475
槛 495
(漸) 400
(賤) 271
(踐) 428
(劍) 281
(諓) 164
(澗) 355
(薦) 247
(鍵) 475
〔劒〕 281
(餞) 216
(諫) 404
〔鑒〕 468
(檻) 495
(濺) 448
(艦) 339
(鑒) 468
〔鑑〕 468

jiāng

将 286
姜 289
浆 347
(將) 286
僵 525
(漿) 347
(薑) 290
缰 543
〔殭〕 525
鳉 550
(繮) 543
〔韁〕 543
(鱂) 550

jiǎng

讲 103
奖 286
桨 347
蒋 421
(蔣) 421
(奬) 286
(槳) 347
〔獎〕 286
(講) 103

jiàng

绛 305
(絳) 305
酱 482
(醬) 482

jiāo

荞 249
浇 294
娇 302
骄 304
胶 343
䴔 395
鲛 508
(蕎) 249
(膠) 343
(澆) 294
(嬌) 302
鹪 548
(鮫) 508
(鵁) 395
(驕) 304
(鷦) 548

jiǎo

侥 207

饺 285
绞 306
铰 384
矫 385
脚 391
搅 419
(絞) 306
〔腳〕 391
剿 492
〔劋〕 492
〔勦〕 492
(僥) 207
(鉸) 384
(餃) 285
〔儌〕 207
缴 543
(矯) 385
(繳) 543
(攪) 419

jiào

叫 45
〔呌〕 45
峤 271
轿 320
较 321
(較) 321
(嶠) 271
(轎) 320

jiē

阶 109
疖 155
秸 386
(階) 109
〔堦〕 109
〔稭〕 386
(癤) 155

jié

节 37
讦 54
〔刦〕 125
〔刧〕 125
劫 125
〔刼〕 125
杰 189
诘 229
洁 294
结 303
(訐) 54
捷 368
〔絜〕 294
〔㨗〕 368
颉 417
〔傑〕 189
(結) 303
(節) 37
(詰) 229
鲒 507
(頡) 417
(潔) 294
(鮚) 507

jiè

价 86
〔屆〕 233
届 233
诫 299
借 337
(誡) 299
(藉) 337

jīn

斤 27
𫓹 273
〔觔〕 27
(釿) 273

jǐn

仅 26
尽 106
紧 323
锦 474
(僅) 26
谨 489
(緊) 323
馑 509
〔緊〕 323
〔緊〕 323
(儘) 106
(錦) 474
(謹) 489
(饉) 509

jìn

尽 107
进 116
劲 172
荩 251
(勁) 172
浕 297
晋 315
〔晉〕 315
赆 329
烬 353
琎 367
(進) 116
缙 491
(盡) 107
(璡) 367
觐 518
(縉) 491
(藎) 251
(濜) 297
(覲) 518
(燼) 353
(贐) 329

jīng

茎 186
泾 226
经 240
〔秔〕 484
(莖) 186
〔粇〕 484
(涇) 226
惊 402
〔稉〕 484
䴖 458

粳 484
(經) 240
鲸 540
(鶄) 458
(鯨) 540
(驚) 402

jǐng

阱 108
刭 172
(剄) 172
〔穽〕 108
颈 408
(頸) 408

jìng

径 210
净 219
迳 235
胫 283
(逕) 235
〔逕〕 210
(徑) 210
痉 349
竞 350
(脛) 283
〔淨〕 219
靓 415
(痙) 349
〔踁〕 283
(靚) 415
镜 537
(鏡) 537
(競) 350

jiōng

驷 238
(駉) 238

jiǒng

迥 200
絅 238
〔逈〕 200
炯 292
〔烱〕 292
(絅) 238
颎 443
(熲) 443

jiū

纠 61
鸠 151
〔糺〕 61
(糾) 61
阄 350
揪 417
〔揫〕 417
(鳩) 151
(鬮) 350

jiǔ

韭 260
〔韮〕 260

jiù

旧 41
〔捄〕 372
救 372
厩 374
〔廐〕 374
〔廄〕 374
(舊) 41
鹫 551
(鷲) 551

jū

驹 239
据 369
锔 436
鮈 480
(駒) 239
(鋦) 436
(鮈) 480

jú

局 169
〔侷〕 169
鹍 499
〔跼〕 169
(鶪) 499

jǔ

柜 187
矩 275
举 298
榉 464
龃 468
〔榘〕 275
(舉) 298
〔擧〕 298
(櫸) 464
(齟) 468

jù

巨 21
讵 103
钜 272
剧 363
据 369
(詎) 103
惧 402
(鉅) 272
〔鉅〕 21
飓 443
锯 475
〔攄〕 369
窭 512
(劇) 363
屦 531
(據) 369
(鋸) 475
〔颶〕 443
(窶) 512
(颶) 443
(屨) 531
(懼) 402

juān

鹃 429
镌 523
(鵑) 429

(鐫) 523

juǎn

卷 221
(捲) 221
锩 475
(錈) 475

juàn

卷 221
隽 338
倦 338
狷 344
〔勌〕 338
绢 365
眷 397
〔雋〕 338
〔睠〕 397
(絹) 365
〔獧〕 344

jué

决 98
诀 106
〔決〕 98
驮 176
觉 298
绝 306
(訣) 106
(絶) 306
(駃) 176
谲 513
橛 534
〔橜〕 534
镢 546
镝 548
(譎) 513
(覺) 298
(钁) 546
(鐍) 548

jūn

军 103
钧 274
(軍) 103
皲 404
(鈞) 274
(皸) 404
鲪 527
(鮶) 527

jùn

俊 280
浚 356
骏 366
〔儁〕 280
〔俊〕 280
(駿) 366
〔濬〕 356

K

kāi

开 15
(開) 15
锎 435
(鐦) 435

kǎi

剀 201
凯 201
垲 246
闿 288
恺 297
铠 382
〔嘅〕 449
(剴) 201
(凱) 201
慨 449
(塏) 246
(愷) 297
锴 502
(鍇) 502
(闓) 288
(鎧) 382

kài

忾 163
(愾) 163

kān

刊 36
〔栞〕 36
龛 390
(龕) 390

kǎn

坎 122
侃 207
〔埳〕 122
〔偘〕 207

kàn

瞰 535
〔矙〕 535

kāng

闶 159
〔粇〕 551
(閌) 159
〔穅〕 551
糠 551
鱇 561
(鱇) 561

káng

扛 63

kàng

〔匟〕 222
炕 222
钪 275
(鈧) 275

kǎo

考 64
〔攷〕 64

kào

铐 381
(銬) 381

kē

轲 258
痾 348
(軻) 258
〔痾〕 348
颏 445
颗 499
(頦) 445
(顆) 499

ké

壳 123
咳 269
〔欬〕 269
(殼) 123

kè

克 128
(剋) 128
〔尅〕 128
课 360
骒 410
缂 454
锞 473
(課) 360
(緙) 454
(錁) 473
(騍) 410

kěn

〔肎〕 195
肯 195
垦 301
恳 363
(墾) 301
(懇) 363

kēng

〔阬〕 123
坑 123
硁 319
(硜) 319
铿 433
(鏗) 433

kēi

剋 252
〔尅〕 252

kōu

抠 119
弧 169
眍 263
(摳) 119
(彄) 169
(瞘) 263

kòu

叩 45
扣 64
〔敂〕 45
〔宼〕 403
〔釦〕 64
寇 403
〔寇〕 403

kù

库 155
绔 304
(庫) 155
〔袴〕 451
喾 449
裤 451
(絝) 304
(褲) 451
(嚳) 449

kuā

夸 72
(誇) 72

kuǎi

㧟 184
(擓) 184

kuài

块 124
侩 208
郐 211
哙 269
狯 283
脍 342
(塊) 124
蒉 420
鲙 508
(蕢) 420
(儈) 208
(鄶) 211
(噲) 269
(獪) 283
(膾) 342
(鱠) 508

kuān

宽 357
(寬) 357
髋 560
(髖) 560

kuǎn

〔欵〕 415
款 415

kuāng

诓 228
(誆) 228

kuáng

诳 300
鵟 442
(誑) 300
(鵟) 442

kuàng

邝 50
圹 66
纩 113
旷 140

况 155
矿 191
〔況〕 155
贶 271
(貺) 271
(鄺) 50
(壙) 66
(曠) 140
(礦) 191
(纊) 113
〔鑛〕 191

kuī

亏 6
岿 200
窥 488
(窺) 488
(虧) 6
〔闚〕 488
(巋) 200

kuí

骙 457
(騤) 457

kuǐ

頍 319
(頍) 319

kuì

匮 373
馈 443
溃 448
愦 449
愧 449
〔媿〕 449
(匱) 373
聩 517
篑 525
(潰) 448
(憒) 449
〔餽〕 443
(聵) 517
(簣) 525
(饋) 443

kūn

坤 181
昆 197
〔崐〕 197
〔崑〕 197
〔堃〕 181
裈 405
鹍 469
锟 473
(褌) 405
(錕) 473
鲲 540
(鵾) 469
(鯤) 540

kǔn

捆 311
阃 350
壸 369
(壼) 369
〔綑〕 311
(閫) 350

kùn

困 141
(睏) 141

kuò

扩 66
括 246
适 276
〔捪〕 246
阔 446
(擴) 66
(闊) 446
〔濶〕 446

L

là

腊 441
〔辢〕 510
蜡 500
辣 510
〔臈〕 441
鯻 549
(臘) 441
镴 564
(鯻) 549
(蠟) 500
(鑞) 564

lái

来 134
(來) 134
俫 279
莱 313
崃 327
(倈) 279
徕 339
涞 353
(萊) 313
梾 372
(崍) 327
(徠) 339
(淶) 353
(棶) 372
铼 432
(錸) 432

lài

赉 375
睐 427
赖 464
(睞) 427
(賚) 375
〔頼〕 464
(賴) 464
濑 542
癞 558
籁 560
(瀨) 542
(癩) 558
(籟) 560

lán

兰 51

岚 144
拦 183
栏 255
婪 371
〔惏〕 371
（嵐） 144
阑 446
蓝 461
礛 498
谰 513
澜 529
褴 530
篮 538
斓 542
（藍） 461
（闌） 446
镧 547
襕 551
（襤） 530
（攔） 183
（蘭） 51
（籃） 538
（瀾） 529
（欄） 255
（斕） 542
（襴） 551
（讕） 513
（鑭） 547

lǎn

览 262
揽 416
缆 454
榄 463
懒 542
（懶） 542
〔嬾〕 542
（覽） 262
（攬） 416
（欖） 463
（礪） 498
（纜） 454

làn

烂 293
滥 486
（濫） 486
（爛） 293

láng

阆 351
琅 368
〔瑯〕 368
锒 436
〔蜋〕 501
螂 501
（閬） 351
（鋃） 436

lāo

捞 309
（撈） 309

láo

劳 128
塄 309
唠 325
崂 327
铹 432
痨 445
（勞） 128
（塄） 309
（嘮） 325
（嶗） 327
（癆） 445
（鐒） 432

lǎo

铑 381
（銠） 381

lào

涝 353
耢 458
（澇） 353
（耮） 458

lè

乐 47
（樂） 47
鳓 560
（鰳） 560

léi

缧 514
（縲） 514
镭 555
（鐳） 555

lěi

诔 229
垒 303
累 379
（誄） 229
（壘） 303
（纍） 379

lèi

泪 225
类 290
〔淚〕 225
（類） 290

léng

棱 421
〔稜〕 421

lí

厘 256
狸 344
离 349
骊 364
〔琍〕 493
梨 386
犁 386
鹂 423
〔棃〕 386
〔犂〕 386
蓠 462
漓 486
缡 492

璃 493
〔貍〕 344
〔蔾〕 553
鲡 526
篱 539
(縭) 492
〔蠡〕 256
藜 553
(離) 349
〔瓈〕 493
(蘺) 462
(灕) 486
(籬) 539
(驪) 364
(鸝) 423
(鱺) 526

lǐ

礼 55
里 138
逦 319
锂 434
〔裡〕 138
(裏) 138
(鋰) 434
鲤 526
(禮) 55
(鯉) 526
鳢 567
(邐) 319
(鱧) 567

lì

历 19
厉 38
坜 119
苈 126
丽 132
励 133
呖 140
𪩘 144
沥 160
枥 187
疠 218
隶 233
𪻐 243
〔茘〕 252
荔 252
栎 254
郦 256
轹 259
俪 279
疬 287
莅 314
栗 318
砺 319
砾 319
〔涖〕 314
蛎 378
粝 398
〔厤〕 20
雳 425
跞 428
〔蒞〕 314
〔慄〕 318
(厲) 38
〔歴〕 19
〔厯〕 19
〔隷〕 233
〔隸〕 233
(勵) 133
(歷) 19
(曆) 20
(隸) 233
(癘) 218
(瓅) 243
(壢) 119
(藶) 126
(櫟) 254
(麗) 132
(礪) 319
(嚦) 140
(㠣) 144
(瀝) 160
(櫪) 187
(礫) 319
(蠣) 378
(糲) 398
(酈) 256
(儷) 279
(癧) 287
(轢) 259
(躒) 428
(靂) 425

liǎ

俩 278
(倆) 278

lián

奁 134
连 135
怜 226
帘 228
莲 313
(連) 135
涟 353
梿 372
联 419
裢 450
(蓮) 313
廉 483
〔亷〕 483
(漣) 353
〔匳〕 134
(槤) 372
(奩) 134
〔匲〕 134
鲢 526
〔廉〕 483
(憐) 226
(褳) 450
(聯) 419
镰 555
〔鎌〕 555
(簾) 228
(鐮) 555
〔鐮〕 555
(鰱) 526
〔籢〕 134

liǎn

琏 367
敛 390
脸 392
裣 450
(璉) 367
蔹 495
(斂) 390
〔歛〕 390
(臉) 392
(襝) 450
(蘞) 495

liàn

练 237
炼 291
恋 346
殓 375
链 433
(煉) 291
潋 512
(練) 237
(殮) 375
〔鍊〕 291
鰊 549
(鏈) 433
(鰊) 549
(瀲) 512
(戀) 346

liáng

凉 350
〔涼〕 350
梁 402
综 412
辌 425
粮 484
(綜) 412
〔樑〕 402
(輬) 425
(糧) 484

liǎng

两 131
(兩) 131
莔 313
(莔) 313
魉 539
(魎) 539

liàng

谅 362
辆 375
(輛) 375
(諒) 362

liáo

辽 57
疗 155
(遼) 57
缭 531
鹩 544
(療) 155
(繚) 531
(鷯) 544

liǎo

了 3
钌 146
(釕) 146
(瞭) 3

liào

镣 546
(鐐) 546

liè

猎 375
猎 393
(獵) 375
(獵) 393
鬣 569
(鬣) 569

lín

邻 149
临 262
淋 399
绑 409
〔粦〕 544
(鄰) 149
〔隣〕 149
(綝) 409
骥 531
辚 535
〔燐〕 544
(臨) 262
磷 544
镂 547
〔麐〕 569
(轔) 535
(鏻) 547
鳞 564
(驎) 531
(鱗) 564
麟 569

lìn

吝 156
〔恡〕 156
赁 338
淋 399
(賃) 338
〔痳〕 399
蔺 495
(藺) 495
躏 566
(躪) 566

líng

灵 168
铃 332
鸰 341
菱 370
棂 372
绫 409
棱 421
龄 468
(鈴) 332
〔蔆〕 370

(綾) 409
(鴒) 341
鲮 539
(鯪) 539
(齡) 468
(靈) 168
(櫺) 372

lǐng

岭 200
领 391
(領) 391
(嶺) 200

liú

刘 97
浏 295
〔畄〕 345
留 345
琉 368
〔畱〕 345
〔雷〕 345
馏 482
骝 491
〔瑠〕 368
飗 509
镏 523
鹠 527
(劉) 97
瘤 528
〔瑠〕 368
镠 538
〔瘤〕 528
(鎦) 523
(餾) 482
(瀏) 295
(鏐) 538
(飀) 509
(騮) 491
(鶹) 527

liǔ

柳 254
〔栁〕 254
〔桺〕 254
绺 412
锍 435
(綹) 412
(鋶) 435

liù

碌 466
〔磟〕 466
鹨 543
(鷚) 543

lóng

龙 39
茏 185
咙 198
泷 224
珑 242
栊 253
昽 264
胧 281
砻 320
眬 324
聋 374
笼 386
(龍) 39
(蘢) 185
(嚨) 198
(瀧) 224
(瓏) 242
(櫳) 253
(曨) 264
(朧) 281
(矓) 324
(礱) 320
(籠) 386
(聾) 374

lǒng

陇 170
拢 180
垄 193
笼 477
(篢) 477
(隴) 170
(攏) 180
(壟) 193

lòng

弄 115
〔衖〕 115

lōu

搂 419
(摟) 419
瞜 499
(瞜) 499

lóu

娄 290
(婁) 290
塿 419
蒌 421
喽 429
溇 449
楼 464
膢 479
(塿) 419
(蔞) 421
(嘍) 429
(漊) 449
耧 516
(樓) 464
蝼 521
(膢) 479
(耬) 516
(螻) 521
髅 555
(髏) 555

lǒu

嵝 430
(嶁) 430
篓 525
(簍) 525

lòu

镂 504
瘘 510
(瘻) 510
(鏤) 504

lū

撸 517
噜 522
(擼) 517
(嚕) 522

lú

卢 41
芦 128
庐 157
垆 180
炉 222
泸 224
栌 253
轳 259
胪 281
鸬 322
铲 331
颅 376
舻 389
鲈 480
(盧) 41
(壚) 180
(蘆) 128
(廬) 157
(瀘) 224
(櫨) 253
(臚) 281
(爐) 222
(艫) 389
(轤) 259
〔鑪〕 222
(鑪) 331
(顱) 376
(鸕) 322
(鱸) 480

lǔ

卤 137
虏 196
掳 368
(鹵) 136,137
鲁 442
〔虜〕 196
(虜) 196
(滷) 137
〔樐〕 534
(魯) 442
澛 529
(擄) 368
橹 534
〔櫓〕 534
镥 546
(澛) 529
(櫓) 534
(櫓) 534
〔艣〕 534
〔艪〕 534
(鑥) 546

lù

陆 170
录 233
辂 321
赂 329
(陸) 170
逯 413
绿 413
(輅) 321
碌 466
(賂) 329
〔剹〕 531
箓 506
(绿) 413
辘 520
戮 531
(録) 233
(騄) 413
(轆) 520
鹭 554
(籙) 506
(鷺) 554

lu

氇 538
(氌) 538

lǘ

驴 176
闾 288
榈 464
(閭) 288
(櫚) 464
(驢) 176

lǚ

铝 382
偻 388
屡 452
缕 456
(僂) 388
(鋁) 382
褛 513
(屢) 452
(褸) 513
(縷) 456

lǜ

虑 322
〔菉〕 413
绿 413
滤 486
(綠) 413
(慮) 322
(濾) 486

luán

峦 285
孪 286
娈 286
栾 346
挛 346
鸾 394

脔 445
滦 486
銮 510
(臠) 285
(孿) 286
(孌) 286
(欒) 346
(攣) 346
(臠) 445
(灤) 486
(鑾) 510
(鸞) 394

luàn

乱 146
(亂) 146

lüè

略 378
〔畧〕 378
锊 435
(鋝) 435

lūn

抡 121
(掄) 121

lún

仑 28
伦 87
囵 145
沦 161
纶 175
轮 195
(侖) 28
轮 273
(倫) 87
〔崙〕 28
〔崘〕 28
(圇) 145
(淪) 161
(綸) 175
(輪) 195
(錀) 273

lǔn

埨 122
(埨) 122

lùn

论 104
(論) 104

luō

啰 379
(囉) 379

luó

罗 200
萝 370
逻 380
脶 392
猡 393
椤 422
(腡) 392
锣 474
箩 505
骡 514
(羅) 200
(騾) 514
(蘿) 370
(邏) 380
(玀) 393
(欏) 422
〔臝〕 514
(籮) 505
(鑼) 474

luǒ

裸 489
〔躶〕 489
〔臝〕 489

luò

泺 225
荦 250
骆 306
络 306
(絡) 306
(犖) 250
(駱) 306
(濼) 225

M

mā

妈 110
蚂 266
(媽) 110
(螞) 266

má

吗 80
麻 394
(嗎) 80
〔蔴〕 394
〔蟇〕 536
蟆 536

mǎ

马 13
犸 94
玛 116
杩 131
码 191
(馬) 13
(獁) 94
(瑪) 116
(榪) 131
(碼) 191

mà

祃 166
骂 267
〔傌〕 267
(禡) 166
〔罵〕 267
(罵) 267

mǎi

买 111

荬 252
(買) 111
(蕒) 252

mài

劢 40
迈 74
麦 116
卖 190
脉 282
唛 324
〔脈〕 282
(麥) 116
〔衇〕 282
镀 432
〔衇〕 282
(勱) 40
(嘜) 324
(賣) 190
(邁) 74
(鎊) 432

mān

颟 533
(顢) 533

mán

蛮 444
谩 489
馒 509
瞒 520
(瞞) 520
(謾) 489
(饅) 509
鳗 561
(鰻) 561
(蠻) 444

mǎn

满 485
(滿) 485
螨 536
(蟎) 536

màn

荷 249
(蔄) 249
缦 514
镘 537
(縵) 514
(鏝) 537

māo

猫 393
〔貓〕 393

máo

牦 204
锚 473
〔犛〕 204
〔氂〕 204
(錨) 473

mǎo

卯 48
〔夘〕 48
〔戼〕 48
铆 333
(鉚) 333

mào

〔冐〕 265
冒 265
贸 284
〔帽〕 430
帽 430
(貿) 284

me

么 9
(麼) 9

méi

梅 372
〔楳〕 372
〔槑〕 372
镅 504
鹛 513
霉 520
(鎇) 504
(鶥) 513
(黴) 520

měi

镁 504
(鎂) 504

mēn

闷 159
(悶) 159

mén

门 11
扪 66
(門) 11
钔 203
(捫) 66
璊 493
(璊) 493
(鍆) 203

mèn

焖 399
(燜) 399
懑 551
(懣) 551

men

们 46
(們) 46

mēng

蒙 462
(矇) 462

méng

虻 266
郿 326
蒙 462

(鄳) 326
〔蝱〕 266
(濛) 462
(懞) 462
鹲 554
(矇) 462
(鸏) 554

měng

黾 198
(黽) 198
锰 476
(錳) 476

mèng

梦 371
(夢) 371

mī

眯 376
〔瞇〕 376

mí

弥 233
祢 299
猕 393
谜 406
(謎) 406
(彌) 233
(禰) 299
(獼) 393
(瀰) 233

mì

觅 212
〔祕〕 335
秘 335
〔覔〕 212
(覓) 212
幂 451
谧 452
〔冪〕 451
(謐) 452

mián

绵 411
(綿) 411
〔緜〕 411

miǎn

渑 400
缅 454
𬶐 526
(緬) 454
(澠) 400
(鮸) 526

miàn

面 257
〔麪〕 257
(麵) 257

miáo

鹋 461
(鶓) 461

miǎo

眇 264
〔[illegible]〕 264
〔淼〕 447
渺 447
缈 455
〔渺〕 447
(緲) 455

miào

妙 172
庙 218
〔玅〕 172
缪 515
(廟) 218
(繆) 515

miē

〔哶〕 269
咩 269
〔哔〕 269

miè

灭 39
(滅) 39
蔑 494
(衊) 494

mín

缗 457
(緡) 457

mǐn

〔冺〕 225
闵 159
泯 225
闽 288
悯 357
(閔) 159
(閩) 288
(憫) 357
鳘 560
(鰵) 560

míng

鸣 199
〔[illegible]〕 361
冥 361
铭 383
〔㝠〕 361
(鳴) 199
(銘) 383

mìng

〔[illegible]〕 211
命 211

miù

谬 489
(謬) 489

mó

谟 450
馍 482

〔暮〕 450
（謨） 450
（饃） 482
〔饝〕 482

mò

万 8
脉 283
〔脈〕 283
蓦 461
镆 522
（鏌） 522
缧 558
（驀） 461
（纆） 558

móu

谋 404
（謀） 404

mǔ

〔毗〕 154
亩 154
〔畝〕 154
〔畆〕 154
〔畂〕 154
鉧 334
（畝） 154
〔畮〕 154
（鉧） 334

mù

钼 331
幕 461
〔幙〕 461
（鉬） 331

N

ná

〔拏〕 340
〔舒〕 340
拿 340
〔拿〕 340
镎 523
（鎿） 523

nà

纳 174
钠 273
（納） 174
（鈉） 273

nǎi

乃 4
奶 57
〔迺〕 4
〔妳〕 57
〔廼〕 4
〔嬭〕 57

nán

〔枏〕 463
〔柟〕 463
难 364
楠 463
（難） 364

náng

馕 570
（饢） 570

náo

挠 245
铙 382
蛲 429
（撓） 245
（蟯） 429
（鐃） 382

nǎo

恼 298
脑 343
（惱） 298
（腦） 343

nào

闹 220
〔閙〕 220
（鬧） 220

nè

讷 103
（訥） 103

něi

馁 346
（餒） 346

nèn

嫩 514
〔嫰〕 514

ní

铌 333
輗 425
（鈮） 333
〔蜺〕 534
（輗） 425
霓 534
鲵 535
鲵 540
（鯢） 540
（鯢） 535

nǐ

拟 125
你 147
〔妳〕 147
〔儗〕 125
（擬） 125

nì

昵 265
腻 478
〔暱〕 265
（膩） 478

nián

年 83
〔秊〕 83
鲇 480
(鮎) 480

niǎn

辇 415
辗 499
(輦) 415
撵 516
(輾) 499
(攆) 516

niàn

念 212
〔唸〕 212

niáng

娘 363
〔孃〕 363

niàng

酿 497
(釀) 497

niǎo

鸟 49
茑 185
袅 345
(鳥) 49
(裊) 345
〔嫋〕 345
(蔦) 185
〔褭〕 345
〔嬝〕 345

niē

捏 310
〔揑〕 310

niè

聂 313
涅 353
啮 377
〔湼〕 353
嗫 469
阒 484
镊 522
镍 523
颞 532
蹑 545
(聶) 313
(闑) 484
(嚙) 377
(鎳) 523
孽 559
〔孼〕 559
〔齧〕 377
(囁) 469
〔囓〕 377
(躡) 545
(鑷) 522
(顳) 532

níng

宁 53
拧 184
苧 186
咛 199
狞 216
柠 255
聍 370
〔寍〕 53
〔甯〕 53
(寧) 53
(擰) 184
(薴) 186
(嚀) 199
(獰) 216
(檸) 255
(聹) 370

nìng

泞 225
(濘) 225

niǔ

纽 176
钮 275
(紐) 176
(鈕) 275

nóng

农 105
侬 208
哝 270
浓 296
脓 344
秾 386
酞 465
(農) 105
〔辳〕 105
(儂) 208
(噥) 270
(濃) 296
(膿) 344
(穠) 386
(醲) 465

nòng

弄 115
〔挵〕 115

nú

砮 234
(砮) 234

nǚ

钕 203
(釹) 203

nǜ

〔衂〕 339
衄 339
〔衄〕 339

nüè

疟 218

(瘧) 218

nuǎn

〔㬉〕 469
暖 469
〔煗〕 469
〔煖〕 469

nuó

傩 439
(儺) 439

nuò

诺 359
锘 472
〔稬〕 565
(諾) 359
(鍩) 472
〔穤〕 565
糯 565

O

ōu

讴 103
𫭟 119
瓯 193
欧 193
殴 193
鸥 258
(塸) 119
(甌) 193
(歐) 193
(毆) 193
(謳) 103
(鷗) 258

ǒu

呕 139
(嘔) 139
𬉼 222
(熰) 222

òu

沤 160
怄 163
(漚) 160
(慪) 163

P

pán

盘 390
(盤) 390
蹒 545
(蹣) 545

páng

庞 218
鳑 557
(龐) 218
(鰟) 557

páo

刨 152

pào

炮 292
〔砲〕 292
疱 349
〔皰〕 349
〔礮〕 292

pēi

〔肧〕 281
胚 281

péi

赔 431
锫 475
(賠) 431
(錇) 475

pèi

辔 491
(轡) 491

pēn

喷 427
(噴) 427

péng

鹏 479
(鵬) 479

pèng

〔掽〕 465
碰 465
〔踫〕 465

pī

纰 174
𬳵 237
铍 334
(紕) 174
(鈹) 334
(駓) 237

pí

毗 266
〔毘〕 266
鲏 481
罴 501
(鮍) 481
(羆) 501

pǐ

匹 20
〔疋〕 20

pì

辟 490
䴙 558
(闢) 490
(鸊) 558

pián

骈 307
(駢) 307

piǎn

谝 406

(諞) 406

piàn

骗 456
(騙) 456

piāo

缥 514
飘 519
(縹) 514
(飄) 519
〔飃〕 519

piáo

朴 68

piě

𬭯 538
(鐅) 538

pín

贫 212
(貧) 212
频 467
嫔 490
蘋 533
(頻) 467
(嬪) 490
(蘋) 533
颦 566
(顰) 566

píng

评 165
苹 185
凭 207
瓶 351
〔缾〕 351
(評) 165
鲆 479
〔凴〕 207
(鮃) 479
(憑) 207
(蘋) 185

pō

钋 146
泼 225
䥽 334
(釙) 146
颇 408
酦 423
(頗) 408
(潑) 225
(醱) 423
(鏺) 334

pó

繁 548

pǒ

钷 331
(鉕) 331

pò

〔廹〕 208
迫 208

pū

仆 25
扑 36
铺 432
(撲) 36
(鋪) 432

pú

仆 25
(僕) 25
镤 546
(鏷) 546

pǔ

朴 68
谱 513
(樸) 68
镨 547
(譜) 513
(鐠) 547

pù

铺 432
〔舖〕 432
(鋪) 432

Q

qī

栖 316
桤 317
凄 346
戚 373
〔淒〕 346
〔悽〕 346
期 419
〔棲〕 316
(榿) 317
〔慽〕 373
〔慼〕 373

qí

齐 97
𫐄 195
俟 280
颀 339
脐 343
〔旂〕 510
(軝) 195
骐 409
骑 410
〔棊〕 422
棋 422
蛴 429
〔碁〕 422
锜 473
(頎) 339
(齊) 97
旗 510
蕲 518
(錡) 473
鲯 540
(騏) 409

(騎) 410
(臍) 343
鳍 557
(蘄) 518
(鯕) 540
(蠐) 429
(鰭) 557

qǐ

岂 82
启 165
〔啓〕 165
(豈) 82
〔啟〕 165
(啓) 165
绮 410
(綺) 410

qì

气 23
讫 56
弃 157
(氣) 23
(訖) 56
〔棄〕 157
碛 465
〔憩〕 538
(磧) 465
憩 538

qiān

千 8
迁 84
佥 149
钎 203
牵 258
铅 333
悭 357
(釺) 203
(牽) 258
〔鈆〕 333
谦 452
签 477
愆 478
(鉛) 333
(僉) 149
鹐 481
骞 488
(慳) 357
(遷) 84
〔諐〕 478
(謙) 452
(簽) 477
(鵮) 481
(騫) 488
(籤) 477
(韆) 8

qián

荨 251
钤 274
钱 330
钳 330
(鈐) 274
(鉗) 330
(蕁) 251
潜 529
〔潛〕 529
(錢) 330

qiǎn

浅 223
(淺) 223
谴 530
缱 543
(繾) 543
(譴) 530

qiàn

伣 86
纤 112
绮 409
(俔) 86
堑 375
椠 425
(塹) 375
(綪) 409
(槧) 425
(縴) 112

qiāng

呛 143
羌 159
玱 179
枪 189
戗 213
〔羗〕 159
〔羌〕 159
跄 378
(嗆) 143
锖 472
(瑲) 179
(槍) 188,189
锵 503
(戧) 213
(錆) 472
(蹌) 378
〔鎗〕 188
(鏘) 503

qiáng

〔強〕 452
强 452
墙 494
蔷 494
嫱 513
樯 519
(墻) 494
(薔) 494
〔彊〕 452
(嬙) 513
(檣) 519
〔牆〕 494
〔艢〕 519

qiǎng

抢 122
羟 397
(搶) 122

（羥） 397
镪 547
襁 551
〔繈〕 551
（鏹） 547

qiàng

炝 222
（熗） 222

qiāo

硗 374
跷 470
锹 503
缲 543
（磽） 374
〔鍫〕 503
（鍬） 503
（蹺） 470
〔蹻〕 470
（繰） 543

qiáo

乔 84
侨 208
荞 249
〔荍〕 249
桥 317
硚 374
翘 425
（喬） 84
（僑） 208
谯 513
鞒 518
（蕎） 249
憔 530
（橋） 317
（礄） 374
〔癄〕 530
（翹） 425
（譙） 513
（鞽） 518
〔顦〕 530

qiào

诮 299
〔陗〕 328
峭 328
窍 358
（誚） 299
（竅） 358

qiè

窃 298
惬 402
（愜） 402
〔悘〕 402
锲 502
箧 505
（篋） 505
（鍥） 502
（竊） 298

qīn

钦 274
亲 287
骎 366
嵚 430
（欽） 274
（嶔） 430
（親） 287
（駸） 366

qín

〔栞〕 415
琴 415
懃 460
〔懃〕 460

qǐn

锓 436
〔寑〕 489
寝 489
（寢） 489
（鋟） 436

qìn

揿 417
〔搇〕 417
（撳） 417

qīng

轻 259
氢 276
倾 337
（氫） 276
（傾） 337
（輕） 259
鲭 539
（鯖） 539

qǐng

顷 194
请 359
（頃） 194
庼 395
（廎） 395
（請） 359

qìng

庆 97
（慶） 97

qióng

穷 164
茕 186
䓖 315
琼 415
（煢） 186
（窮） 164
（瓊） 415
（藭） 315

qiū

丘 46
〔坵〕 46
秋 277
〔秌〕 277
鹙 505

锹 550
(鍬) 277
(鶖) 505
(鰍) 550
〔鰌〕 550
〔穐〕 277

qiú

仇 26
虬 141
〔虯〕 141
球 367
赇 380
〔毬〕 367
铱 432
巯 453
(巰) 453
(賕) 380
(銶) 432

qū

区 19
曲 78
岖 144
诎 167
驱 173
(區) 19
躯 388
趋 416
(詘) 167
(嶇) 144
麴 516
〔駈〕 173
〔敺〕 173
觑 520
(趨) 416
(麯) 78
(覷) 520
(軀) 388
〔麹〕 78
(麴) 516
(驅) 173

qú

鸲 344
(鴝) 344

qǔ

龋 545
(齲) 545

qù

阒 446
(闃) 446

quán

权 69
诠 231
辁 320
铨 383
(輇) 320
(詮) 231
(銓) 383
鳈 550
(鰁) 550
(權) 69
颧 569
(顴) 569

quǎn

绻 413
(綣) 413

quàn

劝 34
券 221
〔劵〕 221
(勸) 34

quē

阙 484
(闕) 484

què

却 125
〔郄〕 125
〔卻〕 125
岩 357
悫 369
确 424
阕 446
〔推〕 496
鹊 461
榷 496
(慤) 369
〔榷〕 496
(確) 424
(闋) 446
(礐) 357
(鵲) 461

qún

〔帬〕 451
裙 451
〔裠〕 451
群 490
〔羣〕 490

R

rán

(髥) 516
髯 516

rǎn

〔冄〕 46
冉 46

ráng

镶 565
(纕) 565

ràng

让 55
(讓) 55

ráo

荛 248
饶 284
娆 302
桡 316

(蕘) 248
(嬈) 302
(橈) 316
(饒) 284

rǎo

扰 119
(擾) 119

rào

绕 304
〔遶〕 304
(繞) 304

rè

热 312
(熱) 312

rèn

认 32
讱 57
纫 114
韧 117
轫 136
饪 152
妊 172
纴 174
衽 299
〔姙〕 172
(紉) 114
〔軔〕 136
(軔) 136
(訒) 57
(紝) 174
〔袵〕 299
〔韌〕 117
〔靱〕 117
〔韧〕 117
(飪) 152
(韌) 117
〔餁〕 152
(認) 32

rì

驲 174
(馹) 174

róng

荣 250
绒 303
〔毧〕 303
嵘 430
〔羢〕 303
(絨) 303
(榮) 250
蝾 521
镕 524
融 534
〔螎〕 534
(嶸) 430
(鎔) 524
(蠑) 521

rǒng

冗 32
〔宂〕 32

róu

糅 467
(糅) 467

rú

铷 385
(銣) 385
〔蝡〕 563
颥 563
蠕 563
(顬) 563

rù

缛 491
(縟) 491

ruǎn

软 195
(軟) 195
〔輭〕 195

ruǐ

〔蕋〕 518
蕊 518
〔橤〕 518
〔蘂〕 518

ruì

锐 436
睿 499
(鋭) 436
〔叡〕 499

rùn

闰 157
润 354
(閏) 157
(潤) 354

ruò

箬 505
〔篛〕 505

S

sā

〔抄〕 400
挲 400

sǎ

洒 294
(灑) 294

sà

飒 288
萨 371
〔颯〕 288
(颯) 288
(薩) 371

sāi

腮 479
鳃 549
〔顋〕 479

(鳃) 549

sài

赛 512
(賽) 512

sān

毵 454
(毿) 454

sǎn

伞 92
〔散〕 420
散 420
〔傘〕92,93
(傘)92,93
糁 511
馓 527
(糝) 511
〔繖〕 92
(饊) 527

sāng

丧 189
〔桒〕 364
桑 364
(喪) 189

sǎng

颡 543
(顙) 543

sāo

骚 457
缫 515
(繅) 515
(騷) 457

sǎo

扫 66
(掃) 66

sè

涩 356
啬 372
铯 384
(嗇) 372
(銫) 384
〔澁〕 356
穑 538
〔澀〕 356
(澀) 356
(穡) 538

shā

杀 91
纱 174
(殺) 91
(紗) 174
铩 383
鲨 529
(鎩) 383
(鯊) 529

shà

厦 424
〔廈〕 424

shāi

筛 438
(篩) 438

shài

晒 324
(曬) 324

shān

〔刪〕 151
删 151
钐 203
〔姍〕 234
姗 234
〔珊〕 243
珊 243
(釤) 203
膻 548
〔羴〕 548
〔羶〕 548

shǎn

闪 51
陕 234
(陝) 234
(閃) 51

shàn

讪 56
(訕) 56
埠 369
骟 492
(墠) 369
缮 531
膳 539
赡 545
(繕) 531
(騸) 492
(贍) 545
〔饍〕 539
鳝 564
〔鱓〕 564
(鱔) 564

shāng

伤 86
殇 258
觞 443
(傷) 86
(殤) 258
(觴) 443

shǎng

赏 427
(賞) 427

shàng

绱 410
(緔) 410

shāo

烧 351

筲 477
〔箾〕 477
(燒) 351

shào

绍 240
(紹) 240

shē

畲 327
赊 381
(畬) 327
(賒) 381

shé

〔虵〕 378
蛇 378

shě

舍 210
(捨) 210

shè

厍 71
设 105
舍 210
(厙) 71
射 338
(設) 105
〔䠶〕 338
摄 459
滠 485
慑 487
〔慴〕 487
(攝) 459
(灄) 485
(懾) 487

shéi

谁 361
(誰) 361

shēn

诜 231
参 235
绅 237
𬳽 304
深 401
〔叅〕 235
(參) 235
(紳) 237
〔葠〕 235
〔蓡〕 235
(詵) 231
〔㴱〕 401
(駪) 304
鲹 541
(鰺) 541

shén

(鉮) 332
𬬹 332

shěn

沈 162
审 228
谂 361
婶 408
(諗) 361
(審) 228
(瀋) 162
(嬸) 408

shèn

肾 196
〔昚〕 488
渗 402
(腎) 196
瘆 483
慎 488
(滲) 402
(瘮) 483

shēng

升 24
声 124
〔昇〕 24
胜 282
〔陞〕 24
(聲) 124

shéng

绳 411
(繩) 411

shèng

圣 59
胜 282
剩 437
(勝) 282
(聖) 59
〔賸〕 437

shī

尸 12
师 75
诗 229
鸤 233
虱 234
䴓 255
狮 283
浉 295
〔屍〕 12
(師) 75
湿 447
(獅) 283
(詩) 229
〔溼〕 447
(溮) 295
酾 497
𫚕 507
(鳲) 233
(鳾) 255
〔蝨〕 234
鲺 541
(濕) 447
(鯴) 541
(鰤) 507
(釃) 497

shí

时 137

识 166
实 228
〔旹〕 137
蚀 284
埘 311
莳 313
（時） 137
〔寔〕 228
（塒） 311
（蒔） 313
（蝕） 284
（實） 228
鲥 526
（識） 166
（鰣） 526

shǐ

驶 238
（駛） 238

shì

𬤊 405
似 89
势 183
〔柹〕 254
饰 216
试 229
视 230
贳 248
柿 254
〔昰〕 263
是 263
适 276
轼 320
〔眎〕 230
〔眡〕 230
铈 333
（視） 230
（貰） 248
释 441
谥 452
（勢） 183
（軾） 320
（鈰） 333
（飾） 216
（試） 229
（適） 276
（諟） 405
〔諡〕 452
（謚） 452
（釋） 441

shòu

寿 115
兽 398
绶 411
（壽） 115
（綬） 411
（獸） 398

shū

书 35
纾 177
枢 186
倏 338
〔倐〕 338
（書） 35
（紓） 177
〔疎〕 453
疏 453
摅 459
输 467
（樞） 186
（輸） 467
（攄） 459
〔儵〕 338

shú

赎 431
（贖） 431

shǔ

属 452
数 484
（數） 484
薯 533
〔藷〕 533
（屬） 452

shù

术 38
树 255
竖 263
𬬸 330
（術） 38
〔庻〕 394
庶 394
（豎） 263
（鉥） 330
〔潄〕 512
漱 512
〔竪〕 263
（樹） 255

shuài

帅 42
（帥） 42

shuān

闩 30
（閂） 30

shuāng

双 35
（雙） 35
骦 565
鹴 568
（驦） 565
（鸘） 568

shùn

顺 279
（順） 279

shuō

说 301
（說） 301

shuò

烁 292
铄 333
硕 374
(碩) 374
(爍) 292
(鑠) 333

sī

丝 62
咝 199
鸶 366
蛳 429
缌 455
(絲) 62
飔 481
厮 497
锶 502
(噝) 199
〔廝〕 497
(緦) 455
(螄) 429
(鍶) 502
(颸) 481
(鷥) 366

sì

似 89
〔佀〕 89
祀 166
饲 217
驷 238
俟 280
〔飤〕 217
〔竢〕 280
(飼) 217
(駟) 238
〔禩〕 166

sōng

松 188
(鬆) 188

sǒng

扨 125
怂 211
耸 340
(慫) 211
(聳) 340
(揔) 125

sòng

讼 105
诵 301
颂 341
(訟) 105
(頌) 341
(誦) 301

sōu

搜 417
〔蒐〕 417
馊 443
飕 481
锼 503
(鎪) 503
(餿) 443
(颼) 481

sǒu

擞 532
薮 533
(擻) 532
(藪) 533

sòu

〔嗽〕 500
嗽 500

sū

苏 129
〔甦〕 129
稣 480
(穌) 480
〔蘓〕 129
(蘇) 129
(囌) 129

sù

诉 167
〔泝〕 487
肃 232
涑 345
〔宿〕 403
宿 403
骕 413
(訴) 167
谡 451
〔遡〕 487
溯 487
(肅) 232
鹔 489
〔愬〕 167
(餗) 345
(謖) 451
(驌) 413
(鷫) 489

suī

虽 267
(雖) 267

suí

绥 365
随 407
(綏) 365
(隨) 407

suì

岁 81
谇 362
〔嵗〕 81
(歲) 81
(誶) 362
鐩 535
鐆 547
(鐩) 535
(鐆) 547

sūn

孙 108
荪 252
狲 284
（孫） 108
飧 443
（蓀） 252
〔飱〕 443
（猻） 284

sǔn

损 311
笋 337
〔筍〕 337
（損） 311

suō

蓑 462
缩 515
〔簑〕 461
（縮） 515

suǒ

唢 326
琐 367
锁 433
（嗩） 326
（瑣） 367
〔瑣〕 367
（鎖） 433
〔鎻〕 433

T

tā

它 54
〔牠〕 54
铊 333
（鉈） 333

tǎ

塔 416
〔墖〕 416
獭 541
鳎 557
（獺） 541
（鰨） 557

tà

拓 180
挞 244
闼 288
〔搨〕 180
阘 484
（撻） 244
（闒） 484
（闥） 288

tái

台 60
鲐 481
（臺） 60,61
（颱） 61
（鮐） 481
（檯） 61

tài

态 193
钛 272
酞 373
（鈦） 272
（態） 193

tān

贪 212
（貪） 212
摊 460
滩 487
瘫 528
（攤） 460
（灘） 487
（癱） 528

tán

坛 118
昙 197
谈 362
锬 475
谭 512
（談） 362
（壇） 118
（曇） 197
（錟） 475
〔罈〕 118
〔壜〕 118
（譚） 512
（罎） 118

tǎn

钽 331
袒 360
（鉭） 331
〔襢〕 360

tàn

叹 45
（嘆） 45
〔歎〕 45

tāng

汤 101
铴 385
（湯） 101
〔蹚〕 554
镗 537
蹚 554
（鏜） 537
（鐋） 385

táng

糖 542
〔餹〕 542

tǎng

傥 439
镋 523
（儻） 439
（钂） 523

tàng

烫 355
(燙) 355

tāo

涛 353
绦 365
掏 368
〔絛〕 365
〔搯〕 368
韬 493
(縧) 365
〔縚〕 365
(濤) 353
(韜) 493

táo

梼 371
騊 412
綯 412
(綯) 412
(騊) 412
(檮) 371

tǎo

讨 54
(討) 54

tè

铽 432
(鋱) 432

téng

腾 479
誊 484
(謄) 484
藤 554
籐 556
(騰) 479
〔籐〕 554
(籐) 556

tī

锑 436
䴘 525
(銻) 436
(鷉) 525

tí

绨 366
啼 429
鹈 447
騠 455
缇 455
〔嗁〕 429
(綈) 366
题 520
(緹) 455
蹄 535
〔蹏〕 535
鳀 549
(題) 520
(鵜) 447
(騠) 455
(鯷) 549

tǐ

体 146
(體) 146

tì

剃 294
〔薙〕 294
〔鬀〕 294

tián

阗 484
(闐) 484

tiáo

条 151
(條) 151
龆 468
鲦 526
(齠) 468
(鰷) 526

tiào

眺 376
粜 407
〔覜〕 376
(糶) 407

tiē

贴 271
(貼) 271

tiě

铁 332
(鐵) 332

tīng

厅 19
听 142
烃 293
烴 304
(烴) 293
(綎) 304
(聽) 142
(廳) 19

tǐng

颋 437
(頲) 437

tóng

〔仝〕 79
同 79
诇 230
铜 382
(詷) 230
(銅) 382
鲖 508
(鮦) 508

tǒng

统 306
筒 438
(統) 306
〔筩〕 438

tòng

同 79
恸 297
〔衕〕 79
（慟） 297

tōu

偷 387
〔媮〕 387

tóu

头 52
（頭） 52

tú

图 202
涂 354
駼 365
（塗） 354
（圖） 202
（駼） 365

tǔ

钍 203
（釷） 203

tù

〔兎〕 215
兔 215
〔兔〕 215

tuán

团 78
抟 118
（摶） 118
（團） 78
（糰） 78

tuí

隤 407
颓 476
（隤） 407
（頹） 476
〔穨〕 476

tuǐ

腿 479
〔骽〕 479

tún

饨 152
（飩） 152
鲀 442
（魨） 442
臀 552
〔臋〕 552

tuō

托 64
拖 181
〔拕〕 181
〔託〕 65

tuó

驮 112
驼 239
鸵 344
（馱） 112
〔駄〕 112
鮀 481
〔駞〕 239
（駝） 239
（鴕） 344
（鮀） 481
鼍 563
（鼉） 563

tuǒ

椭 423
（橢） 423

tuò

拓 180
萚 370
箨 505
（蘀） 370
（籜） 505

W

wā

洼 294
娲 363
（媧） 363
蛙 428
（窪） 294
〔鼃〕 428

wà

袜 360
（襪） 360
〔韈〕 360
〔韤〕 360

wān

弯 285
塆 418
湾 448
（彎） 285
（壪） 418
（灣） 448

wán

纨 113
玩 178
（紈） 113
顽 309
（頑） 309
〔翫〕 178

wǎn

〔盌〕 466
挽 312
〔盌〕 466
绾 413
〔椀〕 466
碗 466
〔輓〕 312
（綰） 413

wàn

万 8
沥 101
(萬) 8
(澫) 101

wáng

〔亾〕 10
亡 10

wǎng

网 83
〔㒺〕 202
罔 202
〔徃〕 209
往 209
辋 425
(網) 83
(輞) 425

wàng

望 395
〔朢〕 395

wēi

鳂 549
(鰃) 549

wéi

韦 16
为 30
违 117
围 140
帏 144
闱 158
𬇹 160
沩 162
(韋) 16
涠 354
维 411
(幃) 144
(圍) 140
(爲) 30
(湋) 160
(違) 117
鮠 508
潍 512
(維) 411
(潿) 354
(溈) 162
(闈) 158
(鮠) 508
(濰) 512

wěi

伟 85
伪 88
苇 126
䓕 127
纬 173
玮 178
𬀩 197
炜 222
诿 361
(偉) 85
(葦) 126
𬱟 442
(瑋) 178
韪 468
(暐) 197
(煒) 222
(僞) 88
鲔 507
(蔿) 127
(頠) 442
(諉) 361
(緯) 173
(鮪) 507

(韙) 468

wèi

卫 12
硙 374
谓 405
喂 429
猬 443
(磑) 374
〔蝟〕 443
(衛) 12
〔餧〕 429
(謂) 405
〔餵〕 429
鳚 561
(鰄) 561

wēn

辒 467
(轀) 467
鳁 549
(鰮) 549

wén

𫘜 176
纹 175
闻 288
蚊 326
(紋) 175
阌 396
(駇) 176
(聞) 288
(閿) 396
〔螡〕 326
〔蟁〕 326

wěn

吻 143
〔脗〕 143
稳 504
(穩) 504

wèn

问 99
(問) 99

wēng

𬭩 523
鹟 525
(鎓) 523
(鶲) 525

wèng

瓮 213
〔甕〕 213
〔罋〕 213

wō

挝 244
莴 314
(萵) 314
窝 450
蜗 470
(窩) 450
(撾) 244
(蝸) 470

wò

龌 545
(齷) 545

wū

乌 29
邬 94
〔汙〕 101
污 101
〔汚〕 101
呜 143
钨 274
诬 299
(烏) 29
(鄔) 94
(嗚) 143
(誣) 299
(鎢) 274

wú

无 16
芜 126
鹀 422
铻 432
(無) 16
(蕪) 126
(鋙) 432
(鵐) 422

wǔ

庑 155
溆 160
怃 162
忤 163
妩 172
〔啎〕 163
鹉 458
(廡) 155
(潕) 160
(憮) 162
(嫵) 172
(鵡) 458

wù

务 49
坞 122
误 300
(務) 49
〔隖〕 122
骛 454
(塢) 122
雾 467
(誤) 300
骛 514
(霧) 467
(騖) 454
(鶩) 514

X

xī

饻 285
栖 316
牺 334
〔晳〕 427
晰 427
腊 441
〔厀〕 525
〔煕〕 495
锡 473
溪 486
熙 495
〔熈〕 495
(餏) 285
嘻 521
膝 525
(錫) 473
〔谿〕 486
〔譆〕 521
(犧) 334

xí

习 13
席 347
觋 372
袭 374
(習) 13
〔蓆〕 347
骒 491
(覡) 372
鳛 561
(騱) 491
(鰼) 561
(襲) 374

xǐ

玺 344
铣 383
(銑) 383
镱 546
(璽) 344
(鎝) 546
鳍 564
(鰭) 564

xì

戏 110
饩 152
系 153
屃 169
细 238
(係) 153
(屓) 169
绤 365
阋 396

(細) 238
(谿) 365
〔戯〕 110
(戲) 110
(鬩) 396
(餼) 152
(繫) 153

xiā

虾 266
(蝦) 266

xiá

侠 206
峡 270
(俠) 206
狭 283
(峽) 270
(狹) 283
硖 374
〔陿〕 283
(硤) 374
辖 499
(轄) 499

xiān

仙 46
纤 112
〔秈〕 290
籼 290
莶 314
跹 470
锨 474
〔僊〕 46
鲜 509
骞 530
(薟) 314
(鍁) 474
(鮮) 508
(騫) 530
(躚) 470
(纖) 112
〔鱻〕 508

xián

闲 158
〔次〕 295
贤 196
弦 234
挦 247
咸 256
涎 295
娴 363
衔 389
诚 404
〔絃〕 234
(閑) 158
〔閒〕 158
〔啣〕 389
痫 445
鹇 446
〔衘〕 389
(銜) 389
(撏) 247
(賢) 196
(嫻) 363
〔嫺〕 363
(諴) 404
(癇) 445
(鹹) 256
(鷳) 446

xiǎn

狝 216
显 264
险 302
蚬 326
崄 328
猃 344
〔尟〕 509
〔尠〕 509
(蜆) 326
鲜 509
(險) 302
(嶮) 328
(獫) 344
藓 544
(獮) 216
(蘚) 544
(顯) 264

xiàn

苋 126
县 138
岘 144
现 179
晛 198
线 236
睍 264
宪 298
(莧) 126
(峴) 144
(現) 179
(晛) 198
馅 393
(晛) 264
缐 455
献 463
(綫) 236
(線) 455
〔線〕 236
(縣) 138
(餡) 393
(憲) 298
(獻) 463

xiāng

乡 14
芗 68
厢 373
(鄉) 14
〔廂〕 373
缃 454
(薌) 68
(緗) 454
骧 565
镶 568
(鑲) 568
(驤) 565

xiáng

详 232

(詳) 232

xiǎng

享 217
响 268
饷 285
〔亯〕 217
飨 457
(餉) 285
鲞 511
(鮝) 511
(饗) 457
(響) 268
〔饟〕 285

xiàng

向 89
项 244
(項) 244
〔曏〕 89
(嚮) 89

xiāo

枭 216
哓 265
骁 304
鸮 326
绡 365
萧 371
(梟) 216
销 433
(綃) 365
箫 506
潇 511
(嘵) 265
(銷) 433
(蕭) 371
(鴞) 326
蟏 545
嚣 554
(簫) 506
(瀟) 511
(囂) 554
(驍) 304
(蠨) 545

xiáo

淆 400
〔殽〕 400

xiǎo

晓 324
谀 405
(曉) 324
(謏) 405

xiào

〔効〕 349
〔咲〕 337
笑 337
效 349
啸 380
〔傚〕 349
敩 449
(嘯) 380
(斆) 449

xiē

蝎 521
〔蠍〕 521

xié

叶 43
协 70
邪 74
(協) 70
胁 214
挟 245
(挾) 245
〔脇〕 214
〔衺〕 74
(脅) 214
谐 404
携 460
撷 517
〔擕〕 460
鞋 518
缬 531
〔攜〕 460
(諧) 404
(擷) 517
〔擕〕 460
〔鞵〕 518
〔攜〕 460
(纈) 531

xiě

写 55
(寫) 55

xiè

泄 224
泻 225
绁 237
〔洩〕 224
(紲) 237
亵 444
谢 451
〔絏〕 237
(謝) 451
燮 550
(褻) 444
(瀉) 225
〔蠏〕 561
蟹 561
〔爕〕 550

xīn

䜣 104
欣 209
〔訢〕 209
(訢) 104
锌 435
廞 445
(鋅) 435
(廞) 445

xín

镡 546
(鐔) 546

xìn

衅 389
(釁) 389

xīng

兴 102
骍 365
(興) 102
(騂) 365

xíng

饧 94
陉 171
娙 234
荥 250
钘 271
(陘) 171
(娙) 234
铏 381
(鈃) 271
(鉶) 381
(滎) 250
(餳) 94

xìng

幸 184
〔倖〕 183

xiōng

凶 28
〔兇〕 28
讻 105
汹 161
〔洶〕 161
胸 342
〔胷〕 342
(訩) 105

xiòng

诇 167
(詗) 167

xiū

修 279
〔脩〕 279
鸺 387
馐 482
(鵂) 387
(饈) 482

xiù

绣 365
锈 434
(綉) 365
(銹) 434
〔繡〕 365
〔鏽〕 434

xū

讦 54
吁 77
须 280
顼 308
(訏) 54
谞 406
(須) 280
媭 440
(頊) 308
(嬃) 440
(諝) 406
繻 552
(繻) 552
(鬚) 280

xǔ

许 104
诩 232
(許) 104
(詡) 232

xù

〔卹〕 297
〔衂〕 297
叙 281
恤 297
勖 377
〔勗〕 377
〔敍〕 281
〔敘〕 281
绪 409
续 409
〔壻〕 453
婿 453
〔賉〕 297
(緒) 409
(續) 409

xuān

轩 136
(軒) 136
谖 406
〔萲〕 421
萱 421
喧 430
锠 434
(鋗) 434
谖 530
〔藼〕 421
(諼) 406
〔諠〕 430
〔蕿〕 421
〔蘐〕 421
(譞) 530

xuán

玹 239
悬 376
旋 395
璇 516
(玹) 239
〔璿〕 516
(懸) 376

xuǎn

选 276
(選) 276
癣 561
(癬) 561

xuàn

券 221

绚 305
铉 333
旋 395
(絢) 305
〔楥〕 464
楦 464
(鉉) 333
(鏇) 395

xuē

靴 461
〔鞾〕 461

xué

峃 227
学 227
(嶨) 227
(學) 227

xuě

鳕 560
(鱈) 560

xuè

谑 405
(謔) 405

xūn

勋 268
埙 311
(勛) 268
(塤) 311
熏 505
〔勳〕 268
〔壎〕 311
纁 552
〔燻〕 505
(纁) 552

xún

〔廵〕 114
寻 106
纠 113
巡 114
询 231
郇 232
浔 296
(紃) 113
珣 309
焊 353
(尋) 106
〔尋〕 106
(詢) 231
鲟 509
(郇) 232
(潯) 296
(珣) 309
(焊) 353
(鱘) 509

xùn

训 56
讯 56
驯 113
徇 280
〔狥〕 280
逊 302
(訓) 56
(訊) 56
(馴) 113
(遜) 302

Y

yā

丫 11
压 71
〔枒〕 11
垭 244
鸦 260
桠 316
鸭 325
(埡) 244
(椏) 316
〔椏〕 11
(鴉) 260
(鴨) 325
(壓) 71
〔鵶〕 260

yǎ

哑 264
(啞) 264

yà

轧 40
亚 67
讶 103
(亞) 67
(軋) 40
娅 302
氩 334
(訝) 103
(婭) 302
(氬) 334

yān

咽 267
恹 297
胭 341
烟 352
〔菸〕 352
阉 396
腌 442
〔煙〕 352
〔醃〕 442
燕 533
(閹) 396
(懨) 297
〔臙〕 341

yán

闫 99
严 127
岩 199
埏 305
盐 310
(閆) 99
阎 396
〔嵒〕 199
(綖) 305

颜 528
(閻) 396
檐 544
(顏) 528
(嚴) 127
〔簷〕 544
〔巘〕 199
〔巖〕 199
(鹽) 310

yǎn

䶮 258
俨 278
厣 373
𫛭 496
𬙂 515
魇 519
𪩘 536
(縯) 515
黡 554
(厴) 373
(鶠) 496
(龑) 258
(儼) 278
〔鼴〕 569
(魘) 519
(巘) 536
鼹 569
(黶) 554

yàn

厌 71
觃 145
砚 257
咽 267
艳 308
(覎) 145
宴 358
验 365
谚 406
(硯) 257
雁 424
焰 447
滟 485
酽 497
(厭) 71
餍 519
〔鴈〕 424
谳 530
燕 532
赝 534
〔燄〕 447
(諺) 406
〔驗〕 365
(贋) 534
〔嚥〕 267
〔贗〕 534
(驗) 365
〔鷰〕 532
〔醼〕 358
(饜) 519
〔讌〕 358
(艷) 308
(釅) 497
〔豔〕 308
(讞) 530
(灧) 485
〔豓〕 308

yāng

鸯 327
(鴦) 327

yáng

扬 67
阳 108
杨 131
旸 141
飏 151
炀 160
钖 204
疡 219
(陽) 108
(揚) 67
(楊) 131
〔敭〕 67
(暘) 141
(煬) 160
(瘍) 219
(錫) 204
〔颺〕 67
(颺) 151

yǎng

养 289
痒 395
(養) 289
(癢) 395

yàng

样 318
(樣) 318

yāo

么 9
夭 24
〔殀〕 24

yáo

尧 74
侥 207
肴 211
轺 259
峣 270
窑 403
(堯) 74
(軺) 259
谣 451
(僥) 207
(嶢) 270
〔窰〕 403
〔窯〕 403
〔餚〕 211
(謠) 451
鳐 557
(鰩) 557

yǎo

咬 269
〔齩〕 269

yào
药 252
钥 274
鹞 525
(藥) 252
〔燿〕 563
耀 563
(鷂) 525
(鑰) 274

yé
邪 74
爷 92
铘 381
(爺) 92
(鋣) 381

yě
〔埜〕 377
野 377
〔壄〕 377

yè
业 41
叶 42
页 71
邺 137
夜 218
(頁) 71
〔亱〕 218
晔 325
烨 352
谒 405
(葉) 42
(業) 41
馌 482
(曄) 325
(燁) 352
靥 519
(鄴) 137
(謁) 405
(饁) 482
〔爗〕 352
(靨) 519

yī
医 133
〔吚〕 268
祎 230
咿 268
铱 384
(禕) 230
(銥) 384
(醫) 133

yí
仪 46
诒 168
饴 217
贻 271
〔迻〕 386
移 386
(貽) 271
遗 428
(詒) 168
颐 463
(飴) 217
(遺) 428
(儀) 46
(頤) 463

yǐ
以 34
〔叺〕 34
〔目〕 34
钇 83
蚁 266
舣 281
(釔) 83
顗 430
齮 535
(蟻) 266
(顗) 430
(艤) 281
(齮) 535

yì
亿 8
义 12
艺 18
忆 31
议 56
异 107
呓 139
译 168
峄 201
钆 203
怿 226
诣 231
驿 240
绎 240
轶 259
谊 363
勚 370
〔異〕 107
(釴) 203
(軼) 259
(詣) 231
(義) 12
缢 492
(勩) 370
瘗 510
鹝 519
镒 524
(億) 8
(誼) 363
(瘞) 510
鹢 529
〔瞖〕 544
(嶧) 201
(懌) 226
(憶) 31
缋 543
(縊) 492
翳 544
(藝) 18
虉 553
镱 555
(鎰) 524

(繹) 240
(繶) 543
(譯) 168
(議) 56
(鷁) 519
(囈) 139
(鐿) 555
(鷊) 529
(驛) 240
(虉) 553

yīn

〔囙〕 80
因 80
阴 109
荫 252
姻 302
𬘡 304
骃 304
殷 339
(陰) 109
铟 382
𬤇 404
〔陻〕 416
〔隂〕 109
堙 416
喑 429
𬮱 446
〔婣〕 302
(絪) 304
(蔭) 252
〔慇〕 339
(銦) 382
〔瘖〕 429
(駰) 304
(諲) 404
(闉) 446

yín

吟 143
訚 350
〔唫〕 143
银 385
淫 400
〔婬〕 400
龂 426
〔滛〕 400
龈 499
(銀) 385
(誾) 350
(齗) 426
(齦) 499

yǐn

饮 153
隐 408
(飲) 153
〔飮〕 153
瘾 542
(隱) 408
(癮) 542

yìn

荫 252
(蔭) 252
䲟 480
〔廕〕 252
慭 520
(憖) 520
(鮣) 480

yīng

莺 316
䓨 370
婴 380
蓥 463
锳 473
撄 494
嘤 501
罂 502
缨 514
璎 516
樱 519
鹦 536
(鍈) 473
(罃) 370
(嬰) 380
〔甖〕 502
鹰 557
(鎣) 463
(攖) 494
(罌) 502
(嚶) 501
(瓔) 516
(櫻) 519
(鶯) 316
(纓) 514
(鷹) 557
〔鸎〕 316
(鸚) 536

yíng

茔 186
荥 250
莹 315
萤 370
营 370
萦 371
溁 447
(塋) 186
滢 486
蝇 501
(滎) 250
潆 511
(瑩) 315
(螢) 370
(營) 370
(縈) 371
赢 551
(濚) 447
(瀅) 486
(蠅) 501
(瀠) 511
(贏) 551

yǐng

颍 442
颖 481
(潁) 442
〔穎〕 481

(穎) 481
瘿 541
(癭) 541

yìng

应 156
映 265
〔暎〕 265
(應) 156

yō

哟 270
(喲) 270

yōng

佣 147
拥 182
痈 348
(傭) 147
雍 483
(擁) 182
镛 537
〔雝〕 483
(鏞) 537
鳙 561
(鱅) 561
(癰) 348

yóng

颙 521
(顒) 521

yǒng

咏 199
涌 356
恿 409
〔慂〕 409
〔詠〕 199
〔湧〕 356
踊 500
〔慂〕 409
鲬 527
(踴) 500
(鯒) 527

yòng

佣 147

yōu

优 85
忧 163
(憂) 163
(優) 85

yóu

邮 141
犹 150
莸 314
铀 332
(郵) 141
鱿 442
(猶) 150
〔遊〕 448
游 448
鞧 467
(鈾) 332
蚰 480
(蕕) 314
(魷) 442
(鞦) 467
(蚰) 480

yǒu

铕 381
(銪) 381

yòu

诱 300
(誘) 300

yū

纡 112
(紆) 112

yú

玙 116
欤 136
余 149
鱼 215
谀 361
(魚) 215
渔 401
逾 440
觎 478
舆 506
(漁) 401
(餘) 149
(諛) 361
〔踰〕 440
(覦) 478
(璵) 116
(輿) 506
(歟) 136

yǔ

与 7
屿 81
伛 85
语 299
(與) 7
(傴) 85
(語) 299
龉 520
(嶼) 81
(齬) 520

yù

驭 62
吁 77
饫 152
妪 172
郁 190
狱 284
钰 330
预 364
欲 391
阈 396
谕 406
(馭) 62

御 440
鹆 441
(飫) 152
〔廕〕 449
寓 449
蓣 463
(鈺) 330
愈 478
滪 487
誉 488
(預) 364
(獄) 284
〔瘉〕 478
(嫗) 172
〔慾〕 391
(蕷) 463
(閾) 396
(諭) 406
(澦) 487
(禦) 440
鹬 552
(鵒) 441
〔癒〕 478
(譽) 488
(鷸) 552
〔欝〕 190
〔鬱〕 190
(鬱) 190
(籲) 77

yuān

鸢 195
鸳 345
〔寃〕 362
冤 362
渊 400
〔寃〕 362
(淵) 400
(鳶) 195
(鴛) 345

yuán

园 139
员 142
(員) 142
圆 328
鼋 415
〔猨〕 481
缘 457
(園) 139
(圓) 328
猿 481
源 491
辕 498
〔蝯〕 481
(緣) 457
橼 534
(黿) 415
(轅) 498
(櫞) 534
(騵) 491

yuǎn

远 117
(遠) 117

yuàn

愿 498
(願) 498

yuē

约 113
(約) 113
蠖 562
(蠖) 562

yuè

轨 136
岳 206
(軏) 136
钺 331
阅 351
跃 377
(鉞) 331
鹫 509
(閱) 351
〔嶽〕 206
(躍) 377
(鸑) 509

yūn

赧 489
赟 541
(赧) 489
(贇) 541

yún

云 17
芸 126
沄 160
纭 173
郧 268
涢 354
(紜) 173
(雲) 17
(鄖) 268
筼 477
(溳) 354
(蕓) 126
(澐) 160
(篔) 477

yǔn

陨 302
殒 375
(隕) 302
(殞) 375

yùn

运 117
郓 230
恽 298
晕 325
酝 373
(鄆) 230
(惲) 298
(運) 117
缊 455
韫 458
(暈) 325

韵 483
蕴 518
（緼） 455
（醞） 373
（藴） 518
（韞） 458
〔韻〕 483

Z

zā

〔帀〕 38
匝 38
臜 564
（臢） 564

zá

杂 93
咱 268
〔襍〕 93
（雜） 93

zāi

灾 164
〔災〕 164
〔烖〕 164
〔菑〕 164

zài

〔再〕 70
〔再〕 70
再 70
载 309
（載） 309

zān

〔簪〕 556
簪 556

zán

咱 268
〔偺〕 268
〔喒〕 268
〔偺〕 268
〔喒〕 268

zǎn

攒 559
（攢） 559
趱 569
（趲） 569

zàn

暂 425
〔賛〕 538
（暫） 425
錾 535
赞 538
〔蹔〕 425
（鏨） 535
（贊） 538
瓒 563
（瓚） 563
〔讚〕 538

zāng

赃 329
脏 343
（髒） 343
（臟） 329

zǎng

驵 237
（駔） 237

zàng

脏 343
〔塟〕 420
葬 420
〔塟〕 420
（臟） 343

zāo

糟 551
〔蹧〕 551

záo

凿 426
（鑿） 426

zǎo

枣 190
（棗） 190

zào

〔皁〕 148
皂 148
灶 159
〔唕〕 326
唣 326
噪 536
〔譟〕 536
（竈） 159

zé

则 82
责 178
择 185
泽 226
（則） 82
（責） 178
啧 376
帻 380
（嘖） 376
（幘） 380
箦 505
赜 518
（擇） 185
（澤） 226
（簀） 505
（賾） 518

zéi

贼 329
（賊） 329
鲗 508
（鰂） 508

zèn

谮 513
（譖） 513

zēng

缯 531
(繒) 531

zèng

锃 433
(鋥) 433
赠 536
(贈) 536

zhā

扎 18
〔紮〕 18
〔紥〕 18

zhá

札 38
闸 220
〔劄〕 38
铡 382
(閘) 220
〔牐〕 220
〔劄〕 38
(鍘) 382

zhǎ

鲊 480
(鮓) 480

zhà

〔吒〕 269
诈 167
〔柵〕 254
栅 254
咤 269
(詐) 167
〔搾〕 496
榨 496
蜡 500

zhāi

〔亝〕 348
斋 348
(齋) 348

zhài

债 337
〔砦〕 512
(債) 337
寨 512

zhān

占 40
沾 224
毡 275
谵 531
〔霑〕 224
馆 541
〔氊〕 275
(氈) 275
鹯 557
(譫) 531
(饘) 541
鳣 567
(鱣) 567
(鸇) 557

zhǎn

斩 194
飐 284
盏 309
(斬) 194
崭 380
〔琖〕 309
(盞) 309
〔嶃〕 380
(嶄) 380
(颭) 284
〔醆〕 309

zhàn

占 40
〔佔〕 40
栈 253
战 261
绽 413
(棧) 253
(綻) 413
(戰) 261

zhāng

张 170
(張) 170
獐 509
〔麞〕 509

zhǎng

涨 355
(漲) 355

zhàng

帐 144
账 201
胀 214
(帳) 144
(脹) 214
(賬) 201

zhāo

钊 146
铝 334
(釗) 146
(鉊) 334

zhào

诏 167
赵 245
〔炤〕 469
棹 422
(詔) 167
照 469
(趙) 245
鲱 508
(鮡) 508
〔櫂〕 422

zhé

折 120

哲 311
辄 375
〔喆〕 311
蛰 418
詟 424
谪 489
（摺） 121
（輒） 375
〔輙〕 375
辙 535
（蟄） 418
（謫） 489
（轍） 535
〔讁〕 489
（讋） 424

zhě

锗 472
（鍺） 472

zhè

这 156
（這） 156
浙 353
〔淛〕 353
鹧 541
（鷓） 541

zhēn

贞 75
针 145
侦 207
珍 243
〔珎〕 243
（貞） 75
帧 270
浈 295
桢 316
砧 319
（針） 145
祯 360
（偵） 207
〔遉〕 207
（幀） 270
（湞） 295
（楨） 316
（禎） 360
〔碪〕 319
〔鍼〕 145

zhěn

诊 167
轸 259
（軫） 259
（診） 167
缜 491
（縝） 491

zhèn

阵 108
纼 176
鸩 300
（陣） 108
（紖） 176
〔酖〕 300
赈 380
（賑） 380
镇 522
（鴆） 300
（鎮） 522

zhēng

征 209
钲 330
症 348
铮 384
（鉦） 330
（錚） 384
（徵） 209
（癥） 348

zhèng

证 164
郑 221
诤 231
症 348
（諍） 231
（鄭） 221
（證） 164

zhī

只 44
卮 47
〔巵〕 47
织 238
栀 254
（隻） 44
〔梔〕 254
（織） 238

zhí

执 65
侄 207
〔妷〕 207
〔姪〕 207
（執） 65
职 370
絷 418
跖 428
踯 521
（縶） 418
（職） 370
〔蹠〕 428
（躑） 521

zhǐ

只 44
〔阯〕 120
址 120
〔帋〕 175
纸 175
〔衹〕 44
轵 259
〔秖〕 44
（祇） 44
（紙） 175
（軹） 259

zhì

志 123

帜 200
帙 200
制 204
质 208
栉 253
贽 312
挚 312
轾 320
致 321
〔袟〕 200
鸷 368
掷 368
铚 382
〔袠〕 200
𬃊 422
滞 447
骘 453
(輊) 320
置 471
锧 474
稚 476
〔寘〕 471
(製) 204
(銍) 382
〔誌〕 124
(滯) 447
(摯) 312
踬 521
(幟) 200
〔稺〕 476
(質) 208
觯 527
(緻) 322
(擲) 368
(櫛) 253
〔穉〕 476
(贄) 312
(櫍) 422
(觶) 527
(騭) 453
(鷙) 368
(躓) 521
(鑕) 474

zhōng

终 239
钟 272
(終) 239
锺 503
(鍾) 272,503
(鐘) 272

zhǒng

肿 213
种 277
冢 360
〔塚〕 360
(腫) 213
(種) 277

zhòng

众 92
〔眾〕 92
(衆) 92

zhōu

诌 167
周 214
辀 320
鸼 390
〔週〕 214
赒 431
(輈) 320
(賙) 431
(鵃) 390
(謅) 167

zhóu

轴 259
(軸) 259

zhǒu

帚 233
〔箒〕 233

zhòu

纣 112
㑇 148
〔呪〕 198
咒 198
㤘 226
绉 239
荮 252
昼 301
(紂) 112
皱 345
(晝) 301
(葤) 252
(㑳) 148
(㥮) 226
(皺) 345
(縐) 239
骤 552
(驟) 552

zhū

朱 84
诛 230
诸 359
(硃) 84
铢 382
猪 392
(誅) 230
槠 496
(銖) 382
〔豬〕 392
(諸) 359
(櫧) 496

zhú

术 38
烛 352
(燭) 352

zhǔ

𬣙 106
〔煑〕 418
煮 418

(詝) 106
嘱 522
瞩 545
(囑) 522
(矚) 545

zhù

伫 89
苎 128
〔佇〕 89
纻 176
(苧) 128
贮 202
注 225
驻 239
〔竚〕 89
(紵) 176
(貯) 202
铸 431
筑 438
〔註〕 225
〔筯〕 505
箸 505
(駐) 239
(築) 438
(鑄) 431

zhuān

专 17
肫 213
砖 256
〔耑〕 17
(專) 17
〔塼〕 256
〔甎〕 256
颛 522
(膞) 213
(磚) 256
(顓) 522

zhuǎn

转 194
(轉) 194

zhuàn

啭 377
赚 502
撰 517
馔 527
(賺) 502
〔譔〕 517
(饌) 527
(囀) 377
〔籑〕 527

zhuāng

妆 96
庄 97
(妝) 96
(莊) 97
桩 317
装 444
〔粧〕 96
(裝) 444
(樁) 317

zhuàng

壮 95
状 154
(壯) 95
(狀) 154
戆 570
(戇) 570

zhuī

骓 411
锥 474
(錐) 474
(騅) 411

zhuì

坠 171
缀 414
缒 456
赘 493
(墜) 171
(綴) 414
(縋) 456
(贅) 493

zhūn

谆 362
(諄) 362

zhǔn

准 347
綧 412
(準) 347
(綧) 412

zhuō

桌 322
〔棹〕 322
锗 536
(鍺) 536

zhuó

斫 257
浊 295
诼 360
〔斮〕 257
〔斲〕 257
(諑) 360
鷟 542
(濁) 295
〔斵〕 257
镯 555
(鐲) 555
(鷟) 542

zī

赀 322
资 349
缁 414
辎 425
〔貲〕 349
(貲) 322
锱 476
(資) 349
龇 499

磁 504
（緇） 414
（輜） 425
（錙） 476
鲻 541
（鎡） 504
（鯔） 541
（齜） 499

zǐ

〔姉〕 172
姊 172

zì

〔眥〕 376
眦 376
渍 399
（漬） 399

zōng

综 413
棕 423
〔椶〕 423
（綜） 413
踪 521
鬃 553
〔騌〕 553
〔蹤〕 521
〔鬉〕 553
〔騣〕 553

zǒng

总 290
偬 388
〔傯〕 388
（總） 290

zòng

纵 175
疭 287
粽 511
〔糉〕 511
（瘲） 287
（縱） 175

zōu

邹 152
驺 239
诹 359
（鄒） 152
（諏） 359
鲰 540
（鯫） 540
（騶） 239

zú

镞 537
（鏃） 537

zǔ

诅 166
组 237
（組） 237
（詛） 166

zuān

钻 331
躜 569
〔鑚〕 331
（躦） 569
（鑽） 331

zuǎn

〔篹〕 564
缵 562
纂 564
（纘） 562

zuì

〔冣〕 427
〔冣〕 427
最 427
罪 471
〔辠〕 471

zūn

樽 534
鐏 547
〔罇〕 534
（鐏） 547
鳟 565
（鱒） 565